Fantasia & Memoria

Giuliana Berlinguer

IL BRACCIO D'ARGENTO

romanzo

IL BRACCIO D'ARGENTO

I.

1.

Tra rumori secchi di rami spezzati in un sottofondo di struscìi, tonfi, rotolamenti, s'alza di colpo e subito scompare il mugolìo di un cane.

Aultinu interrompe la discesa, si gira di scatto: dietro a lui c'è Timau, il suo cucciolo bastardo di cane pastore. Gli si è impigliato il pelo in un cespuglio spinoso, per questo gli è sfuggito un lamento. L'aveva seguito dall'ovile fin qui senza farsi scoprire.

Il cucciolo guarda immobile Aultinu pronto a ricevere il castigo, ma il ragazzo si limita a rimproverarlo. Il posto di Timau è su all'ovile a badare al gregge insieme con gli altri cani, cosa aspetta a tornare indietro?

Timau riprende a mugolare. Come può muoversi infilzato com'è tra le spine?

«Forza, corri all'ovile».

Il cane, visto che Aultinu non ha nessuna intenzione di aiutarlo, cerca di districarsi da solo a morsi e zampate e appena si libera, con il sacrificio di qualche pelo, guizza via come una biscia, in tempo per schivare il piede del padrone.

Aultinu ha una decina d'anni, ma ne dimostra meno: magro, il volto minuto, la pelle scura, olivastra, gli occhi blu argento.

Contento che il cucciolo gli sia tanto amico, scende veloce dalla montagna benché la macchia sia densa e il terreno scivoloso, coperto di foglie imputridite; con la mano sinistra mantiene in equilibrio sulla testa un'assicella con formaggi freschi e ricotte che gocciano siero dai loro cestini di vimini a forma di cono, nella destra stringe un grosso gancio di legno da cui pendono un paio di leprotti scuoiati e un piccolo otre da latte.

2.

È ancora notte quando Aultinu arriva alla costa. La tonnara è in subbuglio. Alla luce di qualche torcia e di qualche lanterna si prepara la partenza per la mattanza. Le barche sono al largo, l'ultima ha appena mollato gli ormeggi.

«Adesso ti fai vedere, Aultinu? Arriva il padrone e non ci stanno le ricotte che ha comandato!»

«Eccole qua».

Quattro donne corrono intorno con le braccia cariche di pezzuole bianche e coroncine di mirto e lanciano strilli ai pescatori.

«Aspettate! C'è altra roba da portare a bordo».

Ma gli uomini non stanno a sentire. Le donne, irritate, tolgono di mano ad Aultinu l'otre col latte e i leprotti, gli riassestano l'asse delle ricotte sul capo, lo spingono verso la riva del mare.

«Corri, Aultinu, portale a bordo».

«Va'!»

«Reggile forte».

Hanno le voci ancora più acute ora che a monte spunta un alone di luce.

È il padrone che avanza in un bagliore di torce tra i cavalieri della scorta, diretto al pontile in fondo all'insenatura dove lo attende il barcone del capomattanza.

Gli zoccoli dei cavalli tuonano sopra lo stradello sassoso al di là della duna di sabbia.

Aultinu vorrebbe restare, ma le donne lo spingono nell'acqua nera, infida, tutta un fragore.

«Aultinu, alza quell'asse, che non si bagni. Fa' in fretta! Devi arrivare alle barche».

Aultinu cammina nell'acqua, ma ogni tanto dà una sbirciata all'indietro. I cavalieri intorno al padrone saranno una trentina, lo circondano, lo stringono, non lasciano neanche uno spiraglio perché lo si possa vedere. Invece Aultinu è curioso di vedere quel signore venuto da tanto lontano, che è il signore vero, quello che vive in Spagna alla corte del re, ben altra cosa dal fattore Rinaldo Ponteddu, che pure spadroneggia e si fa chiamare signore anche lui e si fa consegnare tutta la roba oltre il dovuto; darla al padrone sarebbe diverso, perché al padrone la roba gli spetta, dal momento che la terra che la produce è tutta sua quando non è del sovrano. Questo padrone è molto potente e Aultinu, vedendo la magnificenza della sua scorta di armati, pensa che dev'essere sua anche tutta l'acqua del mare, con quel che dentro ci vive, pesci piccoli e grandi.

Le onde gli vengono incontro e s'infrangono, Aultinu ha paura.

«Minosse Minosse fa' la magia, Minosse Minosse portami via, fammi scampare, gira la coda che col demonio non voglio restare».

La tiritera dovrebbe trasferirlo d'incanto all'ovile, ma non funziona come non ha mai funzionato, anche se Aultinu la recita sempre con una certa speranza. Le onde battono e le barche sono lontane.

«Che avete fatto, Marianna? Quel piccolo affoga!»

«Perché? Dalla barca l'hanno già veduto. Sta' tranquilla che lo issano a bordo».

L'assicella chiara delle ricotte è l'unica cosa che si distingue nel piombo del mare e all'orizzonte, contro il cielo che sbianca, si profilano irti di punte e minacciosi come fortezze i barconi della mattanza.

3.

«Non posso lasciare le mie pecore sole, dovete farmi sbarcare!»

«Scendi, scendi, che questa volta impari a nuotare!»

«Portatemi a riva, le bestie vanno curate».

Nessuno può accontentare il ragazzo. Le barche prendono tutte parte alla mattanza.

Disperato, Aultinu impreca come un ossesso. Vuole parlare con il capobarca per dirgli che se intanto succede qualcosa alle sue bestie, su all'ovile, ne sarà responsabile chi l'ha costretto a restare a bordo.

«Lo sentirete il fattore Ponteddu! Vorrà il danno pagato. Ehi! Avete capito?» strilla Aultinu con rabbia.

Soprattutto si scaglia contro un giovane grande e grosso dai capelli ricci che si diverte a sentirlo urlare.

«Ne conosci peggio di un carrettiere di male parole! Ce l'hai con me?»

«Sei stato tu a mandarmi nella stiva con le ricotte! È colpa tua se non torno all'ovile».

Il ragazzo è furente; quando aveva finito di sistemare le sue ricotte, gli avevano serrato il boccaporto per fargli uno scherzo e l'avevano liberato che si era ormai in mare aperto.

«Adesso non potresti tornare nemmeno a nuoto. Mettiti calmo che c'è da fare».

Le barche sono chiuse a recinto con i tonni imprigionati all'interno. Nessuno ha più tempo per le lagne di Aultinu, con le sue pecore e capre rimaste sole sulla montagna.

L'acqua si riempie di bolle, vortici e creste. Il rumore continua a salire: urla, ordini, richiami, flutti che frangono.

Un uomo, che stranamente non ha alcun lavoro da fare, si mette a fianco di Aultinu che continua a imprecare e a promettere pugni e vendette.

«Hai paura del mare, ragazzo?»

«Paura del mare?»

Aultinu non l'ha nemmeno guardato il mare! Del fattore Ponteddu ha paura. Se succede qualcosa alle bestie lo ammazzerà di botte. Il fattore Ponteddu è un animale e adesso che deve farsi bello davanti al padrone sarà più animale ancora.

«Chi glielo dice che non ho colpa se mi hanno lasciato giù nella stiva?»

«Ci stanno i lupi in montagna da te?»

«I lupi?» Ma dove vive quest'uomo vestito di sbuffi e velluti? «I lupi non ci stanno su queste montagne. Ci sono i ladri! E ci sono le bestie da governare. Hanno i petti gonfi a quest'ora. Bisogna mungerle, i petti troppo pieni danno dolore».

«Ci pensi da solo all'ovile?»

«Certo, ho due braccia e un cervello come gli altri pastori. Ma adesso il fattore Ponteddu mi caccerà».

L'uomo gli mette una mano sul capo.

«Parlerò io al fattore Ponteddu, non stare in pena».

«Non lo fate! Ponteddu piglierà a male parole anche voi».

L'uomo scoppia in una risata, si alza, si avvia al parapetto dove i pescatori hanno pronti gli arpioni, dice qualcosa al capomattanza che fa partire la prima arpionata. Ha inizio la strage dei tonni.

Aultinu è spinto da tutte le parti, finché riesce ad ancorarsi tra due cestoni pieni di attrezzi pesanti. Si asciuga gli occhi, non è tempo di pianti. E con gli occhi asciutti osserva meglio l'uomo che poco prima parlava con lui, seduto su un piccolo palco coperto da un drappo cremisi e argento, con un cavaliere per lato a proteggerlo chissà da che. È il padrone!

«Ci mancava anche questa» pensa Aultinu, «non avrò detto qualcosa di troppo?»

Come ha fatto a non capire? Eppure era stata la barca del capomattanza a prenderlo a bordo quando era mezzo affogato!

Dunque, il forestiero è il padrone in persona, quello che può punire persino i fattori, i sovrintendenti dei fattori e i generali dei sovrintendenti.

4.

Aultinu è investito da uno spruzzo di acqua insanguinata e tornerebbe volentieri dentro la stiva, se il boccaporto non fosse chiuso e coperto da ingombri.

Il recinto formato dai barconi della mattanza è un'orrenda vasca ribollente di sangue e schiume. I tonni atterriti e straziati si agitano come furie prima di rassegnarsi alla morte. Sono forti e menano colpi terribili alle fiancate dei legni. Ondate vermiglie spazzano la tolda ed escono a macchiare il mare dall'altro lato. Gli uomini più vicini all'acqua sono intrisi di sangue. Persino i pizzi al collo e ai polsi del gran signore sono picchiettati di rosso.

Questo spettacolo nuovo non piace ad Aultinu, gli torce

le budella e gli affanna il respiro. Non è stato mai così male al mondo, con quel su e giù senza posa. Sembra che il mare si alzi ogni volta che l'arpione squarcia la pelle dei tonni e fa sgorgare enormi cascate di sangue. Aultinu è abituato a sgozzare i capretti e quando è tempo di macellare aiuta anche a squartare gli animali più grossi, non è il sangue a fargli paura. Però questo sangue ha un odore che non gli è familiare ed è troppo invadente: ci si sguazza dentro, ci si impantana, Aultinu non sa più dove attaccarsi perché tutto è viscido e scivola via.

Un grido e Aultinu fa appena in tempo a vedere il giovane grande e grosso con i capelli ricci, che l'aveva fatto rinchiudere dentro la stiva per gioco, penzolare un attimo aggrappato a una fune e poi piombare dentro il recinto tra i tonni morti e quelli che fanno un inferno per non morire. I compagni allungano cime, pali ed arpioni perché vi si appigli, ma il ragazzo è inghiottito da un gorgo. Un marinaio agguanta con un arpione la fune rimasta in bando e Aultinu se la trova in mano, con il capobarca che gli ordina di tenerla stretta.

Aultinu terrorizzato la mantiene con tutte le forze, ma la cima è sempre più tesa e lo trascinerebbe di sicuro nel mare se per miracolo non s'imbrogliasse all'argano di prua. Gli ha spellato un poco le mani, ma non è il bruciore alle mani la sensazione peggiore per il povero Aultinu che fissa con angoscia quel cerchio di sangue ribollente e si sente già masticato dai tonni, colpito dalle arpionate, affogato dall'acqua e trascinato nel fondo buio.

Mai più sul mare, che dall'ovile sembra un'irraggiungibile meta di svaghi e invece è la morte! Aultinu è stordito. Sente tutte le voci e i rumori confusi, non vede bene quel che succede intorno, a malapena s'accorge quando tirano a bordo il corpo del pescatore caduto.

I tonni muoiono, il giorno è alto, i pescatori hanno fame. Un campanaccio dà il segnale dell'alt. Si cavano dalla stiva il pane, il vino e i formaggi. Un breve ristoro. Ci sarà ancora molto da fare. La mattanza è stata assai fruttuosa.

«Sia data alla famiglia del morto l'intera paga della giornata e un bel pezzo di tonno salato!»

L'autorevole voce del capomattanza sembra calmare lo

sciabordìo delle acque che si adagiano stanche senza più creste, come i pescatori siedono in coperta senza più gesti né grida.

5.

La casa di zia Antonia è bianca come tutte le altre del paese. Pochi gli arredi: i grandi cesti del pane, un tavolo, gli assi per il bucato, tre scanni, le pentole appese vicino al camino e il paglericcio in fondo.

Luce ce n'è parecchia, non è la luce che manca per fare bene il rattoppo. Ma Aultinu, che non si è tolto di dosso le brache, strappa via per scappare in piazza, la zia lo riacciuffa e questo tira e molla fa venire il lavoro ineguale.

Da fuori giungono i suoni delle launeddas e le voci di festa.

«Lasciami il buco, che non m'importa».

Zia Antonia imprigiona il nipote tra le ginocchia e continua tenace.

«C'è tempo, prima che arrivi la cavalcata! Saranno sì e no all'inizio del ballo».

«Io voglio andare anche al ballo».

«Poi ci pensa il fattore a farci ballare! Tu devi tornare all'ovile».

Invano Aultinu ha spiegato alla zia che il fattore non può fargli nulla ora che il padrone in persona gli ha dato il permesso di restare alla festa, perché le ricotte erano buone e il formaggio al ginepro così saporito che ne ha voluto per quattro giorni filati; per quanto Aultinu ripeta con molto orgoglio le precise parole di lode che il padrone ha pronunciato davanti allo stesso fattore Ponteddu, zia Antonia non crede che il ragazzo possa starsene in pace al paese a godersi la festa.

«Il padrone di fuori ha ben altro da fare che proteggere un servo pastore! Deve contare le decime e le regalìe».

«Io vado al ballo e voi venite con me. Sono anni che non ballate. Verrete al ballo e troverete marito. Che c'è da ridere? Siete bella, bellissima e se io fossi grande un marito l'avreste trovato, perché vi avrei sposato da un pezzo».

Le slaccia il grembiule, le mette addosso lo scialle a ricami e la trascina per mano.
«Forse stasera proprio il fattore Ponteddu s'innamora di voi!»

6.

Sul sagrato della chiesa Aultinu non deve dare a lungo il braccio alla zia, contesa da ben tre cavalieri per il ballo tondo; libero da ogni dovere, corre a piazzarsi sotto l'arco intrecciato di frasche e fiori che accampa una scritta in onore del padrone spagnolo, benché nessuno la sappia leggere. Accanto all'arco d'arrivo ci sta il bancone con i premi. Il vincitore avrà una tracolla turchina, dieci monete, un sacco di fave, un otre di vino, delle launeddas e una rosa benedetta nelle cerimonie pasquali, tutta fatta di pane, con petali, foglie e spine bellamente dipinti negli esatti colori della natura. Ci sono quattro monete per chi arriverà secondo, due per il terzo e c'è un premio speciale per l'ultimo: una salsiccia così piccante da fare arrossire.
Non è il momento però di indugiarsi a guardare la mostra dei premi. Aultinu s'intrufola sul palco d'onore, s'arrampica sul baldacchino da dove può vedere lontano ed è il primo a strillare quando vede la polvere alzarsi in fondo alla strada.
«Lo squadrone è in arrivo!»
Non è un vero squadrone, s'intende, né per il numero dei concorrenti né per la qualità. In un paese non si può fare una cavalcata come in una città, che mette in gara cavallerizzi esperti e cavalli di prezzo. Ma quest'anno la corsa è più ricca del solito, perché c'è il signore in visita alle sue terre. Corre qualche soldato che ha avuto il permesso di usare i cavalli della guarnigione, qualche contadino abbastanza fortunato da poter montare una bestia giovane senza essere costretto a darla al fattore, qualche mercante che possiede un ronzino per recarsi di fiera in fiera. Il padrone, con molta giustizia, ha vietato agli uomini della sua scorta di partecipare alla corsa, perché l'avrebbero vinta senz'altro e del resto non vedeva motivo di mettere a rischio buoni cavalli per un gioco in un paese sperduto.

Vince un soldato del posto e la gente urla di gioia, perché c'erano molti concorrenti venuti da fuori e si temeva che arraffassero il primo premio. Il vincitore è portato in trionfo sul prato dove le donne hanno preparato un arrosto di budelli, code e frattaglie, sopra le braci aromatiche del sottobosco.

Per Aultinu la festa è finita. La zia gli fa da lontano cenni preoccupati, perché deve arrivare all'ovile prima di notte. Pazienza, non potrà assistere al divertimento nuovo che il padrone ha fatto venire dal continente per festeggiare il matrimonio recente di un figlio: si tratta di fuochi che scoppiano in cielo. Si scorgeranno da molto lontano e gli altri paesi ne saranno invidiosi e ammirati; non si è mai visto niente di simile in tutta l'isola della Sardegna.

Zia Antonia infilza col bastoncino appuntito che serve per rivoltare i pezzi sulle graticole una bella frattaglia che le sembra cotta a dovere, la posa sopra una sfoglia di pane e la dà al nipote, dicendogli addio.

«D'accordo, zia Antonia, vado, ma voi cercate di trovare marito!»

La zia lo minaccia di botte, ridendo. Salirà tra qualche giorno all'ovile per aiutarlo a tosare le pecore e a lavare la lana.

7.

La strada è piena di polvere e la giornata è afosa. Ad Aultinu fa male il piede destro, perché durante la mattanza ha urtato contro un barilotto di sale; ogni tanto è costretto a fermarsi.

Ci sono ancora sei miglia di strada e soltanto due dita di sole. Aultinu tende il braccio verso il tramonto per misurare di nuovo il tempo di luce che gli resta, quando sente un cavallo al galoppo. Dev'essere uno di quelli della cavalcata. È il vincitore, infatti. Spicca sul petto del cavaliere, fin dalla curva, la stola turchina.

Aultinu si sfila dal collo il brandello di stoffa che usa per ripararsi dalla polvere e per fermare il sudore, come faceva suo padre quando andava in montagna a far legna, e lo sventola piantandosi a piedi larghi in mezzo alla via.

«Sei matto? Volevi finire sotto gli zoccoli dell'animale? Non è facile fermarlo di botto, è tutto caldo per la cavalcata!»

«Lo so. Ho veduto che ha vinto! Gli posso fare una carezza sul muso?»

«Fagliela e sali in groppa. Sei pastore su a monte? Io vado alla torre, se ti lascio lì sei quasi arrivato. Scommetto che la salita la fai come un gatto!»

Aultinu monta felice. Il cavallo riparte al galoppo. Il ragazzo si tiene con una mano alla veste del soldato, con l'altra accarezza la bestia.

«Sei stato bravo».

«A chi lo dici, a me o al cavallo?»

«Tutti e due siete bravi!»

8.

Appese dietro la schiena del vincitore ondeggiano le launeddas. Aultinu le afferra, le porta alla bocca e le suona timidamente.

«Prendile, se sei capace di usarle. Io non ci so fare».

«Sei sicuro che me le vuoi dare?»

Il soldato batte la mano sulla coscia di Aultinu. Come mai è tanto cerimonioso? Sarà l'emozione di stare in groppa al cavallo più veloce di tutto il paese.

«Che ne hai fatto degli altri premi?»

«Spariti!»

Le monete alla madre, le fave sul soppalco in cucina, il vino bevuto, la rosa alla ragazza che gliel'ha messa in mano.

«Allora la devi sposare!»

«Magari: è la figlia di un ufficiale. Ma è già promessa!»

«Perché non ti sei fermato alla cena? C'erano dolci speciali, vini rossi e dorati, c'era perfino un botticello di rosolio dei frati. Le ragazze avrebbero dovuto legarti stretto e non lasciarti partire. Ci sono anche i poeti stasera! Inventeranno stornelli in tuo onore e tu sei scappato».

«Fosse stato per me... Abbiamo tirato a sorte prima della cavalcata e sono uscito per il turno di notte. Non ci sono pericoli in vista, ma non possiamo lasciare le difese sguarnite».

«E vai tu solo a fare la guardia?»

«No, siamo in otto, gli altri sette sono già là. Mi è stato concesso di brindare per la vittoria».

Cavalcano in silenzio per un bel tratto, con l'aria del tramonto che liscia le facce.

«Non hai paura a star solo all'ovile?»

«Ci sono sempre stato».

Un altro tratto di strada in silenzio, poi Aultinu dà una tirata al cinturone del soldato e gli confessa che sì, qualche volta ha paura, ma non sa di che cosa. In ogni modo fa finta di niente, guai se le bestie si accorgono che il pastore non ha coraggio. Per fortuna i suoi cani hanno coraggio per tutti. Aultinu si tiene sempre un cane vicino, la notte, così se ha paura gli basta allungare il collo per sentire sulla faccia il calore del pelo. E se vuole parlare a qualcuno c'è Timau, il cucciolo, sempre pronto ad ascoltare e rispondere; risponde con i guaiti, con gli occhi, con le orecchie e la coda.

«Fammi scendere, qua mi va bene».

La torre di guardia è a trecento passi, bella, grande, massiccia, con attorno qualche cavallo e un paio di barche tirate in secco. Aultinu smonta, saluta l'amico, dà al cavallo un'affettuosa botta di riconoscenza e con le launeddas al collo sale per la montagna.

9.

Il sole non è ancora calato quando Aultinu munge l'ultima pecora. Timau gli sta accoccolato al fianco e ogni tanto cerca di sgraffignargli una parte del pane e del formaggio che il ragazzo ha preparato per la propria cena.

«Giù la zampa, non è ora di mangiare, per noi. C'è da fare, non vedi? Dopo ti do il tuo pastone».

L'ovile è su uno sperone isolato, davanti c'è solo il mare, dietro una breve valle, poi un monte più alto e l'una e l'altro sono ricoperti di macchia. Ogni tanto c'è un piccolo prato. Sotto, sulla costa, si vede la torre di guardia, con la bandiera spagnola che sventola e un fumo che s'alza. È festa, i soldati avranno una cena speciale.

Vicino al ragazzo bolle qualcosa; quattro pietre e due vecchi ferri da cavallo sostengono il pentolino di coccio sul fuoco. Non è minestra, è l'impiastro per curare una capra malata. Bisogna far cuocere piano e unire ogni tanto le erbe, in una successione precisa. Adesso è il momento di aggiungere un poco di sparto, uno, due, tre rametti sminuzzati. Girare dieci volte con il cucchiaio, spezzare quattro foglie di alloro. Girare di nuovo per il tempo di tre avemarie. Fatto! Si versa l'impiastro su una grande e spessa foglia di fico, si spiana bene, si soffia forte per calmare il bollore, poi si spalma sulla schiena ferita della capra, dopo averla lavata e liberata dal pelo. La bestia sta buona, lascia fare, guarda con gli occhi sgranati il padrone. Aultinu le parla, le dice che presto sarà guarita, le spiega le virtù dell'alloro, dello sparto, dell'anice, di tutto quello che ha mescolato.

Con pochi ordini secchi il ragazzo, aiutato dai cani, manda le bestie nel chiuso; solo una pecora è rimasta indietro, perché ha la zampa impigliata in un cespuglio.

«Tu, con quello stecco, ringrazia Iddio se ci puoi camminare. Stacci attenta! Io non ho tempo di rifarti ogni mese una zampa nuova».

La pecora gli risponde con un lungo belato.

«Hai ragione anche tu di protestare, non l'ho fatta bene. Questa punta esce fuori e s'attacca come un uncino. Devo trovarti un ramo ricurvo, a quest'altezza ci si fa un foro, ci si infila un salice molle, si lima, e verrà una zampa discreta. Il primo giorno che piove te la rifaccio».

La pecora è liberata e zoppicando si avvia al chiuso. La sua zampa posticcia è un complicatissimo aggeggio di legno, con un pezzo di pelle ricucita intorno.

«Pari una pecora matta con tutti i salti che ti tocca fare!»

La pecora infatti cammina sballonzolando, ma il moncherino sta saldo e il congegno serve allo scopo.

È scesa la notte. Aultinu prima di spegnere il fuoco infiamma una minuscola torcia, ha ancora qualcosa da fare. La capra malata attende distesa, con la foglia impiastrata sopra la schiena. Aultinu taglia dei rametti sottili, controlla che si possano agevolmente piegare e fissa con quelli il medicamento ben stretto alla ferita, passando gli stroppelli sotto la pancia e la coda.

Si sentono degli scoppi improvvisi. Prudente per abitudine, Aultinu spegne la torcia. Timau si agita intimorito.

«Che temi? Cane da cortile sei, non da pastore! Sono gli scoppi dei fuochi nuovi, alla festa».

Per essere più convincente e per far festa anche all'ovile Aultinu si mette a suonare le launeddas.

Nessun bagliore speciale nel cielo, i fuochi sono troppo lontani e c'è davanti lo sperone di roccia. Dev'essere bello, in paese! Chissà se zia Antonia ha trovato marito? Nelle feste succede. Se Aultinu sistemasse la zia, fra qualche anno potrebbe magari farsi soldato e girare il mondo; gli piacerebbe vedere cosa c'è dall'altra parte del mare. Zia Antonia dice che mai lo lascerebbe partire soldato, ma cosa fanno i soldati che sia più pericoloso e più duro di quello che fanno i servi pastori? Di tutti i soldati che Aultinu conosce due soltanto hanno fatto la guerra davvero, gli altri hanno il soldo pagato, tengono lustre le armi, fanno la guardia al mare senza correre il rischio delle tempeste come tocca invece ai pescatori, prestano man forte agli esattori al momento della riscossione della tassa sul sale. Per darsi vanto raccontano di accampamenti, marce, sfilate, parlano di inverni lunghi in paesi dove c'è sempre la neve, di estati roventi in altri paesi dove la terra si fa rena, chiara come quella del mare. Menano vita da ricchi, i soldati, con il pentolone che bolle tranquillo ogni sera, pieno di zuppa, sotto un tetto ben riparato. Talvolta possono usare i cavalli della guarnigione per andarci a spasso fino in paese e mettersi in mostra. Il capoposto che sta alla torre possiede un cavallo tutto per sé e alloggia i figli e la sua donna in una stanza grande come un palazzo. Gli ufficiali hanno casa e servizio senza spendere un soldo e portano spade con l'elsa argentata.

10.

Aultinu è già su un destriero, nel sogno, e vince la cavalcata. Lo issano sopra le teste, lo portano al baldacchino, gli danno in premio la rosa di pane.

La notte è profonda. Aultinu dorme con le launeddas abbandonate sul petto, quando il cucciolo che sta rannicchiato contro il suo collo si mette a guaire, gli lecca il mento con insistenza e con le zampette lo scuote. Finalmente riesce a svegliare il padrone.

In effetti c'è qualcosa di strano. I fuochi giù in fondo, a destra, non sono di certo più quelli innocui, fatti per divertire il paese. Si alzano fiamme vere, lingue rosse e sinuose serpeggiano dal mare verso i monti, il cuneo più lungo giunge a lambire la macchia.

Da lontano si sentono grida. Un nuovo incendio divampa sotto il pendìo. A guardar bene si nota il chiarore di altre fiamme molto più in là. Sono almeno tre fronti di fuoco. Al centro, non c'è da sbagliare, è la tonnara che brucia.

Dalla torre qualcuno spara, ma dal mare rispondono spari più forti. È un vero attacco. Saranno i pirati.

I cani sono in piedi e corrono intorno al chiuso impazziti. Aultinu ordina loro di tacere, ma le bestie sono impaurite e non ubbidiscono più.

«Volete farli salire fin qua? Zitti, zitti!»

Aultinu apre il cancello dello stazzo e spinge le bestie verso la piccola valle per allontanarli dal mare. Il gregge si inoltra nella macchia, però spingerlo avanti di notte, con quel baccano che dalla costa sale sempre più in fretta, è impresa troppo difficile per un pastore solo. Il cucciolo non fa che guaire e si mette tra i piedi, tanto che Aultinu alla fine se lo pone in seno, nella piega della fusciacca.

Attraversata la conca c'è da risalire il pendìo verso il monte. Queste stupide bestie non sanno star zitte, belano, abbaiano, fanno fracasso, i velli sono maledettamente chiari, ammassati splendono come una grande cascata in mezzo alla macchia scura.

L'acre e asfissiante fumo d'incendio arriva fin qui; ma non serve a nascondere, perché non è spesso abbastanza e invece prende alla gola, dà fastidio alle bestie che si lamentano in coro e s'impuntano. I cani hanno ripreso giudizio, compiono il loro dovere, spingono a morsi e a testate il gregge che si muove come un'onda disordinata tutta sbuffi e risacche verso la cima più alta. Se si riesce a passare la costa del monte, tra i rovi e le fratte del versante opposto ci sono ampie grotte nascoste, dove ci si può riparare.

Il piede ferito di Aultinu ha scelto il momento giusto per

fare tiri mancini; non tiene il passo, non regge saldo. Il ragazzo e la pecora con la zampa di legno si aiutano a vicenda, Aultinu si appoggia all'animale quando il piede gli manca e solleva la gamba di legno alla pecora quando s'inceppa.

Il gregge tende ad aprirsi in larghezza invece di incunearsi verso la cima, dove ci sarebbe speranza di potersi salvare. Il migliore dei cani corre avanti ad indicare la strada, quando, a metà di un balzo, ricade colpito dalla prima freccia infuocata.

I barbareschi sono saliti più in fretta, perché hanno aggirato lo spunzone di monte su cui è situato lo stazzo, hanno invaso il pendìo ed ora si buttano da ogni lato sulle bestie impaurite dalle frecce di fuoco, dalle grida improvvise, dai lacci che bloccano i colli.

Qualche stupido coniglio selvatico chissà perché è uscito dalla tana a guardare e resta abbagliato dalle fiamme che volano. Su dieci frecce almeno tre sono infuocate.

Se Aultinu avesse come i conigli una tana, ci si sarebbe infilato da quando ha visto il gregge perduto, ma questo tratto di monte non ha rifugi, i cespugli sono troppo battuti dal vento di tramontana, la macchia è rada. Un'unica cosa si può tentare: sulla sinistra un dirupo scende fino alla spiaggia, ma le sue pareti quasi a strapiombo non sono di roccia nuda, hanno ciuffi di cisti e ginepri e ampi cuscini di quell'erba dura che punge, ma è forte, resiste al fuoco e potrebbe fare da nascondiglio. Aultinu si porta sul bordo e si lascia rotolare giù con il cucciolo stretto al seno.

A metà del dirupo si vorrebbe fermare, ma non incontra nessun arbusto sufficiente a frenarlo, sicché continua a scendere a precipizio e casca dritto in bocca ai pirati, sopra un cumulo di soldati e cavalli uccisi, di arredi ridotti a tizzoni, in un finimondo di scoppi e un balenìo di fendenti.

11.

Quando Aultinu riprende coscienza è giorno fatto e il legno pirata naviga al largo, indisturbato.

Dall'oblò filtra così poca luce che potrebbe essere una notte eterna.

«Forza, con questo ti passa il dolore».

Un vecchio dalla faccia tenera e furba spalma su una benda l'impiastro che ha appena preparato rimestando in un vaso.

«È tanto che piangi. Dormivi e piangevi. Tu non sai godere del sonno, ragazzo, che è un dono di Allah. Tieni stretto il dolore anche nel sonno; lascialo andare invece!»

Aultinu ha aperto gli occhi e li ha di nuovo richiusi, continua il suo pianto sommesso, stanco, disperato.

«Miracoli non ne so fare, ma qualche spezieria la conosco. Io sono un servo. Osman Yaqub è il mio nome. Salvatore Rotunno, mi chiamavano al mio paese, poi m'hanno pigliato alla marina e la Madonna m'ha salvato la vita. Non ti so dire quanti anni sono che m'hanno pigliato, ma ero più grande di te. Io ero uomo. Conosci Salerno? Io vengo di lì. Tanto bella è quella parte, ma tutto il mondo è bello, e creato da Dio. Mo' stiamo insieme, fatti coraggio!»

Il vecchio si avvicina al ragazzo e cerca di consolarlo come può. Visto che non ci riesce e che quello continua il suo pianto, si spazientisce.

«Che sarà, bello mio! T'hanno castrato, va bene, l'hanno fatto anche a me. E io ero uomo, che è peggio assai».

Il vecchio è dolce, non sa stare a lungo con l'aria severa. Siede sul paglericcio accanto al bambino, gli cura la ferita con delicatezza, gli accarezza i capelli, il volto, le spalle scosse dal pianto.

«Tu neanche capisci quello che t'è capitato. È brutto, ma si può vivere, sai. Si può vivere bene anche così. Vedi, t'hanno lasciato il tuo cane!»

Accucciato contro la schiena di Aultinu c'è il cucciolo addormentato, con le launeddas tra le zampe.

«Credi a me, tu sei nato con la fortuna addosso».

Lo scuote, gli gira la testa, si alza e gli prende una ciotola d'acqua, gliela fa bere goccia a goccia.

«Lo sai che fortuna t'è capitata? T'ha scelto il beylerbey, Baba Arouj il Barbarossa. Gli hanno donato quattro ragazzi e ha tenuto te solo. Questo gran capo nostro è come un re, comanda navi, terre e città, in Africa ha un palazzo magnifico dove tutti si vive come pascià».

Il piccolo tira un lungo sospiro, per riprendere il pianto più fitto.

«Tu devi ringraziare la Madonna, Gesù Cristo ed Allah, che t'hanno fatto con questa faccia bella, se no eri venduto schiavo chissà dove e chissà a chi! Ti poteva toccare una brutta vita. Ma sei tanto bello che sembri Maometto bambino! Apri gli occhi. Io te li ho visti, sono splendenti come due soli e blu come lo zaffiro di un turbante di gala. Aprili!»

Niente, il bambino continua il suo pianto. Osman Yaqub non sa che fargli; forse il ragazzo ha ancora molto dolore, forse è disperato per la sua sorte. Bisogna parlargli, bisogna fargli capire che i mali non sono sempre e solo disgrazie.

«Stammi a sentire. Non avrai più fame né freddo, non ci saranno stagioni cattive, potrai dormire su guanciali di piume, potrai vestire di lana e di seta, potrai odorare di buoni profumi invece che puzzare di capra come quando ti hanno raccolto svenuto e mezzo affogato dalla marea. Tu sei fortunato!»

Osman spiega che i mussulmani non fanno caso se uno è castrato. Tra i castrati ci sono stati famosi visir e pascià.

«Non sai cosa sono visir e pascià? Sono dei capi potenti. E certi altri, che hanno avuto una sorte come la nostra, sono militari e fanno la guerra e comandano tanti soldati. Che gliene importa a loro se li hanno castrati, se tutti gli portano il dovuto rispetto? Smetti di piangere. Ah, finalmente apri gli occhi! La mia veste ti piace? Vedrai quelle di Baba! Io sono un servo e nient'altro. Ognuno ha il destino che gli è stato fissato, e a me non dispiace di essere Osman Yaqub servitore di grandi sovrani».

Gli asciuga gli occhi, gli fa una carezza sui ricci neri.

«Si usa far questo ai ragazzi che devono andare negli harem perché non generino degli infedeli. Tu non lo capisci, ma se al capobarca non fosse venuta l'idea di farlo anche a te, non avrebbe avuto quell'altro pensiero, di donarti a Baba!»

Il ragazzo, stremato, ha un pianto così sottile che sembra il pigolìo di un pulcino.

«La ruota della fortuna gira balzana e ha un dente nero e un dente bianco, oggi sei triste e domani lieto. Ma tu mi ascolti? La capisci la lingua che parlo?»

Aultinu fa cenno di sì con la testa. Eppure Osman Yaqub

Salvatore Rotunno parla un dialetto che suona tanto diverso dal sardo.

«Io te l'ho detto come mi chiamo. Perché non mi dici qual è il tuo nome?»

«Aultinu».

«E che nome sarebbe? Pare il nome di un barbaro, di un animale. Non ci potevi fare una buona vita con un nome così. Su, su, è più bello il nome che ti hanno dato su questa nave! Tu sei Hassan. Hassan di Baba Arouj, che è il tuo padrone e il tuo re».

II.

1.

Cai Tien è vestito di viola con disegni dorati, Rum Zade di rosso e bianco con un'aquila nera sul petto, Amed Fuzuli di un damasco turchino. Hassan ha una semplice tunica bianca. Le sue agili dita scorrono sui buchi delle launeddas e ne traggono un piacevole suono.

L'afa della giornata è mitigata dall'ombra del patio. La scuola di palazzo si affaccia su un dolce giardino quadrato. Agli angoli sprizzano quattro zampilli che ricadono in panciuti bacili da cui l'acqua tracima, si raccoglie in rivoletti sassosi, converge in un'unica vasca centrale che abbraccia il tronco antico e scuro di un cedro.

I giovani hanno più o meno vent'anni. Sono seduti sul bordo dell'anello d'acqua per un po' di riposo.

Cai Tien è un orientale venuto in questa scuola per volontà di suo padre, signore di un lontanissimo regno montano, dove le alte cime sempre coperte di neve bastano a fare da baluardo.

Rum Zade è il figlio di un importante pascià e di una parente del Gransultano di Istanbul, e avrebbe avuto libero accesso a tutte le scuole di quella città, ma la madre ha preferito mandarlo a studiare in un luogo protetto e appartato.

Amed Fuzuli è orfano di un caro amico dei Barbarossa, morto in battaglia a fianco di Kair ad din, fratello minore di Baba Arouj; il ragazzo, a differenza del padre, non ama la guerra, ha la stoffa dello scienziato.

Di Hassan si dice che Baba Arouj l'abbia scelto come figlio ed erede, d'accordo con il fratello Kair ad din, con il quale spartisce il governo di Algeri. Si dice cioè che il giovane sia erede d'entrambi, destinato a diventare sovrano dopo di loro. Non è cosa sicura, non ci sono atti ufficiali, comunque a palazzo ognuno lo tratta già come figlio di re. Tranne Baba, che con Hassan è di un'assoluta severità. Gli fa provare a turno tutti i lavori, particolarmente i più umili e duri. Gli fa persino pulire le scuderie reali, la mattina presto per non intralciare gli orari delle lezioni.

Nessuno degli altri studenti è costretto a continui e faticosi allenamenti di ginnastica, corsa e acrobazie svariate come il pupillo Hassan; indubbiamente tutto questo gli giova. La prestanza, la bellezza di Hassan è in effetti rara. Lo sguardo è quello divertito e insieme profondo del ragazzino pastore di un tempo, l'espressione mutevole, la bocca appena imbronciata.

L'intervallo d'uso tra una lezione e l'altra è finito, gli studenti sono rientrati nell'aula, ma Hassan e i suoi tre amici, distratti dalle launeddas, sono in ritardo; perciò è adirata la voce del precettore che li richiama.

«Vi sembra il momento dei giochi? Hassan di Baba Arouj, la pausa è terminata anche per voi».

Hassan s'inchina leggermente in segno di scusa ed entra nell'aula seguito dai suoi compagni. Lezione di matematica. Si studia un testo persiano di Ala ad din Qusgy, il falconiere, così chiamato perché il padre esercitava questo mestiere presso un figlio di un figlio di un nipote di Tamerlano.

La scuola del palazzo di Algeri ha una disciplina di ferro. Non è una comune medrese: è una scuola per gente destinata al comando o per lo meno ad eccellere.

I maestri sono inflessibili, ma sono straordinari. Sinan Asciq, il mullah che la dirige, è stato allievo del celebre Chosrev, amato maestro di Maometto II, e ha riunito intorno a sé uomini di grande valore, eruditi di cose antiche, filosofi, filologi, letterati, matematici, teologi, studiosi della natura e delle leggi che regolano la terra e gli astri.

È stata un'idea di Kair ad din quella di aprire una scuola a palazzo. Egli ama intrattenersi con gente appassionata di ogni arte e scienza, quando non è in guerra sul mare.

Il fratello Baba sorride di questa mania, ma, visto che le fisime dell'arte e del sapere non hanno mai tolto a Kair ad din il coraggio in battaglia, lo lascia fare e quando è il momento se ne vanta con gli ambasciatori stranieri.

Gli studenti vivono dentro la scuola in alloggi comuni, ben disposti e spaziosi, di cui nessuno potrebbe mai lamentarsi, ma l'erede presunto, il giovane Hassan, ha un trattamento speciale; frequenta la scuola solo nelle ore delle lezioni, per il resto del giorno vive allo stesso livello di Baba Arouj e di Kair ad din e ha, tutte per sé, stanze per lo studio, per il riposo e lo svago.

Naturalmente, oltre allo studio, Hassan ha tanti altri doveri, il più gravoso dei quali è forse per lui l'obbligo di partecipare alla vita di corte, con i suoi impegni ufficiali.

Nelle altre corti si parla di questo misterioso, bellissimo erede dei Barbarossa. Anzi, si mormora. Non si sa se sia figlio od amante, se sia ostaggio di qualche importante paese, se sia parente di qualche sovrano di chissà dove, se sia uno schiavo cavato dalla marmaglia delle stive ripiene dopo una guerra, per un capriccio di Baba o per qualche segno divino.

Ogni volta che Osman Yaqub, già Salvatore Rotunno, salernitano, servo particolare di corte, ha sentore di quanto interesse e curiosità susciti fino in remote contrade il suo amatissimo Hassan, si gonfia d'orgoglio.

«Cos'avranno tutti da architettare» obietta Osman, «il ragazzo vale, questa è la vera origine della sua fortuna ed è ciò che spiega la scelta dei Barbarossa».

Tuttavia, finché questa scelta non viene scritta, resa pubblica, ratificata in Consiglio e approvata dal Gransultano di Istanbul, Osman Yaqub non si sente sicuro. Anche se è vero che Osman Yaqub, per natura, non si sente mai sicuro di nulla. E non potendo andare dai suoi sovrani Baba e Kair ad din a domandare conferma, il servo balia cerca altre strade che garantiscano il destino glorioso del suo figlioccio e padrone, che egli venera e serve da quando gli è stato affidato, la notte stessa della sua cattura.

Osman ha interrogato astrologi e chiromanti e tutti confermano che il ragazzo è infallibilmente destinato a regnare; in più, egli di persona esamina ogni mattina le foglie delle tisane depositate in fondo alla tazza e dai disegni che formano non ha mai raccolto smentite ai suoi sogni. Di tali pratiche divinatorie non fa parola ad Hassan che per questo aspetto ha un carattere molto bizzarro e non crede alle verità più vere e provate. Non crede né a maghi né a santi e nemmeno agli scongiuri. Somiglia a Kair ad din, buon mussulmano nelle feste solenni e comandate, ma miscredente in privato, o credente a suo modo in qualche dio ben strano.

Osman Yaqub è uomo di fede e non si turba, la sua fede è tanto grande da mettere riparo allo scetticismo degli altri, in virtù della clemenza del cielo: Osman, quando ha tempo, prega per tutti. Si è fatto un segreto altare nel cuore, su cui sta in bell'ordine un Olimpo continuamente arricchito con al centro la Madonna, Gesù Cristo, Allah, Maometto, e ai lati, disposti a corona, gli angeli, i santi, la luna, le stelle e le varie cose che portano bene.

A Salerno non lo crederebbe nessuno, ma nella reggia di Baba Osman può adorare quello che vuole.

Molte cose nella sua vita sono cambiate da quando si è ritrovato pirata, però sono cambiate in modo diverso da come si poteva pensare. In primo luogo non ha subìto un martirio eroico, non è stato per ribellione, per resistenza o per qualcosa del genere che l'hanno fatto eunuco; semplicemente, nessuno poteva mandargli un riscatto e un capociurma di pochi scrupoli l'ha evirato per venderlo come possibile addetto ad un harem, a prezzo migliore di quello che avrebbe ottenuto vendendolo come comune schiavo da soma. Osman doveva diventare vecchio per scoprire poi, sui libri, che la legge coranica proibisce l'evirazione! Tant'è, ovunque le leggi son fatte per essere eluse. Pazienza, sono vicende lontane. Iddio dà le privazioni e le grazie. Hassan è la grazia insperata della sua vita.

Certamente un figlio concessogli dalla natura non gli sarebbe stato più caro: che Dio protegga il suo Hassan da ogni male e dalle rabbie folli di Baba, che un giorno o l'altro potrebbe cambiare parere e precipitarlo dai fastigi della corte agli abissi della disgrazia.

È tutta la vita che Osman sta con Baba, non ricorda nemmeno come ci è capitato, eppure non ha imparato a prevedere i suoi sbalzi di umore.

Se Baba si limitasse a fare strepiti, non ci farebbe caso

nessuno, ma chiunque può perdere il collo per una sua arrabbiatura.

L'altro mese, per esempio, Baba è andato al mercato. Ogni tanto gli piace fare la vita di un cittadino comune, dice, benché tutti lo riconoscano lontano un miglio, con quella barbaccia di fuoco. Dunque, passeggiando per il mercato, Baba coglie sul fatto tre negozianti birboni; uno vende merce avariata, l'altro la vende ad un prezzo esoso e il terzo inganna spudoratamente sul peso. Baba, indignato, decide di fare giustizia all'istante. Al primo taglia il naso, perché non abbia a soffrire la puzza della sua mercanzia. Al secondo taglia pezzi di deretano e ordina che i brandelli di carne vengano gettati ai cani, perché quell'uomo avido possa dire di avere almeno una volta ceduto gratis un po' di roba. E il terzo l'inchioda per un orecchio al legno della stadera, perché senta, senza tema di sbagli, quando il peso è raggiunto.

Ma se non è in preda a mattane, Baba è simpatico e sa anche essere buono, buono come un sovrano, cioè senza pietà. Con Hassan si dovrebbe dire che è molto buono, visto il rango cui l'ha elevato, ma siccome è bislacco gli fa dispetti incredibili, da uomo cattivo. Gli impone una cosa e subito dopo pretende l'esatto contrario. Si infuria se sente che Hassan passa le notti a studiare, per tema che si affatichi, e poi si diverte a fargli portare pesi peggio che a un mulo, per vedere se è abbastanza robusto o se deve mangiare di più.

«Hai visto, scimmione» dice ad Osman quando lo chiama a segreto rapporto, «hai visto che intelletto fine ha il ragazzo? È un pozzo di scienza. Però guai a te se me lo fai rammollire con troppa indulgenza. Ti torco la schiena, vecchio Osman, se lo guasti!»

Se gli fosse concesso d'arrabbiarsi com'è lecito fare ai sovrani, da anni Osman Yaqub avrebbe costretto Baba a mangiarsi la lingua ogni volta che si permette di chiamarlo così, vecchio Osman. Intanto, perché Baba è più vecchio di lui, e in secondo luogo perché glielo dice come un insulto, come se gli rinfacciasse una colpa. Quando mai ad Osman è stato possibile essere giovane? All'epoca in cui tirava le barche a riparo su per le strade del suo paese aveva le braccia sode, com'era giusto per gli anni che aveva, ma la faccia era già coperta di rughe, le spalle piovevano sbilenche a mancina, le gambe puntate e tese nello sforzo di tirare le funi erano tanto arcuate che nel mezzo ci sarebbe passato un esercito di gatti con tutta comodità. È stato sempre vecchio e brutto. Avrebbe forse potuto sperare di avere un figlio bello come il suo Hassan? La sorte gli ha fatto un dono che la natura gli avrebbe negato.

Osman Yaqub si frega le mani, un guizzo malandrino gli passa negli occhi al pensiero che neanche Baba ha potuto avere un figlio così speciale per le vie solite della natura, si è preso quello che giorno per giorno il suo servo Osman gli ha allevato. Forse Baba sa che gli è debitore, perché spesso lo chiama a consulto quando si tratta di Hassan, il che è un grande onore, ma è pure un tormento.

Quando Baba Arouj lo manda a chiamare all'improvviso, Osman trema tanto che il padrone ci si diverte. La paura lo strizza fin dentro gli occhi e gli confonde la vista, sicché la barba e i capelli rossi del suo signore gli sembra colorino il resto del mondo.

Ma quando Baba non c'è e sta lungo tempo a fare la guerra, la paura di Osman è maggiore, come se il peggio dovesse accadere da un momento all'altro senza nessuno capace di porvi rimedio, come se il diavolo vero, quello che Dio ha cacciato nelle profondità della terra, potesse saltar fuori a suo agio e presentarsi a palazzo sapendo di non trovare quell'altro diavolo, che è Baba Arouj, a contrastarlo.

Se invece a palazzo c'è Kair ad din, le rare volte che ci può restare, punto com'è dalla tarantola che lo spinge senza requie per mare, allora per Osman la vita è serena. La presenza di Kair ad din gli dà sicurezza. Lo guarda, lo serve e si sente in pace. Quante belle avventure ha vissuto con lui! Purtroppo, da che Baba Arouj lo vuole più spesso a palazzo, al suo diretto servizio, Osman non ha molte occasioni di andare per mare con Kair ad din. Quasi non ricorda più la fifa di una tempesta, l'angoscia di una battaglia o il sollievo di una fuga riuscita e tutte le altre forti emozioni che gli piacevano tanto, oppure il felice riposo dopo una bella vittoria e il sonno di piombo al ritorno a casa.

I riposi sono sempre stati assai brevi. Baba e Kair ad din sono due fulmini scatenati e di rado conoscono tregua.

Chi non li ha per amici teme i Barbarossa come il malanno, che non si sa quando arriva e colpisce a tradimento. Per chi ha fatto loro dei torti sono come la divina giustizia, che raggiunge infallibilmente il bersaglio, oltre ogni possibile umana difesa. Persino gli amici a volte sono sicuri che il Padreterno li abbia mandati quaggiù per tenere il mondo in agitazione perpetua, affinché ne esca fuori la schiuma cattiva. Osman Yaqub li ha per padroni e ciò gli provoca sentimenti diversi e lo mette nella situazione di un essere privilegiato. Di questo è convinto e orgoglioso.

Certo, se nessuno dei due Barbarossa è a palazzo, Osman riesce a trovare qualche ritaglio di tempo per sé. E di questo tempo quasi rubato ora gode, con un mezzo sorriso, mentre controlla soddisfatto l'essiccazione perfetta del raccolto di borragine sudorifera, diaforetica e rallegrante e quello di asperula odorosa, l'erba che fa cantare. Sorride, perché si rende conto di essere ormai così legato ai suoi due Barbarossa che, se anche non stanno in carne e ossa a palazzo, gli sembra di averli davanti, tanto dominano i suoi pensieri: eccoli lì fianco a fianco. Uno è alto, slanciato, imponente ed è Kair ad din, il suo preferito, il suo eroe, quello più giovane e tuttavia d'età piuttosto matura. E quell'altro, fortissimo, ma ad esser sinceri piuttosto tozzo e sgraziato benché più alto dei comuni mortali, è Baba Arouj, il beylerbey, che in un certo senso è il capo di casa. Ambedue hanno, com'è noto, le teste rosse e solenni come tramonti d'autunno.

La gente non capisce come mai questi fratelli terribili non si siano ancora scannati tra loro e anzi vadano d'amore e d'accordo. Sono re tutti e due dello stesso paese, con pari potere, vivono nello stesso palazzo, governano lo stesso Consiglio, gli stessi sudditi, firmano le leggi congiuntamente o l'uno per l'altro, senza la minima rivalità. Non c'è spiegazione possibile in terra, dicono i più, sbalorditi.

Infatti, la spiegazione è sul mare. Kair ad din, che è il più intelligente, qualità che il fratello ampiamente gli riconosce, sarebbe forse il più adatto al governo, ma gli piace infinitamente stare sul mare. Baba è nato anche lui marinaio, l'ha fatto alla grande e lo sa fare ancora da dio, ma da quando ha deciso di essere anziano ha preso altrettanto gusto alla vita di terraferma. Si diverte a tenere una corte, a presentarsi da re: poi, nelle decisioni importanti fa molto spesso quello che Kair ad din gli suggerisce. D'altra parte è stato Baba a scegliersi liberamente il fratello come compagno prima di scorribande e dopo di regno. È andato a prenderselo ragazzo ancora, col suo spericolato sciabecco, nella tranquilla isola di Lesbo che è la loro patria d'origine.

«Beh, adesso basta pensare ai rais» si impone Osman, «sono grandi e grossi abbastanza, quei due, non hanno bisogno di balie! Devo pensare ad Hassan, che incomincia a non darmi più retta».

2.

È notte. Il secondo turno di guardia è stato cambiato e il ragazzo, testardo, è sempre curvo sul tavolo a disegnare mappe del cielo. In un modo o nell'altro bisogna farlo smettere.

Osman Yaqub versa l'acqua bollita con foglie di melissa e issopo, e un po' di zenzero per migliorarne il sapore; il miele rosato e l'estratto di valeriana sono già nel boccale. Pone il boccale sopra il vassoio ed entra nella stanza di Hassan senza bussare, perché con il ragazzo a quest'ora ci vuole energia.

«A letto! Amed Fuzuli m'ha detto che sei sempre il più bravo, non c'è ragione che tu stia qui a perdere il sonno. Vuoi che ti vada la mente in poltiglia?»

Quella testaccia di mulo di Hassan nemmeno si rigira a guardarlo e certamente non lo sta a sentire, come se avesse le orecchie tappate, ma Osman continua a parlare lo stesso; prima o poi qualcosa gli entrerà nel cervello.

«Kair ad din è contento dei risultati. Si capisce. Che cosa potrebbe desiderare di più da un figliolo? E Baba non vuole che tu ti sprechi sui libri; forse ha intenzione di portarti a guerreggiare verso l'interno».

Nessuna reazione da parte di Hassan.

«Lo so benissimo che preferiresti andare sul mare con Kair ad din, ma le terre all'interno sono bellissime e non c'è pericolo che tu ti annoi con Baba. Ha un sacco di cose da poterti insegnare. Per esempio, lui sa trattare con ogni tribù... ah, non sei sordo, ti ho fatto interrompere!»

Ma la soddisfazione di Osman si spegne subito, perché il ragazzo l'ha appena guardato, poi ha avvicinato a sé la lucerna e l'anforina dell'olio.

«No, non ti lascio rimettere olio nel lume. Beviti questa tisana e fatti un buon sonno».

Hassan protesta, non vuole che il vecchio gli stia addosso continuamente con troppe cure, se la beva lui la tisana.

«Se lo comandi... A me piace!» Osman, ubbidiente, beve una bella sorsata. «È perfetta».

Poi il servo si china placido e sfila ad Hassan i calzari.

«Adesso a letto, anche senza tisana».

Invece non è destino che Hassan questa notte possa dormire, perché piomba dentro la stanza una donna affannata e dice che Allah sta mandando di certo una grande sciagura. Davanti al porto c'è la nave di Baba, solo quella, senza il resto della flotta, e chiede soccorso benché il mare sia calmo e il cielo sereno.

La donna, una delle favorite di Baba, è sicura che sia successa una disgrazia al beylerbey. Alla sua partenza i presagi erano incerti, non privi di qualche minaccia, lei stessa aveva avuto un sogno di malaugurio cui Baba non aveva creduto, perché non crede a nulla mai che sia contrario ai suoi piani.

Mentre Osman Yaqub cerca di darle conforto e Hassan infila di nuovo i calzari, s'affaccia alla porta il capo delle guardie di palazzo e conferma, ahimè, la notizia. La nave di Baba Arouj è vicina all'attracco, da bordo hanno gridato che il rais è ferito. Pare sia grave. Il braccio destro è perduto.

La favorita scoppia in un pianto convulso stretta al petto di Osman, più sconvolto di lei. Hassan corre via.

Nei corridoi e per le scale del palazzo, alle scuderie, tutti gli chiedono ordini. Hassan non ha compiti di reggenza, che spetta al Consiglio, quando Baba e Kair ad din non sono in città, ma in un simile disperato frangente servono decisioni immediate, non c'è tempo per radunare il Consiglio e nessuno sa cosa fare; è naturale che si ricorra al presunto erede.

3.

Quando Hassan, in testa alla scorta a cavallo, arriva sulla banchina del porto, la galeotta di Baba è attraccata.

Non c'è la luna e i torcieri a più luci rischiarano a malapena la fiancata della nave, contro la quale si staglia la barella che viene calata.

Un paio di ufficiali s'affrettano a spiegare ad Hassan che la spedizione è fallita solo perché il rais Baba Arouj è stato colpito al primo assalto, per cui la ciurma è rimasta disorientata. In ogni caso è stato un ripiegamento, non una sconfitta.

«E dov'è Kair ad din? Dov'è la nostra flotta?»

I rais avevano deciso che solo Baba avrebbe tenuto la rotta prefissa e sferrato un primo attacco per disturbare il nemico, intanto che Kair ad din con le altre navi si gettava all'inseguimento di una muta di mercantili spuntata all'orizzonte come un miraggio e scomparsa.

Strano, pensa Hassan, che i Barbarossa si siano lasciati distrarre dal passaggio di una muta di mercantili, perché era da mesi che preparavano con ogni cura la spedizione contro Gemal, un rais della costa che, per ripicca e per invidia, vietava loro l'ingresso in un porto vitale per i rifornimenti e i commerci.

«Era una muta di grosse navi, strapiene, e la proteggeva Andrea Doria».

Così la diversione improvvisa si spiega. Tra i barbareschi e Andrea Doria c'è perennemente un conto sospeso, da quando si sono incrociati la prima volta sul mare. È sempre per loro un dovere e un gran gusto darsi la caccia all'infinito. Anzitutto è un piacere scoprirsi, indovinare l'uno la presenza dell'altro, il che non è facile, data la moda di questo XVI secolo di navigare il più delle volte sotto falsa bandiera, per tattica o per puro divertimento. Doria, poi, anche se naviga con le insegne di chi lo assolda, è difficile da rintracciare, poiché di continuo cambia committente o sovrano.

«Per chi lavorava, stavolta, il genovese?»

«Chissà! I bastimenti portavano gli stendardi di molti paesi. La nave del Doria issava le insegne della famiglia e nient'altro. Sembravano mercantili tranquilli».

Tuttavia è comprensibile che i Barbarossa abbiano voluto rincorrere Doria, perché se è usuale che dei mercantili viaggino in muta compatta, che issino insegne di vari paesi a palesare l'accordo di non saltarsi addosso a vicenda, non è altrettanto usuale che mercantili comuni noleggino una scorta dell'importanza e del costo del comandante Andrea Doria. Era lecito dunque il sospetto che ci fosse a bordo qualche mercanzia così appetibile da meritare una guardia speciale, quindi anche un attacco.

La barella ha un'oscillazione violenta e sbatte di striscio sulla fiancata della galeotta.

«Calate più adagio».

«Purtroppo è una gran brutta ferita, vedrete».

Gli uomini di Baba temono il peggio. A bassa voce, i due ufficiali più alti in grado fanno rapporto ad Hassan.

Quando la palla nemica ha staccato di netto il braccio di Baba, essi hanno preso il comando, per ordine espresso del loro rais che, rimasto miracolosamente in piena coscienza, ha dato disposizioni chiare e precise, ha detto loro di forzare sui remi per rientrare ad Algeri al più presto e solo a quel punto è svenuto. Il chirurgo di bordo ha suturato e bruciato come ha potuto, ma la febbre del ferito è alta, si teme che la piaga stia andando in cancrena.

Finalmente la barella è scesa. Il chirurgo di corte, arrivato con altri medici chiamati d'urgenza a consulto, tentenna il capo con poca speranza.

La ciurma è in silenzio, come i soldati della scorta di Hassan allineati sulla banchina.

Sul bianco della spalla fasciata, il rosso acceso della barba di Baba sembra sangue diffuso e rende più tragica la mutilazione.

Quando Hassan accosta la lanterna, illumina un volto livido come quello di un morto.

I medici guardano, ascoltano il cuore che batte con forza, concordano che forse qualche tenue speranza rimane.

«Presto, sulla lettiga!»

Hassan stesso solleva la barella aiutato dai soldati della sua scorta.

La lettiga ha sul fondo uno spesso strato di cuscini per attutire le scosse che sballottolano il corpo di Baba, abbandonato e senza segni di vita se non qualche flebile rantolo.

Il chirurgo suggerisce di affrettare l'andatura per operare al più presto. Vuol togliere via la carne morta e quella malata, sperando di fermare la putrefazione, con la protezione di Allah.

Si abbandona l'andatura di passo e, senza più preoccuparsi di limitare le scosse, si va ad un trotto leggero.

Hassan cavalca a fianco della lettiga. Non sa chi invocare, ma vuole che Baba si salvi, anche se quando era sano centomila volte sarebbe scappato lontano da lui.

Gli rintronano in testa le sue urla irose mischiate alle più cordiali risate e alle parole semplici e calme di quando voleva insegnargli qualcosa. Ricordi buoni e cattivi si affollano disordinati nella memoria di Hassan e fanno una gran confusione durante il tragitto verso il palazzo, poi nelle ore dense di eventi: le visite dei medici, gli alti e bassi dei loro responsi contraddittori, l'operazione disperata, il delirio e di nuovo il silenzio, già come una morte.

4.

«Bevi! L'azione è benefica finché è penetrante l'aroma. Bevi tutto».

Ci mancava Osman con le sue tisane! Per poco Hassan non lo prende a calci.

«Eh, no! Non puoi trattarmi così proprio adesso! Se ti arrabbi e diventi cattivo, nessuno ci ascolta lassù. Solo i buoni e i mansueti possono sperare che le loro richieste arrivino nell'alto dei cieli».

E solo il cielo può tenere in vita quel demonio del loro padrone.

Osman Yaqub ha messo per lui tre ceri davanti alla Madonna che tiene vicino al letto. Tre ceri per un demonio sembrerebbero un insulto al cielo, eppure nessun confessore potrebbe convincere Osman che questo è peccato. Egli ricorda benissimo che don Ferrante d'Aragona, re di Napoli, faceva mettere ceri in ogni angolo di strada, con tanto di guardie, perché nessuno avesse il coraggio di andarli a smorzare; dunque, se la Madonna aveva accettato i ceri di don Ferrante può accettare anche quelli per Baba, perché don

Ferrante era un maledetto birbone, sanguinario peggio di un boia, di sicuro peggio di Baba.

Visto che è molto probabile che Baba muoia e debba affrontare il giudizio supremo, Osman cerca di illudersi che possa incontrare una particolare clemenza nell'al di là.

Su in cielo san Pietro avrà per forza una misura speciale per le colpe dei re, spera Osman in segreto, altrimenti persino il suo dolce pupillo Hassan potrebbe trovarsi nei guai una volta diventato sovrano e una volta chiamato, il più tardi possibile, davanti a quel tribunale. Per buono che sia, giusto, clemente, un sovrano ha sempre un fardello di colpe da far paura. «Buongiorno» dirà san Pietro ai morti di stampo comune, «tu hai ammazzato un uomo. Ti sei pentito? Sì? Allora vai in purgatorio. Non ti sei pentito? Allora giù arrosto all'inferno».

Ma un sovrano di morti ne semina a centinaia, migliaia nelle grandi battaglie. Come può pentirsi di tutti quei morti, uno per uno? Come fa a sapere quanti era suo dovere ammazzare e quanti e quali avrebbe invece dovuto lasciare in vita? Non sarà facile fare giustizia. Questi però sono problemi del cielo, pensa Osman con un certo sollievo.

«Ne abbiamo tanti noi, sulla terra, che ci bastano e avanzano. In ogni caso» dice Osman a se stesso, con una bella voce alta e forte per tenersi un po' compagnia, «qualsiasi cosa san Pietro voglia fare per i peccati dei re, qui nel mondo è meglio essere tra quelli che decidono la vita e la morte piuttosto che stare tra quelli cui spetta morire e nient'altro. Sulla terra c'è qualcosa di meglio di un regno?»

Baba Arouj questo lo sa e il suo regno non se lo lascia sfuggire. Anche stavolta, con il braccio mozzato e la vita in serio pericolo, è stato attento a farsi sostituire da due luogotenenti e non da uno solo.

«Hai sentito, Hassan? Due ne ha chiamati, perché è meno facile che due possano fare uno sgambetto, impegnati a tenersi a bada l'un l'altro. Era lì lì per andarsene, ma non voleva che qualcuno gli scalzasse il comando!»

E ora? A chi tocca ora il comando, se Baba muore, mentre Kair ad din non si sa dove sia andato a cacciarsi? Oh, Gesù benedetto e santissimo Allah! Se Baba muore senza aver nulla stabilito sull'adozione, addio sogni di regno per il suo Hassan.

«Bisogna proprio pregare».

5.

Muore, non muore, muore... Osman passa in preghiera tre notti, ponendosi sempre questa domanda, con una gran pena nell'anima e una rabbia profonda per quella pena.

Baba gli ha fatto mille soprusi, solo una testa bacata come quella di Osman può volere che campi, che torni a strillare, che gli metta di nuovo terrore.

Rannicchiato contro il muro nell'anticamera della stanza di Baba, Osman tende l'orecchio, perché gli pare d'aver sentito un lamento.

«Cos'è?»

Ma questo è un ruggito. Ora è un boato. No, questa è la voce di Baba che scoppia come un temporale d'estate. È vivo!

Osman ride, piange, salta di gioia, agguanta il primo che esce da quella stanza e gli chiede notizie.

«Per Allah santissimo, dimmi, è proprio scampato?»

«Ma non lo senti?»

Baba Arouj si crede guarito e si vuole alzare. Strepita al punto che gli antichi usberghi e le scimitarre poste a ornamento del reale vestibolo, i baffi dei soldati di guardia, le candide tende che filtrano il sole, ogni cosa pare investita dal tonante ciclone.

III.

1.

Molti giorni sono trascorsi, Baba ha avuto altre crisi, ma, dicono i medici, il peggio è scongiurato.

«Come potete decidere voi quello che è meglio o peggio per me?»

Le parole gli escono come torrenti, Baba Arouj è guarito. Occorrerà un lungo riposo, ma il pericolo di morte è passato. Tra poco il rais tornerà come prima.

«Come prima? Cacciateli via questi somari. Come prima! Avrebbe forse Allah fatto all'uomo due braccia se fosse uguale avere un braccio solo?»

Fortuna per i due medici arabi e per i quattro assistenti persiani che l'illustre paziente è troppo debole per passare a vie di fatto! Gli alti dignitari, gli ufficiali, i visir venuti a congratularsi per la guarigione sono tesi in volto, preoccupati dell'improvvisa sfuriata di Baba, che recupera in fretta, insieme con le energie, le sue maniere villane.

Cacciati i medici e gli aiutanti, sbraitando come se fosse di nuovo in delirio, il beylerbey ordina che non si paghi nessuno per questo consulto idiota. Poi bruscamente fa uscire le altre persone, compresi i valletti di stanza con i bruciatori di aromi. Vuole che resti soltanto il suo Hassan.

«Chiudi la porta. Vediamo se sei così intelligente come mio fratello sostiene».

Con la mano superstite si liscia il barbone carota, gli occhi gli ridono come a un bambino.

«Avvicinati. Stringi qua. Un pezzo di braccio è rimasto, senti? E si muove».

Il moncherino è molto corto, però veramente riesce ad accennare un movimento.

«Quell'idiota di medico per uno stupido accesso di febbre lo voleva tagliare. Ha tagliato via anche troppo!»

«Ti hanno salvato la vita. Non li dovevi trattare così».

«Cosa vuoi che me ne faccia io della vita, se non posso più stare al mondo come mi pare!»

Socchiude gli occhi sfinito e sembra l'immagine della rassegnazione. All'improvviso è di nuovo in bufera.

«Non li dovevo trattare così, eh? Ma tu chi sei? Non sei nemmeno un mullah e ti permetti di predicare a un rais quello che deve o non deve fare. Hai da insegnarmi tu come devo trattare la gente che pago?»

Si riliscia la barba, si arruffa la folta criniera e torna muto, il volto sprofondato nell'ampia manica del caftano lucente.

«Beh, non mi voglio arrabbiare». La voce ora vien fuori come un sospiro. «Sono fiacco e malato. I medici non possono più fare niente per me».

Con uno scatto libera il volto dal sipario di seta in cui l'aveva nascosto. Gli tornano a ridere gli occhi, stretti in una fessura.

«Tu sì! Tu puoi ridarmi il mio braccio».

Baba Arouj si mette seduto sul letto con le gambe incrociate, la schiena in avanti, il braccio sano a reggere il capo.

«Come mi trovi, Hassan? Ti sembro finito, ridotto così? Guardami qua, mutilato e inutile, che faccio schifo a me stesso! Che posso fare con la mano sinistra e basta? Posso scacciare le mosche. Posso sculacciare i bambini e le donne. Al massimo posso passare in rassegna le truppe. Potrei magari tornare in battaglia, ma con che risultato? Quando il nemico mi vedrà da lontano monco, avvilito, incapace di fare paura anche solo ai pulcini, si metterà a ridere. E mi farà sberleffi. Non voglio che ancor prima della battaglia si rida di me. Voglio un braccio nuovo da mettere dentro qui». E agita furente la manica vuota.

Hassan lo fissa trasecolato, immobile ai piedi del letto.

«Ehi? Non rispondi? Capisco che non potrò usarlo come

quello di prima. Starò attento». Baba Arouj fa sedere il ragazzo vicino a sé. «Non avrai soggezione di un padre malandato e infelice che cerca di uscire dal suo forzato letargo!»

Baba Arouj batte amichevolmente la mano sinistra sulla gamba di Hassan.

«Sveglia! Suona la sveglia per tutti, oramai. Avrò il braccio nuovo». Guarda il figlio con affettuosa attenzione e gli dà due pizzichi per ogni gota. «Sei troppo pallido. Ti voglio con un colore più sano. Hai ripreso le tue cavalcate al mattino? Aria, aria! E coraggio».

Baba è allegro, non c'è motivo che suo figlio Hassan abbia una faccia da funerale.

«Non ti basta un mese per farmi il braccio nuovo? Te ne concedo due. Ma: patti chiari! Se alla fine dei due mesi il mio braccio destro non sarà tornato al suo posto, ti toccherà rinunciare a uno dei tuoi. Quello destro, s'intende. Non potrei lasciare impunita l'ingratitudine e la disubbidienza».

Baba Arouj continua ad essere allegro e bonario nel tono, ma ha lo sguardo duro e via via alza la voce.

Quando Hassan era un bambino ignorante e viveva solo come un disgraziato sopra un monte, fuori dal mondo civile, chissà quante ore ha perduto, senza mezzi adeguati, senza attrezzi decenti, senza cognizione alcuna, per ridare la zampa ad una bestia che avrebbe fatto tranquillamente il latte anche zoppa. E ora che è un sapiente, che ha chi lo sfama e lo veste non vuole dedicare un po' del suo tempo, qualche briciola della giornata qua e là durante due mesi, a rifare il braccio destro di Baba, del suo amoroso padre adottivo che senza il suo braccio destro è distrutto, è peggio che morto?

«So benissimo che lo sai fare».

A Baba viene da ridere, se pensa alla faccia dei suoi soldati il giorno della cattura di Hassan, quando hanno trovato la pecora con la gamba posticcia.

«Nessuno ha creduto che fossi stato davvero tu a costruirla. Solo io ho capito che era vero. Avevi troppa paura per dire bugie. Ed era una zampa perfetta».

«Non era affatto perfetta» protesta Hassan: l'aveva costruita per gioco, perché la pecora gli faceva pena.

«E io? Io non ti faccio pena? Era meglio se conservavo quell'arto stupendo! Ma potevo pensare che mi avresti costretto a mettere una zampa di pecora al posto del mio braccio destro? Anche se, veramente, era una zampa perfetta».

«S'impigliava dovunque, era complicata, pesante e faceva un frastuono dell'accidente».

«Per che cosa hai passato le notti a studiare? Per diventare più somaro di prima? A me ora puoi fare un lavoro migliore. Ti do due mesi e una settimana».

Il vento pazzo gira di nuovo nella testa di Baba. Il naso gli si dilata come quello di un toro.

«Bada che sono ancora capace di farmi ubbidire da te! Ti credi intoccabile?»

Non ha importanza se il ragazzo veste di seta come un pascià, se cavalca i purosangue di corte, se gli hanno assegnato un principesco alloggio a palazzo, se tutti lo considerano figlio ed erede del beylerbey. La legge dice che è ancora uno schiavo e Baba Arouj lo conferma, e si proclama al cospetto di Allah suo signore e padrone con diritto di vita e di morte.

«Mi è rimasto solo un braccio, ma basta a spillarti quella stupida testa dal collo».

Anzi, no. Lo schiaccerà sotto i piedi. Poi a calci lo ficcherà in un bagno: pestato, annientato, ridotto una pappetta di sangue. E nel bagno un qualsiasi mercante di schiavi lo venderà come robaccia di scarto agli infedeli.

«E, adesso, tregua».

La voce di Baba torna pacata, lo sguardo triste, profondo.

«Va' a lavorare, ragazzo caro. Io non so stare con un pezzo di meno! Il braccio mi serve».

Di nuovo giulivo, si massaggia il collo e poi la spalla e il povero moncherino.

«Me lo farai d'argento, con qualche ornamento d'oro».

2.

Di giorno e di notte Hassan è al lavoro. Disegna vari tipi di arti meccanici, prova complicati ingranaggi, studia le leghe, esegue i conteggi, costruisce i primi modelli: nessun risultato. Eppure un mese è trascorso.

Se almeno tornasse Kair ad din! Ma di lui non c'è nessuna notizia. O meglio, una notizia vaga è giunta: un mercante avrebbe sentito dire di una sua sconfitta, non si sa dove, né da parte di chi. Se fosse vero, sarebbe la prima volta che Kair ad din viene battuto.

«Ecco, perché non ritorna. Non entrerebbe mai nel porto di casa perdente» pensa Osman Yaqub, «si starà cercando altre battaglie per lavare il bubbone delle botte che gli sono toccate. Sarà infuriato e chissà quante navi dovranno sopportare la sua rabbia e i suoi brutti tiri. Tornerà tirandosi appresso una fila di prede legate una all'altra con lunghe cime».

Osman Yaqub si frega le mani per la contentezza, facendo appello come sempre nei tempi duri alla sua fantasia straripante per immaginare tempi migliori. Con la punta della babbuccia si diverte a schizzare lontano uno a uno i sassetti del suo giardino di erbe speziali, come se stesse già enumerando le vittorie di Kair ad din, che vede nel sogno.

Cosa può fare un servo nella tristezza, se non attaccarsi alla speranza di gioie future? E Osman Yaqub nella speranza trova sempre sollievo.

Continua tranquillo il suo gioco, finché un urlo gli lacera quasi l'orecchio. Baba Arouj è completamente fuori di senno. Strilla che sembra lì per scoppiare, se non si vede dintorno Osman quando si sveglia; se invece quel disgraziato di Osman gli è vicino, lo guarda torvo, non gli rivolge parola, gli tiene il broncio senza dire perché, quando non lo caccia via in malo modo.

Purtroppo adesso lo sta chiamando e l'eccitazione gioiosa di Osman Yaqub si spegne come un moccolino bagnato.

Se fosse qui, Kair ad din saprebbe far ragionare il fratello. Osman ci prova in continuazione, visto che il Padreterno ha dato a lui come a tutti il dono della parola. Cerca di fargli ragionamenti semplici come a un bambino. Lo prende nei momenti di assoluta bonaccia, con cautela e pazienza.

«Il braccio è stato troncato» gli dice, «perciò come si può pensare che un ragazzo rimedi a un tale danno che Allah ha permesso nei suoi arcani disegni?»

Il braccio di un uomo non è la coda di una lucertola, che se si stacca rispunta bella e verde, più vibrante di prima. Anche se Baba si dispera e urla, il braccio è andato.

3.

Osman racconta ad Hassan tutte le cose che dice a Baba Arouj, con il medesimo effetto, poiché nemmeno Hassan gli presta ascolto.

Il ragazzo lavora, lavora e si arrabbia. È diventato irascibile, lui che era di zenzero e miele. Si fa smunto e stirato; se avesse una madre le farebbe dolere il cuore.

Tutto perché s'è lasciato ficcare in testa da Baba l'assurda idea che un comune mortale possa fare un miracolo quando lo vuole. Allora i santi che ci starebbero a fare? In questo caso, i santi non possono fare gran che, e per quest'infedele incallito non sarebbe giusto pretenderlo.

«Rivolgiamoci almeno a qualche stregone».

Osman suggerisce una sfilza di tentativi, ricorrerebbe a qualsiasi mezzo pur di trovare una strada che porti a buon fine. Ma il ragazzo non vuole fare pellegrinaggi, non vuole sentire di oracoli né di pratiche arcane di nessun genere. È sprofondato nei suoi folli progetti. Ha smesso perfino di guardare le stelle. Non beve tisane corroboranti e nemmeno calmanti; non dorme, non mangia, non recita mai una preghiera, non scrive più versi, non va a cavalcare. Forse non sogna.

«Non hai più toccato le tue launeddas».

«E smettila, Osman. Mi fai marcire il cervello. Aiutami, invece di chiacchierare».

Osman Yaqub gli si butta davanti in ginocchio, gli bacia i piedi, gli abbraccia le gambe.

«Dio sia lodato, hai detto finalmente qualche parola. Erano due intere giornate che non ti sentivo aprir bocca!»

Tenendo le dita incrociate, a scongiuro, Osman s'inchina più volte di scatto, fa movimenti strani, saltella sulle ginocchia, mentre Hassan cerca di farlo rialzare.

«Lascia perdere i tuoi scongiuri. Mi serve argento. Quel tirchio di Baba non me ne dà abbastanza per provare le leghe».

Al calar della sera Osman Yaqub entra trionfante reggendo un enorme vassoio coperto da un drappo.

«È meglio tener celate le cose che luccicano» dice Osman misterioso con una voce cantilenante, «nei corridoi dei palazzi reali va a zonzo l'invidia... Guarda qua quanti pezzi d'argento ti porto».

Esausto posa il vassoio, toglie via il drappo e siede affondandosi in un cuscino.

«Ti sei scordato cosa succede ai ladri di oggetti preziosi?»

«Gli si troncano i polsi» risponde Osman sospirando. E si massaggia le braccia e le mani indolenzite. «Ma io non ho rubato a nessuno. È un regalo delle signore dell'harem».

Sul vassoio ci sono sette boccali, due piatti per dolci, cinque scatole per anelli e collane, due braccialetti da piede e tre bracciali da polso, spille, spilloni, ganci, tutto d'argento fino.

«Domani avrai a disposizione la fonderia. I tre ragazzi sono stati avvisati e all'alba saranno qui».

I tre ragazzi che l'indomani arrivano puntuali al lavoro sono i tre amici più cari di Hassan. Cai Tien conosce benissimo le tecniche della fusione; Amed Fuzuli sa fare di tutto perché ha una mente geniale; Rum Zade è un perdigiorno, ma girerà il mantice e dirà buffonate.

4.

La fucina di corte è in pieno fervore. Forse la lega giusta è trovata.

I disegni delle piastre di ricopertura sono bellissimi, le giunture si snodano perfettamente. Il marchingegno per il movimento tentenna. I giovani non vanno nemmeno a dormire, sono prostrati. Ma ad un certo punto tutto inizia a ingranare a dovere. Si può pensare alle rifiniture, per le quali Hassan ha avuto il permesso di avvalersi di operai di prim'ordine; ha trovato un cesellatore di Praga, un gioielliere veneto esperto in lavori di sbalzo, un tedesco che fa agemine d'oro su argento in maniera sublime.

Quel pazzo di Baba intanto aspetta chiuso in isolamento. Rifiuta di farsi vedere, sbriga le faccende di stato da dietro una grata, si affaccia in giardino solo dopo che tutti, persino le guardie, ne sono stati cacciati, peggio che se fosse una dama dell'harem obbligata alla segregazione.

Appena quattro persone, oltre ai servi indispensabili scelti tra i più fidati, sono autorizzate ad entrare da lui: un maestro d'armi che ha il compito d'esercitargli il braccio mancino, due favorite che entrano solo di notte e svolgono i loro uffici ad occhi bendati, e Osman, costretto a fare con lui interminabili giochi e passatempi d'Oriente e Occidente, costretto a subire senza fiatare i suoi scatti di umore.

Soprattutto la sera Baba Arouj diventa intrattabile, quando si affaccia all'altana da cui domina il porto e incomincia a sacramentare senza rispetto.

«Tu prega che Allah non m'ascolti e lasciami in pace».

«Signore, non ho parlato».

«Però, vorresti tapparmi la bocca perché hai paura dell'ira di Allah».

«Va bene, signore, non avrò più paura dell'ira di Allah. Adesso, vi prego, la ferita va medicata, lasciate che faccia quel che ho da fare».

«È stato il chirurgo a darti gli impiastri?»

«No, signore. M'avete detto di non andarlo a cercare e di cacciarlo se viene. Ho fatto io, ma non so se così potrete guarire».

Baba è seduto davanti al mare, con gli occhi fissi all'orizzonte.

«Kair ad din non si vede. Deve averle prese forte da quel genovese, se resta tanto lontano! Beh, ognuno ha le sue piaghe. Vacci piano con quell'arnese! Lo sai che non lo sopporto».

Osman è invece stupito della docilità del padrone riguardo alle cure; si fa medicare tre volte al giorno, calmo e tranquillo in genere per tutta l'operazione.

«Quando il ragazzo mi porterà il braccio, la ferita dev'essere perfettamente rimarginata».

Osman Yaqub non commenta, continua in silenzio a bendare la spalla malata.

«Non mi vuoi dire a che punto sta. Vuoi farmi credere che non è capace? Tu ricordagli quel che l'aspetta. È meglio che s'alleni anche lui il braccio sinistro, perché se non finisce il lavoro che gli ho ordinato quello destro può considerarlo tagliato».

«Lo sa, signore».

«Io manterrò la parola».

«Per questo, signore, non mi do pace».

5.

L'ossatura d'argento è finita. I ragazzi provano in ogni modo gli snodi, tirano le cordicelle messe al posto del meccanismo che non è ancora ultimato. Sembra che tutto funzioni.

Il braccio meccanico è posato sul tavolone della fucina, con le piastre per la copertura allineate di lato. Gli ornati sono riusciti eleganti, la fascia esterna farà una stupenda figura. Il problema è il meccanismo.

L'idea è buona, ma l'attuazione è complicata. Tutto si basa sui movimenti del moncherino e sulla pressione che si può esercitare avvicinando in diversi punti d'appoggio il moncherino al tronco. Con una serie di molle il braccio meccanico scatta, comandato dagli impulsi del moncherino; si può alzare, piegare, può persino servire a reggere sul petto uno scudo.

Hassan punta le mani sul tavolo e scuote la testa.

«Non va, non va. Dev'essere molto più stabile e più leggero».

Si riprovano i calcoli, si studiano nuovi ingranaggi. Hassan si dispera.

I giorni passano e l'opera non lo soddisfa. Ha male agli occhi a star sempre nella fucina piena di esalazioni e priva della luce del giorno. La penombra malsana è interrotta soltanto dai fuochi dei bracieri e dei forni, ancor più malsani, perché feriscono con il loro bagliore eccessivo.

Quando Hassan esce all'aperto per osservare meglio un disegno, per verificare un'incisione, un'agemina, la sua vista è incerta, gli occhi gli dolgono, deve aspettare che si riabituino al sole.

Una volta che per l'irritazione di un fumo particolarmente pungente gli sono scese lacrime a non finire, Rum Zade ha composto un carme così intitolato: come e qualmente un uomo, pensando alla pena in arrivo, piange e dolora. È una sgangherata sequela di frasi, Rum Zade non è un poeta, è un buffone, ma per merito suo nella fucina si sente qualche risata.

«Se quest'impresa è una follia, tanto vale condurla allegramente, finché si può. È inutile fare un mortorio anzitempo».

Sembra peraltro che Hassan provi gusto a rendere l'impresa dell'arto posticcio sempre più complicata, quasi per una sfida a se stesso.

Una notte, durante l'attesa per la solidificazione di una forma di prova, decide di preparare oltre al braccio destro anche un guanto sinistro molto speciale, con il dorso a scaglie d'argento e d'oro, da infilare sulla mano sana per armonia e bellezza della figura.

La funzione estetica del braccio meccanico sarà realmente adempiuta. Di bell'effetto lo sarà senza dubbio. E starà saldo e ben bilanciato al tronco; un sistema di piastre che poggia alla scapola con una forte spallina collega l'arto a un collare e ad una seconda spallina fissata al braccio sinistro. Ma il movimento sembra che rimanga un sogno.

Sette giorni ancora e poi il giudizio verrà pronunciato. Restano da finire una trentina di scaglie dorate e la fascia interna di ricopertura dell'avambraccio.

6.

Quel diplomatico nato di Osman trae profitto dall'assidua frequentazione del suo signore per dipingergli, appena possibile, la situazione come senza speranza. Fa pochi accenni allo stato della lavorazione del manufatto, lascia intendere molta paura di un fallimento, lancia sentenze drastiche sull'impossibilità di fare cose impossibili e sull'inevitabilità delle punizioni del cielo per chi vuole strafare. Cerca insomma di preparare Baba alla delusione e di smussarne la furia.

Baba Arouj tollera questi messaggi solo perché può fingere di non sentirli, soffocati come sono nel solito fiume della parlantina di Osman; ma forse pian piano si è convinto di aver chiesto sul serio un ingiusto e non realizzabile surrogato dell'opera del Creatore. Tant'è vero che Osman s'illude di cogliere qualche sintomo di rassegnazione, per esempio i lunghi silenzi tranquilli all'ora della siesta e le urla di soddisfazione quando, sotto la guida dell'allenatore, coglie esattamente il bersaglio con un lancio della mano sinistra, o quando aumenta il numero delle zucche che riesce a squartare con un solo fendente o quello dei lingotti che solleva e scaglia.

Il segno più consolante di questa nascente rassegnazione arriva una mattina di temporale, con il cielo più che mai livido, quando un gabbiano si posa sul davanzale della finestra e guarda con insistenza il rais che a torso nudo fa esercizi per rafforzare la muscolatura delle spalle, del braccio sinistro e del moncherino: Baba si ferma, ma non lo caccia, anzi lo fissa a sua volta, quasi con gratitudine, sospira, si rigira in bella mostra come se fosse su un perno e gli parla.

«Io ti ringrazio, messaggero celeste. Ti ringrazio che tu non scappi via con orrore. Ecco quello che resta di Baba Arouj, osservami pure. Sarò per sempre Baba Arouj il monco, se il ragazzo non ce la fa. Dovrò imparare a lasciarmi vedere».

7.

Intanto la grata resta per tutti abbassata. Nessun ambasciatore, per importante che sia, ha più udienza, di qualsiasi cosa voglia parlare. Per la normale amministrazione pensa il Consiglio, il resto è sospeso come per sede vacante. L'ordine è di ripetere a chiunque che il rais non riceve, il rais non risponde, il rais è assorto in meditazione.

In genere i momenti peggiori sono i tramonti, per le sfuriate terribili che Baba fa davanti all'altana dalla parte del mare. Una sera il povero Osman si sente sollevare di colpo.

«Vedi? Mi basta un braccio per tirar su un uomo e scaraventarlo dove mi pare. Quel tuo Hassan lo scaraventerò davvero in un bagno se non mi restituisce il mio braccio».

Baba Arouj non intende un bagno per le cure termali o un bagno di divertimento, una fresca fontana, intende il bagno degli schiavi, dove i prigionieri stanno ammassati in attesa che mercanti ebrei o cristiani o maomettani li mettano all'asta. E una volta venduto, uno può finire contadino sulla costa africana, portatore nelle carovane che attraversano il deserto o minatore in Turchia o in Occidente, o può venire infognato nelle galere e allora sarebbe meglio la morte.

«Signore, pietà!»

Baba ride e concede pietà ad Osman che agita per aria le sue gambette storte, lo depone incolume a terra.

«Con il mio braccio mancino riuscirei a sollevarti seduto su quello scudo con in grembo il braciere e l'attizzatoio di ferro. Così senza aggiunte sei troppo leggero e non mi dai gusto. Per oggi basta, prepara il tuo intruglio e pensa a quel bagno».

Ci pensa sì, povero Osman, visto che quella potrebbe essere la sorte prossima del suo Hassan, a dispetto dei responsi dei maghi. E mentre conta e mette nel pentolino le foglie di dente di cane e di fumaria per drenare a Baba fegato e sangue, mentre sbriciola un po' di basilico, la salutare erba dei re, per instillargli l'arte del buon governo, va col pensiero nelle pance delle navi del mondo brulicanti di vermi, di topi e di schiavi. Che Osman sappia, c'è solo Kair ad din che non vuole schiavi sulle sue navi; è per questo che le sue volano più del vento.

Kair ad din secondo Osman è saggio e perfetto come dovevano essere forse i semidei degli antichi. Purtroppo ora non c'è qui a palazzo, Osman è solo a combattere le mattane di Baba. L'unico aiuto gli può venire dai suoi fiori essiccati, dai suoi infusi e decotti, che Baba ora gradisce. Per prudenza stasera aggiunge alla normale mistura tre pizzichi di papavero, molto abbondanti: Baba avrà un sonno sereno.

Il tempo del braccio scade domani e c'è il problema della consegna.

Come ogni sera Osman termina di curare il padrone prima che arrivino le concubine.

«Posso andare, signore?»

«Va', vecchio Osman. E tienti pronto! È un brutto affare per voi se domani il braccio non è finito. L'aspetto».

Osman si illudeva d'averlo lentamente preparato alla rassegnazione.

«Il tempo scade al calar del sole. Dillo al ragazzo!»

8.

L'indomani, insperatamente, il braccio è terminato, funzionante e ben rifinito, lucente e leggero. I ragazzi lo indossano a turno. Con un po' di pazienza si muove. Lo prova anche Osman, piangente di commozione.

«È l'ottava meraviglia che c'è nel creato».

Sì, ma se si paragona con il braccio vivo e vero di un uomo, al confronto il braccio d'argento non vale gran che. Tutto dipende dalle aspettative di Baba Arouj. Se non voleva tenersi una manica vuota, lo troverà un incanto di perfezione. Se voleva stupire la gente con una novità originale, questa è da mostrare a tutti con vanto. Se voleva un miracolo, questo ci arriva vicino. Ma se voleva un braccio in tutto e per tutto come quello perduto, non c'è speranza per il povero Hassan.

I quattro ragazzi ed Osman si consultano sul modo migliore di presentarlo. Si potrebbe organizzare una piccola cerimonia ed andare in corteo, ma Hassan si oppone. Andrà da solo a correre il rischio della rabbia di Baba. Fino a che la vicenda non è risolta, meglio che il rais non sappia che hanno collaborato all'impresa anche Cai Tien, Amed Fuzuli e Rum Zade. Il favore di Baba fa presto a cessare.

«Vieni, Osman, fatti abbracciare finché le braccia le ho tutte e due. Da stasera sarò monco anch'io».

Proprio adesso che il più è fatto Hassan piomba nello sconforto. Era meglio, dice, se i Barbarossa lo vendevano appena preso in quella razzia. È preferibile essere schiavo che figlio di un pazzo. E poi chi dice che Baba Arouj lo voglia davvero per figlio adottivo? Perché mai i Barbarossa dovrebbero fare di uno schiavo il loro legittimo erede?

«Figlio mio, è forse possibile conoscere tutti i perché delle azioni di chi ci comanda? Devono averlo, le loro azioni, un perché?»

Osman Yaqub siede a gambe incrociate per terra davanti ad Hassan; e mentre gli parla gli massaggia con energia piedi e caviglie.

«Sei gelato. Adesso ti scaldo, così puoi ragionare con calma».

Hassan sembra insensibile ai ragionamenti e ai massaggi, ma il servo continua gli uni e gli altri.

Né Baba né Kair ad din hanno figli di sangue a palazzo. I due fratelli hanno generato decine di figli che sono sparsi in giro nel mondo, ma a palazzo non li hanno voluti tenere. Qualcuno mormora che quelli di Baba siano tutti morti per oscure vendette. Sta di fatto che i Barbarossa hanno stabilito il principio che il loro erede non deve essere tale per diritto di sangue.

Oltre a ciò, Kair ad din vuole bene ad Hassan come a un figlio. Forse anche Baba, nessuno sa quello che Baba ha nel cuore, ma Osman sarebbe tentato a scommettere che è proprio così.

Quanto alla questione che Hassan non è di stirpe reale, hanno mai preteso di esserlo loro, i Barbarossa, di stirpe reale? Il padre era un ex giannizzero e la madre una qualsiasi cristiana di Lesbo. Non ne fanno mistero. A loro importa il futuro del regno che hanno creato. Hassan non è mai stato un ragazzo comune, sarebbe inutile che egli adesso volesse negarlo per falsa modestia: i due rais hanno pensato che da lui avrebbero potuto cavare un buon re e a questo scopo l'hanno pazientemente educato.

«Ma cambierebbero idea se ti vedessero in questo momento, senza costanza né volontà».

Hassan vorrebbe distruggere il braccio d'argento appena forgiato.

«È un aggeggio inutile, è da buttare».

«Ti farà tagliare davvero il braccio destro se non glielo porti, lo sai che è un forsennato».

Faccia pure Baba quello che crede, Hassan ha deciso. Meglio diventare monco e restare schiavo per sempre che essere principe per burla, in perenne e angosciosa balìa di un folle, senza sapere se ti tocca la morte o la vita.

«E quando mai non si è in bilico tra morte e vita? Ma è Allah e non Baba che decide quando e come troncare la nostra esistenza. Tu hai paura, l'ho sentito dai piedi freddi».

Osman si alza, si frega le mani, si rassetta le maniche.

«Bene, se hai paura vuol dire che non sei un mostro, sono contento. Però, adesso i piedi si sono scaldati, smetti di dire idiozie. Corri a fare la tua parte di figlio adottivo che del resto ti piace. Avrai prima o poi una nave, una flotta intera, tratterai da pari a pari con il doge o col re di Francia e magari anche col Gransultano di Istanbul!» Bruscamente Osman cambia tono e diventa severo. «E Kair ad din? Se non ti trova alla reggia quando ritorna dirà: bella riconoscenza! Penserà che ti ho fatto mangiare la bava delle lumache, per metterti in corpo una fifa simile di suo fratello Baba, e mi dovrà punire. Tu mi vuoi morto».

Ed è così senza scampo la disperazione dipinta sulla faccia di Osman che i ragazzi si mettono a ridere e Hassan, ripreso coraggio, solleva il cuscino trapunto su cui è adagiato il braccio d'argento ricoperto di raso viola.

«Vado».

«Per carità, non così presto! Ha detto al calare del sole, potrebbe rimproverarti la fretta».

Bisogna essere molto precisi con Baba, l'ansia però è insopportabile. Hassan scosta Osman Yaqub che gli si è parato dinanzi con le braccia aperte, e s'incammina.

«Apri la porta e invoca pure la protezione di Allah».

9.

«Che vuoi?»

«Porto il braccio meccanico».

«Non lo scoprire, non voglio vederlo».

Due mesi e una settimana di lavoro e di tormento e non lo guarda nemmeno! Tirarglielo in testa sarebbe una gioia. Ma bisogna aspettare, sentire che cosa trama la mente di Baba.

Hassan resta immobile, dritto in piedi con le braccia tese, sulle quali il cuscino pesa come una montagna.

«Che fai lì impalato? Tira la tenda. Voglio metterlo al buio».

Tirata la tenda, un chiarore è rimasto, filtra attraverso i disegni del damasco delle cortine.

Non è facile sfilare a Baba il pesante caftano. La tunica di lino deve restare addosso, se no il metallo potrebbe dare fastidio alla pelle che non è abituata. Gli appoggi sono stati imbottiti, ma per ora è consigliabile avere prudenza.

Un laccio s'impiglia. Finalmente il collare è piazzato. Poi si sistema la spallina sul braccio sano. L'altra spallina è più delicata, la spalla ferita ha un punto scarnito e non dà buon appoggio all'attacco dell'arto. Va assicurata con molta cura. Il meccanismo tocca la ferita in un angolo dove un incastro può disturbare. Si fa scorrere il perno appena appena più a lato.

Baba sta zitto, si lascia vestire come una statua. Alla fine il moncherino è ingabbiato.

Un momento di sosta. Hassan riflette che il braccio finora non è stato realmente collaudato: nessuno dava gli impulsi al moto con un moncherino, dall'interno.

«Dobbiamo provare i movimenti».

E Baba zitto. Hassan gli spiega con calma. Si provano le mosse delle giunture.

Baba Arouj sempre zitto, attento, immobile, tranne che per i piccolissimi spostamenti del moncherino, che esegue sotto la guida di Hassan. Tutte le mosse funzionano. Silenzio. Poi Baba riprova una per una le mosse imparate.

«Luce!»

Hassan apre la tenda. Il tramonto non è ancora finito, il sole rosso e brillante manda caldi riflessi sugli argenti e sugli ori dell'arto prezioso.

Baba richiama i servi che entrano portando specchi e lumi.

«Sarò d'ora in avanti Baba Arouj dal braccio d'argento. Domani in Consiglio firmerò l'adozione. Chiamate il mio sarto».

Bisogna cucire d'urgenza due manti di gala, uno per Baba e uno per il diletto suo figlio, principe Hassan.

IV.

1.

Il festino è agli inizi. La tunica bianca di Hassan intessuta d'argento spicca luminosa sotto il manto blu damascato da cerimonia; sul turbante azzurro brilla un rubino, dono di Kair ad din.

Kair ad din veste sobrio, di una squisita eleganza, il caftano cremisi non ha guarnizioni dorate; risaltano il diamante all'indice destro e il raffinato collare persiano.

Il manto di Baba Arouj è ben più vistoso. Oltre alle pietre preziose e ai ricami d'oro zecchino, è cosparso di pietre dure e di vetri dai bei colori. Per l'occasione Baba ha voluto essere splendido e ornato come un altare. Ma è stato attento che gli ornamenti del manto fossero tutti dalla vita in giù. Nella parte alta della sua maestosa figura vuole esibire un solo gioiello: il suo braccio nuovo.

Baba è fiero della sua meraviglia, che brilla e risuona come uno strumento sotto i colpetti vibranti che egli vi batte con la mano sinistra, inguantata d'oro e d'argento. Con noncuranza apparente, di continuo richiama l'attenzione dei commensali sul braccio meccanico, lo muove per metterlo in mostra, lo porge con grazia alla luce, lo stende, lo alza come un trofeo. Una modesta borchia trattiene il manto di Baba alla spalla di modo che il capolavoro di tecnica e d'arte esca fuori valorizzato a dovere dalla cornice di velluti e damaschi e provochi brividi di ammirazione.

Baba Arouj, che ha radunato tanta gente importante di

cui poco si fida, non ha dubbi che per quel che riguarda il suo braccio l'ammirazione sia proprio sincera. Per il resto, eccetto gli amici provati, Baba è sicuro che già qui al convito, tra tanti sorrisi ed applausi, molti staranno dicendo frasi maligne. Nel chiasso di un grande banchetto si può parlare di tutto liberamente come in privato, sembra a tratti d'essere immersi nella bambagia.

«Sparleranno di noi» dice ad Hassan, «che ci vuoi fare? Basta metterlo in conto. Però, senti che festa!»

«Viva Baba Arouj, viva Kair ad din, viva il figlio di Baba e di Kair ad din!»

I commensali hanno gridato all'unisono e il frastuono del possente coro è entrato nelle orecchie di Baba ed è sceso giù fino al cuore. Questa parvenza di apoteosi lo rende felice.

«Siamo contenti: che altro ci deve importare?» dice Baba ad Hassan che siede tra i suoi due padri adottivi. «Sicuramente molti di questi che ci fanno sorrisi hanno già cominciato a trovar da ridire, figurati gli altri che non sono stati invitati! Sempre eccentrici, diranno, sempre pronti a stupire il prossimo, quei due Barbarossa...»

Mentre a Kair ad din questo soprannome di Barbarossa diverte, Baba Arouj s'arrabbia ogni volta che gli viene all'orecchio, benché sia fiero del bel colore dei suoi capelli e del suo barbone. In quel Barbarossa sente puzza di critica e di derisione, quando non conosce abbastanza bene chi lo pronuncia. A Baba non piace che un estraneo critichi, o peggio, il suo aspetto o il suo operato.

«Vedi quei tre?» dice Baba ad Hassan, indicandogli tre invitati che parlano fitto tra loro. «Quelli sono famosi per il gran sparlare che fanno di me».

Uno di essi è il sultano di Fez che non si sa mai se sia amico o nemico. Ma durante una festa così smagliante non vale la pena di guastarsi l'animo per qualche bestia che dia fiato alla voce.

«Ragli d'asino» sentenzia Baba, «e se più avanti ci danno fastidio io li schiaffo in prigione».

Liquidati in tal modo gli eventuali, anzi i sicuri commenti malevoli dei suoi nemici o di amici che non sono sinceri, Baba riprende a succhiare dalla pagliuzza di grano il delizioso sorbetto di banane, uova di quaglie, muschio e latte di cocco. Si lecca i baffi, da bravo gattone con gli occhi e la mente fissi sui topi che sta puntando, cioè quei commensali che gli sono antipatici perché malfidi. Avvicina la testa arruffata all'orecchio del figlio e con la gioia di lanciare minacce gli dice:

«Raglino pure tutti questi uomini di corto respiro, fra poco da asini che certo sono li muteremo in conigli, perché li faremo tremare, li snideremo dai porti e dalle loro fortezze». E gli dà un colpetto col suo bel braccio d'argento, strizzando l'occhio come un ragazzo che cerchi alleati per le sue marachelle. «Gli faremo vedere di che tempra è il nostro nuovo rais. Ho in mente grandi cose per te».

2.

Nella pausa tra il quinto e il sesto servizio di arrosti guarniti, tre danzatrici e sei danzatori si esibiscono in un'antica danza africana. Indi è la volta di due fanciulle turche che suonano strumenti a corde, l'una avvolta in veli rosa sfumati nel viola, l'altra in veli verdi con infiniti passaggi di tono, come accade nei verdi di un sapiente giardino. E dopo che il suono ha preso via via un andamento sempre più allegro e deciso, entrano da opposti lati due gruppi di fanciulli imberbi, gli uni con abiti rosa, gli altri con abiti verdi. Volteggiano, fanno salti acrobatici, annodano e sciolgono incredibili piramidi umane, torri, ponti, spirali in mezzo alle tavole, ai divani, agli ospiti acclamanti, ai coppieri che sfilano indaffarati.

Questo corpo di ballo è un omaggio del comandante dei giannizzeri di stanza in città, «a significare i sentimenti di amicizia e la protezione costante del Gransultano di Istanbul, signore supremo di tutti i rais della costa e dell'interno», come precisa la dedica augurale.

È giorno pieno, ma nei padiglioni di rappresentanza sono accese tutte le torce, le candele e i lumi per aumentare la festa; una triplice festa, spiegano le calligrafie che ornano tutti gli ambienti: si gioisce per il braccio rinato di Baba Arouj, si fa onore al novello principe Hassan, si saluta Kair ad din che è felicemente tornato.

Sono sei giorni che Kair ad din è tornato e non si è finito di scaricare il bottino. La parte più consistente è stata presa a una nave spagnola carica d'oro, d'altri metalli preziosi e di legni pregiati in arrivo dalle terre nuove.

Sua altezza serenissima la viceregina di Spagna strillerà nei suoi oscuri palazzi contro il maledetto pirata che ha avuto l'ardire di derubarla in casa, poiché la nave era giunta di faccia al porto di Cadice quando Kair ad din l'ha razziata. E la sola idea della rabbia di Germana di Foix, viceregina di Spagna e sua dichiarata nemica, induce Kair ad din a un umore faceto.

3.

I musici, in alto, dietro la balaustra di legno e avorio, dopo un breve riposo attaccano freschi motivi.

La musica è sempre di casa dai Barbarossa. È noto che Kair ad din l'ama a tal punto che sulla sua nave ammiraglia si suona anche in pieno combattimento.

«Mi servono musici nuovi per l'ammiraglia. Quelli che ho non sono fatti per stare sul mare. Hanno paura dell'acqua».

Non c'è gusto ad avere a bordo musici che sbagliano le note se arriva un'onda un po' grossa; visto che passa più tempo in mare che non a palazzo, Kair ad din ha bisogno di imbarcare musici bravi. In verità gli servono musici molto speciali, che oltre a non soffrire di fifa né di mal di mare siano in grado di reggere all'occorrenza un remo o una cima, e magari un arco, una picca, un'arma da fuoco. Non sono ammessi bagagli inutili sui legni dei Barbarossa, che certo non vanno solo per diporto sul mare.

Dei nuovi musici per l'ammiraglia si occuperà l'intendente che ha saputo organizzare con tanta perizia questa festa a palazzo, superba davvero, da fare invidia a molti.

«Tanto per cominciare, farà invidia a Germana di Foix che ne sarà presto informata dai suoi emissari segreti».

«Germana di Foix non ha mai dato nei suoi palazzi a Valencia un festa così».

«È troppo occupata a convertire i moriscos».

È d'uso, ai banchetti dei Barbarossa, accennare alle ire di

Germana di Foix, viceregina di Spagna. Tra lei e Kair ad din deve esserci stato anni addietro qualche scontro od incontro particolare, non si sa di che tipo. Fatto sta che anche stavolta su di lei si scherza, si fanno giochi di parole, si compongono madrigali con intento satirico. Alcuni stimolano Kair ad din a narrare le storie passate, ma lui sorride e si limita a dire di oggi.

«Quando parla di me, come sapete, Germana dice "il pirata" e vuole che tutti intendano il peggiore pirata».

Si torna a brindare all'ultima prodezza di Kair ad din, la razzia della nave di fronte a Cadice.

«È stato un arrembaggio rapido e fortunato» racconta Alì Ben Gade, luogotenente di Kair ad din, «grazie all'errore del comandante spagnolo».

Appena arrivato dalle Nuove Indie, approfittando della calma dei venti e del mare, costui ha deciso di passare la notte alla fonda per non attraccare nel buio e le navi dei barbareschi, in agguato al largo, bene oliate, si sono accostate senza rumore.

«Il resto l'ha fatto il vino» continua Alì Ben Gade, «che il comandante spagnolo aveva distribuito con generosa abbondanza a ufficiali e marinai per festeggiare il ritorno in patria».

Agli uomini di Kair ad din è bastato buttare a mare una dozzina d'ubriachi, perché gli altri diventassero inoffensivi. Erano una ciurma raccogliticcia, provata duramente dalle avventure di là dall'oceano, stremata da malattie, febbri e dissenterie, inadatta a difendere gli immensi tesori stipati dentro le stive.

«Ora bisogna vendere bene il bottino» dice Kair ad din soddisfatto del lavoro compiuto, «ci sono tante imprese che aspettano di prendere il via, per le quali serve denaro».

La fabbrica di polveri da sparo di Djerba, ad esempio, ha bisogno d'essere completamente rinnovata; i locali vanno allargati, gli operai meglio istruiti.

Anche l'arsenale maggiore nella capitale dev'essere reso più agibile e più capiente. Fra un mese si metteranno in cantiere sei galeotte nuove e occorrono urgenti cure per quelle tornate dalla spedizione, che sono state malmenate parecchio in una campagna così prolungata.

«Allora? C'è stata o no questa sconfitta di cui abbiamo avuto notizia? Le hai prese?» chiede Hassan con malizia a suo padre Kair ad din, sottovoce.

«Le ho prese. In ogni caso non era Andrea Doria. Sembravano navi fantasma. Hanno fatto barriera, hanno sparato e non si sono più viste all'orizzonte. Il nemico era scomparso prima che si potesse capire chi era. Questa è la guerra di corsa, con i suoi misteri. Le avrà mandate Germana di Foix» dice Kair ad din per scherzo ma potrebbe essere vero, «comunque ci siamo rifatti a iosa».

«Si brindi per lo scampato pericolo delle navi fantasma che volevano prendere in trappola mio fratello Kair ad din e i suoi compagni!» conclude Baba, tanto per trasformare una sconfitta in una cosa buona, perché non aleggi ombra di sorta in una giornata di gloria.

4.

Altra pausa, altro servizio di credenza, stupende alzate di dolci in forma di fiori. Come sempre nei grandi banchetti, le pause non sono altro che l'inizio di nuove abbuffate.

Le voci si alzano e abbassano a seconda dell'impegno della gente nei cibi. Questo è un momento di lavoro leggero per le ganasce e allora le lingue si danno da fare e il chiasso cresce, il mare di voci gorgoglia. Sembra di stare a un mercato, Hassan e Kair ad din possono tranquillamente parlare tra loro senza mancare al dovere di intrattenersi con gli ospiti.

Prima, parlando di quella Germana di Foix, si è accennato ai moriscos, che sono fratelli rimasti in terra di Spagna. È un tema che ad Hassan sta molto a cuore. Kair ad din dice sempre che prima o poi bisogna andarli a liberare.

«Ma quando andremo?»

«Non è ancora tempo».

«I moriscos dovrebbero essere i primi a fare parte del grande regno di pace che deve nascere sui nostri mari».

Di questo loro futuro regno di pace Hassan ha molto sognato da quando suo padre Kair ad din ha cominciato a parlarne, ma gli sembra sempre troppo lontano.

«Chissà quando verrà il momento!»

Il valletto di cerimonia dà un acuto squillo di tromba.

«Senti? Anche un banchetto ha i suoi tempi, che la tromba scandisce. Per scandire i tempi di un regno ci vuole ben altro che uno squillo di tromba o l'entusiasmo di un giovane».

Kair ad din, irruento, famoso per le fulminee azioni in battaglia, per le inaspettate e coraggiose sortite, per le sfide arditissime, ama insegnare ad Hassan l'arte della pazienza, dote preziosa in un capo.

5.

È sempre piaciuto a Kair ad din parlare con Hassan, fin da quando era ragazzo; così è nato il loro affetto. Hanno passato interi giorni e mesi d'inverno a parlare, quando il maltempo impediva di andare sull'acqua e quando i compiti del governo non erano troppo pesanti per Kair ad din. Così è iniziato questo scambio di idee e di sentimenti da padre a figlio e da figlio a padre, in una paternità e figliolanza elettive più forti di un legame di sangue. Ora l'affiatamento è tale che un'occhiata basta a capirsi, tre parole possono valere un lungo messaggio, una cavalcata insieme può ripagare di un'assenza penosa.

L'amicizia profonda tra Kair ad din e Hassan rende Baba geloso. Il ragazzo era suo. Anche Baba aveva capito presto che sarebbe stato uno spreco lasciarlo nell'harem per semplici giochi amorosi, che oltretutto per lui erano giochi senza importanza. Donne o ragazzi che fossero, erano solo un riposo alla guerra, alle cure del trono, per Baba. Un tempo l'aveva stuzzicato la bellezza dolce e strana del bambino pastore, poi il capriccio come tanti era finito. Il ragazzo aveva rivelato altre doti, una perspicacia e un'abilità in ogni campo tali da convincere Kair ad din che erano talenti da mettere a frutto per il domani del regno. E Baba si disse d'accordo. In seguito divenne geloso, temendo di non essere un padre amato, perché era evidente che quel figlio adottivo tra i due padri sceglieva Kair ad din come confidente, maestro ed amico.

Ma, anche se Hassan e Kair ad din parlano fitto tra loro, oggi nemmeno la solita gelosia un po' infantile riesce a turbare la gioia di Baba.

6.

I musici qui convenuti sono davvero di prima grandezza. Baba Arouj li ha pazientemente fatti cercare in vari paesi ed è riuscito ad averli per lo più usando solo le buone maniere, tranne due rapimenti facili e temporanei, perché a festa finita chi non vorrà prolungare l'ingaggio potrà tornarsene a casa indisturbato.

Baba ha messo insieme i virtuosi migliori unicamente per far cosa gradita al fratello e Kair ad din ne è lusingato e felice.

Baba è capace talvolta di pensieri squisiti che chissà come riescono a nascere in quel suo testone da belva. Non è raro che, per il fratello, Baba abbia affettuose attenzioni come quand'erano entrambi bambini ed egli, essendo il più grande, si prendeva cura del piccolo e tante sere se lo tirava sulle ginocchia, vicino al fuoco, mentre girava con uno stecco odoroso le bucce d'arancia messe per lui a rosolare nel miele in un pentolino di coccio. Adesso che sono anziani, l'atteggiamento di Baba è lo stesso.

Kair ad din compone versi e canzoni da sempre e Baba è fiero anche di queste sue doti e un poco l'invidia, pur sapendo che sono imprese senza costrutto. Così, tra il decimo e l'undicesimo servizio di dolci e rinfreschi, Baba Arouj darà spazio a canti e poemi. Nell'ottavo intermezzo si presentano quattro scimmiotti che fanno i buffoni; nel nono si distribuisce il tabacco preso agli spagnoli, che gli spagnoli, da veri pirati, hanno preso agli abitanti del Mondo Nuovo, nemici appena scoperti e già depredati. Predoni e pirati sono termini che rimbalzano con ira e disprezzo da un campo all'altro degli schieramenti rivali. Gli uni gettano i peggiori epiteti in faccia agli altri e le contumelie sembrano le palline di un giocoliere, che vanno e vengono senza ferite. In tempi di guerra di corsa è praticamente accettato da tutti che il nemico sia sempre un pirata, si fregi pure di un titolo nobile in patria, o sia pure chiamato altrove con grande rispetto comandante, generale o re.

«La differenza sta solo nel punto di vista» sostengono alcuni dei commensali.

Kair ad din non è affatto d'accordo. Tra un legittimo capo e un pirata c'è differenza profonda. Anche i regni rispondono alla legge che regola la sopravvivenza.

«Se Doria ha l'impudenza di passarmi sotto il naso, fingendosi una chioccia che protegge inermi pulcini, è mio dovere dargli battaglia, in virtù della legge di sopravvivenza. Se lo lasciassi indisturbato, domani verrebbe a beccarmi i miei falchetti nel nido».

Si alternano brindisi, frizzi, risate, ma il discorso procede con coerenza. A Kair ad din piace molto discutere, sicché si cerca di sviscerare il problema e vedere chi sia un condottiero e chi soltanto un pirata.

«A tutti voi piace fare la guerra, non c'è altro da dire!» pensa Osman Yaqub, appollaiato sopra lo scranno dal quale svolge il servizio che gli è stato commesso, benché questo sia un pensiero e un giudizio che non spetta ad un servo incaricato di badare soltanto che la festa degnamente proceda; con i ventagli che ha in mano per le segnalazioni di sua competenza, senza che nessuno lo noti, Osman si fa un segno di croce, che Dio perdoni quelle bugie ai suoi padroni per la buona fede che portano in cuore.

«Figliolo» dice Baba, «lascia che il nemico ti chiami pirata. E fa' pure la tua guerra di corsa, se la sai fare. Non puoi agitare una piuma, se chi ti viene incontro ha già sfoderato la scimitarra o la spada! La guerra è guerra e fa parte del destino dell'uomo. E se si vuole fare una suddivisione, esistono solo le guerre vinte e le guerre perdute».

7.

Arriva la pausa attesa, tra il decimo e l'undicesimo servizio, quella dedicata ai canti e ai poemi, in differenti cadenze ed idiomi.

«Ognuno scelga per poetare la lingua che ama».

La molteplicità delle lingue è tradizione costante al palazzo dei Barbarossa. È una necessità di mestiere, come sostiene Kair ad din. Un comandante barbaresco deve essere poliglotta per non sentirsi straniero in nessuna terra, per fare onore agli amici e per sfuggire ai nemici con maggiore facilità.

La gara poetica si protrae, con alti e bassi di qualità, non esclusi momenti di noia; la cortesia impone che si lasci spazio a chi sa e a chi semplicemente vorrebbe riuscire a poetare e fa tentativi modesti.

Quando sembra che tutti i poeti, ufficiali ed estemporanei, abbiano finito di dire la loro, si alza Baba.

«Mi prendo il mio turno» dice.

Fa cenno a un musico che lo accompagni, pizzicando le corde del suo strumento, e imprime egli stesso il ritmo battendo la mano sinistra sul braccio d'argento con tocchi lenti e solenni:

«È bello essere un uomo/che ha tanto vissuto/sentirsi un vecchio brigante/un vecchio lupo di mare/che si ridesta e smania/di azzannare la preda...»

E Baba continua con voce robusta i suoi versi che zoppicano, tra lo stupore dei commensali. Dice delle battaglie e delle bufere che è ansioso di affrontare di nuovo, evoca i fremiti di qualche amore, canta le imprese feroci che sogna e ci mette tanta passione che i suoi versi stonati infiammano l'uditorio.

Tra applausi e grida di urrà Baba Arouj torna a sedere appagato.

8.

All'ultimo servizio, l'alzata dei dolci speziati è realmente un capolavoro.

Cinque fanciulli vestiti di rosso reggono un piatto a sbalzo ornato di gemme dure con sopra una nave completa di vele, sartie, cannoni e marinai.

Perché i marinai di pasta dolce potessero avere la loro brava testa sul collo si è dovuto ricorrere ad un pasticciere cristiano; il pasticciere capo, mussulmano ossequiente, non avrebbe potuto, senza cadere in peccato, ritrarre la figura di un uomo completa di volto, per via delle regole della sua fede. Ma nella reggia di Baba abbondano i cuochi di tutte le razze e le religioni, e c'è sempre un modo per conciliare le regole delle coscienze con quelle delle imbandigioni perfette.

Ad un cenno del maestro di sala, il fanciullo più piccolo

apre il portello della stiva della nave di zucchero e marzapane e ne volano fuori cantando due canarini, che vanno a posarsi sul turbante di Hassan.

«Allah sia lodato» urla felice Osman Yaqub, «che prodigio bellissimo!»

Osman sa bene che gli uccellini sono stati addestrati a lungo per quel piccolo volo, ma vedendoli sopra il capo di Hassan gli pare davvero che siano stati mandati dall'Onnipotente quale segno di predilezione, e tutto lieto riprende, senza stanchezza, dopo tante ore d'impegno, a fare ondeggiare ventagli e flabelli per dirigere il cambio dei coppieri e dei garzoni di sala, l'ingresso delle portate, la durata delle pause tra i servizi di tavola e di credenza, l'ordinato succedersi di musiche e di arti varie.

V.

1.

Passata la festa, terminata la frequenza alla scuola, Hassan intensifica l'esercitazione pratica necessaria alla sua futura vita di re: ambascerie, cerimonie ufficiali, presenza al Consiglio, qualche volta svaghi, per lo più cacce, giochi d'armi, gare a cavallo, a cammello, veleggiate sul mare. Sono giorni d'attesa, spesso troppo comodi e vuoti.

Baba vegeta in una fase di beatitudine, sempre contento del braccio nuovo. Si rilassa, si espande, gode della vitalità ritrovata senza l'impegno di nessuna precisa attività, eccetto una cura termale che gli ha prescritto un medico ebreo e prevede bagni, stufe e massaggi per depurarsi dall'eccesso di cibo. La cura dovrebbe durare tre settimane, però all'inizio della seconda il rais sbuffa, s'annoia, spesso vuole che Hassan l'accompagni. Dopo la cura, prima di lasciare le terme, fa uno spuntino e una partita a scacchi per non uscire troppo fiacco e accaldato e, se la partita gli piace, va avanti per ore. Le terme chiudono per tutti al calar del sole, ma Baba è il sovrano e può restare; si lasciano accese per lui e il suo seguito le sale da gioco e da rinfresco. Talvolta è ancora lì quando si spengono le luci, perché ormai spunta il mattino, e allora, per uno scambio di cortesie, Baba accompagna il figlio nelle sue galoppate sulle colline intorno alla baia. Distaccano il gruppo delle due scorte riunite e urlando incitamenti alle bestie si lanciano in gare spericolate tra torme di uccelli che si levano rapidi in volo davanti a loro e contadini che schizzano via terrorizzati.

2.

Una notte che Osman Yaqub è seduto in un angolo della stanza del suo pupillo ad aspettarlo immobile, perso nei suoi pensieri e scongiuri, Hassan entra come un turbine, lo bacia su entrambe le guance e sulla fronte, lo solleva prendendolo sotto le braccia e lo fa girare come una trottola lanciando grida di gioia.

«Gesù santissimo e Allah benedetto, sei caduto dal cammello e ti sei ammattito? O hai visto un segno di buon augurio tra le stelle del cielo?»

«Baba mi fa partire con Kair ad din».

Osman si stropiccia gli occhi e li sgrana.

«Dice che è venuto il momento di completare l'educazione con qualche bella battaglia. E Kair ad din mi affida uno dei bastimenti della sua flotta. Si parte anche se la buona stagione è finita».

«Ti sembrano cose da dirmi nel pieno della nottata?»

«Quest'anno le piogge sono state avare, i berberi e i mori all'interno corrono il rischio di venir sterminati dalla fame, perché non hanno sufficienti riserve, prima o poi scenderanno da noi alla costa per chiedere aiuto e noi dobbiamo metterci in grado di far fronte alle loro richieste».

Osman Yaqub si siede e se lo guarda ammirato.

«Mi fai felice, figliolo: hai imparato a parlare da principe, da uomo di stato. Se tu avessi una madre ti direi che è il momento di staccarti da lei, ma io non sono tua madre e il mio dovere è di venire con te».

«Proibito!»

«Se io non vengo, chi baderà a tenerti lontano il malocchio, il vermocane e le flussioni di petto?»

«Tu devi restare con Baba. Colpa tua, l'hai viziato quando aspettava il braccio d'argento e adesso non ti vuole mollare».

«Mascalzone brigante, tu sei contento che io resti qui alla catena perché speri di uscire dalla tutela della tua balia. Vedrai, quando fa freddo a bordo e nessuno ti scalda i pannicelli e i cataplasmi da mettere sul petto! Ti terrai la tosse».

Ma Hassan è irremovibile.

«Peccato».

Ad Osman Yaqub spiace molto di non andare sul mare. In autunno ci sono avventure bellissime, la stessa stagione è una sfida continua, nelle pieghe delle onde si nascondono gli incontri più sorprendenti.

«Non mi vuoi con te perché mi credi tanto pieno di acciacchi da essere un peso. Se trovo chi t'ha messo contro di me... Ma io so chi può essere».

Per consolarsi e per smentire i suoi detrattori che lo vorrebbero stremato alla cuccia, come un vecchio cane, Osman si getta immediatamente al lavoro.

«Siete tutti d'accordo contro di me. Tu sei diventato più Barbarossa dei Barbarossa: qualche mattina ti svegli con la testa piena di ricci color carota, perché sei testardo e prepotente peggio di loro. Va' a letto senza fiatare, non mi far perdere tempo, che ho tante cose da fare».

Osman Yaqub deve preparare subito la cassa delle bandiere e quella dei panni da travestimento, i documenti veri e quelli falsi, le bolle, le insegne. Le cose normali può lasciarle alle cure dei servi, ma alle astuzie deve badare personalmente, guai a sbagliare, a trascurare un particolare, a non avere finezze. Un discreto bagaglio di inganni se lo portano appresso tutti quelli che vanno sul mare, specie d'inverno. Sono cose che spesso non contano, ma certe volte rappresentano la salvezza o almeno danno alla più dura battaglia, all'impresa più temeraria un tocco di divertente follia che aumenta la carica e aiuta.

Osman ripone in un angolo, piegato e schiacciato, un saio da cappuccino. Se il ragazzo, santo cielo deve abituarsi a dire il rais ora che ha questo titolo, se insomma il suo Hassan dovesse scendere a terra per informazioni, un saio da frate sarebbe il travestimento ideale. Altrove potrebbe andar meglio l'abito di un mercante ebreo, oppure l'armamentario di un arrotino, o gli sbrendoli variopinti di un giocoliere da strada.

Quanto alle diverse parlate, il ragazzo non ha problemi, può scendere a terra ovunque, ne conosce correntemente una buona dozzina, compresi i modi di dire, le frasi di gergo, le brutte parole e tutto quello che serve.

In una cassetta Osman Yaqub dovrà infilare anche i libri, Hassan sarebbe capace di tornare a palazzo a pigliarseli, se non li trova a bordo.

«Smetti di trafficare con quelle casse, Osman Yaqub» gli fa Hassan pieno di sollecitudine. «Questa volta sono io che ti dico di andare a dormire».

«Avrò tempo per riposare quando sarete partiti, purtroppo».

3.

I giovani partono tutti, questo settembre. La casa avrà un autunno senza giochi né canti. Hassan va per mare e porta con sé Amed Fuzuli. Rum Zade fa un viaggio in Siria da un suo ricchissimo zio, poi andrà a raggiungere sua madre a Istanbul. Cai Tien torna alle sue alte montagne.

«Io non ci vorrei proprio tornare» ha confidato Cai Tien ad Osman, «non ho voglia di tutte quelle donne tra i piedi».

Il padre gli ha trovato una sposa di trent'anni che porta in dote un vasto regno e tre sorelle minori con il ruolo di concubine: una ha vent'anni, l'altra diciotto e l'ultima è ancora bambina. Le quattro sorelle sembra siano felici del loro destino. Cai Tien è arrabbiatissimo e minaccia di mettere tutto a soqquadro e di farsi piuttosto eremita.

«Storie» gli predica Osman Yaqub, «potrai averne a decine, di mogli!»

«Se è per questo posso tenere duecento mogli nel mio palazzo e fuori posso avere tutte le donne che voglio».

«In mezzo a tante ne troverai una che sia di tuo gradimento».

«Non sarà certo tra quelle quattro».

Quando s'impunta, Cai Tien è peggio d'un cammello vecchio, nessuno lo smuove.

4.

Prima della partenza i ragazzi sono invitati da Kair ad din e da Baba Arouj alla caccia con i ghepardi, per solennizzare l'addio.

Vi prenderà parte anche Baba, perché il suo prodigioso arto meccanico dev'essere messo alla prova.

Si caccia con cinque ghepardi, due dei quali, Taric e Bendel, addestrati personalmente da Hassan, sono bestie stupende: belle schiene lucenti, zampe scattanti e nervose, occhi sornioni, dolci o terribli secondo gli umori.

I ghepardi fremono nell'attesa ai bordi del campo base, posto ad un miglio dal folto della boscaglia. Hassan li accarezza, gioca con loro, poi chiama i servi per l'usuale massaggio.

Più in là, altri servi strigliano con forza i cavalli e altri caricano sopra i cammelli le riserve di cibi e bevande per la sosta che si farà al meriggio.

Sono pronti gli archi, le aste, i lacci. Non si usano armi da fuoco, perché Kair ad din preferisce i modi antichi; dice che le armi da fuoco uccidono l'inventiva del cacciatore e inceppano l'inseguimento e l'azione con i tempi lunghi della carica e della ripulitura, e in ogni caso ricordano troppo le battaglie vere.

Quando il maestro di caccia dà il via con il suono del corno, la processione dei cavalieri si snoda ordinata, ad un ritmo costante quasi fosse una parata di gala. I lunghi guinzagli dei ghepardi si tendono per la foga che spinge gli animali: il loro fiuto è eccitato, i musi puntati come saette pronte a sfrecciare.

Le tribù nomadi che bivaccano nella zona si radunano a capannelli e guardano attonite passare i signori.

Da lontano e da dietro, la carovana dei cacciatori è un serpente incolore che si confonde a tratti con la piana riarsa; le scaglie del mastodontico rettile variano di sfumatura dal sabbia al marrone. Gli uomini sono le scaglie più chiare, poiché si difendono dal caldo e dal polverone con ampi mantelli di lana cruda leggera, scendenti a coprire in parte i cavalli, i cui pelami rossastri emergono qua e là a formare le scaglie più scure.

Vista di fronte, invece, la carovana è gaia e abbagliante; le tuniche di vario colore dei cavalieri e le bardature degli animali fanno spicco sui toni smorti della terra, che li incornicia con le sue dune. Nel movimento si formano continui disegni, come accade con le pietruzze di un caleidoscopio.

Hassan e i suoi amici sono nel gruppo di testa, insieme ai battitori. Saranno loro a lanciare i ghepardi, appena ci si avvicinerà ai branchi delle gazzelle.

Il maestro di caccia grida un segnale. Si rallenta il passo, poiché il terreno è mutato, gli arbusti si fanno sempre più fitti e via via zone di vera boscaglia si alternano ad altre dove la vegetazione rimane rada.

All'improvviso i ghepardi Taric e Bendel spiccano il volo, tanta è la forza del balzo. I giovani servi a piedi che aiutano i cavalieri a reggere i guinzagli sono costretti a procedere a loro volta a grandi balzi, cui fanno seguito frenate così violente che i calcagni affondano nel terreno sabbioso; alla fine i servi si staccano lasciando le bestie solo ai signori a cavallo. Ogni ghepardo è trattenuto tuttora, però, da tre uomini dai muscoli forti, le schiene piegate ad arco, le mani salde alla presa; le bestie tirano e smaniano, ma la preda non è ancora stata snidata. Non si è vista nessuna gazzella, nessun'antilope, nulla. Strana la furia degli animali addestrati: Hassan è stupito, grida ai compagni di stare all'erta.

Quando la boscaglia riprende a diradarsi, la carovana tende ad aprirsi a ventaglio, con i ghepardi al centro.

Taric per primo strappa di nuovo, irresistibile, e Rum Zade, che è tra coloro che tengono il guinzaglio, non molla in tempo la presa ed è sbalzato di sella e trascinato in un groviglio di arbusti contorti e spinosi. Cai Tien che gli è al fianco si ferma e soccorre l'amico. Amed Fuzuli non può fare altrettanto, trascinato dal suo ghepardo, che pure sembrava il più mansueto. Hassan è già sbucato con Bendel nella radura, dove il mistero della follia dei ghepardi è spiegato. Al centro, troppo lontano per frecce e lance, due leoni hanno iniziato a sbranare un branco di gazzelle impazzite.

5.

Caccia grossa inaspettata per la stagione ed il luogo: i ghepardi, addestrati per acchiappare antilopi e gazzelle, sono felici di affrontare l'eccezionale avversario. Taric è quasi arrivato ai leoni.

«Si lascino andare anche gli altri ghepardi!»

L'ordine è venuto non dal maestro di caccia, semplice cerimoniere per l'inizio del rito, ma è stato urlato da Baba Arouj, ritto e imponente sul suo destriero, eccitato ancor più dei ghepardi e bramoso di provare a tutti e a se stesso che la mutilazione subita non gli ha tolto il coraggio né la gioia di battersi. Una gazzella o un intero branco di gazzelle non erano avversari altrettanto degni di un leone. Baba Arouj sprona il cavallo ed è il primo a lanciare la freccia, appena il ghepardo ha raggiunto la belva. La precisione del tiro è stupefacente, da quella distanza, in corsa, con un solo braccio o meglio con un braccio e un marchingegno di non facile uso. La freccia è entrata tra le costole del leone, subito sotto la criniera.

Tuttavia il colpo non è mortale, il leone si rimette in piedi. Taric gli balza addosso e lo imprigiona.

Gli altri ghepardi corrono verso la boscaglia oltre la grande raduna, dietro le gazzelle in fuga e il secondo leone che le tallona.

Accompagnati dai loro scudieri, Hassan e Amed Fuzuli sono anche loro partiti all'inseguimento, mentre gli scudieri di Baba si tengono pronti a porgere al sovrano nuove frecce, la lancia, i coltelli. Per fortuna nessuno ha osato aiutarlo a finire la preda.

È impossibile tirare altre frecce senza rischi per il ghepardo. Il leone ha scosso la groppa con impeto per liberarsi ed è riuscito a spostare Taric che tenace e abilissimo gli resta sopra, con gli avidi denti infilzati già nella carne. La ferita rende il leone furioso e gli fa trovare la forza di tentare la fuga. Ma Baba gli è addosso a sua volta con l'agilità di un ragazzo ed il peso di una montagna. Il ghepardo Taric, addestrato e docile, gli lascia spazio. Il coltello di Baba affonda nel collo del leone, che muore.

Urla di gioia e di ossequio si levano dal seguito di signori, soldati e servi strettosi a semicerchio intorno. Baba accarezza il ghepardo.

«Bravo Taric! Dategli il premio. Ben allevata, la bestia!»

I servi addetti a Taric si prendono cura di lui e lo scudiero favorito di Baba toglie dal braccio d'argento gli schizzi di sangue, con estrema delicatezza, quasi temesse di rompere la meraviglia o di fare male al padrone.

Kair ad din giunge ora. Viaggiava con l'ultimo scaglione della carovana, impegnato a fare gli onori di casa a due ospiti importanti, un sultano delle montagne ad ovest e un bey della costa, entrambi avanti d'età, curiosi di caccia ma non cacciatori.

Sceso da cavallo, Kair ad din s'avvicina al fratello e gli stringe il braccio d'argento come se fosse un braccio di carne e ossa.

«È servito?»

«Perfettamente. Non avrei fatto nulla se con questo non fossi riuscito a bloccare il collo dell'animale! Funziona».

6.

Nell'adiacente boscaglia, intanto, Bendel e Hassan sono alle prese con l'altro leone. Hassan non lo vuole ferire, ha gettato i lacci, ma la bestia è fuggita. Al secondo lancio, in uno spiazzo spoglio di vegetazione, il leone è rimasto imbrigliato.

La vera e propria cattura richiede complicate manovre, finché la bella bestia, giovane e forte, è completamente legata, non certo ammansita.

I ghepardi sono sulle gazzelle, ne bloccano la fuga, le costringono ad ammassarsi, le circondano, come cani all'opera con un gregge disordinato. La boscaglia è invasa dai cacciatori.

Hassan e Amed Fuzuli riportano il loro leone nella prima radura, dove si issano i padiglioni e i recinti. Gli ospiti continuano a trastullarsi con le gazzelle, benché non ci sia tanto gusto, per chi è cacciatore provetto: spaventate e stanche, le gazzelle corrono in bocca ai ghepardi che le immobilizzano con una zampa sola.

Taric e Bendel sono tornati al lavoro; astuti e vanitosi, sanno che dopo la cattura dei due leoni il loro dovere è compiuto, ma si esibiscono a ghermire gazzelle come i virtuosi a teatro concedono un bis. Anche Baba Arouj gioca con le gazzelle, con la noncuranza di un atleta che ha già vinto la gara.

Quando arriva il meriggio, il branco è sterminato. La caccia viene interrotta per il pranzo e la siesta.

I ghepardi si stendono all'ombra di un riparo alzato per loro, sonnecchiano, si fanno massaggiare e lisciare il pelo, accettano lo spuntino che viene loro offerto, leggero perché verso sera ci sarà altro lavoro. Non è escluso che ci siano altre fiere nei pressi.

Il leone ucciso da Baba è già stato sventrato e scuoiato, quello catturato da Hassan è vivo ed in gabbia; lo si porterà nel giardino grande a palazzo, dove è bello tenere le fiere finché il loro pelame si mantiene lucido e sano.

Si raccolgono le armi che devono essere ripulite ed oliate, si portano i cavalli sfiancati e grondanti al riparo. Si pensa anche agli uomini, si toglie la polvere dagli abiti e dai turbanti, si provvede al lavacro delle mani e dei piedi, si passa sui volti un pannicello caldo, inumidito e odoroso, si distribuiscono bevande tiepide e cibi frugali. I signori siedono all'ombra dei baldacchini e alla brezza artificiale d'immensi flabelli.

Dopo il pranzo, dopo brevi conversari, gli ospiti si ritirano per la siesta in padiglioni improvvisati, ma confortevoli e freschi.

7.

Finalmente c'è un po' di tempo tranquillo per esporre a Baba Arouj il piano della spedizione.

Si aprono le mappe e si discorre mentre si beve un infuso rosso e acidulo, blandamente aromatico.

Sulle mappe, su cui risaltano i rombi della rosa dei venti, si tracciano per grandi linee gli spostamenti previsti. La rotta vera e propria verrà decisa al momento della partenza e potrà in viaggio subire molte varianti per la necessità di adattarsi ai mutamenti del clima, con la stagione tanto inoltrata, e per gli scopi della missione; sarà benedetto ogni imprevisto che porti a sfamare più gente durante la carestia dell'inverno.

Le galeotte barbaresche cercheranno di disporsi come un'immensa rete nel punto più stretto tra la Sicilia e l'Africa e pescheranno quel che c'è da pescare, navi, s'intende, da qualsiasi parte provengano e qualsiasi cosa portino a bordo. Se saranno viveri si manderanno dritti nei magazzini di Algeri; se saranno beni da vendere, si provvederà a trasformarli in derrate prima di portarli a casa. E quando saranno coperte le esigenze di rifornimento, se il clima resterà passabile e la ciurma efficiente, si tenterà di salire più a nord.

«Quando mai si fanno i piani di guerra con una tale sfilza di se? Il vostro piano è semplicissimo, dovete riempire le stive. E quando saranno ben piene, non vi cercate guai per divertimento. Sarebbe uno spasso troppo costoso. Che senso ha voler fare gli spericolati in questa stagione, con la fortuna che ci ha girato le spalle?» chiede il povero Baba che si è sfilato il braccio meccanico e sventola la sua manica vuota. «È un anno nero, non forziamo la mano al destino».

«Anzi, è il momento giusto per tentare la sorte» sostiene Kair ad din, «quest'anno ci è stata avversa abbastanza, si sarà stancata di mostrarci la sua mezza faccia cattiva, avrà voglia di offrirci quell'altra metà grassa e serena. A me pare proprio che abbia cominciato a girare. Queste belle prede di oggi sono una dimostrazione lampante».

Il sole non è più a picco, la calura si attenua, gli umori tristi di Baba si sciolgono.

Finita la siesta riprende la partita di caccia. Chi è stanco può scegliere se restarsene all'ombra oppure raggiungere il vicino villaggio dov'è predisposto un caravanserraglio per passare la notte.

Rum Zade sta bene, è solo tutto escoriato e ha subìto un piccolo strappo ad un piede; sarà meglio che vada al villaggio, dove potrà avere un buon bagno e un unguento migliore di quello che gli è stato spalmato che puzza da dare disgusto. I compagni lo prendono in giro, Rum Zade dovrà presentarsi in Siria allo zio tutto lividi e croste.

Baba Arouj è tanto felice per la sua impresa che è pronto a privarsi della pelle del suo leone per darla a Rum Zade, che la porti in omaggio a sua madre. Ma il ragazzo non vuole accettare; la pelle deve restare a Baba, in ricordo della prima preda abbattuta con il braccio d'argento.

Il beylerbey non tollera in genere che lo si contrari, ma non insiste, perché è una giornata tanto radiosa che non si può litigare, quindi cambia il suo dono. Il ragazzo porterà con sé il leone vivo, in una gabbia forte che possa resistere al viaggio. E per Rum Zade è giocoforza accettare.

Le pattuglie di perlustrazione hanno avvistato altre ottime prede. Il maestro di caccia suona il segnale e lo sciame dei cacciatori s'avvia.

8.

Una mattina d'autunno, tiepida e senza vento, subito dopo l'alba quando tutti dormono ancora, Osman Yaqub entra nel giardino pensile preferito di Baba, camminando sulla punta delle sue babbucce.

Per la manutenzione di piante e fiori, a palazzo ci sono tre maestri giardinieri più torme di servi, sottoservi e garzoni, però queste rose sulla parete esterna della stanza di Baba sono trascurate. Forse proprio per colpa di Baba che non sopporta gente intorno e così non si sa mai quando venire a fare in pace i lavori senza tema d'essere cacciati via; o forse perché le rose sono piante robuste, sembra non richiedano particolari servigi, quindi restano a lungo neglette, come succede ai più forti di una nidiata.

Quando Osman si prendeva cura di questo giardino era sempre lì a fare esperimenti.

«E se ne vedono i frutti!» pensa il vecchio, con grande orgoglio, guardando amorevole le sue creature.

La damascena bifera è prodiga di una seconda fioritura. Non c'è quasi nessuno ad avere rose in autunno. Quando Osman Yaqub infila le sue tra le alzate dei dolci o sui vassoi da ricevimento, molti gli chiedono come le ottiene, ma egli si guarda bene dal rivelare i segreti; gli piace che le sue piante rimangano una rarità.

La rosa vicino alla damascena bifera, dall'aria modesta, perché ora ha le foglie patite, offese dal vento, è rara anche lei, ha più petali delle rose di Mida che, come sta scritto, ne avevano sessanta ed erano un'eccezione. Questa di Osman ne ha un centinaio.

Per proteggere i boccioli nelle giornate troppo ventose, Osman ha portato dei cappuccetti ricavati da veli smessi dalle signore dell'harem di Baba e di Kair ad din.

La rosa canina ha avuto tropp'acqua, le ha fatto male. La rosa officinale dev'essere tagliuzzata qua e là, va liberata da un brutto seccume. Come si usa detergere le ferite di un uomo, non bisogna lasciare sporcizie sui rami intorno alle potature, ma i giardinieri non hanno l'occhio paziente, tirano via.

Osman Yaqub non doveva accettare che fosse loro affidato anche questo giardino, pieno di essenze rare, che era sempre stato di sua competenza esclusiva; ma poi Baba si è intestardito.

«Con troppi lavori tra mano non puoi dedicarti abbastanza al ragazzo».

Hassan era certo la pianta più delicata e preziosa e meritava dei sacrifici. Ma quante volte Osman Yaqub Salvatore Rotunno si è dovuto occupare di tante cose insieme, nella sua vita di grande lavoratore! Basta dormire di meno, non lasciare che la polvere della clessidra scivoli invano, e la giornata si allunga.

Con il suo passo silenzioso da ladro, la faccia attenta, le labbra tese, la punta della lingua in fuori, il vecchio traffica, lega, attorciglia, netta i rami con due piccole lame affilate e prende ogni tanto qualche foglia, qualche bacca, qualche raschiaturina di muschio che pone in una sacchetta appesa alla cintola, per i suoi intrugli. Molti di essi sono medicamenti noti, cui Osman apporta però spessissimo le sue varianti. Per esempio, nell'impiastro tradizionale di rosa canina, che serve appunto per il morso dei cani, aggiunge una bacca di rosa officinale persiana e le virtù si potenziano.

Con le rose, sole o mischiate, Osman confeziona tanti preparati da riempire una farmacia intera: linimenti a secco ed in crema, acque, liquori, estratti, dolciumi curativi per la gola, per il ventre, per le flussioni. Ne ha d'ogni specie e per ogni male.

Riempita la sua sacchetta e sistemati i cappucci di velo, Osman Yaqub si arrampica su una scala appoggiata al parapetto e si sporge in avanti. Da lassù uno potrebbe illudersi di dominare il mondo, illusione o desiderio che non ha mai sfiorato Osman Yaqub. Gli piace vedere sotto di sé la città addormentata. Gli piace questo quasi silenzio dove le voci lontane di quelli che già sono al lavoro, il rumore del mare ovattato dalla distanza, gli stridii degli uccelli che si rincorrono gli danno la sensazione rassicurante di essere dentro la vita e di goderla con sereno distacco.

«Osman! Osman Yaqub...» grida una guardia, facendo eco.

L'incantesimo è rotto. Fosse stato sporto in fuori tre spanne di più, dal soprassalto Osman sarebbe caduto nel precipizio. Queste guardie di notte non hanno riguardo, strillano che è una vergogna. Se Baba li sente urlare può scatenare un pandemonio per il sonno interrotto; quello che precede il risveglio gli porta i sogni migliori.

La guardia entra in giardino e corre da Osman.

«Baba ti vuole».

A quest'ora? Beata Vergine della misericordia, non può che essere un colpo di matteria.

9.

Osman trova la porta del suo signore accostata. Per spingere l'uscio ed entrare il vecchio deve fare uno sforzo tremendo; gli si accartoccia lo stomaco come ogni volta che alla normale agitazione per le chiamate improvvise si aggiunge la cattiva coscienza di avere infranto le regole. Questa volta ha fatto il giardiniere dove non gli spettava.

Entra, fa qualche passo senza rumore, intravede nella penombra Baba sul letto che dorme tranquillo.

Osman trattiene il respiro e torna indietro senza girarsi: uno, due, tre passi da gambero verso l'uscita.

«Dove scappi? Ho detto che ti voglio parlare».

«Signore sì, non dovevo, ho sbagliato, ma è così bello al mattino quel giardino di rose! Mi servivano foglie di rosa canina e di damascena raccolte con sopra la rugiada».

Si aprono le cateratte degli sproloqui di Osman; non era autorizzato, d'accordo, ma il primo giardiniere non ha nulla in contrario che s'impicci dei suoi giardini, non è geloso, anzi gli è grato.

«Basta. Ti dovrei far tagliare la lingua a pezzi. Sei il mio cilicio» dice Baba sempre con gli occhi chiusi.

«Ho potato le rose senza il permesso del giardiniere in carica. Pace. Datemi la mia punizione».

«Basta!»

Baba Arouj apre gli occhi, che però non sono arrabbiati,

anzi luccicano di divertimento. A lui non interessa affatto se Osman ha potato le rose, o se le ha cavate da terra, distrutte.

«Per me le puoi anche mangiare, con tutte le spine e con tutti i tuoi giardinieri attaccati. Vuoi o non vuoi che ti dia notizie di Hassan?»

È arrivato in porto durante la notte il primo carico di bottino: eccellente lavoro. E Kair ad din assicura che gran parte del merito è del ragazzo.

Ci sono regali per loro. Per Osman ci sono varie cosette, tra cui un vaso di coccio pieno di olive condite come si usa nel suo paese.

«Prendilo. È lì sul tavolo».

Osman lo prende e se lo stringe al seno.

«Aprilo, le puoi mangiare. Non ingoiarti il seme».

Osman esegue, ubbidiente.

«Fammele almeno assaggiare!»

Baba ne prende un'abbondante manciata e riferisce i messaggi dei navigatori.

«Non tornano a casa, risalgono a nord. Prendi la penna, dobbiamo rispondere».

Baba è ignorante come una zucca, sa scrivere ma riempie il foglio di errori: tutta la scienza della casata è andata a Kair ad din. Osman scrive corretto e pulito; è stato costretto a imparare da vecchio per una scommessa vinta da Hassan. È stato duro, ma adesso superare Baba in qualcosa gli sembra un miracolo e ogni volta che si ripete Osman Yaqub biascica giaculatorie di ringraziamento sia a Cristo che a Maometto.

«Carissimo figlio e venerando fratello. No. Cari fratello e figlio. No. Niente: Baba saluta Kair ad din e Hassan».

La lettera viene spedita alla convenuta base d'appoggio. Si allega un pacchetto di dolci allo zenzero e uno di gallette di farro e sesamo, digestive e capaci di mantenersi incredibilmente croccanti persino nell'umidità delle dispense di bordo.

VI.

1.

Le nubi hanno coperto una parte del cielo, apparentemente senza minaccia. Sul ponte della nave ammiraglia, quadranti, ballestriglie, martelogi e altri aggeggi sono distesi davanti a Kair ad din che, soddisfatto, gioca con le cordicelle annodate del suo camal, mentre dà gli ultimi ordini ai comandanti delle navi chiamati a raduno.

Il mare è fermo come uno stagno, cinto per due terzi da una costa a strapiombo e nel terzo restante chiuso da un promontorio ad uncino che cela l'entrata al porto naturale, ben riparato dai venti e dai capricci del mare, che è uno dei rifugi segreti dei barbareschi di Algeri.

La flotta di Kair ad din riposa in questa sua culla. A chiunque si affacciasse dalla scogliera soprastante sembrerebbe una pacifica squadra di grossi barconi da pesca o da trasporto, snelli, lustri, ordinati, senza pretese guerresche, poiché le galeotte dei Barbarossa, lunghe sui venti metri, sono fatte per attaccare qualsiasi tipo di nave e di fortificazione di terra, ma non hanno in vista bocche da fuoco né altro genere d'armamenti. Tuttavia non c'è il minimo rischio che qualcuno s'affacci a curiosare da quelle scogliere, la guardia è costante e il rifugio è sicuro.

Dalla scaletta a babordo spuntano Hassan e Amed Fuzuli, di ritorno dal giro di ronda. Tutto tranquillo, a parte il cielo che brontola e sprizza saette.

Hassan osserva i preparativi di rotta.

«Si parte?»
«Io parto. Se vuoi, vieni con me. Amed Fuzuli può sostituirti al comando della tua nave, che resta qui con le altre. Andiamo solo con l'ammiraglia. Dajar e Alì Ben Tudok saranno i luogotenenti per la sosta d'attesa».
La riunione è finita, ciascuno degli ufficiali può tornare al suo posto. Gli ordini per chi resta sono stati impartiti.
«Non ti decidi?»
«Certo che vengo! Ma è in arrivo una grossa tempesta».
«Sì».
Sembra che la prospettiva di burrasca renda Kair ad din di ottimo umore, tanto che si degna di comunicare qualcosa del piano.
«Saliremo più a nord. C'è uno scherzetto da fare».
Kair ad din, di solito serio ed equilibrato, è eccitato come un ragazzo. La malizia gli corre negli occhi come fa spesso in quelli di Baba.
Hassan non è affatto stupito di questa partenza, l'imprevisto è usuale nelle tattiche della guerra di corsa, ma il tempo non invita a far gite, oggi nessuno uscirebbe in mare senza un motivo più forte di uno scherzetto; ci sono brutti lampi a ponente, senza pioggia, e il vento sale.
«Hai paura?»
«No. Quando partiamo?»
«Adesso».
Si salutano gli amici, che tornano sui loro bastimenti. Un abbraccio ad Amed Fuzuli.
Gli ormeggi sono mollati. Kair ad din sorseggia sidro con miele da un boccale di metallo brunito.
«Ordini?» gli chiede Hassan.
«È tutto a posto. Hai fatto la ronda: riposa».
Hassan fa un cenno d'inchino per la buonanotte.
«Non vuoi sapere dove si va?»
«Hai detto che saliamo a nord a prenderci il nostro divertimento».
Hassan, scambiato col padre un sorriso di giocosa sfida, scioglie il manto, lo mette a terra contro un mucchio di sartie arrotolate, si stende e si avvolge nei lembi dell'indumento di orbace fino a ridursi come una balla di stoffa, grigiastra

e oblunga. Il ponte è stipato di rotoli simili. Sono i marinai che non servono alle manovre della partenza, addormentati per prepararsi allo sforzo dell'indomani.

2.

Nel secondo turno di notte, Hassan, seminudo e sudato, rema ai banchi della galeotta ammiraglia.

Il comite scandisce i tempi con il suo fischietto infernale, che è insieme un tormento e un aiuto. È un aiuto per la sincronia che impone ai vogatori, due per ogni remo, ma è una tortura per i ritmi serrati che detta. Quando il mare è molto agitato ci sono colpi di remo che vanno a vuoto e altri che devono smuovere montagne d'acqua e richiedono una fatica tremenda.

Hassan è tra i rematori di sottovento, il posto peggiore, poiché c'è da fare una lotta durissima per neutralizzare lo scarroccio provocato dalla spinta del vento.

Sarebbe bello avere una salda e profonda carena con il mare grosso ed il vento teso, ma dove andrebbe a finire l'agilità della nave? Le galeotte barbaresche non possono togliere nulla alle esigenze di manovra, pescano quindi pochissimo. Alla precaria stabilità che deriva dalla scarsa carena si può ovviare con la bravura, così resta il vantaggio di potersi spingere sotto costa, attraccare ovunque e superare veloci come il vento passaggi a basso fondale, dove i bastimenti normali non s'avventurano.

Quelle volate rischiose sono per Hassan un divertimento impagabile. Ma gli piace ogni momento della vita di bordo e gli piace che per reggere il mare sulle galeotte dei barbareschi si faccia leva sulla voglia e sull'abilità di ciascun membro dell'equipaggio: è importante che ognuno imprima al remo l'inclinazione migliore, che abbia la forza, ma soprattutto la volontà, di resistere alla violenza dell'acqua. Tutti, ciurma e ufficiali, si alternano ai remi sotto coperta; fanno turni brevi, con una rotazione continua, perché il rendimento sia massimo.

Gli uomini dei Barbarossa conoscono il loro mestiere di marinai e lo fanno con gusto. Ciò non toglie che nei momenti tesi urlino, imprechino, maledicano la loro sorte come fanno anche stavolta, in risposta alla rabbia crescente del mare.

«Dateci dentro, fiacconi» scherza un giovane calandosi dal boccaporto, «non vedevo l'ora di scendere, fa fresco là fuori».

Il giovane è tutto bagnato. Sta cercando di far passare dall'apertura un paio di sacchi, aiutato da un compagno che spinge da sopra.

Appena l'operazione è compiuta, i due mollano i sacchi, si tolgono gli abiti fradici, sfregano con energia i corpi nudi, lividi, intirizziti.

«In coperta sono tutti legati. Kair ad din in persona ha preso il timone. Le onde spazzano forte sul ponte».

I due nuovi arrivati danno il cambio alla coppia di rematori che sta dietro ad Hassan, ma prima distribuiscono le razioni di verdura e gallette che hanno portato sotto nei sacchi. Nessuno ha il tempo di mettere roba in bocca; con gli sconquassi che il mare infligge alla nave, le mani devono stare incollate sui remi. I distributori dei viveri pongono le razioni nella bisaccia che ogni uomo ha a tracolla, destreggiandosi come possono tra panche, remi, corpi e altri ingombri.

«Il vivandiere ha deciso di suddividere il cibo prima che il mare si porti via tutto».

3.

La nave ora è più stabile, è un momento di tregua nella bufera, che tuttavia non è cessata. Il fischietto del comite serra il ritmo. Si deve approfittare della relativa calma per ottenere vogate più regolari e potenti.

Nella sala remiera, se non l'impegno, la tensione è allentata; si scherza perfino sulla mania di Kair ad din di far mangiare agli uomini molta verdura; ne imbarca grandi cestoni ogni volta che può. Il rematore che sta a fianco di Hassan dice che se proprio deve ingoiare verdura, preferirebbe a queste foglie appassite una bella zuppa di fagioli scuri, piccoli e saporiti, con rosmarino, farro e pane raffermo.

«Per la zuppa devi aspettare. Intanto ti conviene star zitto e risparmiare energia».

La forza del mare, tornato iroso di colpo, rompe vicino al portello di un remo. Senza che nessuno dei vogatori debba mollare la presa, scattano in piedi altri uomini che riposavano nella parte centrale della sala remiera e non si scorgevano affatto.

«Legate bene gli attrezzi» urla il comite appena vede finito il lavoro, «e mettete un doppio riparo» poi continua la sequela dei fischi che aveva interrotto.

I cigolìi della nave sono coperti dal fragore della tempesta che sconvolge il mare ed il cielo.

Fuori è giorno fatto, benché la luce sia scarsa. La pioggia è cessata, il mare è pieno di gobbe, di spume, di avvallamenti turbinosi e cupi. Tuoni ondulati e lunghi si rispondono da una parte all'altra dell'orizzonte. Il vento riprende più forte, si deve ridurre ancora la velatura. Gli ordini secchi di Kair ad din arrivano a tutti non si sa come. I ragazzi li eseguono con movimenti fulminei ma vischiosi, da ragni.

Hassan, uscito da un boccaporto coperto appena da un paio di ruvide brache, si avvicina a Kair ad din e lo trova con la faccia beata. Gli occhi sono allungati in una piega ridente, come la bocca, in parte nascosta dai lunghi baffi maestosi. Le sue sopracciglia a cespuglio ancora piovono acqua, come la barba e il turbante, miracolosamente dritto sul capo.

«È proprio brutta, stavolta! Guarda il canale. Da nessuna parte si vede la riva».

La foschia è densa, il mare furibondo. Non c'è da temere nessuna vedetta. Chi sarebbe mai così folle da fare uscire con un tempo simile barche in perlustrazione?

«A parte noi, oggi in mare c'è solo chi non ha saputo prevedere la tempesta e quando gli è scoppiata addosso era troppo al largo per rientrare, o chi non la poteva prevedere in partenza perché viene da molto lontano».

Kair ad din ha ceduto il timone ad Hassan, ma non si allontana. Anche il timoniere ufficiale è lì attento. Però il rais giovane è perfettamente a suo agio, ha imparato dai Barbarossa a sfruttare ogni movimento dell'acqua, ogni spinta e controspinta, con mano ferma e con calma.

La nave cammina docile, svelta a cavalcare d'un balzo le onde peggiori che le si parano innanzi come barriere, pronte a crollarle addosso.

«Vedi l'isolotto laggiù?»

Al primo sguardo nella direzione indicata da Kair ad din, Hassan non distingue nulla sull'acqua sinuosa come una cresta di monti, ma poi nota che una delle gobbe è troppo costante e troppo appuntita e brilla diversa dalle altre nella luce mutevole e incerta della burrasca che si allontana.

È un isolotto, o meglio una vetta che si alza direttamente dal mare.

«Ancora due turni di remo e attracchiamo. Arriveremo in anticipo. Avremo tempo per prepararci in piena tranquillità».

Vale a dire, nel linguaggio di un marinaio guerriero, il mare resterà impraticabile tanto che nessun altro li verrà a distubare.

Kair ad din si liscia i baffi contento e accetta di sgranocchiare una galletta.

Il timoniere riprende il suo posto, perché Hassan ha altro da fare.

«Abbassa la prua» gli ordina Kair ad din.

Hassan scompare nello stretto boccaporto di prua, seguito da un paio di marinai.

Nella sentina il buio è completo. Non c'è tempo di portare un lume e con un mare di questa forza non sarebbe prudente. Si va a tentoni senza che ciò sia un problema, tutti conoscono ogni centimetro del bastimento. Si lavora curvi, con le gambe nell'acqua, si striscia accucciati. Nessun privilegio, la fatica è uguale per tutti. Ormai Hassan è un rais indiscusso, ma sulle galeotte dei Barbarossa ciascuno lavora secondo la necessità del momento e le possibilità del suo fisico.

Spostate con difficoltà le pietre di zavorra da poppa a prua, bisogna girare la manovella della coclea di Archimede per espellere dal fondo l'acqua che è entrata. Sin dal viaggio della sua cattura, Hassan ha imparato da Osman Yaqub che l'acqua in mare è onnipresente come lo Spirito Santo e penetra ovunque. Bisogna tenerla d'occhio, perché se s'intigna a restare dove non deve, allora anziché allo Spirito Santo conviene paragonarla al Maligno, per i guai che combina; bisogna snidarla e gettarla fuori, costi quello che costi.

4.

La lunghissima ondata di risacca conduce la nave fino all'isolotto, in una stupenda chiarità. La pace è venuta improvvisa.

Kair ad din aveva previsto con esattezza la fine della tempesta. Sa sempre quando e dove si alzeranno o si disperderanno le nubi. E forse sapeva che all'attracco tre gabbiani avrebbero porto il saluto, puntando festosi dallo scoglio più alto verso la nave. C'è chi ritiene Kair ad din un grande mago, capace di comandare agli elementi della natura e di intendersi con gli animali.

Dopo due giorni di silenzio forzato, i musici hanno ripreso a suonare; non è un'esecuzione eccellente, purtroppo anche i nuovi virtuosi, presi a bordo durante una sosta, in sostituzione di quelli scelti dall'intendente che avevano subito chiesto di tornarsene a casa, hanno avuto il mal di mare a tal punto da far pena al mozzo di bordo, Pinar, che è un ragazzo levantino di poca pazienza e di nessuna sensibilità musicale.

«A che serve un peso morto sull'ammiraglia?» diceva il mozzo. «Liberiamoli dalle sofferenze e seppelliamoli in mare».

«Chi t'ha detto che sono un peso morto?» gli rispondeva il principe, divertito dalle arie da gradasso incallito del piccolo. «Io li ho visti sciogliere e riavvolgere cime, passare scotte. Hanno girato gli argani e hanno persino retto a brevi turni di remo».

Ad attracco avvenuto, il mozzo torna a cercare Hassan per lamentarsi dei musici.

«Hassan! Quelli non mangiano né la galletta né la verdura».

«Se non hanno fame, lasciali in pace».

«Si vede che vogliono roba più fine. Io gli darei la spazzatura, per cena».

«Lascia perdere i musici e va' a lustrare la campana di bordo».

Il mozzo è attratto dai musici, dai loro strumenti, dalle vesti bizzarre, dai cappelli larghi e piumati. A Pinar piace la vita sul mare, sa la fortuna che ha avuto a capitare sulla nave ammiraglia di Kair ad din, ma l'esistenza dei musici dev'essere anch'essa meravigliosa. Vanno per corti e paesi a suonare alle feste, sono presenti sempre nelle grandi occasioni, hanno i posti migliori alle parate, sono dovunque riveriti e ben pagati.

«A questi è toccato suonare sopra una nave da guerra, ma bisogna che ci si adattino senza far tante storie!»

Ora i musici hanno chiesto a Pinar dove possono acquartierarsi per la nottata.

«Vorrebbero scendere a terra: signori, gli ho detto, siamo in piena bonaccia e, dopo quel che c'è stato, ringraziate il cielo d'essere vivi, anche se non avrete letti di piume. Noi soldati non abbiamo bisogno di acquartieramenti speciali».

E i musici gli hanno risposto che essi pure sono buoni soldati.

È fiato sprecato parlare con loro per uno come Pinar, che è nato sul mare tra la zavorra di una stiva mentre i cannoni sparavano e gli uomini si sbudellavano. È figlio di un marinaio barbaresco e di una donna catturata in una razzia ed è cresciuto tra panche di rematori, barili di polvere, arrembaggi, zuppe di pesce.

A una cert'ora la musica cessa e i virtuosi si sistemano a ridosso di una fiancata. Uno affila la spada, l'altro controlla l'acciarino, il terzo ricuce il sacchetto della polvere da sparo, strappato in un angolo. Il mozzo corre a informare il suo amico rais.

«Hassan, i musici si preparano alla battaglia sul serio!»

E, tutto contento, estrae di saccoccia un pezzo di cedro candito che fa a mezzo con il suo principe. Poi torna triste.

«Hassan, oggi ho avuto paura».

«Si vede che non avevi abbastanza da fare».

Il bastimento dondola in un mare morbido come i cuscini dell'harem. Tranne quel viola leggero dell'orizzonte, il cielo, la superficie dell'acqua, la roccia, la nave sono senza colori. Si prepara una notte serena, l'aria fresca e odorosa ripaga dei due giorni trascorsi nella bufera.

«Ma io non dovrei avere paura, io sono nato sul mare».

«Non preoccuparti, Pinar» lo consola Hassan tirandoselo tra le ginocchia e scuotendogli con una mano il mento buffo e sbilenco, «la paura bisogna cacciarla giù nello stomaco, che è la sua casa». Hassan addenta il candito. «È buono, a chi l'hai rubato?»

Per risposta Pinar gli fa uno sberleffo.

5.

Kair ad din si riposa studiando le carte di navigazione, per le quali ha una grande cura. Le tiene continuamente aggiornate. Adesso ci ha scritto di questa tempesta. Le sue carte riportano le informazioni più minuziose. Descrivono, oltre ai fondali e le coste, tutto quello che si conosce dell'interno di una regione: i luoghi abitati, le fortificazioni, le strade, la dislocazione delle truppe, i metodi di guardia, la conformazione del terreno. A volte è utile sapere dove ci sono buchi nella roccia e passaggi segreti; serve conoscere usi e costumi degli abitanti, i rapporti di questi con i loro signori, la ricchezza o meno di acqua, la possibilità di reperire vettovagliamenti. Kair ad din raccoglie e vaglia ogni notizia.

Ma più di tutto a lui piace studiare i moti del mare, i venti dominanti e usuali e quelli bizzarri, quelli pacifici e quelli più rovinosi, e gli piace scoprire e annotare forme, abitudini e intemperanze delle nubi in cielo.

È molto fiero di aver suscitato in Hassan un'uguale passione, anzi forse una passione ancora più grande, per i fenomeni della natura e in particolare per quelli celesti.

«Io mi chiedo, però, se non avrei fatto meglio a sedere immobile su una torre a contemplare il corso degli astri come facevano i sapienti assiri. Forse sarei riuscito a risolvere qualche mistero» dice Kair ad din ad Hassan mentre, terminate le annotazioni sulle sue carte, si stende sotto un panno di lana guarnito di un lieve fregio dorato.

«A proposito di misteri» ribatte Hassan, «perché intanto non ne risolvi uno per me? Vorrei sapere chi stiamo aspettando».

«Adesso ho sonno, figliolo. Fa' l'ultimo turno di guardia, stanotte, e lo saprai da te».

6.

Poco prima dell'alba Hassan e un marinaio cabilo sono di vedetta sulla cima dell'isolotto, che non è altro davvero che un becco di granito proteso nel cielo verso ponente e ora sta pigramente assumendo i colori e le forme di ciò che ha intorno; le pieghe di roccia simulano le onde del mare, di piombo scuro come loro, come i cespugli petrosi e come l'aria.

Pian piano si delinea tra il mare e il cielo una sfumatura diafana, simile ad un bioccoletto di lino, e contro quella filaccia chiara si distinguono due punti neri. Potrebbero essere due bastimenti, ma la distanza è tale che con quella luce potrebbe essere tutto, perfino una fantasia.

Il giovane rais ed il cabilo si consultano rapidamente. Meglio dare l'allarme. Le due vedette fanno il convenuto segnale, poi scendono dalla parte opposta a quella verso la quale guardavano, dove la montagna incavata a conchiglia nasconde, nell'insenatura liscia come una falce, l'ammiraglia di Kair ad din.

La galeotta immobile è un uccellaccio appostato. Da lontano sembra un'imbarcazione inoffensiva, senza nessuno a bordo. Solo una parte dell'equipaggio è in effetti sopraccoperta, ed è ben nascosta; gli altri saliranno al momento opportuno. L'equipaggio e l'esercito sono una cosa sola sulle navi dei barbareschi, ogni marinaio è un combattente ben addestrato e ogni soldato è anzitutto un uomo di mare.

Via via che Hassan e il cabilo si calano dall'uno all'altro dei denti di sega che formano lo spigolo esterno della montagna, distinguono i loro compagni, in postazione d'agguato, con le pelli unte e luminose, pronti allo scatto.

Lo scafo ed i remi della galeotta brillano, abbondantemente spalmati dei succhi viscidi delle pale dei fichi d'India.

7.

I due punti neri avvistati dal cabilo e dal principe Hassan avanzano ignari con allegra andatura.

Il vapore aromatico del vino cotto con la cannella rallegra

il risveglio dei convitati al primo rinfresco dell'alba nel castello di prua dell'ammiraglia papale, in rotta da Genova a Civitavecchia. Sono poche persone infreddolite e assonnate: il comandante Jean Pierre de la Plume, due ufficiali di bordo, un signore d'età e di rango vestito tra lo spagnolo e il tedesco, una signora dipinta di biacca e carminio; una fanciulla in lutto con gli occhi gonfi, la bocca tirata in una smorfia per vincere il pianto, la pelle di cera, il naso sprofondato in un uccelletto di Cipro.

La fanciulla, di dodici anni all'incirca, rifiuta con un debole cenno il boccale fumante.

«Povera Anna. È un peccato che tu non possa sentire quant'è squisito questo vino moscato».

Due lacrimoni ribelli scendono lungo il nasino all'insù. La zia sente il dovere di scusarsi con il comandante.

«Spero perdoni, eccellenza, il mare è tranquillo ormai, ma la piccola non lo sopporta. Bisogna adagiarla sul letto di nuovo».

«No, madame, portiamola fuori. Ci vuole aria».

La si avvolge in un ampio robone foderato di pelo e la si porta quasi di peso in coperta.

«Ah» esclama respirando a fondo la dama zia, «che meraviglia una giornata così dopo la tempesta di ieri!»

Il mare è una tavola, la nave una piuma. La signora con biacca sorride ma ha un brivido e si stringe addosso la roba di felpa e pelliccia. Anche il signore d'età che le è al fianco sembra rassicurato e lancia con degnazione occhiate di sguincio per tutta la tolda.

«Sì, la nuova ammiraglia papale è un gioiello».

«Grazie, marchese eccellentissimo! Sapevo che la mia nave era bella, per questo ho avuto l'ardire d'invitare a bordo ospiti di tanto riguardo».

Il comandante della flotta papale assicura che per lui è una gioia dare un passaggio ad un grande di Spagna durante il primo viaggio dei suoi nuovi bastimenti. Il mare è stato più grosso di quel che si pensava, ma non terribile.

«La bufera ci ha preceduto, era più a sud, in ogni caso è finita. Faremo una passeggiata tranquilla fino al porto di Civitavecchia. Se non s'incappa nell'occhio delle tempeste, un viaggio per mare è più sicuro di un viaggio per via di terra».

La signora rabbrividisce di nuovo.
«Indubbiamente, madama, è più piacevole andare per mare d'estate che di questi giorni, ma la stagione avanzata ci garantisce che non patiremo attacchi pirati. Col tempo buono si possono fare incontri pericolosi. Gradisce uno scialle, un panno di lana, una trapunta di piume?»
La nave è fornita di tutto. I viaggi di terra offrono meno comodità e sono sempre molto insicuri anche con una scorta di armati.
«Le strade non sono gran che e, sia detto in confidenza, quelle degli Stati papali sono tutt'altro che ben presidiate. E poiché la penisola è in ebollizione perenne, con le rivalità tra i grandi regni e i litigi tra i piccoli stati» osa dire Jean Pierre de la Plume, con un malizioso sorriso, «i predoni abbondano. La macchia marina sembra fatta apposta per proteggerli e il Papa, tra le sue tante cure, a volte dimentica gli affari minuti».
«Non mi sembra che il Santo Padre tralasci gli affari. Quest'idea di adibire le sue migliori galere ai commerci invernali è un colpo di genio» osserva il grande di Spagna, marchese Comares.
Il comandante De la Plume non vuole che gli esimi signori stranieri abbiano l'impressione che Sua Santità si sia fatto mercante; i guadagni verranno messi da parte per la futura crociata. E non si tratta peraltro di un vero nolo di navi, bensì di un semplice prestito. Le due galere appena varate, anziché scendere vuote dal porto dove sono state costruite, hanno aperto le stive ai privati che erano in cerca di un buon trasporto e i commercianti sono stati felici di pagare qualcosa al Papa per il disturbo. Non è facile d'inverno trovare navi che affrontino i viaggi.
«Mai vista insieme tanta grazia di Dio!» la nobildonna con il volto di biacca ha la stoffa di un'eccellente massaia, sia pure d'una massaia d'alto lignaggio, e a colpo d'occhio sa giudicare la capienza delle stive e il valore di casse stracolme di derrate di pregio, di canne e canne di tessuti provenienti da ogni parte del mondo, manufatti, spezierie, vasellame. «Sembra impossibile che tanta roba possa trovare compratori in una sola città».
Passeggiando sopraccoperta, si parla di Roma, dell'idra di-

voratrice che è diventata, degli strabilianti consumi, dei lussi, della gran vita che vi si mena, più fastosa e piena di gaudio che alle corti dei re.

«Sono le feste, le luminarie e il numero degli uomini armati che mostrano al mondo la potenza delle casate maggiori o dei cardinali!» spiega il comandante Jean Pierre de la Plume. «Madama Anna, quando sarà maritata, vivrà a Roma in un carnevale continuo. A Venezia il carnevale è fastoso, ma dura il tempo previsto dai canoni di madre Chiesa; a Roma c'è molta licenza, la madre Chiesa è di casa e può fare eccezioni più o meno tacite in cambio di giaculatorie e di offerte». La casata di cui Anna diverrà la prima signora è tra le eccelse in potenza e denaro, degna in tutto e per tutto di accogliere la cugina di Carlo d'Asburgo e di Spagna. «Potrete tenere una vera corte, signora!»

Il comandante s'inchina e si scappella facendo ondulare le lunghe piume della berretta. Il suo abito alla francese dotato di un ricco pourpoint luccica di argenti intessuti, sotto il manto di raso trapunto e bordato di pelo.

Madama Anna, la ragazzina, tuttavia non comprende le gioie che il comandante le illustra, tesa a combattere il mal di mare e molti altri turbamenti e dolori.

«Permette, madame?»

Il comandante francopapale le toglie di mano l'uccelletto imbalsamato e riempito d'aromi.

«Questi odori muschiati non servono. Se sua grazia me ne dà licenza, vorrei farle schizzare il volto con l'acqua di mare». E dà ordine ai mozzi che provvedano a tirarne su una secchiola pulita.

«La nave è immobile, è una delizia».

La zia di Anna è felicemente stupita. Fiamminga, abituata alle onde dei mari del Nord, non crede ai suoi occhi nel vedere una simile calma a poche ore dalla bufera.

«Pare che il tempo abbia deciso di rimettersi al bello. Se le loro grazie volessero» propone il comandante Jean Pierre, «visto che la navigazione procede senza scosse antipatiche, sarei onorato di mostrare tutta la nave, compresi i ponti remieri».

«Quelli, signore, sarebbe meglio di no».

«Perdonate» Jean Pierre de la Plume alza confuso le braccia, chiedendo venia alle signore per la proposta audace, «la scena potrebbe essere rude, benché non mi risulti che abbiamo già avuto decessi. Con i forzati ci vuole polso di ferro, il comite usa la frusta. Non è gradevole. Nemmeno l'odore è gradevole, purtroppo c'è puzza, nel ponte remiero, anche in una nave al suo primo viaggio».

«Non è per questo, è per gli abiti!»

«Oh, che sventato, certo! Gli uomini potrebbero essere ignudi, pardon».

La secchiola d'acqua di mare è pronta sul parapetto, la piccola Anna riceve paziente gli energici spruzzi, poi chiede il permesso di ritirarsi nel castello di poppa dov'è l'alloggio delle signore. La zia l'accompagna.

«Eccellenza» il comandante attacca un discorso impegnato, ora che è solo con un grande di Spagna, «Sua Santità non è affatto contraria alla Spagna e all'Impero. Re Carlo, piuttosto, che cosa pensa di questo Papato e che intende fare?»

Sua eccellenza il grande di Spagna dice e non dice, non è venuto per sprecare fiato con un comandante azzimato e chiacchierone che non gli ispira fiducia; se dovrà dare risposte e giudizi lo farà a Roma, nei colloqui previsti alla Curia o nelle case che contano, dove il giovane Carlo d'Asburgo, suo parente e suo signore, lo manda a sondare il terreno con la scusa e per mezzo delle feste nuziali. Questo matrimonio della nipote è un delicato affare di stato che va gestito con tatto e sagacia, per il bene della famiglia e per il regno. Col comandante qui sulla nave basta parlare del tempo e del mare, complimentarsi per la perfetta navigazione e per il trattamento, anche troppo lussuoso, visto che in qualche modo si dovrà ricambiare.

Arriva il secondo rinfresco, passano i servi con un vassoio di biscotti di mandorle e uva, per poter bere un altro goccio di vino caldo.

Regolari segnalazioni giungono dalla galera che segue. Nessun problema a mantenere costante la velocità. I solcometri confermano che le due navi filano che è una bellezza, nonostante la bonaccia lasci sgonfie le vele.

«Ci saranno galeotti ancor freschi sui remi» dice il marchese Comares da esperto, «e ci sarà un aguzzino che sa imporre un ritmo decente».

Il chiarore dell'alba si è dilatato fino alla metà del cielo. L'ammiraglia papale ha virato di poco, per aggirare comodamente l'isolotto che si profila davanti.

«Comandante, vuole vedere là in fondo? C'è qualcosa di strano».

Sì, sembra di scorgere accanto alle rocce un legno che sporge. Sarà una barca da pesca incagliata per la bufera.

«Dal tempo delle repubbliche antiche» spiega Jean Pierre de la Plume al signore spagnolo, «questa è rimasta zona di gente temeraria sul mare. Sono capaci di arrischiare la pelle per riempire più in fretta le reti. C'è sempre qualche relitto, in quel punto, che si dice sia molto pescoso. Vedremo se è vero. Attraccheremo lì dietro, per la nostra piccola sosta, e ci divertiremo a pescare finché vorrete.

Nemmeno gli spruzzi dell'acqua marina sono serviti per far passare il malessere alla fanciulla, senza forze e con lo stomaco in guerra. All'arrivo ci saranno i futuri parenti ad accoglierla, bisognerebbe almeno rimetterla in piedi. La zia si affaccia alla porta della cabina e chiede conforto e istruzioni.

8.

Hassan e il cabilo, arrivati al piede del precipizio roccioso, aiutano a sciogliere gli ultimi ormeggi e saltano a bordo nell'istante in cui un silenzioso traffico di cime, argani e aste uncinate allontana la nave dalla riva quanto basta per garantire agilità alla manovra imminente.

I musici si sono tolte di dosso palandrane e guarnacche; bianchi in volto, non si sa se per il freddo o il terrore, imbracciano gli strumenti, pronti a suonare all'inizio dell'arrembaggio.

Pinar si piazza in un punto strategico per seguire da presso quel che faranno i suoi musici, ma gli vien dato l'ordine di acquattarsi in disparte tra gli otri della riserva. Ciò gli fa rabbia, ma il palcoscenico è talmente ristretto che anche da dietro le quinte godrà tutta l'azione.

Kair ad din ricorda a ciascuno i suoi compiti. Nella prima fase d'attacco lo sforzo maggiore sarà richiesto ai vogatori, che dovranno gettarsi a tutta forza sui remi quando la nave da conquistare arriverà alla giusta distanza e il timoniere dirigerà a speronare la preda.

Tutti gli uomini sono armati fino ai denti, cioè proprio con un coltello fra i denti quando c'è una seconda arma da usare o quando le mani servono libere per lanciare gli uncini o per aggrapparsi alle funi.

Appena le navi saranno agganciate i vogatori molleranno i remi e combatteranno anche loro.

Un marinaio di vedetta sull'albero maestro scandisce le distanze. Centodieci, centonove, centootto, centosette...

Nella sentina si tolgono rapidamente i puntelli per spostare le tavole divisorie e far rotolare la ghiaia di zavorra verso la poppa: la prua deve alzarsi al massimo per poi abbassarsi di colpo, come un rostro d'aquila che ghermisca la vittima inerme.

9.

È sempre l'alba, in un tempo rarefatto, sospeso. Nella cabina degli ospiti del lussuoso castello di poppa dell'ammiraglia papale il lume si è spento e la luce naturale ancora debole non basta a fugare il fantasma nero che si agita al centro.

Non è un fantasma. È il grande di Spagna che, fuori dai vincoli del protocollo, strepita con le sue donne; la voce, priva dei toni contegnosi di prima, è stridente come una lama di ferro.

«Mi sembri un cadavere e non una sposa. Togliamo quei panni da lutto che hai addosso da tutta la vita. E basta con i piagnistei, le lagne, le discussioni».

Il matrimonio è deciso, ad Anna non resta che fare buon gioco.

«Un po' di trucco, un abito con qualche sfarzo: devo essere io a insegnarlo a due donne?»

La fanciulla è infagottata in un abito scuro senza ornamenti, appena un pizzetto ai bordi del collo, con le punte piegate in avanti come usano le borghesi o le beghine. La cuffietta di trina è schiacciata da un velo pesante e bigio. Si intravedono i capelli chiari, umidicci per gli spruzzi troppo abbondanti di acqua di mare, appiattiti in due bande ai lati del volto minuto, pallido, con gli occhi cerchiati.

Il rimprovero del marchese è rivolto in particolare alla moglie: camuffi in fretta la ragazzina e ne tragga qualcosa che somigli a una dama di rango. La dote è regale, ma santiddio pure l'aspetto ha il suo peso! Facciamo in modo che la figura non sia da pezzenti.

«Bell'immagine per la casa d'Asburgo» conclude il marchese squadrando la nipote con vivo disgusto. «Ripassatevi almeno la parentela del principe Ermenegildo».

Dalla finestra si vede la roccia della montagna ormai vicina. Lo zio esce in coperta, la zia estrae da una cassa intagliata una sopravveste di lucente damasco, una berretta ornata, due maneghezzi, una collana e inizia a togliere gli abiti da lutto alla nipote, recitando la sfilza dei nomi e dei titoli del parentado dello sposo romano, come se fosse una litania di martiri, che la fanciulla ripete con diligenza, annuendo col capo ad ognuno, come a dire che ricorda, che ricollega le fila, benché la voce sia trepida sotto una tal rete di sconosciuti legami.

10.

Sedici, quindici, quattordici, tredici, dodici. Continua il conto del marinaio sull'albero della galeotta e ad un cenno di Kair ad din prosegue in un sussurro, coperto dallo sciabordio delle onde, dai tonfi delle gigantesche remate della galera nemica che sbuca da dietro lo sperone di roccia.

Tre, due, uno: Kair ad din alza il capo. Silenzio assoluto, tranne le vogate ritmiche e cupe della galera papale, dalla quale ormai si deve vedere benissimo lo spigone di prua, l'intera prua e una buona metà del corpo della galeotta, sempre apparentemente deserta.

Kair ad din riabbassa la testa coronata dal suo turbante di raso ed è il segnale che gli uomini attendono. L'attacco esplode.

Scattano insieme lo schiaffo dei remi sull'acqua, le note dei musici, l'urlo dei guerrieri fuso nella chamade, lo scocco dei dardi.

La galeotta avanza fulminea, s'impenna, lascia ricadere il suo rostro sull'ammiraglia papale.

VII.

1.

Interrotta la litania dei futuri parenti dal lacerante grido all'unisono degli attaccanti, dalla finestra del loro alloggio le signore vedono balzare sulla murata un giovane dai neri capelli a raggiera, con la scimitarra in alto, seguito da una valanga di uomini e lame. Hassan è saltato per primo e guida l'attacco.

Anna di Braes non ha mai visto una guerra. Trattiene il respiro, le braccia tese, irrigidite lungo le strutture del verducato di bombasina, le mani aggrappate ai cerchi imbottiti di stoppa, gli occhi aperti a inghiottire il terrore. La zia fa disperati segni di croce, nascosta dietro un cassone.

Nella cabina di comando della galera ammiraglia papale nessuno degli uomini capisce cosa succede, tanto meno sa quello che occorre fare. Assurdo pensare al cannone, non c'è nemmeno il tempo di caricare le armi da fuoco più piccole.

Questo è infatti il disegno di Kair ad din: non permettere all'avversario di ricorrere alle armi da fuoco, altrimenti l'altra galera, per quanto un miglio lontana e coperta dall'isolotto, potrebbe udire gli spari e mettersi all'erta.

L'arrembaggio è così fulmineo che da parte papale nessuno tenta di organizzare una vera difesa, ognuno fa quello che può per non venire colpito, per rimanere in vita ed intero. L'assoluta sorpresa è per i barbareschi l'arma migliore.

Così a nord, fuori delle rotte a rischio e oltretutto fuori stagione non si poteva pensare a un incontro con questi pirati spuntati dalle rocce e dal mare, agili e implacabili come fiere, nudi come vermi, rapidi come saette.

I coraggiosi spagnoli di scorta al viaggiatore eccellentissimo, parente di Carlo d'Asburgo, subito fanno quadrato intorno al loro signore e menano colpi da professionisti, benché l'opulenza degli abiti sia d'impaccio a salti e fendenti, benché le scarpacce militari scivolino sopra il ponte, dove i barbareschi hanno versato una materia untuosa che non nuoce a loro, scalzi e allenati a reggersi in equilibrî precari, e manda gli altri a gambe levate.

I corpo a corpo sono violenti. Il sangue sgorga, le armi da taglio fanno il loro dovere. Tuttavia, a parte sbudellamenti, mutilazioni e voli fuori della murata indispensabili a stabilire una vittoria piena e irreversibile, ai barbareschi non serve ammazzare un uomo di troppo, né rompere gambe o braccia più del necessario a nemici che diventeranno preziosa merce di scambio. Sarebbe uno stupido spreco.

Il grosso dell'equipaggio della galera ammiraglia papale, per lo più assunto per compiti di servidorame e non di guerra, comprende che l'unica possibilità di salvezza è nel restare inermi. I più si gettano ginocchioni con le braccia alzate e strillano chiedendo pace e pietà. Qualcuno dotato di sangue freddo e di fantasia si professa devoto di Allah.

Ci sono purtroppo parecchi annegati tra i papalini, per il vecchio vizio d'imbarcare uomini ingualdrappati come cavalli a una parata sicché non possono reggersi a galla, tirati a fondo dal gorgo dei loro panni e ornamenti una volta che la paura sconsiderata li ha spinti fuori del bastimento nella vana ricerca di scampo. Non è un vizio dei papalini soltanto, tutti gli eserciti tengono ai loro insensati paludamenti. Anzi, stavolta c'è se mai la scusante di un viaggio speciale che doveva essere senza pericolo, con l'accordo di Francia e Spagna più il beneplacito dei potentati minori; era un semplice trasporto di merci protetto a distanza da contratti firmati, con ospiti a bordo garantiti da fior di lasciapassare. Sulle galere papali, a quest'ora, sarebbero stati tutti a dormire pacificamente, se non fosse stato per il desiderio espresso il giorno avanti dal marchese Comares di fermarsi in una zona pescosa. La battuta di pesca sarebbe appunto dovuta iniziare tra poco. Ed eccoli lì, tutti quanti finiti in padella al posto dei pesci: papalini, spagnoli e mercanti con le loro robe.

Il povero comandante francese della flotta papale, intrise di sangue le sue belle gale, non sa a che santo votarsi per parare una tale disfatta. Maledice la sorte che l'ha piombato in quest'ammasso di casse, otri e balle di mercanzia, tra imbelli soldati svizzeri resi flaccidi da lunghi anni di pura rappresentanza, dai ventri grevi e dalle gambe malferme su piedi ben poco marini.

2.

Sottocoperta, nella sale remiere, le urla sembrano squarciare le fiancate del legno, perché i galeotti, intuito l'attacco pirata, non obbediscono più all'aguzzino e si fermano. I remi enormi, che a manovrarne uno quattro uomini bastano a stento, vengono lasciati in bando.

Sui banchi disposti a diverse altezze in un indescrivibile intrico di remi, catene e corpi, i galeotti che ne hanno la forza tentano di svellere assi per cavarne armi: impresa difficile poiché hanno braccia e piedi legati e sono sfiniti da lunghe ore di voga. I poveretti che stanno più in basso sono i peggio ridotti, immersi fin quasi al petto in una nauseante poltiglia di acque salmastre, escrementi e varie lordure.

Una panca è sfasciata. Due galeotti riescono a sfilar fuori il piolo che regge l'anello delle catene, si liberano, si avventano sull'aguzzino che vorrebbe scappare in coperta, ma trova la strada sbarrata: dalla scaletta del boccaporto scendono due barbareschi armati di ferri e tenaglie e dietro di loro compare Kair ad din in persona.

Si fa improvviso silenzio, per lo stupore e la gioia. Nell'inferno remiero si era sperato un attacco, che molto spesso è per le ciurme prigioniere un'occasione di libertà, ma c'è sempre il rischio di cadere dalle mani di un padrone in quelle d'un altro ancora peggiore. Quando però i galeotti vedono il Barbarossa sono certi che la fortuna è arrivata, per la fama di salvatore che egli gode tra loro.

Dopo lo stordimento di un attimo, si alza l'ovazione come un boato.

«Viva Kair ad din l'onnipotente! Viva Kair ad din il liberatore!»

Kair ad din con calma regale interrompe l'omaggio e le grida si spengono con immediata obbedienza.

Il Barbarossa saluta i vogatori in lingua franca, il miscuglio di idiomi che conoscono e parlano tutti coloro che vanno per mare, e proclama:

«Si tolgano i ferri!»

I due barbareschi scesi con il rais sono già all'opera e il tripudio degli uomini è immenso.

«Ma ora» riprende Kair ad din, «è necessario che restiate ai remi e continuiate a vogare finché l'impresa è ultimata. C'è da mettere in trappola la seconda galera papale e dopo di ciò si dovrà arrivare ad un porto sicuro».

I galeotti mori, berberi, turchi, africani saranno liberi di tornare alle loro città, una volta sbarcati, o di rimanere in terra di Barberia; i galeotti cristiani, siano essi tali per debiti, per commessi crimini o per diritto d'acquisto, godranno della stessa libera scelta, quando si saranno riscattati con il loro lavoro.

Gli uomini sono commossi e chinano il capo. L'aguzzino guarda terrorizzato quella massa di nuovi agnelli e attende che da lupi famelici, quali crede che siano in realtà, gli saltino addosso e lo sbranino.

Ma Kair ad din è parsimonioso; ordina che l'aguzzino sia lasciato in vita e lo fa porre sul banco di poppa, al posto di un morto. Non è il momento di sprecare una schiena e due braccia.

3.

Sopraccoperta si svolge intanto una frenetica pantomima. Giustacuori, casacche, brache rigonfie, mantelli, cappellacci piumati passano dai vinti addosso ai vincitori. I barbareschi si avvolgono sommariamente, per poter poi sbarazzarsene in fretta, nei variopinti abiti degli avversari. Predominano il rosso ed il giallo, che sono i colori della gente del Papa. I papalini e gli spagnoli autentici vengono nascosti, ammassati e insalamati in tutti i buchi possibili, ricoperti di teli, imbavagliati, pressati tra casse e balle, stesi al piancito.

Alcuni dei barbareschi, quelli che si sono meglio bardati alla spagnola o alla papalina, si mettono in mostra ai posti di lavoro e di comando.

È lasciato nella sua veste e alle sue mansioni l'ufficiale di manovra che, sotto stretta sorveglianza, dovrà fare accostare la seconda galera appena spunterà da dietro l'isolotto.

Si danno le ultime secchiate d'acqua alle fiancate ed ai ponti per eliminare sangue, sporcizia e ogni segno di confusione. La galeotta di Kair ad din non darà fastidio, rintanata dietro lo spunzone di roccia.

Se quelli della seconda galera fossero stati sul chi va là, pur da lontano avrebbero dovuto notare movimenti strani sulla loro ammiraglia, così come potrebbero adesso vedere che dentro l'acqua c'è gente, e che non sono bagnanti; ma sulla seconda galera non hanno motivo di stare in guardia, sono allegri, pronti ad unirsi ai colleghi per fare insieme una bella mangiata e spassarsela con una partita di pesca.

Come una pecorella al macello, docile e ignara, la seconda galera del Papa si accosta alla sua ammiraglia, ridotta al rango di trabocchetto pirata, e diviene facile preda mentre l'alba si scioglie nel giorno, illuminato da un timido e gelido sole.

4.

La nuova cattura è per i barbareschi una burla da raccontare agli amici durante le cene d'inverno e Kair ad din se la gode dal castello di prua, seduto davanti ad una delle spropositate finestre dell'alloggio del comandante papale quasi fosse ad uno spettacolo di saltimbanchi, nel palchetto d'onore. Un servo lo ripulisce e lo veste come si addice al grande signore e monarca che è. Il barbiere del comandante Jean Pierre è chiamato per un ritocco al taglio di barba e capelli. Al nuovo assalto pensa il principe Hassan.

«Caro fratello» scriverà Kair ad din a Baba Arouj, «questo nostro figliolo merita gloria e potenza. Sarà il rais che ci vuole per la nostra città».

L'arrembaggio di Hassan sembra al padre adottivo una danza. La forza e la grazia, l'agile scatto del figlio richiamano alla mente di Kair ad din gli atleti cantati dagli antichi poeti.

Per i nemici, invece, Hassan è soltanto una furia che infilza pance, sterni, cervelli, in una disgraziata mattina d'autunno piena di freddo.

La maggior parte degli uomini della seconda galera, ciurma e ufficiali, si lascia vincere con facilità. Molti sono intorpiditi dal sonno, altri dal vino speziato e alcuni, che si ritenevano i più fortunati, vengono sorpresi nel letto, dove si erano dati alle tenerezze e agli amori con le ancelle delle due dame ispanotedeschefiamminghe, per le quali non era stato possibile trovare un alloggio a bordo dell'ammiraglia con le padrone.

Qualcuno si batte, però, con molta energia. Superato lo sbigottimento, il capitano della seconda galera si getta nella mischia contro i pirati con molto ardire, ma poiché è la mattina delle sorprese, quando si vede dinanzi i musici con le armi in pugno, resta con la spada per aria, gridando:

«Via da me, brutti spettri! Voi siete morti, morti e sepolti!»

E il musico più alto e allampanato, quello che è il capo del gruppo, gli risponde, gridando più forte ancora:

«Invece sei tu che sei morto: noi siamo tornati a fare vendetta. Io ti sfido a duello!»

«Che gran gentiluomo!» esclama Pinar estasiato, rimasto sulla galeotta.

Sta di fatto che mentre la luce del giorno sempre più invade la distesa dell'acqua, i dirupi dell'isola, le tolde delle tre navi, mentre la battaglia si stempera in una generale resa di papalini ed asburgici, sul ponte poppiero della seconda galera avviene uno spettacolare duello che termina quando con un gran salto il musico gentiluomo infilza e conduce a morte il capitano rivale.

Pinar, che ha osservato tutto dalla galeotta, ha conferma che i musici sono davvero dei bravi soldati e grida urrà a squarciagola, mentre una squadra di barbareschi, terminato ormai lo spettacolo, sceglie tra i corpi in acqua quelli che sono recuperabili e spoglia i morti quando ne vale la pena.

Hassan finalmente capisce chi ha informato Kair ad din del viaggio delle galere nuove: sono stati i musici che si erano fatti ingaggiare per portare a termine la loro vendetta.

E il vivandiere della galeotta constata con quanta sapienza Kair ad din il preveggente, com'egli lo chiama, l'avesse fatto partire con poche cibarie dicendo che avrebbero trovato un banchetto per mare. La brezza del mattino gli porta gli effluvi che escono dalle cucine delle due grandi navi dove è pronta la specialissima colazione invernale in onore degli ospiti ispanoasburgici: pane fragrante, salsicciotti alla brace, torte di cacciagione, spiedini ricoperti di alloro.

La battaglia è finita e sulla galeotta dei barbareschi il mozzo Pinar, ritto ai piedi dell'albero maestro, ha ordine di suonare la campana di bordo con forza. Sia tregua.

5.

Durante la tregua, decisa dai barbareschi che hanno ottenuto vittoria, a parte i feriti che si lamentano e piangono, tutti chiacchierano come alla fiera.

L'argomento che più appassiona è la storia dei musici.

Il musico allampanato è il capo di una casata nobile e antica degli Stati della Chiesa e il capitano della seconda galera, approfittando della confusione che si era avuta nella vacanza del soglio papale, con un proditorio attacco gli aveva preso castello, possedimenti e famiglia. Adesso che la vendetta è compiuta, un buon passo è fatto perché giustizia sia resa. I musici torneranno appena possibile a casa, a reclamare dal Papa il pieno possesso dei loro averi.

«Intanto, hanno ritrovato l'appetito» pensa Pinar, contento di vederli finalmente mangiare con gusto.

Poiché sulle galere nuove c'è abbondanza di cibo non c'è problema a dare a tutti un buon pasto. Anche i prigionieri si ristorano con zuppe, gallette, pagnotte e lardo pestato col rosmarino.

Finita la pausa, si torna al lavoro, esclusi coloro che per prudenza vengono messi in guardina.

La prima cosa da fare per i barbareschi è dividere l'equipaggio della galeotta tra i tre bastimenti in modo da garantirsi una buona navigazione e un'oculata sorveglianza dei vinti.

Si parte. Rotta tra mezzogiorno e occidente, molto al largo delle coste dove le galere papali sono attese e qualcuno potrebbe avere la bell'idea d'andar loro incontro.

Si prova il sistema di segnalazioni reciproche con tutta la serie dei messaggi in cifra. Si rattoppano le vele squarciate, s'inchiodano i legni divelti e si cerca di filar via veloci, senza lasciare tracce che facilitino inseguimenti e vendette.

C'è da sbrigare qualche altra incombenza non proprio gradevole. Ci si libera dei cadaveri rimasti a bordo e dei feriti incurabili. Si lavano i ponti dall'untume e dal sangue, compreso il ponte dell'ammiraglia papale che non ha avuto gran giovamento dalle prime frettolose secchiate nell'imminenza del secondo arrembaggio.

6.

Il comandante della flotta papale Jean Pierre de la Plume, rifiutato per dignità il primo pasto e lasciato trascorrere un decoroso lasso di tempo, chiede udienza al suo vincitore.

Jean Pierre de la Plume aveva capito subito quale nemico gli era piombato addosso. Sarebbe possibile imbattersi in mare in una barba di quel colore senza intuire a chi si è davanti? Si potrebbe al massimo essere incerti tra Baba Arouj e Kair ad din, ma si sa che è Kair ad din ad avere l'aria perfetta di un re. I Barbarossa sono arcinoti ai marinai d'Occidente, sono l'incubo dei loro sonni e delle loro veglie. E quanto al giovane bruno che ha sferrato e condotto i due attacchi, chi potrebbe essere se non il figlio adottivo dei Barbarossa su cui da tempo corrono voci negli angiporti come nelle curie e nei consigli di stato?

«Ma è bravo, accidenti, non è un favorito lezioso, è un guerriero».

De la Plume chiede con gli occhi il consenso del marchese Comares, chiuso in un mutismo assoluto e sdegnoso, e naturalmente non ottiene nessun cenno, né pro né contro, come se il marchese non avesse sentito.

«Gli passerà» dice a se stesso il francese al quale farebbe piacere un po' di compagnia nella circostanza infelice, che prevede senza rapidi sbocchi.

A cose fatte, definite le sorti della battaglia in maniera

inequivocabile e immodificabile, il cavalleresco comandante papale decide di rendere omaggio ai vincitori e lo fa sotto gli occhi scandalizzati ed offesi del grande di Spagna, marchese Comares, che dentro di sé sacramenta.

«Sire» meglio abbondare nei titoli, ormai, «sire» dice Jean Pierre de la Plume a Kair ad din, che gli dà udienza sul ponte mentre prova il timone dell'ammiraglia papale, scuotendo la testa scontento di come funziona, «sua altezza il principe Hassan vostro figlio è un dio della guerra. Noi ci onoriamo di aver deposto le armi ai suoi piedi».

Il marchese Comares si rode a sentire quel «noi», che lo coinvolge in una piaggeria abominevole.

«Se potessi maneggiare uno stocco in questo momento» pensa il marchese Comares, «ammazzerei quel fantoccio francese prima ancora di quei due rinnegati di Barberia».

Kair ad din sorride sornione. Si diverte sia agli encomi del comandante che alle smorfie di disgusto dello spagnolo.

Hassan sembra impassibile, ma anche lui non approva il comportamento del comandante francese. Il giovane principe non è abituato alle giravolte della diplomazia. Invece è uso corrente incensare il nemico che ha avuto la meglio; se si è abili, la luce che emana dal vincitore può dare un'aureola anche a chi ha perduto lo scontro.

Jean Pierre de la Plume non è un marinaio imbattibile, ma conosce le astuzie che servono a un uomo di mondo costretto dal destino a fare il soldato. Senza dire che Jean Pierre ama molto la vita ed è bravissimo in ogni esperienza ad attaccarsi sempre a ciò che può essere buono. Adesso gli interessa conoscere questo Kair ad din tanto famoso e vuole studiarselo bene. Si tratta di un uomo che di sicuro è un padreterno sul mare, gli si deve rispetto.

Secondo Jean Pierre de la Plume chi si comporta da sciocco è il marchese Comares. Che, poi, se Comares non rivolge al Barbarossa nemmeno uno sguardo, non lo fa per rigore, ma per superbia, per non dover torcere il collo all'insù, visto che Kair ad din è tre spanne più alto di lui.

7.

Le ore scorrono. La giornata è quasi al tramonto. I barbareschi fanno i bilanci: quanto varranno le navi, quanto le merci, quanto frutteranno le vendite dei prigionieri e quanto i riscatti. Non si mettono in conto le ancelle al seguito del marchese Comares, trovate sulla seconda galera, che varranno al massimo un po' di sollazzo per l'equipaggio e non si mettono in conto in un primo tempo nemmeno le due nobilissime dame, perché nessuno s'è accorto di loro: tranne un poveretto che le ha sì scoperte, imbavagliate e legate perché non dessero fastidio nei combattimenti, ma poi s'è pigliato sul ponte un colpo di picca che l'ha gettato a morire nel mare.

Gli stessi musici informatori sapevano che sulle galere ci sarebbero state merci pregiate e abbondanti, per via del nolo ai mercanti, ma non sapevano di Comares, né delle sue donne, né della sua scorta che tanto ha dato da fare. Il marchese si è messo subito in luce come personaggio di rango, con quel quadrato che gli hanno fatto i suoi uomini intorno. Trovarlo a bordo è stata una sorpresa gradita e ora nell'inventario dei beni occupa un posto importante, per il riscatto che può valere, in quanto parente del re più potente del mondo. Delle due dame né lui né altri ha fatto parola. Della loro presenza si accorge Pinar, per un caso.

Al ragazzino è stato concesso di salire a bordo dell'ammiraglia papale e di andare a zonzo per il bastimento per collaborare all'inventario dei beni. Appena salito sulla galera, Pinar s'è tuffato dentro la stiva, infilandosi nei buchi più impervi per soddisfare la sua smodatissima curiosità. E penetrando carponi dentro un cunicolo formato da balle di mercanzie, si sente attirato sempre più in fondo da uno strano odore. Strisciando e fiutando, Pinar va a finire davanti a una gabbia nella quale sono rinchiuse due graziose bestiole che sembrano lì per morire di soffocamento.

«Aiuto» strilla Pinar, «aiuto! Venite a vedere cos'ho trovato. Presto, che muoiono!»

I compagni spostano qualche collo, gli aprono un poco la strada, lo chiamano salvatore di puzze, perché gli animali hanno un fetore tremendo. Però sono tutti contenti quando si accorgono che si tratta di due viverre civette, bestie che hanno molto valore, perché, nonostante il cattivo odore che emanano, servono a produrre il prezioso profumo che si chiama zibetto e va a ruba.

Con un po' d'aria, gli animali si riprendono in fretta. Pinar può tornare alle sue scorribande e racimola, col permesso di tenerli per sé, tre guanti rotti, due maniche spaiate, un piccolo uncino con l'impugnatura d'osso ed un cestello di noci.

Per fare anche lui il suo personale inventario, distende il tesoro sul davanzale di un alloggio del ponte poppiero e tra le cortine intravede due donne.

La vecchia gli sembra morta, con gli occhi chiusi, la testa reclinata e la bocca uscita fuori dal bavaglio allentato, aperta in maniera scomposta.

La giovane ha la testa dritta, ma gli occhi sbarrati e vitrei, sembra una mummia stretta nelle pezzuole e rinchiusa in una teca di garza. Pinar ignora che sono le mode a imporre quegli armamentari di bende e di veli di bombasina per dare all'abito la struttura di una campana; gli pare che la fanciulla sia avvolta in terrificanti bardature mortuarie.

Ad Anna, invece, Pinar si rivela come un folletto uscito da un sogno, dopo tutti quei mostri che sono passati davanti alla sua finestra con scimitarre, spade, urli, tonfi, sfasci, giravolte; perché le due donne erano sempre state lì quasi in mostra, ma i soldati presi da mille urgenti incombenze e passioni non le avevano viste. Quando Pinar sorridente si appoggia al davanzale e le mormora una frase per lei incomprensibile, con tono d'evidente sollecitudine, Anna esce dalla paralisi della sua angoscia. Muove le dita delle mani e dei piedi intorpidite dal gelo, tira un profondo sospiro e, finalmente rasserenata, abbassa le palpebre.

«Ecco, è morta anche questa. Aiuto!» Pinar chiama un'altra volta i compagni. «Correre, correte!»

«Cos'hai trovato, stavolta?»

«C'è una ragazza che sta morendo di freddo o è già morta, non so».

Anna ha indosso soltanto la biancheria e la gabbia trasparente del vertugato, perché quando lo sconquasso dell'arrembaggio è iniziato la zia le stava mettendo il suo primo abito da gran signora.

Pian piano ad Anna torna coscienza di tutto. Ricorda la sfuriata dello zio, la stupida litania del parentado futuro. E all'idea che per ora quelle nozze sono sfumate è presa da un riso convulso, irrefrenabile. Il suo piccolo corpo, nonostante i lacci e la rigida gabbia di garza, vibra e sobbalza.

«Altro che morta!»

Sulla porta della cabina, con la scimitarra al fianco, c'è colui che per primo è saltato sulla murata trascinando la torma dei suoi.

«Mi chiamo Hassan».

VIII.

1.

Le due prede galleggiano, nella rada rifugio, insieme alle galeotte di Kair ad din: le chiocce e i pulcini. Però sono i pulcini ad avere il comando.

A parte l'incidente della cattura, che non le ha danneggiate quasi per nulla, le due belle galere hanno avuto fin qui un viaggio inaugurale tranquillo. Ora c'è il balzo a sud, si fa rotta per l'Africa.

Sarà Hassan a portare il bottino da Baba, e questa traversata rappresenta per il giovane principe una grandissima prova.

Kair ad din preferisce scorrazzare un altro po' con la sua flotta. La fortuna sembra propizia e il tempo decente, conviene tentare di rastrellare tutte le briciole. Dopo, al ritorno, Kair ad din ha intenzione di star fermo a lungo. Dovrà decidersi a fare il vecchio pirata in riposo. Si curerà i dolori alla schiena che sulle navi d'inverno diventano molto noiosi. Ha anche voglia di badare agli affari di stato, e del resto Baba Arouj s'è stufato di vegetare e chiede il cambio a palazzo.

La formazione di viaggio è decisa. In testa sarà la galeotta di Hassan comandata da Amed Fuzuli, al centro le enormi galere papali, l'ammiraglia comandata da Hassan e la seconda da Dajar, in coda la galeotta di Alì Ben Gade. Dajar e Alì Ben Gade sono vecchi compagni di Kair ad din. Dajar è stato a lungo sulle galere dell'Occidente e può dare buoni consigli ad Hassan, Alì Ben Gade è un combattente astuto e tenace, in grado all'occorrenza di tenere impegnato qualsiasi eventuale attaccante per dare agli altri il tempo di tornare a casa.

Oltre agli equipaggi delle due galeotte, Hassan ha bisogno di elementi fidati da piazzare sulle galere. Dajar li sceglierà tra coloro che hanno esperienza di grandi legni, consultandosi con gli altri comandanti della flotta per non suscitare gelosie né rancori e perché nessuna delle galeotte barbaresche resti troppo sguarnita.

La traversata fino ad Algeri va fatta tutta d'un fiato e di corsa. Il difficile sarà far correre le due galere. Il comandante De la Plume era orgoglioso di quanto riusciva a farle filare veloci, ma se pure fosse possibile mantenere a lungo quell'andatura sfibrante, da gara, a paragone delle galeotte le due galere farebbero sempre la parte delle tartarughe. Invece la sicurezza si basa proprio sulla celerità. Gli equilibrî dei venti possono all'improvviso mutare. E ammesso che il clima si mantenga benigno, le notizie si diffondono in fretta.

«Secondo me» dice Alì Ben Gade, «a Civitavecchia stanno ancora aspettando le loro navi con l'aspersorio in mano per dargli il battesimo e la benedizione. Penseranno che Jean Pierre de la Plume abbia scelto una rotta più lunga per non incorrere nella bufera».

Le due galere nella luce del tramonto brillano smaglianti di dorature e di lacche. Sono possenti e con il leggero movimento dell'acqua sembra respirino, espandendosi ancor più dentro il porto.

Dajar le guarda ammirato e dice stranamente poetico che sono due regine su di un trono d'argento.

«Macché regine! Sembrano oche che rischiano d'affogare, altro che» corregge il Barbarossa sprezzante, «sono troppo panciute, stanno nel mare come barili. Così cariche, dovrete darvi da fare per mandarle avanti. E le vele saranno di magro aiuto».

Senza dubbio: anzi, le vele delle due galere sono talmente vistose da rappresentare un pericolo. Non c'è che far forza sui remi. Ma quando il viaggio è lungo nascono i guai. Nel caso specifico è vero che si può contare sull'entusiasmo dei galeotti che hanno riconquistato la libertà e desiderano concludere il viaggio per poterla godere, però molti di essi sono sfiniti, ammalati. Dovranno vogare anche i prigionieri, compresi gli ufficiali e i signori.

«Vediamo la rotta».

Kair ad din dà un ultimo sguardo al tracciato. Dall'isola rifugio si punterà ad occidente, poi a sud. Se si sta al largo, aggirando la Sicilia, non si dovrebbe incontrare nessuno. È troppo presto, perché siano giunte fino laggiù notizie del ratto delle galere.

Superata la Sicilia, la faccenda si può complicare. Due galere stracolme, che si muovono con le murate a pelo dell'acqua, fanno gola a chiunque le scorga. Nel Mediterraneo c'è sempre qualche cane randagio disposto a mordere.

«Date a chi si profila all'orizzonte garanzie di amicizia».

Le bandiere di Osman potrebbero rivelarsi preziose. Giocare d'astuzia in caso di incontri pericolosi è la miglior tattica in una traversata di questo tipo.

«State all'erta, ma non provocate. Non lasciatevi prendere dal gusto di attaccare battaglia. Dovete arrivare ad Algeri al più presto».

Molti sovrani e condottieri potrebbero farsi venire la voglia di aiutare il Papa a riprendersi le sue galere, tenendo conto che spetterebbe loro una congrua percentuale delle ricchezze che sono a bordo. Nessuno dei principi cristiani pare disposto ad armare crociate, Carlo d'Asburgo ne parla ogni tanto, ma le sue sono teoriche professioni di fede, per il momento; tuttavia la Spagna è interessata direttamente, per i Comares, parenti di Carlo, e possiede porti militari lungo le coste d'Italia, Sardegna e Sicilia, mal tenuti, con legni vecchi e ingombranti, ma numerosi ed armati.

Quel marchese Comares, sarà un osso duro. È un uomo con grandi mire e potenti alleanze, se riuscirà a tornare libero sarà un nemico implacabile; ma Kair ad din si rallegra che non sia morto nell'arrembaggio, sarà una buona pedina per negoziare con Carlo d'Asburgo. Abbassare la cresta alla potenza spagnola è una delle aspirazioni dei Barbarossa e avere in mano Comares è una fortuna.

Sceso al porto, Kair ad din esamina i lavori fatti e quelli da fare sulle galere papali. Prima della partenza bisogna sistemare le sale remiere. Nelle condizioni in cui sono, gli uomini non possono vogare con energia. Non c'è un cantiere per impiantare grandi opere, né ci sarebbe il tempo di farle, ma si può migliorare il drenaggio e il ricambio dell'aria.

In uno spiazzo si prepara la cerimonia delle carature. Di solito l'attribuzione ai membri dell'equipaggio di tutto quello che è stato conquistato in battaglia lascia di stucco i prigionieri; pare loro assurdo che un comandante piloti la sua nave in un'impresa rischiosa per poi sperperare così quello che ha guadagnato. Non sanno che la suddivisione della proprietà delle navi e dei beni tra tutti i partecipanti è una trovata geniale. E stato Baba ad averla, quando era solo un ragazzo e sulle sue barche voleva uomini di sicura lealtà.

2.

Papalini e spagnoli sono stati condotti nelle grotte da anni usate dai barbareschi come depositi ed abitazioni. Riparano dal maltempo, evitano incontri indesiderati, suppliscono alle case lontane nei momenti di nostalgia.

Le grotte sono confortevoli e bene addobbate, ma i prigionieri devono andare d'intuito per immaginare il luogo in cui sono stati cacciati. Sugli occhi hanno bende improvvisate, pezzi di abbigliamento ancora riconoscibili come maniche, polsi, colletti, oppure ruvide strisce di canapone, o delicati brindelli di rasi e velluti.

Nella grotta più ampia sono radunati i nobili, gli ufficiali, i ricchi mercanti, i contabili e gli artigiani, il fior fiore di quanti stavano a bordo delle navi del Papa, quasi tutti tornati in possesso dei loro abiti, nemmeno troppo deturpati dalla doppia battaglia che hanno subìto, con appena qualche parte mancante, qualche inevitabile strappo, qualche macchia in più, qualche nastro e pizzo pendente.

I prigionieri possono passeggiare, sedersi o addirittura sdraiarsi sopra sofà comodissimi. La grotta è fornita di mobili di grande pregio. Quelli che vogliono rendersi conto della nobiltà degli arredi li palpano pazientemente, con una certa difficoltà perché hanno le mani legate dietro la schiena.

«La mia sedia è intarsiata» dice un mercante al vicino, sorpreso.

«Dovreste sentire questo damasco!» gli risponde l'altro che strofina i polpastrelli delle dita sopra il sofà su cui è disteso. «È roba fine, chissà mai dove l'avranno rubata».

I prigionieri non se ne accorgono, ma il buio della grotta è rotto da fiammelle di candele di lusso. L'ha notato Jean Pierre de la Plume, fiutando l'aria da esperto.

«È un vero piacere!» sussurra a Comares per indurlo a dire qualcosa. «Sentite che gradevole aroma diffonde questa buona cera sciogliendosi?»

Tutti gli altri per darsi coraggio scambiano chiacchiere. Ma Jean Pierre non sa con chi farlo, se il grande di Spagna persiste nel suo mutismo, poiché li hanno fatti sedere sul fondo, isolati dal gruppo, in una fila di stalli lignei che parrebbe un coro di chiesa. Certo, non sono legati, De la Plume potrebbe alzarsi e andare a cercare una compagnia meno boriosa, ma gli sembra che sarebbe assai disdicevole per un comandante del rango suo ondeggiare a tentoni, mendicando la carità di qualche parola amica.

Comares è molto adirato di non saper comprendere su che terra sono sbarcati. Quest'ignoranza lo fa sentire impotente, non gli permette di valutare le speranze di fuga o le possibilità d'intervento di qualche alleato. La sua non è però un'ignoranza colpevole, non era lui il comandante, non aveva il dovere di studiarsi le mappe di quella zona. È De la Plume il responsabile di ogni guaio che è capitato e che capita. Quell'individuo non è degno del titolo di comandante, né di quelli meno solenni di marinaio o di soldato; secondo Comares non sarebbe degno nemmeno d'essere considerato un vero uomo. Oltre tutto gli piace smodatamente parlare.

Comares ha avuto il torto di dar la stura alla foga oratoria del francese quando ha domandato notizie del comandante della seconda galera. Sperava che fosse un uomo di mare più serio e preparato di De la Plume, per poter avere da lui qualche indizio e scoprire in che posto erano stati fatti sbarcare. Ma quando gli uomini della seconda galera hanno raccontato del gran duello col musico, che Comares non aveva visto perché stava nel castello di prua legato schiena contro schiena con Jean Pierre de la Plume, e hanno spiegato che il loro capo era morto infilzato, il comandante Jean Pierre de la Plume disgraziatamente era come sempre al suo fianco e, colpito da quella storia, ha pensato che fosse suo compito informarsi dei morti. Il suo interesse non era quello logico di un buon militare che vuol fare il calcolo di quante unità ha perduto, no: era per recitare un discorsetto per ognuno degli scomparsi.

«Il funerale è una cosa importante» diceva, «la vita di un uomo non può concludersi come quella di un pesce nelle profondità del mare senza un commiato da parte dei proprî simili. Io sono il comandante, dite chi manca all'appello e troverò per ciascuno un addio».

Esaurito l'elenco dei morti e allontanatosi l'uditorio, Jean Pierre ha continuato ad esternare a Comares i proprî pensieri sulla vita, la morte, le cerimonie funebri e le sepolture, lamentando che a pochi sia dato di scegliere i modi e i tempi della propria avventura finale.

«Per me» aveva confessato Jean Pierre, «amerei che mi fosse concesso un funerale semplice, con la famiglia raccolta, con qualche fiore sul catafalco e una tazza di brodo bollente per tutti».

E Comares, benché sia stato poi sempre attentissimo a non fornire occasioni e ad opporre anzi le più strenue difese e i più accaniti rifiuti, è esposto senza rimedio agli attacchi verbali continui del suo indecoroso compagno di prigionia.

Al comandante serve parlare per annegare la vergogna e il dispetto. Quello che più gli spiace è che il Barbarossa sia andato contro di loro con la sola ammiraglia, sicuro di poterli giocare.

«Sicuro di poter giocare vossignoria, direte!» replica pronto Comares.

Maledizione a questo spagnolo che non perde la boria, neanche con l'imbottitura che gli esce dagli spallini e dalle culatte. Il marchese Comares fa l'offeso con Jean Pierre de la Plume e lo ritiene responsabile della sua sorte, ma, in fin dei conti, nessuno l'aveva forzato ad andare per mare, poteva proseguire via terra con tutto il suo seguito d'ambasciatore ufficiale. Se De la Plume aveva commesso la leggerezza di offrirgli un passaggio, Comares aveva accettato con entusiasmo, per godersi una gita, per risparmiare e magari per curiosare come si vive e cosa si trama sulle galere del Papa. Questi inviati speciali devono ammucchiare notizie che al ritorno frutteranno appannaggi, titoli e beneficî di vario genere.

I pensieri di sdegno di Jean Pierre de la Plume sono fuorviati e distratti da un trambusto improvviso. Si sente una porta che cigola, si sentono le aste e le picche dei barbareschi di guardia che battono all'unisono sul pavimento, come avviene quando i militari scattano in un saluto.

«Date a questi signori una maggior libertà, non gli negate il conforto di vedere e di muoversi a piacimento» ordina Kair ad din in tono affabile, benché il rimbombo della volta di roccia dia alla voce un alone solenne. «Non è più tempo di bende e di lacci».

Le guardie eseguono e i prigionieri, sciolte le bende, vedono davanti a sé i capi dei barbareschi con seguito di segretari e scrivani. L'apparizione è magnifica, per l'eleganza degli abiti, l'opulenza degli ornamenti e gioielli e lo sfavillio dei lumi.

«Comandante, prego, si accomodi. Possiamo abolire il cerimoniale, qui».

Che distrazione imperdonabile! Per un semplice moto di curiosità, all'arrivo di Kair ad din, De la Plume si era alzato in piedi ed ora eccolo dritto come un lacchè, sotto lo sguardo di fuoco di quell'odioso Comares. Non parrà vero a costui di raccontare in giro che il nobile francese Jean Pierre de la Plume si umilia davanti ai pirati.

Dica e pensi Comares quello che meglio gli aggrada, se ne stia rannicchiato come un riccio nella sua dignità e nella sua fifa, questi Barbarossa non finiscono mai di stupire.

I prigionieri, slegati e sbendati, si guardano in giro. L'ambiente fa una certa impressione, è una via di mezzo tra una chiesa e un castello, con qualcosa di un carcere.

La caverna non ha principio né fine, non ha un'entrata visibile. Alle due estremità le pareti s'incurvano, da un lato sembra che il buio le inghiotta, dall'altro si incuneano in un ombelico che probabilmente conduce all'aperto, perché davanti ci sono otto barbareschi armati, a scoraggiare ogni curiosità.

L'arredamento è davvero sontuoso. Due tavoli in noce e due grandi armadi assortiti, cassapanche dipinte o intarsiate, uno stupendo coro di chiesa, sedili di fogge svariate e cuscini, pelli distese, tappeti, candelabri al centro e torciere alle pareti.

Kair ad din presenta gli uomini del seguito che a tempo debito fisseranno i prezzi e intavoleranno le trattative per i riscatti.

«Sarà un lestofante, questo Barbarossa» pensa il comandante Jean Pierre, ravviandosi i capelli e spianandosi i sopraccigli con la mano finalmente libera, «ma che portamento, che aspetto!»

Il lato estetico per De la Plume ha grande importanza. Perciò, osservando con ammirazione anche il figlio adottivo di Kair ad din, gli viene spontaneo di comunicare la sua impressione al vicino.

«È tanto bello che sembra dipinto, non è così?»

Comares non dà risposta. Guarda con lo stesso disprezzo Hassan e De la Plume, che per ripicca continua.

«Ma quando muove la scimitarra e guida l'attacco è una maledizione d'Iddio, un turbine. Questo l'avrete notato!»

Comares si limita a sollevare le spalle. De la Plume vorrebbe vederlo a duello con questo giovane Hassan. Le ossa ammuffite del marchese spagnolo farebbero crac al primo assalto.

Comares gode fama di grande soldato, però sulla nave non ha combattuto; con la scusa che era senza spada, ha lasciato che i suoi gli facessero scudo.

Il comandante si rende conto di avercela più con Comares, che non gli fa nulla se non mostrargli antipatia e disistima, che con i barbareschi, che già gli hanno causato un danno terribile e senza dubbio gliene causeranno altri in futuro. A stare ai racconti di coloro che tornano dalla prigionia, i pirati ne combinano di tutti i colori. Potrebbero piovere da un momento all'altro frustate, ad esempio.

«Che farete di noi?»

Per la prima volta Comares si è rivolto ai barbareschi, con voce tagliente come è giusto che sia quando un signore di razza è costretto ad avere a che fare con gente inferiore ed indegna. Vuole sapere, per il dovere che ha di badare ai suoi uomini, se è stato deciso il loro destino e se e quando la decisione verrà comunicata.

«Non avrete una sorte peggiore di quella che vi aspettate, eccellenza».

Corrono voci maligne sugli usi di Barberia, eppure il marchese Comares avrà constatato che il trattamento non è crudele, nessuna tortura, nessun inutile patimento. Le bende saranno inflitte di nuovo all'aperto, nelle ore di luce. C'è bisogno di prendere qualche precauzione. Questo è un rifugio segreto. Ogni militare ha i suoi segreti che non vuole fare arrivare ai nemici e nemmeno ad eventuali amici o alleati futuri.

Kair ad din e Hassan passano oltre, diretti a parlare con i prigionieri di rango inferiore.

Uno dei segretari annuncia che tra poco verrà servita la cena e invita i prigionieri alla cerimonia della suddivisione dei beni, la caratura delle navi e di tutto.

Un altro segretario avvisa che se servono unguenti per medicare ferite, distorsioni, ammaccature o postumi del mal di mare, egli ha in consegna dei farmaci e tutti ne possono approfittare.

Un terzo segretario comunica che il clima è quasi mite, ma, anche in vista del resto del viaggio, è bene che i prigionieri si adoperino per proteggersi meglio dal freddo.

«Nelle cassepanche ci sono aghi, fili e pezzi di stoffa per ricucire gli sbrendoli. Servitevi pure».

«Bontà vostra» commenta Comares al colmo dell'irritazione.

Con calma, ma con molto divertimento, Dajar, che ha sentito, gli spiega che è una regola costante per ogni pirata l'accurata conservazione della proprietà. Gli schiavi sono molto quotati nei mesi invernali, se godono buona salute. Nel caso non fossero chiesti i riscatti, il discorso potrebbe valere anche per tutti loro. Si vedrà se il Papa e il sovrano di Spagna gareggeranno invece in generosità e sollecitudine per riscattare i loro parenti e i loro soldati che sono stati vinti in battaglia.

«Quale battaglia? Era un tranello».

La voce di Comares è stata volutamente alta e portata, perché giungesse a chi di dovere.

La risposta è immediata. Kair ad din torna indietro, con un sorriso ironico.

«Marchese, sarebbe penoso nascondersi dietro cavilli. Tra noi e voi, su questi mari, quando non c'è espresso accordo di pace è sempre guerra. Si sa. Non è questa la sede per intavolare un trattato, né voi ne avreste il potere. Ma questa sera venite alla nostra festa, i ragazzi addetti alle vettovaglie hanno avuto fortuna a caccia sulle montagne, come noi l'abbiamo avuta sul mare. Potrete gustare piatti rudi, ma davvero eccellenti. Ci saranno naturalmente anche i musici, che suoneranno meglio di quanto hanno suonato sul mare».

I due rais e le persone del seguito scompaiono nell'ombelico della montagna.

«Vuol farci assistere a questa buffonata della caratura per mostrarci come governa».

Per il marchese Comares la divisione del bottino è solo fumo negli occhi per gli stranieri.

«Nient'affatto!» ribatte Jean Pierre de la Plume. «È un patto sancito in anticipo, il soldo di paga salta fuori se la truppa se lo procura».

Jean Pierre de la Plume cita recenti note difficoltà che hanno avuto i sovrani di entrambi i loro paesi, la Francia e la Spagna, per la questione del soldo, che non è così facile da tirar fuori; e a non pagare le truppe, queste si disamorano, s'incattiviscono contro i loro ufficiali anziché contro i nemici.

«Costoro forse hanno risolto il problema, in ogni caso con questo sistema delle carature ogni uomo si sente padrone, è indotto a combattere per la sua nave, ha cura che sia ben tenuta. Non avete visto in navigazione come la lustrano con quelle pale spezzate di fico d'India? Sanno fare i conti, questi Barbarossa!»

«Allora, perché il Gransultano non attua le stesse misure sulle sue navi?»

«Marchese Comares, io non sono indovino. Forse non può. Forse non glielo permette il Corano. Avrà leggi diverse dai barbareschi: comunque, se Kair ad din e Baba Arouj fanno questo da sempre e continuano a farlo indisturbati, vuol dire che il Gransultano di Istanbul glielo permette, dunque l'approva».

3.

I prigionieri si danno da fare con aghi e fili per rendersi più presentabili e per non soffrire il freddo alla festa, dove hanno tutti intenzione di andare.

Un vecchio mercante manda un suo sottoposto dal comandante papale con l'occorrente per aiutarlo a ricucire i vestiti. Poiché De la Plume era più di chiunque altro guarnito di nastri e merletti, se ne sta tutto sfrangiato come un pupazzo fuori uso.

Jean Pierre, che è un sentimentale, è molto contento che abbiano avuto per lui il gentile pensiero di dargli una mano. Sorride al giovane che lo ricuce, gli fa un gesto paterno di approvazione ad ogni brandello rimesso a posto, si gira, si alza tirando su un braccio e poi l'altro, piega la testa, le gambe, secondo le necessità del restauro.

Comares è ancora più torvo. A lui non ha pensato nessuno. Ma a che serve l'aiuto di un rattoppatore? Si libera con uno strappo deciso dei residui di un collo di pizzo e sospira.

«Nessuna notizia delle signore, marchese?» s'informa conciliante Jean Pierre. «Mi sembra che l'atmosfera si sia, come dire, addolcita. Potremmo chiedere».

«La cosa migliore per loro sarebbe la morte».

Il marchese è tornato a serrare le labbra, ad osservare il comandante con le palpebre basse e tirate, con l'aria di un giudice infastidito, e il francese è stanco di combattere con i musi lunghi del suo compagno.

Il giovanotto che cuce ha finito. Un po' d'aria non può che giovare.

«Io vado, marchese. Fate come vi pare. La cacciagione mi piace e ho notizia che verrà servita anche una frittura di pesciolini di latte».

IX.

1.

Alcuni giorni sono passati. Il viaggio è ripreso, le signore alloggiano nella cabina poppiera dell'ammiraglia del Papa, il mare è decisamente invernale.

Zia Carlotta Bartolomea è quasi sempre avvolta nella sua heuke fiamminga, un mantellaccio scuro che da un quadrato rigido posto al sommo del capo scende arricciato ad avvolgere la persona giù fino ai piedi, anzi striscia per terra, poiché sulla nave la marchesa si è tolta le scarpe con suola e tacchi e porta pianelle di panno, lei che ci teneva con spasimo all'imponenza della figura e a parere ancora più alta di quello che è per non confondersi con le donnette qualsiasi. Ma, tanto, non esce dalla cabina e, se uscisse, a vederla ci sarebbe solo gente senza importanza.

«Non piangi più, adesso che ce ne sarebbe motivo?» dice alla nipote con rabbia. «Questa disgrazia ce l'hai chiamata addosso tu, con le tue lagne. Il Padreterno ha voluto farti vedere cosa vuol dire avere una sorte cattiva».

Anna ha rimesso il vestito colore del piombo che senza il sostegno delle impalcature di legno e bombace scende appiattito e bislungo; la cuffia sgualcita le ricade come una foglia di verza sulla fronte e sul collo; i piedi sono inghiottiti da enormi babbucce alla turchesca, coperte di draghi blu e oro; il mantello corto che ha sulle spalle, di velluto cremisi e pelo di lince, gonfio e fastoso, per contrasto mette in risalto la misera sciatteria dell'insieme ed il pallore del volto. La fanciulla sembra pronta per una sfilata di maschere, anche perché la sua espressione è gaia. Guarda il mare e canticchia un'alemanna battendo le mani per segnare il tempo. I cavalloni hanno smesso di darle fastidio, nonostante il beccheggio e il rullio sta ritta in piedi, con il naso appiccicato ad uno dei tasselli di vetro rimasti intatti alla finestra; quelli rotti sono sostituiti da stracci, ma l'aria preme e li stacca, bisogna di continuo fissarli di nuovo. È Pinar che fa queste cose; si prende molta cura delle signore straniere. In compenso ha chiesto ad Anna il piacere di tenergli nella cabina la gabbia con le viverre. O meglio, la gabbia non è esattamente nella cabina delle signore, è oltre un tramezzo, in una specie di dépendance, costruita per i mastini del comandante, che non hanno partecipato al viaggio inaugurale.

Secondo la marchesa queste viverre o civette danno un fastidio tremendo, secondo Anna sono animali simpatici, che non si sono lasciati abbattere da una cattività ormai prolungata. Erano appena arrivate dall'Africa a Genova quando le hanno ricaricate su di una nave per spedirle a Roma. Sembrano bestie sonnolente ed apatiche. Anna e Pinar per farle muovere e tenerle allegre introducono dentro la gabbia un bastoncino, lo agitano e le bestie vi si avventano sopra, lo bloccano con le zampe e lo stringono con i denti aguzzi; il loro pelo a chiazze e striature nere e giallicce di colpo si rizza, ruvido e gonfio. Quando si arrabbiano o si mettono all'erta le viverre diventano all'improvviso più grosse perché arruffano la criniera sul dorso; e fanno il muso feroce, da buffo che è per natura, con un occhio chiaro e uno scuro come se fossero vecchi pirati con tanto di benda.

Pinar ed Anna di Braes si capiscono a gesti, anche se Pinar conosce diverse parole spagnole.

Appena ha tempo il mozzo viene a portare qualche piccolo omaggio o soltanto a tener compagnia. Oggi ha offerto ad Anna una scacchiera per giocare a dama e un pezzetto del suo cedro candito.

Non si è più visto il marchese zio, se non di sfuggita, all'imbarco. Non aveva per nulla la faccia contenta quando ha incontrato moglie e nipote che uscivano dal grottino dov'erano state alloggiate nella tappa sull'isola. Anna è sicura che avrebbe preferito vedere i loro cadaveri. Aveva dipinto sul volto un totale disgusto, quando la zia l'ha abbracciato gridando:

«Dio sia lodato, siamo vive, mio caro, vive ed intatte».

Lo zio le osservava senza battere ciglio, stizzito e duro.

Non sono capitati altri incontri. Forse è stato lui a non volerli. Pinar dice che l'hanno subito messo a remare come un forzato. Bella scena dev'essere: se è vero che remano nudi, si sarà tolto le spalline trapunte che usa per mascherare l'inizio di gobba, e addio imbottiture anche alle brache e al pourpoint! E pure il comandante Jean Pierre de la Plume avrà perduto i polpacci, si capiva benissimo che erano finti, così rigidi e ben sagomati nelle calze di perla.

«C'è proprio da ridere, sciocca» rimbrotta la zia, «pensa a quello che ci può toccare».

Ad Anna non può succedere nulla di peggio di quanto era previsto. Ci può essere un destino più odioso, a dodici anni, che andare sposa ad un vecchio mai visto?

Fa freddo, il mare è agitato, gli spruzzi arrivano alla cabina, la nave ha continue scosse; non c'è tempesta, ma il frastuono delle onde e del vento, come sempre accade, assorbe gli altri rumori, i normali segni di vita sul bastimento; e ad Anna sembra di stare su una nave deserta. Le nubi vanno veloci in senso contrario alla direzione di rotta e a fissarle ci si sente stordire, si scivola quasi nel sogno.

«Anna, Anna!»

Pinar la chiama sempre solo col nome, qui sono finite le cerimonie.

Anna vede dietro il vetro la faccia ridente del mozzo, che a cenni le chiede di farlo entrare; gli apre, gli toglie di mano due ciotoloni fumanti e lo guarda, allegra anche lei, mentre si sgrulla l'acqua di dosso e con molta fatica le riferisce un messaggio di Hassan: fra poco il vento dovrebbe cessare e quando il mare si sarà calmato, con il permesso delle signore, Hassan vorrebbe venire da loro a discorrere un poco.

Carlotta Bartolomea si rivolta contro il piccolo mozzo come una iena. La sua risposta è una frase complicatissima, metà in spagnolo metà in fiammingo: se la marchesa Comares è ridotta ad avere un padrone è pur sempre una gran dama ed esige, secondo le regole della buona creanza, che questo padrone non la derida. Se si trattasse di libera scelta, mai e poi mai la marchesa Comares si abbasserebbe a concedere udienza a un pirata.

Anna taglia corto con un sorriso ed un cenno affermativo del capo. Il colloquio è concesso.

Pinar toglie di tasca due manciate di noci, le mette sul tavolo e fugge.

«Perché strillate al ragazzo, che è gentile con noi e oltretutto non capisce la lingua che usate. Siete rabbiosa».

«E tu, figlia mia, non comprendi la nostra tragedia! O non hai dignità».

Anna non si rende conto, dice la zia, di quale baratro si sia aperto davanti a loro. Sono due povere schiave. E se gli uomini faticano ai remi e loro no, è solo perché non hanno forze bastanti e darebbero impiccio alla voga, però tutti sanno che nelle guerre o nelle razzie le donne hanno la sorte peggiore. Per gli uomini sarà facile tornare liberi, dovranno solo pagare un riscatto, ma Carlotta Bartolomea non ha sentito mai che per le donne possa accadere qualcosa di simile, nessuna di quelle prese dai turchi o dai barbareschi è più tornata nella sua casa. Non ha veduto, Anna, che cosa tremenda è successa alle loro ancelle? Sono rimaste nella base pirata.

«Tu sei una bambina e non puoi capire quel che faranno loro i pirati».

Anna porge alla zia la sua tazza.

«Bevete il tonico, zia. I pirati faranno né più né meno quello che hanno fatto i soldati spagnoli di scorta e i marinai papalini».

«Anna!»

La bambina sorseggia il suo tonico e si rimette a guardare il mare dalla finestra di poppa. La zia resta immobile con la ciotola tra le mani e la faccia disperatissima.

«Zia, il marchese Comares è convinto che anche a noi sia successo come alle ancelle».

«Anna... Sto già tanto male, cosa ti viene in mente?»

«Bevete il tonico intanto che fuma, zia Carlotta Bartolomea, è fatto apposta per il mal di mare. A me ha giovato ogni volta. Bevete! Pensate a sistemare lo stomaco e state tranquilla. Lo zio marchese verrà informato che nulla è successo e farà pagare il vostro riscatto».

La zia siede sullo sgabello inchiavardato al pavimento come il tavolo e come tutti gli arredi, lascia cadere la heuke dal capo, punta i gomiti al tavolo e i pugni contro le gote. Ha gli occhi pieni di lucciconi.

«Gesù, Gesù, che faremo?»

Anna, finito il suo tonico, posa la ciotola e siede a fianco alla zia.

«Io troverò qualcuno che mi vorrà comprare. Il vecchio di Roma mi aveva pagato moltissimo».

«Anna, basta! Che vai dicendo? Sei matta».

«Così va meglio. Avete smesso di piangere. Io vi preferisco furiosa che in lacrime».

Anna fa bere alla zia il tonico amaro a piccoli sorsi e con la mano libera le ravvia adagio i capelli.

«Non dovete buttarvi giù a questo modo. Sapete? Adesso che vi si è levata la biacca non siete male per niente. Siete forte, sanguigna, senza tacchi per fortuna siete più bassa, voglio dire che siete molto aggraziata, ma state certa che restate sempre più grande e regale delle donne africane. Io penso che se da casa non manderanno un riscatto, i barbareschi vi collocheranno con soddisfazione presso qualche pascià in un'onorevole corte d'Oriente».

La zia non sa se arrabbiarsi o ridere.

«Dev'esserti proprio impazzito il cervello».

«Perdonatemi, zia» dice Anna scattando in piedi per far la buffona e rincuorare la sua compagna, «sono sempre la vostra nipote devota. Correggetemi, se non dico bene». E cadendo in ginocchio a mani giunte ricomincia la litania dei nomi e dei titoli della parentela futura.

La zia prende la tazza e finisce di bere la sua bevanda, sbrodolandosi tutta per il dondolio della nave; poi si massaggia lo stomaco e gonfia il petto con lunghi respiri. Anna interrompe la litania, riprende a canticchiare la sua alemanna e si mette a danzare trascinando la zia. La nave fa un salto più grosso e le manda a sbattere contro il finestrone di poppa.

All'orizzonte ci sono tutti i possibili viola, adagiati tra i grigi della volta del cielo e quelli più scuri del mare.

«Guardate che bei colori! Zia Carlotta Bartolomea, io non so cosa mi aspetta, so che una brutta sorte è per ora evitata. Non lo dico con astio, ma voi mi avevate venduta. O voi o sua maestà».

In coperta c'è gran traffico di uomini e funi. La nave cammina a balzi ed intoppi. Qualche onda supera la murata e si riversa sul ponte. Non piove, non ci sono lampi né tuoni, ma il vento è tesissimo.

Hassan passa veloce. Ha una camicia bianca e brache da marinaio.

«Non ho capito chi sia questo Hassan».

«È il figlio del Barbarossa».

«Storie. Non è nemmeno uno dei suoi bastardi».

«Comunque è il capo, il rais. Gli uomini lo adorano e gli ubbidiscono e il Barbarossa gli ha messo in mano quattro navi in pieno inverno, si fida».

«Io non mi fido per nulla. Se la bufera peggiora, che Dio ci salvi. Questo Hassan è un ragazzo».

Zia Carlotta Bartolomea in cerca di sicurezza continua a farsi segni di croce.

Hassan ripassa davanti alla finestrella, tesando una cima con un compagno.

«Guardalo lì. Tira corde impeciate, conciato peggio degli altri».

Ma dopo un po' concede che quando si veste da re per lo meno ha un aspetto civile.

«Zia Carlotta Bartolomea, perché non dite che è il più bell'uomo che abbiate mai visto? Non gli cavate gli occhi di dosso, quando l'avete davanti».

La zia sta per sbuffare.

«D'accordo, non vi agitate» dice Anna chinando il capo e mettendo avanti le mani in segno di resa, «mi sono sbagliata, gli lanciate soltanto occhiate d'orrore».

2.

Pinar è l'alfiere ufficiale delle due dame spagnole. Kair ad din l'ha esonerato dal ruolo di mozzo sulla sua nave e l'ha passato sull'ammiraglia papale, con funzioni di cameriere, vivandiere e maggiordomo delle signore. Il bambino è felice, si sente importante e ha finalmente trovato una quasi coetanea con cui giocare. Anna, passato il timore dei primi momenti, ha dimostrato di prendere gusto ad un sacco di cose. Le piace moltissimo la gara di salto a piè pari tra le noci sparse sul pavimento. Le noci devono essere fitte fitte, che non si possa mai appoggiare il piede intero per terra, e vince chi fa il maggior numero di salti senza ricadere due volte nello stesso punto, senza schiacciare e senza spostare le noci, che rotolano via facilmente.

Cessato il vento, il cuoco ha preparato la cena e quando Pinar porta alle signore due conchette di zuppa di pesce, il mare è calmo. È un'ora un po' tarda, la notte è scesa. Anna ha una tal fame che in un baleno vuota la sua scodella e poiché Pinar deve aspettare che anche la marchesa vuoti la sua, i due ragazzi si mettono a giocare.

Per saltare senza impicci, Anna getta via le babbucce e tiene alte le gonne. La zia non se n'accorge sino a che la cena la tiene occupata, ma appena finisce e alza gli occhi protesta che non sta bene, che non è decoroso.

Anna nemmeno la sente, sta vincendo la gara. Il gioco è nel pieno, quando entra il principe Hassan.

«Mi fa piacere che vi divertiate».

Hassan acchiappa e scuote con il solito gesto d'affetto il mento storto del piccolo e accenna un inchino alle dame.

Anna, che di dama non ha affatto l'aspetto, abbassa le gonne, vi passa sopra le mani aperte per rassettarle, slega i lacci della cuffia che è calata dietro le spalle e la ripiazza sul capo.

La zia è dignitosamente seduta su un seggiolone, ricomposta nella sua heuke da quando ha terminato la cena, con la giusta espressione, severa.

Pinar raccoglie le noci, le mette nel suo cappello che consegna ad Anna, prende i due cocci sporchi, il bugliolo, saluta rapido e se ne va.

Non sembra l'ambiente adatto per una conversazione galante, tuttavia Hassan, cerimonioso, si accosta allo sgabello a fianco della marchesa.

«Posso?»

La marchesa Comares con un po' di ritardo e a labbra strette, risponde.

«La mia presente condizione di schiava non mi offre scelta. Sedete».

Hassan prende posto sullo sgabello.

«Il mozzo capisce qualcosa della vostra lingua, madama, e mi ha riferito. Vorrei che foste meglio informata. C'è da chiarire un primo punto».

E inizia a spiegare con voce gentile che le signore non sono sue schiave e non lo saranno mai.

La marchesa si stringe ancor più nel suo manto e parla con voce stentata, come se fosse in sofferenze terribili.

«Per le vostre leggi, le donne prese nelle razzie vengono fatte schiave».

Hassan annuisce.

«E so che non accettate riscatto».

«In verità, signora, i vostri uomini non lo propongono mai».

È spiacevole, ma Hassan non ricorda che siano state mai avanzate richieste in proposito. Questo disinteresse dei parenti non potrà verificarsi per la marchesa Comares e per sua nipote. Le signore, che per Hassan sono due ospiti e non due schiave, sono della famiglia del re di Spagna che non vorrà dimenticare i legami di sangue e di affetto; e c'è con loro il marchese che tratterà certamente il riscatto delle sue donne prima ancora del proprio.

In ogni caso non sarà Hassan a disporre di loro. Questo è il secondo punto che va chiarito. Hassan ha l'incarico di condurle da Baba Arouj, il beylerbey, cui spetta la decisione finale.

Carlotta Bartolomea chiude gli occhi e sembra assorta in preghiera.

Anna è rannicchiata sul seggiolone di fronte e schiaccia le noci o meglio cerca di romperle premendole l'una contro l'altra, ma non ci riesce. Hassan l'aiuta. Anna sorride, sgranocchia i gherigli, ne offre uno al principe.

«Saranno vostre come tutto il resto, ma adesso sono anche un po' mie queste noci, le ho vinte nella gara di salto. Prendete».

La zia guarda Anna con gli occhi sbarrati. La bambina avrebbe bisogno di sculaccioni, dà confidenza a questi predoni, si comporta come un mozzo pirata ed è marchesa di nascita e principessa per matrimonio. Mentre Hassan è distratto a schiacciare noci, Carlotta Bartolomea si fa tre rapidissimi segni di croce e richiude gli occhi, meglio fingere di non vedere.

Offrendo e mangiando noci, Anna di Braes prende coraggio e domanda se è possibile che lei e la zia vengano inviate a Istanbul, dal Gransultano. Hassan risponde che avviene talvolta che si inviino donne al Gransultano, ma in occasioni speciali e per speciali motivi, e quando questo succede le signore prescelte ne sono fiere, perché è un grande onore. Le due dame ispanotedesche sembrano avere concetti diversi di quel che può essere un grande onore, la prospettiva di finire al serraglio del Gransultano non le riempie di gioia. La zia è persino truce, sta con le labbra e gli occhi serrati e la testa così eretta che pende all'indietro. La piccola, indifferente, divora gherigli di noce con gusto.

«Lo chiedevo soltanto per curiosità. Non so che fare qui dentro. Non ero mai stata a lungo sul mare: è una noia».

La povera zia, indotta da una educazione di ferro a non urlare in presenza di estranei, tanto più se inferiori, non può che sbarrare gli occhi di nuovo, con tanta energia da provarne dolore. Sono otto anni che la bambina vive con lei, da quando le sono morti i genitori, che Dio li perdoni per avergliela lasciata sul collo; non s'era accorta che fosse una creatura tanto sciocca e sfrontata. È successo di tutto durante il viaggio, e la ragazza s'annoia, e lo va a dire al pirata, quasi chiedendo la sua compagnia.

«Potrebbe aiutarvi un po' di lettura? Il signor De la Plume ha molto gradito che gli mandassi un libro per quando non è di turno al ponte remiero».

Hassan trae dalla tasca del caftano marrone bordato di nera pelliccia un piccolo libro.

«Forse anche a voi fa piacere. Tenete».

«La zia non sa leggere».

Carlotta Bartolomea deve inghiottire anche questa; benché sia veramente convinta che le lettere siano un inutile ingombro per il cervello di madri e spose, non è il caso di sbandierare con tanta idiozia quello che la marchesa Comares è capace o non è capace di fare, dal momento che questo pirata vuole passare per dotto.

«Ho saputo dal signor De la Plume che madamigella conosce le lingue antiche. Potremmo leggere insieme qualcosa in latino. La marchesa Comares preferisce un poeta spagnolo?»

«No. No. Va benissimo un poeta latino, leggete, leggete, vi ascolto».

Meglio prevenire gli interventi di Anna, potrebbe spiegare che la zia biascica appena un po' di latino nelle funzioni di chiesa.

La dotta lettura va avanti a lungo, ben più di quanto Carlotta Bartolomea, provata da tante emozioni e poco portata ai poeti, riesca a reggere col dondolìo del mare.

Hassan è sorpreso che la piccola sappia così bene la lingua latina e le piaccia discorrere di ritrovamenti di testi e di nuove stampe. Anna di Braes sa inoltre giudicare una lirica, sa apprezzare la tornitura di un verso.

Conversazione e lettura proseguono con tanto interesse per Anna e Hassan, che non li disturba il robusto e sibilato russare della fiamminga, sempre ritta nel seggiolone, con il quadrato della sua heuke sceso dal capo a coprire metà della faccia arrossata.

3.

Nell'ultima parte della notte il vento si rafforza. Per due giorni è vera tempesta e il convoglio non riesce ad avanzare gran che, ma la terza mattina, freddissima, le vedette danno l'annuncio che l'Africa è in vista. Il cielo è terso.

Durante la notte nella stiva ci sono stati disordini tra prigionieri ed ex galeotti, totale quattro decessi; un uomo è stato ucciso da un'uncinata durante la rissa, gli altri tre hanno avuto la testa troncata da un colpo di scimitarra in seguito a regolare immediata condanna alla pena capitale per rissa, appunto, e per sedizione. La disciplina su una nave da guerra è fondamentale. Alle prime luci dell'alba i cadaveri sono deposti su di una palanca appoggiata all'orlo della murata e vengono fatti scivolare nell'acqua dopo essere stati affidati alla misericordia di Allah. Se si fosse trovato a bordo un sacerdote cristiano, avrebbe potuto dire anche lui le sue preci, nelle leggi di Barberia non c'è nulla in contrario a che ciascuno vada al creatore con la benedizione che più gli conviene, ma sulle navi papali non c'era nessun sacerdote per la cura delle anime dell'equipaggio.

Comares e Jean Pierre de la Plume erano ai remi e non hanno avuto il più vago sentore dell'accaduto. Figurarsi poi le signore che hanno ripreso orari comodi e la mattina dormono a lungo come se fossero a casa, anzi molto di più, poiché non hanno d'andare a sentir messa nella cappella privata e nessun altro dei quotidiani doveri; per Carlotta Bartolomea non c'è servitù da governare e per Anna non c'è l'assillo dello stuolo dei precettori e delle terribili dame di compagnia, tutti sorveglianti e spioni. Così, quando il sole già alto ha addolcito la temperatura, le signore escono dalle trapunte e lasciano il letto, si affacciano pigramente al finestrone di poppa e non vedono altro che il solito mare sul quale ballonzolano la seconda galera e la galeotta di scorta. Ma quando Pinar porta le gallette e le alici per la colazione, le avvisa che sono prossimi a sbarcare in terra di Barberia. La zia è sgomenta, Anna è eccitata.

«Oggi ci sarà finalmente qualcosa di nuovo».

Pinar non le informa dei fatti accaduti la notte, non mette conto, per lui è normale amministrazione; accenna invece che sul ponte si sta preparando una cerimonia; non spiega quale, perché non ha tempo.

Anna vorrebbe fare due passi in coperta per vedere la costa da prua, ma la zia è inflessibile, ci vuole contegno.

Carlotta Bartolomea proverebbe sollievo all'idea dello sbarco imminente se non fosse per l'incognita della sorte futura. Ma, insomma, la pena del mare è tremenda. La traversata invernale ha avuto momenti di angoscia. La povera marchesa Comares diceva ad Anna che la morte sarebbe stata l'unica soluzione ai suoi dolori ed è restata in ginocchio mezza nottata per impetrarla; però, al momento che il mare ruggiva e squassava la nave, aveva cambiato giaculatorie e si era rivolta ai santi che proteggono la gente in navigazione e agli angeli che tengono a galla chi non ci sa stare da solo.

«Tutte le morti» diceva, «vanno bene per il paradiso, ma vi scongiuro, Signore Iddio, non mi fate morire annegata».

Poiché la parentesi della vita di bordo è alla fine, Anna provvede a raggruppare in un panno le poche cose che desidererebbe portare con sé e la zia tenta di mettersi in sesto l'acconciatura: i posticci si sono staccati, il bombace schizza fuori da rotoli e ricci, è un disastro.

«Zia, non vi dannate a farvi bella. Le casse del nostro bagaglio e il resto che c'è nella stiva attireranno gli sguardi molto più delle nostre persone. Se volete, vi tolgo l'impalcatura e vi do una bella strigliata alla chioma che vi potrà fare da manto».

I capelli biondi e sottili di Anna raccolti indietro da una cordicella lasciano completamente scoperto il volto infantile tutto spigoli, dall'aria curiosa e fragile.

«Hai le cinque punte della bellezza sul tuo faccino!» le diceva la balia, ma Anna non capiva quali fossero queste cinque punte preziose.

La zia non aveva mai condiviso le previsioni di tanta bellezza; per fortuna i titoli e l'interessamento del re erano bastati per un vantaggioso contratto nuziale che era piovuto come una manna per la signora Comares; un sogno purtroppo ora svanito.

La zia osserva Anna ritta davanti a lei con il pettine in mano, e pensa che con quell'aspetto il suo destino era da sempre segnato.

«Mi sembri una serva. Copriti, almeno».

Anna indossa il suo mezzo mantello cremisi con il cappuccio.

La costa dev'essere molto vicina, sul ponte c'è un andirivieni continuo. Battono colpi, fanno strusciare dei carichi da un capo all'altro del bastimento, passano ordini incomprensibili per le due dame.

La marchesa Comares si è infilato il migliore vestito, ha risolto i suoi problemi di acconciatura con l'unica cuffia rimasta decente, da cui spuntano fuori due soli riccioli induriti dalla saliva, si è riavvolta nella sua heuke, e attende gli eventi seduta sul seggiolone quasi regale, studiandosi di mantenere una decorosa impassibilità. Se non che un improvviso trambusto proprio all'interno del loro alloggio la fa sobbalzare.

«Gesù, le bestie!»

Dall'agitazione per il prossimo sbarco, Pinar ha dimenticato di portare il cibo per le viverre. Quando hanno fame le due bestie si fanno sempre sentire, ma adesso sono maggiormente irritabili: tornano a casa. Anna dice che in qualche modo l'avvertono e per questo fanno tanto fracasso. Poverine, sono stanche del mare, non lo tollerano più, come la zia Comares. Anna, che ha passato tante ore a giocare con loro, sente il dovere d'andare di là a consolarle.

La porta del tramezzo è incastrata. Si sente che le viverre sempre più agitate sono in gran movimento e scuotono forte la gabbia. Quando Anna riesce a forzare l'intoppo e la porta ruota sui cardini, i due animali, che chissà come hanno aperto la gabbia, approfittano dello spiraglio passando uno sull'altro e si fiondano nell'alloggio grande, girano intorno vorticosamente, su e giù da sedie, tavoli e casse. La zia, circondata dai nuovi nemici, urla come un'aquila chiedendo aiuto in spagnolo, tedesco e fiammingo, coprendosi il volto con le due mani, alzando le gambe in maniera invereconda. Anna, anche lei spaventata, cogliendo un attimo in cui le viverre civette sembrano litigare tra loro, si getta al centro della stanza, prende la zia per mano e la trascina fino alla porta che dà sul ponte.

Come Dio vuole le donne riescono ad uscire, si tirano dietro l'uscio e lo chiudono con il chiavistello prima che le due furie, che Anna chiamava i suoi due buoni gattoni, abbiano la possibilità di uscir fuori a inseguirle.

«Ah, meno male!»

Carlotta Bartolomea di Comares tira un profondo respiro liberatorio, quella sciagurata di Anna di Braes come al solito ride. Ambedue sono rimaste con la faccia rivolta al padiglione di poppa, la zia con le mani sulla maniglia e la nipote sul chiavistello.

C'è solo il rumore del mare. Ma dopo un istante scoppia l'urlo all'unisono dei marinai, violento quanto quello che aveva dato il via all'arrembaggio.

Le due povere donne dapprima rimangono attonite, poi lentamente, appena l'urlo si è spento, girano gli occhi esplorando verso la prua. Dev'essere la cerimonia cui accennava Pinar.

La nave è all'imbocco di un porto. I gonfaloni di Barberia con le insegne dei Barbarossa sono spiegati sulla nave e sul molo.

Sull'alto del cassero è allineato il gruppo degli ufficiali, Hassan al centro, armato come per un attacco. Eppure è senza dubbio il porto di casa.

Gli uomini che dovranno occuparsi delle manovre d'attracco sono già ai posti assegnati. Il resto dell'equipaggio è solennemente schierato.

Nel più assoluto silenzio si accende un urlo diverso, di un uomo solo.

L'aguzzino è cavato fuori da una botte, nudo e grondante di un liquido nero e melmoso. Viene trascinato fino al primo albero di prua, dove uno speciale traliccio è pronto per lui. Viene issato ad un'altezza prestabilita.

Dell'aguzzino le signore avevano saputo che si trattava di un rinnegato turco che i galeotti avrebbero voluto tagliare a pezzi al momento dell'arrembaggio e invece era stato messo con gli altri a remare.

La galeotta di Amed Fuzuli, che per tutto il viaggio era in testa al convoglio, si è tirata di lato per cedere il passo all'ammiraglia papale. Anche la seconda galera e la galeotta di scorta sono entrate in porto.

Le braccia dell'aguzzino sono legate con cavi robusti, tenute tese e divaricate come le gambe; il corpo è leggermente obliquo rispetto all'albero.

Hassan ha alzato la scimitarra. L'ufficiale al suo fianco recita in una lingua che le signore non sanno comprendere qualcosa che sembra un proclama.

I due uomini ai lati dell'aguzzino alzano anch'essi le loro lame enormi e ricurve, altri uomini sono agli argani cui arrivano i cavi fissati agli arti dell'aguzzino.

L'ammiraglia papale sta per toccare il molo, dove c'è grande folla di popolo e uno squadrone di cavalieri con altre guardie e dignitari.

Nell'istante preciso in cui la prima cima viene gettata sulla banchina Hassan abbassa la scimitarra.

Le lame dei boia designati calano tra il collo e le spalle del condannato fendendolo, mentre gli uomini agli argani danno potenti strattoni ai quattro cavi. La condanna è eseguita. L'aguzzino è squartato.

Di nuovo l'urlo dell'equipaggio, dalla coperta e dai ponti remieri, al quale rispondono grida da terra della folla che esulta e inneggia alla vittoria, al giovane principe, ai Barbarossa, ad Allah.

Un vecchio magro, che sorride beato, corre sulla banchina, passando davanti ai cavalli, alle guardie, alle insegne e si precipita verso la passerella abbassata.

«Figlio, figlio mio bello, zuccherino dolce, finalmente ritorni! Non ti prendere freddo, che è tramontana».

Osman Yaqub appena abbracciato il suo pupillo cerca di involgerlo nel manto che gli ha portato, tutto trapunto, blu notte, luccicante per i ricami argentati che rappresentano le costellazioni del cielo.

Anna è ancora aggrappata al chiavistello del padiglione di poppa, in preda al tremito, con gli occhi fissi su quelle carni straziate. La zia, seduta per terra, piange con il volto incollato alle assi dell'uscio, con le spalle infossate, i piedi scalzi, le gambe lunghe distese, le mani abbandonate nel grembo.

X.

1.

L'aria è corroborante, non c'è nessun affare di stato che preme, il figlio è tornato con un bottino straordinario. Baba convoglia metà del cielo nei suoi polmoni e percuote con soddisfazione il petto come un tamburo, con la mano sinistra. Naturalmente a destra ha il suo bel braccio d'argento, che funziona bene e non ha bisogno nemmeno di speciale manutenzione.

«Quel vecchio pazzo qualcosa l'imbrocca. Questa rosa è un miracolo della natura. Col freddo che fa, guardala qui!»

La manona di Baba sfiora con delicatezza i petali della centifoglia di Osman Yaqub.

«Sarebbe meglio se sapesse star zitto, ma visto che Allah gli ha messo in bocca troppe parole mi tocca tenerlo com'è. Merita un bel regalo per queste rose d'inverno».

Baba Arouj stacca una perla dal ricamo del suo mantello e la mette in mano ad Hassan.

«Dagliela. Ma non gli dire che viene da me. Mettila nel suo boccale e vediamo se se la beve».

Baba ha bisogno di divertirsi ogni momento a spese degli altri; adesso ride al pensiero che Osman si potrebbe affogare con la sua perla. Se l'immagina già tutto viola che annaspa.

«Si prenderà una bella paura. Vedrai che grida al miracolo e accende un cero alle sue madonne».

Per divertirsi Baba può combinare di peggio che regalare una perla a tradimento. Può arrivare a far spiccare teste dal collo e allora non c'è rimedio.

Baba Arouj si piglia e si gode quasi tutte le libertà che sono concesse a un sovrano; se ne prende anche i carichi, a onor del vero. Insomma si trova completamente a suo agio nel ruolo di capo.

Eppure Baba è per molti versi un uomo semplice, come quando andava a pesca sul suo barcone. Gli è rimasta ad esempio l'insofferenza di stare al chiuso. Ha bisogno d'aria e spesso se c'è da discutere di affari noiosi costringe i collaboratori a seguirlo di corsa per i viali dei suoi giardini o negli orti; gli scrivani devono stare al passo prendendo appunti su tavolette portatili o facendo i conti con pallottolieri minuti appesi alla cintola e con cordicelle fitte di nodi legate attorno ai polsi come bracciali.

Baba Arouj e Hassan passeggiano insieme da quando il sole è spuntato dietro la torre di guardia. Baba ha voluto notizie della spedizione, oltre quelle dei resoconti ufficiali, e ha dato a sua volta notizie del regno.

Per sgravarsi della solitudine dei giorni passati racconta con profusione dei normali traffici di commercio, dei passaggi di ambasciatori, dei movimenti delle tribù, della distribuzione delle derrate, dell'acquisto di nuovi piccioni per i messaggi, della salute delle belve allevate a palazzo.

«I ghepardi» dice, sicuro di far piacere al figliolo, «sono stati tenuti in allenamento».

Ad Hassan viene in mente allora che si potrebbe fare una caccia con il parente di Carlo d'Asburgo.

«Mai» l'interrompe Baba di scatto, «a meno che tu non intenda che potremmo usare il marchese come selvaggina. Lo facciamo correre con la minaccia di sforacchiargli le chiappe, di lardellarle e metterle arrosto».

Baba Arouj avrebbe dunque trovato un nuovo sollazzo. Queste cose feroci le dice con aria così decisa e convinta che verrebbe fatto di credergli anche quando sono solo fugaci divertimenti della fantasia.

«Quel Comares andrebbe sul serio un po' scorticato, gli ci vorrebbe una grattatina alla pianta dei piedi, qualcosa. Trattiamo troppo bene questi spagnoli e papalini boriosi, si meritavano altro. Bastava che li lasciassimo in pasto alla gente dei nostri villaggi lungo la costa dove le navi di Carlo d'Asburgo e dei suoi hanno compiuto le loro belle razzie».

Hassan lo guarda con ironia, la testa inclinata da un lato, una piega maliziosa alla bocca.

«Che vorresti dire, ti lamenti di essere stato preso da noi? Avrei voluto vedere se fossi cascato in mano degli spagnoli. Ti avrebbero fatto a pezzi per poi gettarti in pasto ai mastini. Noi siamo pappemolli al confronto».

È inutile cercare differenze, secondo Hassan quando si fa una razzia si fa una razzia e nient'altro. Chiunque ne sia l'autore, la guerra non è costellata di boccioli di rosa come i giardini di Osman Yaqub.

Hassan ammette, però, che gli spagnoli si ritengono i padroni naturali del mondo, la guida dell'umanità e quindi trovano giusto che gli si debba omaggio e rispetto, che spontaneamente ci si prostri ai loro piedi. Soprattutto Comares è convinto di ciò.

Baba Arouj si è accorto che il marchese torce il collo e stravolge gli occhi, le rare volte che si trova a passargli vicino.

«Mi guarda male, perché vuole farmi spavento: a me!»

Baba è divertito all'idea che il marchese Comares creda di fargli paura. Questo grande della corte di Spagna non è entrato nelle grazie del beylerbey, che è infastidito dalle sue arie.

«Si crede di essere in terra di barbari! Non mi piace. Dimmi se trovi qualcosa di buono in quel ranocchio. Ha gli occhi d'acqua e la bocca gli pende sempre da qualche parte per lo schifo che prova di tutto. È brutto e storto. Il Papa dovrebbe esserti grato d'averlo fermato prima che gli arrivasse tra i piedi. A che serve?»

«Ai remi se l'è cavata senza far storie. Anche in cantiere lavora. Continua a fare minacce per il futuro, ma intanto batte il martello e tira la sega». Hassan dirige il cantiere navale dove gran parte della manodopera è fatta di prigionieri e sta spesso con loro. «Comares è pieno di bile, ma è naturale, l'abbiamo strappato da una festa di nozze».

«Chi è questo sposo?» s'informa Baba cui piace sapere di tutto e di tutti. «Osman dice che è un vecchio, è imparentato col Papa?»

«No».

Hassan gli spiega che è comunque un principe molto potente, che è riuscito a restare a galla sotto diversi papi, ha un nome antico, territori e ricchezze anche fuori della giurisdizione di Roma, ha fortezze e uomini armati.

«Il nostro musico lo conosce benissimo. Dice che è avaro».

Fiandre e Spagna tenevano a quel matrimonio. E in particolare ci teneva il marchese Comares, per rafforzare la sua personale influenza; si è dato molto da fare per maritare la nipote a quel principe, che si chiama Ermenegildo, e per paura di non condurre l'affare a buon fine la voleva sempre con sé, vegliava su di lei notte e giorno come un angelo custode. Ora che la prigionia ha cambiato le cose, al marchese Comares non importa nulla della nipote né della moglie, non si preoccupa di sapere se la loro salute è buona, se è salva la loro virtù. Gli basta la vicinanza dei suoi soldati.

«Sembra la loro chioccia. Ha seguito il decorso delle ferite, controlla le vettovaglie, pretende che non lavorino troppo, che siano alloggiati con proprietà. Per i suoi uomini è sollecito e generoso».

«Generoso con quella faccia? Spera soltanto di darci fastidio, ma non gli importa dei suoi soldati più che delle sue donne».

Le signore gli inviano messaggi, lui non risponde. Osman, che le va sempre a trovare, dice che le poverette sono perennemente prostrate.

«La zia teme di essere destinata all'harem di corte. Non fa che ripetere giaculatorie».

«Fiato sprecato, se le può risparmiare».

Baba Arouj non ha particolari principî di religione, la sua non è un'attestazione contro le giaculatorie, egli vuol dire solo che sono inutili in questo caso, perché lui non è così sciocco da ingombrare il suo harem con quei due sgorbi di natura. La vecchia è vecchia, e sarà antipatica come il marito, la piccola è un azzeruolo acerbo che non sa di nulla. Meglio un ragazzo, non c'è paragone.

«Pensano che prima o poi le vogliate inviare a Istanbul dal Gransultano».

Quest'illusione delle due prigioniere ispanofiamminghe fa proprio ridere Baba.

«Se lo sognano di essere roba degna di un re dei re! Perché dovrebbero aspirare ad un simile onore? Per i loro titoli di nobiltà? Gliel'hai spiegato che il Gransultano ha principesse e regine? Non mi passa nemmeno per il cervello di mandargli in dono roba di scarto».

Quelle due donne si potrebbero al massimo mettere in un postribolo per gli equipaggi che arrivano in porto, ma non sarebbe opportuno. La nascita le ha fatte donne di rango e la famiglia potrebbe sentirsi disonorata e non volerle più indietro. È meglio non rischiare di perdere un riscatto che dovrebbe essere serio.

«Ma intanto che fanno? Sono capaci di fare qualcosa? Sanno cucinare, ricamare, cantare? Hanno qualche speciale abilità? Se non sanno far niente di buono, lavino almeno per terra».

Baba è stanco di mantenere gente che sta con le mani in mano. Questo è un anno di carestia e le derrate costano care.

«Alla prima sia pur piccola richiesta di riscatto, le rispediamo a casa e non se ne parli più».

Baba, che non ama occuparsene personalmente, vuole sapere come vanno le trattative per i riscatti e le offerte d'acquisto. Sono alte? È un anno duro, serve denaro. Bisogna che fruttino bene sia i riscatti che le vendite. Per le vendite si può aspettare il momento più conveniente, non si è con l'acqua alla gola.

«Purché lavorino tutti».

«In cantiere si danno da fare. Meglio la truppa degli ufficiali, che non sanno nemmeno tenere in mano gli arnesi».

Alcuni tra i prigionieri sono carpentieri esperti e Hassan si diverte a farsi insegnare tecniche che non conosce.

«Non danno in genere grossi problemi per il lavoro. I soldati svizzeri che sono di ferma recente sono robusti e non si risparmiano».

La fatica più dura è stata convincere i prigionieri alla pulizia. Ci tengono ai loro pidocchi e ai loro abiti sporchi. Ma a furia di spingerli in acqua stanno imparando e si grattano meno.

Baba dà un'ultima occhiata alla rosa centifoglia di Osman e si avvia ai suoi appartamenti. È quasi l'ora di andare in Consiglio. Fa qualche passo e si ferma di nuovo.

«Quelle due donne non mi interessano, ma se le vuoi tenere a palazzo, ci possono stare. Osman parla spesso con la ragazza e la trova molto istruita. Te ne sarai accorto anche tu, ma quando ti ho chiesto se sanno fare qualcosa, non ti è venuto in mente di dirmi che una parla latino. Pensavi che io non potessi apprezzare. Invece apprezzo. Parlare latino è una dote. Sa fare altro?»

«Sa qualcosa di greco».

«Accontentiamoci e sia gloria ad Allah. Ridammi la perla».

Baba Arouj non è pentito di aver strappato una perla dal proprio abito per farne dono ad Osman Yaqub in premio ed in ringraziamento delle sue rose fiorite fuori stagione, ma gli è venuto il sospetto che Hassan potrebbe non avere il coraggio di far cadere il suo balio in un trabocchetto. E in ogni caso, a pensarci meglio, che gusto ricaverebbe Baba da uno scherzo che avvenisse lontano e non alla sua presenza?

2.

Finito il Consiglio, Baba convoca la favorita di turno, un'etiope che adora i divertimenti del suo signore e ride e mangia più di lui. Insieme architettano il piano.

Siedono in gran pompa, con due scrivani e due referendari per lato, come se si dovesse pronunciare un giudizio importante e ufficiale, e invitano Osman Yaqub a venire d'urgenza, per assaggiare un'acqua sulfurea e definirne le qualità curative.

Baba ha posto la perla su fondo del suo boccale d'oro massiccio, ornato di una stella di pietre preziose e quando Osman arriva lo riempie di un'acqua biancastra, densa e maleodorante, lo porge al servo e gli ingiunge di bere tutto d'un fiato.

Osman Yaqub, ubbidiente, non pensa certo di rifiutarsi, ma trae rapido dalla saccoccia la propria ciotola e prima che Baba riesca a fermarlo, dice:

«Scusate, signore, ma mi parrebbe di profanarlo!»

E travasa il liquido dal boccale sovrano alla ciotola, con precisione, tenendosi sopra il bacile per i lavacri per non sporcare, da bravo servo ordinato. Così facendo ovviamente scopre la perla.

«Allah santissimo, Gesummaria! Signore, questo è un bel tradimento. Volevano farvi strozzare! Quando bevete, con rispetto parlando, voi tracannate senza badare, vi sarebbe andato giù fin in fondo questo boccone, che senza dubbio è avvelenato. Vi aiuti Maometto con tutti i santi! Chi può essere che vi vuol morto?»

Tremante, Osman mostra a Baba la perla al centro del palmo, grossa e iridata.

«È di colore infido, vedete? È veleno».

«No, è uno scherzo».

«Signore, no! Chi volete che faccia un così stupido scherzo? Lo sanno tutti che a voi non piace ricevere scherzi. Se mai è farli che vi diverte».

Illuminato dalle sue stesse parole, Osman Yaqub ha compreso. Era uno scherzo architettato da Baba per divertirsi alle sue spalle.

Ora davvero serve l'aiuto della Madonna: Osman ha detto che è uno scherzo stupido.

Il servo cerca con gli occhi tra i ricami del manto di Baba, per vedere se e dove manca qualcosa.

È chiarissimo. Nel fiore centrale c'è una perla di meno.

Osman, che è rimasto con una mano protesa verso il padrone, con l'altra fruga nelle sue tasche in caccia di un portafortuna e trova qualcosa di meglio di un amuleto: ago e filo.

Con una calma per lui stranissima, vero dono del cielo, Osman tira fuori dalla saccoccia gli attrezzi del caso, si accosta al suo signore, ricuce la perla al suo posto, s'inchina tre volte, alza gli occhi al cielo e cade in ginocchio.

«Allah potente e onniveggente, perdona al tuo servo pauroso, che ha scambiato per tradimento un segno divino».

E come se Allah medesimo l'avesse scelto per svelare i suoi arcani, si rialza e declama ergendosi sulla punta dei piedi:

«La perla è caduta in fondo al boccale del nostro rais Baba Arouj per farci sapere che quell'acqua è un prezioso dono dell'Onnipotente. Chi la beve ne avrà salute e prosperità. Sia gloria ai prodigi divini».

Detto questo trangugia dalla sua ciotola quell'acqua fetida che alle terme si usa solo per fare impacchi ai bubboni e resta fermo con gli occhi chiusi e la faccia beata.

«Che fai lì impalato?»

«Attendo salute e prosperità, secondo il volere del padre santissimo Allah, che mandò il segno».

Baba Arouj non è deluso e non s'inquieta, si diverte anzi all'andamento imprevisto del suo scherzetto e all'inaspettata improntitudine del vecchio servo, che in tutta la vita non era mai stato così sfacciato. Gli fa donare una perla ancora più grossa e per soprammercato gli assegna le due viverre che erano a bordo dell'ammiraglia, la cui sorte era rimasta sospesa.

3.

Nasce così per Osman un nuovo problema. Per la prima volta potrà servirsi per i suoi profumi di essenze pregiate al di fuori di quelle estratte da erbe e fiori; ma quell'odor di zibetto, raffinato e costoso, è frutto di un trattamento elaborato e difficile; le viverre non emanano nessun sentore che sia grato all'olfatto, al contrario, bisogna considerare che la loro puzza tremenda non s'addice a un palazzo reale. E la notte urlano, per di più. Dove tenerle?

Si comincia con il terrazzino speciale aromatico al sesto livello, davanti alla stanzetta di Osman, posto in disparte, aerato, pervaso di buoni odori; ma gli effluvi sgradevoli hanno il sopravvento e salgono al settimo livello, entrano nei locali di rappresentanza, disturbano cene, colloqui, trattati. Le viverre civette passano al quinto livello; ma i loro versacci notturni intimoriscono le signore dell'harem di Baba e di Kair ad din e i ragazzetti del servizio amoroso. Bisogna sloggiarle anche da lì. Dato che il palazzo reale si snoda a gradoni, abbracciando come un cappello l'intera collina giù fino al mare, e che i livelli più bassi sono via via meno importanti e più spaziosi, le due puzzolenti viverre si fanno scendere al quarto, dove stanno tuttora.

Al loro sostentamento e alla pulizia bada Pinar, ormai distaccato dal servizio sopra le navi, sempre addetto alle ispanotedesche, anch'esse in via provvisoria al quarto livello per motivi non molto diversi da quelli delle viverre civette: le une e le altre danno fastidio. Le signore straniere non possono stare troppo in cima, gli appartamenti reali non sono il posto adatto per due prigioniere in attesa di sorte e il cui valore non è definito. Accanto all'harem non sono gradite; non per questione di numero, che è sempre elastico sia per le mogli che per le concubine o per le semplici serve, ma perché occorre che ogni nuova immissione abbia un ruolo chiaro, a scanso d'equivoci. Per la marchesa Comares ed Anna di Braes si è scelto il quarto livello perché non alberga altre donne né uffici dove si svolgano delicate mansioni; è per la maggior parte adibito soltanto ad alloggio delle guardie che notte e giorno controllano l'accesso ai livelli più alti. Si è inoltre ritenuto un vantaggio collocare viverre e signore straniere sullo stesso livello, in quanto la puzza delle civette è sembrata un baluardo valido a garantire l'integrità delle dame, che va difesa, finché non sarà escluso che possa farsi avanti qualcuno con il denaro per riportarsele in patria.

4.

Anna di Braes è felice di aver ritrovato le sue compagne di viaggio. La marchesa ha invece un ulteriore motivo per lamentarsi e piangere la sorte cattiva; il suo stomaco è sempre sossopra come in navigazione per il fetore di quelle odiose viverre, responsabili senza dubbio dei suoi malesseri a bordo molto più delle tempeste marine.

«Marchesa non si preoccupi» le ha detto Osman per calmarla, «fra poco cessa la stagione in cui emettono puzze; ad uscire dai loro corpi saranno poi solo aromi gentili, salutari per chi li respira, grandemente efficaci per la luminosità dello sguardo e la morbidezza dell'epidermide».

Fanfaronate, naturalmente, né la marchesa vi ha ciecamente creduto, ma trattandosi di bestie esotiche non ha potuto nemmeno asserire il contrario ed è stata zitta; di giorno in giorno ci si è abituata, come si è abituata alle frequenti visite del servo salernitano che fa chiacchierate lunghissime con sua nipote.

Dopo l'arrivo in porto e lo squartamento dell'aguzzino, Anna ha passato giornate di cupa tristezza. Osman Yaqub che per vocazione è una madre perfetta se n'era subito accorto. Ha cominciato a coltivare la pianticella delicata, a cercare dove fosse il punto malato: era il cuore. La bambina come tutti gli schiavi aveva paura, ma c'era dell'altro. Era delusa.

Durante il viaggio, per assurdo che possa sembrare, aveva vissuto momenti felici, aveva goduto la sensazione di essere sfuggita ad una pena immeritata, si era sentita finalmente libera di muoversi e di parlare senza dover obbedire a dure regole di comportamento. Aveva avuto il gusto, magari maligno, di vedere gli zii, i suoi tutori severi, a loro volta costretti ad eseguire il volere di altri. Su quella nave provava nuove emozioni e nuove paure, andava incontro ad un futuro tutto ignorato perciò più affascinante, vedeva le carte rimescolate in un gioco nuovo. Sentiva il conforto di nuove amicizie: Pinar, così buono ed allegro, e Hassan, il principe che sta in equilibrio su alberi e funi, che doma tempeste, che legge poesie.

Ma, lo stesso principe comanda che un uomo venga squartato per festeggiare l'arrivo nel porto di casa; e la favola si trasforma in incubo. Quell'immagine terrificante è impressa negli occhi di Anna.

Hassan al ritorno aveva ben altro da fare che stare a leggere libri con le prigioniere, ma una volta che le si è avvicinato, Anna è fuggita. È andata a piangere in fondo a un orto, senza nessuna speranza più in nulla, pregando come aveva fatto la zia quella notte sul mare di avere in dono dal Padreterno la morte; ma per davvero, senza ricorrere come la zia a protettori speciali che la salvassero nell'estremo momento. Anna pregava e aspettava la grazia di una morte rapida, stringendo gli occhi e conficcandosi con ira le unghie nelle braccia.

Un protettore anche se non invocato era giunto. Non era un santo, era Osman. L'aveva carezzata con molta pena, le aveva cantato nenie fino a farla dormire e l'aveva portata in braccio dalla zia che, credendolo un satiro impossessatosi della nipote, l'aveva accolto con urli e male parole.

La sorte era stata gentile con Salvatore Rotunno: dopo avergli concesso un figlio da tirar su, ora gli aveva messo in braccio una ragazzina che aveva bisogno di lui.

Finalmente Osman è riuscito a cancellare dal volto di Anna quell'aria da fringuello ferito a furia di tisane d'erbe rasserenanti e canterine; e a furia di giuggiolette corroboranti e di buone parole, di piccoli incarichi, di confidenze le ha fatto tornare il sorriso, in barba alla zia, in barba alla schiavitù. Non è invece riuscito a farle cambiare opinione sul suo pupillo. Per carità, per Anna di Braes Hassan era ormai solo un pirata con l'anima nera, un traditore.

«Questo proprio non te lo permetto. Traditore di cosa e di chi?»

Anna non gli ha dato risposta, è corsa via. Col tempo, pensa Osman, la piccola capirà che ognuno ha il suo destino segnato. Anna è nata per essere moglie di qualche signore, Osman per combinare intrugli, per badare ad Hassan e per essere a volte lo zimbello di Baba Arouj. Hassan è nato per le cose belle e gloriose cui di sicuro è chiamato, ma gli tocca anche, ogni tanto, tagliare una testa e far squartare un brigante.

XI.

1.

Il cantiere speciale, allestito in una parte del porto per ristrutturare le galere papali, funziona a pieno ritmo.

Per la seconda galera non c'è da far altro che cancellare i piccoli danni di guerra, fissare un riscatto ed attendere le proposte di Roma; se non verranno, ci sono acquirenti già pronti.

Per l'ammiraglia Roma avrebbe proposto, in maniera indiretta e cauta, un prezzo di vera affezione, pur di riavere un bastimento giudicato di prestigio, ma ad Algeri si è presa la decisione di non restituirla in ogni caso al suo ex proprietario. Restituire una nave ammiraglia, anche dietro pagamento di un lauto riscatto, sarebbe come restituire le insegne nemiche conquistate in battaglia.

L'ammiraglia papale potrebbe essere semplicemente aggregata alla flotta dei Barbarossa, ma a loro non serve un bastimento di questo tipo, che ha bisogno di una ciurma con ruoli fissi, non permette che si faccia tutt'uno di marinai e soldati, non corre, e a pieno carico è ingovernabile come una boa. Potrebbe al massimo venir adoprata all'àncora per acquartierarci i soldati nemici, quando se ne catturano troppi e bisogna stiparli da qualche parte finché arriva il riscatto, ma è ingombrante anche nel fondo di un porto. Può rendere meglio se si trova il giusto amatore. Tra i vari pascià della costa si farà avanti qualcuno cui non parrà vero comprarsi la favolosa ammiraglia del Papa di Roma, e la comprerà tanto più cara se la vedrà ridipinta di bei colori smaglianti. Per confrontare e far salire le offerte si terrà un'asta all'arrivo della buona stagione.

In vista appunto dell'asta, si ritoccano per bene le dorature, si accentuano i fregi che non sono proibiti dalla religione o non sono comunque inopportuni e si cancellano gli altri. La polena di prua viene tolta, nessun pascià mussulmano vorrebbe solcare i mari con una donna davanti a tagliare i flutti. Si provvede a cavare qualche cannone che può essere utile altrove e che soprattutto non sarebbe piacevole vedere in futuro puntato contro la propria flotta o la propria città.

Al cantiere lavorano uomini abbigliati nelle fogge più disparate: volgari brache a sacco, calzamaglie attillate, braghette a sbuffo tutte fronzoli e intagli, vecchie gonnelle, perizomi e pelli di fiere, tonache, sai, camicioni di tela grezza da contadino, raffinati guarnacchini a brandelli, tuniche, caftani, avanzi di sete e altri malridotti splendori d'Oriente. C'è chi ama tenersi addosso le briciole della gloria passata, chi si sente meno avvilito lasciando nude le membra all'aria, con la brezza marina che di quando in quando asciuga il sudore.

Hassan passa in cantiere ogni giorno ad ispezionare; talora si ferma a lungo partecipando direttamente ai lavori. C'è un piccolo padiglione costruito apposta per lui, dove si cambia d'abito. Non può lavorare di sega e pialla con le vesti lunghe e le brachesse di raso che gli cuciono i sarti di corte. In cantiere indossa in genere pantaloni da marinaio e stringe intorno alla fronte una striscia di bombasina arrotolata o una sottile filaccia di lino ritorto, a reggere i fluenti capelli corvini.

All'inizio, ad uomini abituati in ben altro modo, dava fastidio che il principe di Barberia si mischiasse con loro; sia alle persone importanti che agli umili pareva un inutile mettersi in mostra; ma in seguito, assuefatti ad una vita diversa, anche questa stranezza è sembrata normale. Ormai per molti Hassan è persino un amico con cui scherzare o giocare a borrelle.

I prigionieri sono divisi in squadre dove non sempre sono rispettate le gerarchie che esistevano prima della cattura, senza che necessariamente siano comunque ribaltate; dipende dalla competenza effettiva nei lavori che ci sono da fare.

Le squadre non sono fisse, c'è al contrario grande mobilità. È bene evitare che si formino nuclei troppo saldi e omogenei. Dove sono ammassati in gran numero e per tempi lunghi prigionieri che maneggiano arnesi non molti diversi da armi c'è sempre pericolo di sedizioni.

In questo caso è difficile che si crei un amalgama molto compatto, nascono continui bisticci tra papalini e spagnoli e, nei due schieramenti, tra tedeschi e fiamminghi, tra italiani e svizzeri, tra italiani e spagnoli. Se le beghe sono sul punto di diventare tumulti, i sorveglianti ci mettono poco a comminare pene severe: tre dita mozzate dalla mano sinistra, un quarto di piede destro troncato rappresentano sempre una perdita di capitale, ma sono meglio che una sciocca carneficina tra bande rivali. Quando è sufficiente si usano pene che comportino danni minori, come qualche strattone di corda o due secchiate di sale ed acqua dove fa male. Insomma quando serve si cerca di correre in tempo ai ripari. A volte giovano i premi, una razione di vitto maggiore, qualche leccornia, un breve riposo, una donna.

La vita al cantiere non è una perenne tortura, gli uomini, anche se si lamentano, preferiscono darsi da fare che restare in ozio. Qualche volta si divertono pure. C'è chi non ha mai saputo far niente e impara un mestiere. C'è chi con una vita più sana guarisce da vecchi mali, rifiorisce, fa il sangue fluido e la bile meno vischiosa. È successo qualcosa del genere anche al marchese Comares, che ha l'incarnato un po' meno livido e la pelle suo malgrado distesa, benché conservi con cura meticolosa il cipiglio dell'uomo offeso. Per certi aspetti, da quando è costretto a una bassa manovalanza, nel suo animo albergano sentimenti diversi, nonostante Jean Pierre de la Plume sia convinto che egli non senta nulla di nulla e che addirittura non abbia un animo: in realtà soffre violenti conflitti interiori, ad esempio, l'umiliazione di dover compiere lavori che ritiene meschini combatte in lui contro l'orgoglio di dimostrare ai suoi uomini che non teme né la fatica del corpo né il logorio del carattere e l'abbattimento morale. Comares inoltre in fatto di tecniche era di un'ignoranza abissale, adesso incomincia a capire qualcosa. Ha sempre dovuto fidarsi dei sottoposti che redigevano piani e dettagliate previsioni di spesa senza controllo. Ora riesce a farsi un'idea più concreta di quanto serva di uomini, tempo e materiali per la costruzione e la manutenzione di una nave da guerra o per altri importanti lavori di carpenteria. Deve ammettere che da questa situazione incresciosa cava qualche buona lezione, che sfrutterà di sicuro contro i suoi padroni di oggi; in un domani vicino o lontano non conta, Comares è molto tenace.

2.

Lo spostamento delle armi da fuoco pesanti si rivela una delle imprese più complicate. Si costruiscono verricelli speciali e piani inclinati, si separano e si catalogano pezzo per pezzo le parti smontabili, si studiano le caratteristiche e l'uso dei vari modelli per decidere il luogo dove si rimonteranno.

Nel corso di questi lavori Hassan si accorge che il dispositivo di sparo di uno dei grandi cannoni piazzati sulla fiancata dell'ammiraglia papale è diverso da quelli che ha sempre veduto. Si meraviglia e si rimprovera di non averlo notato durante la traversata; meno male che non c'è stato bisogno di usarlo. Fa chiedere dei cannonieri papali ed apprende che sull'ammiraglia ce n'era uno solo e che, poveretto, è stato tra i primi a morire, quindi nessuno sa niente. Era davvero una nave di rappresentanza, i cannoni erano lì per bellezza.

«Non era previsto un attacco» si scusa uno degli ufficiali. «Sua Santità ha un'eccellente diplomazia».

Hassan studia il pezzo, incuriosito, con gli uomini addetti alla rimozione, un misto di arabi, ebrei, levantini e tedeschi discretamente esperti d'armi da fuoco: tutti hanno notato che il meccanismo è diverso, ma non ne sanno di più.

«Certo che io so benissimo di che si tratta!» dice il comandante De la Plume, rintracciato mentre faceva la siesta in un angolo della banchina.

Jean Pierre viene condotto sull'ammiraglia alla presenza di Hassan. Il francese è veramente felice che la sua invenzione susciti tanto interesse. È stato lui personalmente a studiare la modifica del caricamento e a farla eseguire. Aveva intuito che un semplice e piccolo aggeggio permetteva una manovra più sciolta e pulita.

«E ha dato un buon risultato?»

«Mio caro principe, io non sono impaziente, sono sicuro delle intuizioni che si hanno in certi momenti di singolare lucidità. Non c'è stata l'occasione di fare una prova». Jean Pierre sorride con signorile compiacimento. «Il risultato è immancabile. Ma la pazienza non è dei giovani, se voi volete possiamo provarlo anche qui. Mi lusinga che abbiate interesse per il mio cannone».

Il cannone è mezzo tolto e traballa, non lo si può provare se non è saldamente fissato. Tanto vale piazzarlo nella sua nuova destinazione. L'indomani lo si trasporta sui bastioni della banchina. È buona regola che i prigionieri non sappiano dove si dispongono i cannoni a difesa, ma in questo caso poiché è logico che a guardia del porto ci siano armi potenti, non c'è nessun rischio particolare a condursi appresso Jean Pierre de la Plume, che del resto è l'unico a conoscere il segreto del dispositivo.

Il cannone è piazzato, pulito meticolosamente ed oliato. Jean Pierre, eccitatissimo, vuole personalmente fungere da cannoniere, per non perdere tempo, dice, a spiegare ad un cannoniere professionista le particolari manovre che ha previsto per questo cannone, in realtà geloso del suo segreto.

Quando giunge il momento si manda l'araldo in giro per il molo e per la città: che nessuno si prenda spavento, ci sarà un tiro di prova, di un'arma nuova.

Si punta al largo, si spara. Disastro. Il cannoniere per poco non resta ucciso insieme con i manovali che avevano fatto il trasporto e che per curiosità non si erano messi abbastanza al riparo; sono tutti neri e trapunti di minutissime schegge.

Il comandante Jean Pierre riconosce che qualche ingranaggio non deve aver funzionato. Chiunque sarebbe rimasto avvilito da un simile smacco, ma il comandante francese è uomo dalle mille risorse.

«In fondo» sostiene, «il sapere va avanti per intuizioni che solo alla prova si rivelano buone o sbagliate».

Propone piccoli aggiusti, nuovi congegni. Hassan tergiversa.

De la Plume condivide che si deve esaminare a fondo e senza fretta il problema.

«Dilettarsi è un'ottima cosa» dice, «ma i cannoni devono sparare verso il nemico e non fare strage di cannonieri».

Jean Pierre de la Plume ride di cuore. Dopo la batosta della cattura ha ritrovato in fretta il suo buonumore e il gusto alla vita. Mercenario di professione, non è turbato dal soggiorno in un paese straniero. Stavolta vi è stato condotto da una schiavitù vera e propria, ufficialmente riconosciuta con questo nome, altre volte ha vagabondato per schiavitù del denaro, per l'alternarsi delle fazioni al potere o per i casi della vita sempre tiranni. Non cambia molto. Ha avuto anche in questa vicenda affascinanti esperienze che gli saranno utili e per ora lo salvano dalla monotonia che è il suo solo terrore.

Sono giunti i garzoni col pranzo e Jean Pierre rosicchia con vorace appetito la carne arrosto infilzata in un ramoscello d'alloro.

«Mi piace la vostra cucina. Ha sapori arditi».

Ha messo su polpa e ne è fiero. Un uomo è immiserito se gli spuntano in fuori le ossa.

«Ecco, questa è la giusta misura» si tasta lo stomaco appena appena rotondo. «Così si porta bene il panciotto, vedete, le cosce sono abbastanza tornite senza posticci».

De la Plume si sente in forma perfetta, farà faville al suo ritorno in Europa.

«A proposito, ancora nessuna richiesta? Forse il Papa è arrabbiato. Ma potrebbe anche essere avaro».

3.

Si torna al lavoro sull'ammiraglia. A parte il guaio del cannone, il comandante ha davvero nel settore delle armi da fuoco una conoscenza discreta; com'è giusto, sa quanto serve a comperarle più che a costruirle. È al corrente della mappa, per così dire, dei fabbricanti, degli artigiani più accreditati, delle fonderie più rinomate. Ne ha visitate più d'una facendo acquisti per i suoi vari padroni. In tempi di vacche grasse ne ha comprato anche per sé. Ricorda con gioia una fonderia boema dove ha comprato i cannoni per il suo castello. Ha un bel castello nella Francia del sud, anzi l'aveva. È capitato qualche rovescio e l'ha impegnato, l'ha praticamente perduto. Ne prova un grande rimpianto, ma si può vivere anche senza il castello avito.

«Si può vivere anche piantando cavicchi e impeciando fiancate di navi, per breve tempo. Quando i tempi si allungano troppo è sempre un pianto. Sia detto senza offesa per voi!»

Jean Pierre annoda il filo intorno a un bottone che gli pende sul petto, mezzo staccato, e riprende a parlare della fonderia boema che tanto gli piacque. Vi ha trascorso tre mesi senza la minima noia. La ricorda perfettamente. Descrive i depositi, i forni, gli scoli.

«No, comandante, sbagliate, lo scolo centrale non scende dritto nel fiume. Scorre per un bel tratto parallelo ad un torrentello che viene da sotto il bosco dei larici, poi vi si incunea e cento passi più a valle le due acque mischiate si buttano nel fiume grande con un salto dell'altezza d'un uomo».

È stato Hassan a parlare. Jean Pierre de la Plume se lo guarda stupito.

«Siete un veggente?»

«Nient'affatto».

Anche Hassan ha vissuto un periodo in quella fonderia boema, straordinaria davvero.

«Peccato che non ci siamo incontrati, avremmo potuto giocare a dadi, la sera, nel bel castello del proprietario».

«Io non ci sarei mai stato ammesso. Non ero come voi un cliente venuto a comprare cannoni. Lavoravo alle fornaci».

Jean Pierre domanda, vergognandosi d'aver detto una frase inopportuna, se Hassan è stato a lungo in fonderia come schiavo.

«Ma io non ero lì come schiavo. Ci sono andato per una missione istruttiva, anni fa».

Ad Hassan serviva una pausa ai suoi studi, ai Barbarossa servivano nozioni fresche in quel campo, poiché la fonderia algerina era antiquata. Hassan aveva appreso in patria i primi rudimenti dell'arte ed era partito. Non è difficile che un giovane trovi lavoro in una fonderia quando ha qualche disposizione al mestiere e non ha pretesa di paghe.

«Sicché siete stato nel cuore dell'Europa come fonditore apprendista?» chiede Jean Pierre de la Plume, allibito. «Fantastico. E queste fatiche, scusate, voi le chiamate missioni istruttive? Bello sforzo da parte dei vostri padri adottivi! I vostri viaggi di studio non costano cari».

Forse gli addestramenti dei barbareschi suonano strani ad un nobiluomo francese allevato negli agi.

«Eh, no, vi prego. Anche noi sappiamo educare i ragazzi alla vita. Guardate me. Reggo benissimo. Non per vantarmi! E quanto agli agi lasciamo perdere. Dai vostri abiti e dal padiglione che vi hanno allestito in cantiere, posso arguire che non vi manchino. Spiegatemi dunque di queste missioni. Mi incuriosiscono. Ne fate spesso? In cosa consistono? Vi ci divertite?»

Hassan spiega che le missioni istruttive consistono, appunto, nell'andare ad imparare qualcosa; possono essere faticose e dure, ma più spesso sono piacevoli; a volte sono ufficiali, a volte si deve andare in incognito, come quando egli fu a Roma, musico applaudito.

«Non mi racconterete che a Roma dovevate imparare come si diventa un buon Papa!»

«Volevo dire che a Roma sono andato in incognito» precisa Hassan sorridendo. «Servivano informazioni attendibili. Da tempo si vociferava di una crociata. Dovevamo sapere di che si trattava e ho constatato che erano state rastrellate per la crociata decime aggiuntive, ma non si radunavano eserciti e tanto meno si allestivano flotte».

La vita di un piccolo stato di Barberia esige che i suoi governanti stiano all'erta e sappiano tessere una buona tela di protezione fatta di relazioni accorte e notizie di prima mano. Sono necessarie missioni di tutti i tipi. Oltre alle missioni segrete e a quelle speciali ci sono quelle ordinarie per sbrigare gli affari correnti con gli altri paesi, le ambascerie, le stipule di patti di commercio e di alleanze militari.

Ad Hassan piace andare in missione, e spera che Kair ad din gli voglia affidare qualche incarico interessante quando sarà di ritorno. Per varie ragioni lo attira la Persia. Ma per l'Europa ora potrebbe munirsi di un lasciapassare senz'altro efficace: indossando abiti confezionati sul modello di quelli del comandante avrebbe sicuramente accesso alle corti più chiuse.

Il comandante è così vanitoso che non si accorge dell'ironia, un bel sorriso di soddisfazione gli tira la bocca; è beato che la sua eleganza faccia colpo, nonostante i suoi vestiti nient'altro siano ormai che un inganno sapiente, con i rattoppi mascherati da nastri e da pieghe sovrapposte e i buchi trasformati in artistici intagli, con relativi sbuffi della sottostante camicia o di straccetti appiccicati al di sotto.

4.

Secondo Osman Yaqub e secondo natura la notte è fatta per riposare. Possibile che in questo palazzo si debba invece per un motivo o per l'altro vegliare la notte intera?

«Io sono stanco di stare in piedi».

«Chi t'ha detto di stare in piedi, te e le tue maledette tazze di erbacce che tolgono il fiato con quest'odore d'inferno!»

«Con che coraggio puoi dire che i miei aromi benefici sono odori cattivi? Ci perdo i giorni a dosare uno per uno i vari ingredienti!»

«Sarebbe meglio che tu non sprecassi il tuo tempo così».

Osman Yaqub si mette a piagnucolare.

«Sono vecchio, cos'altro ho da fare? Nessuno mi porta per mare. Mi hanno tolto i giardini. Non posso più andare a cavallo. Il cammello mi fa male alla schiena. Non ci sono più feste da preparare. Tu non giochi con me. Non mi racconti più niente. Non mi dici i progetti della tua vita. Nemmeno i viaggi che hai in mente di fare, mi dici. Sto qui ad angustiarmi e mi chiedo: perché, perché mai vuole sempre scappare? Cosa gli manca qui a casa? Che sarà mai questa Persia dove s'è messo in testa d'andare!»

«Finalmente siamo arrivati al punto che ti interessa. Vuoi sapere se Kair ad din mi dà il permesso di andare in Persia».

«Vedo che sei nervoso, non so che pensare».

«Pensi che non mi ci manda e sei tutto felice. Lasciami almeno leggere in pace i libri che voglio».

«Non c'è bisogno che ti butti sui libri come un forsennato. A me fa piacere averti un po' a casa. Quando sei in guerra o in missione in paesi stranieri, qui nella fronte mi si annida un serpente che gira e rigira ponendomi sempre le stesse domande senza darmi pace. Hassan che farà? Starà bene? Sarà contento?»

«Avrà bevuto le tisane?»

«Mi prendi in giro, ma sono queste le cose che penso; nella mia testa non c'entrano le filosofie, le grammatiche e tutte le cose complicate che stanno dentro la tua e ti danno pensieri più intelligenti dei miei. Però capisco spesso quello che è giusto e quello che non lo è, Allah sia lodato e ringraziato! Quel viaggio in Persia sarebbe un errore. Di questi tempi ci potresti trovare imbrogli e pericoli. La biblioteca del nostro palazzo è piena zeppa di storie, di trattati di musica e di matematica, di poemi in lingua persiana. Non vale la pena che tu vada là in fondo, con il rischio che tra sciiti e dervisci danzanti o benedicenti, tu faccia le spese dei loro litigi».

Osman vorrebbe dire parecchie altre cose, per esempio che sa benissimo perché Hassan vuole andare laggiù, ma il ragazzo si arrabbierebbe ancora di più, meglio lasciare che gli passi la delusione. Intanto Osman Yaqub siede per terra, le gambe incrociate sotto la tunica, accanto all'amato figlioccio, con la tazza fumante in mano; e per distrarlo prova a spettegolare di quello che vede e sente a palazzo o al cantiere, dove ha libero accesso con la scusa che deve badare ad Hassan.

Quel parente del re di Spagna continua a piantare grane. Non si capisce perché Baba Arouj porti tanta pazienza. Dev'esserci per aria un colossale riscatto se non qualcosa di più, altrimenti il beylerbey l'avrebbe buttato fuori a calci da un pezzo, l'avrebbe spedito a lavorare in mezzo al deserto.

Hassan è sempre curvo sul libro persiano. Il ragazzo quando prende un sentiero va fino in fondo. Ma Osman è persuaso che il motivo vero per cui vorrebbe correre in Persia è che non sono più giunte notizie del suo amico Cai Tien: pare che non sia arrivato nel suo regno tra le montagne più alte del mondo e che attraversando la Persia sia scomparso nel nulla. Altro che studi! Hassan pensa di andarlo a cercare. E Dio sa che potrebbe mai fare da solo. Bisogna che Osman Yaqub riesca assolutamente a tirar fuori la Persia dai suoi pensieri.

«Tu non ti fidi e non mi dici le cose tue né quelle del regno, ma io scommetto che se abbiamo quel Comares ancora tra i piedi è perché Baba cerca di fare uno scambio, non gli basta il denaro».

Molti anni prima, quando Hassan era bambino, gli spagnoli hanno catturato un amico di Baba Arouj, un certo Ben Gassa, luogotenente in una città della costa orientale, e non l'hanno voluto restituire a nessun prezzo. Può darsi che adesso Baba riesca ad averlo indietro. Ma prima di rimandare in patria Comares Osman Yaqub chiederebbe lo stesso, in aggiunta a Ben Gassa, un bel po' di oro sonante, visto che gli spagnoli ne portano navi intere dal Nuovo Mondo.

«Dovranno pagare il disturbo che ci prendiamo a conservarglielo intatto, quel piagnone. Sai qual è l'ultima che ha inventato? Desidera un cambio di confessore, quello che gli ho procurato non gli va bene. Ma come, gli ho detto, chiamate questa terra infedele e barbara, e non vi basta di averci trovato chi vi dice la messa e vi porta la comunione? No, lui vuole confessori diversi, secondo i peccati della giornata. Dovremmo catturarne uno ogni mattina e servirglielo fresco per la colazione con un dolcetto di mandorle appena sfornato».

Il giudizio di Osman Yaqub su Comares è severo: il marchese è uno sciocco. Rivela un unico barlume d'intelligenza quando rifiuta di riportarsi a casa la moglie. Non è che Osman abbia sentito Comares dire chiaro e lampante che ripudia la sua marchesa, per quanto di motivi validi qualsiasi uomo ne troverebbe.

«È cattiva come la peste, puzza d'acido, ha il petto cascante, una voce che graffia dentro l'orecchio, vuole essere sempre riverita e servita, protesta, insulta, insomma sarebbe da buttare in un pozzo di scarico insieme ad un mastello di liscivia. Ma tutte queste forse son cose che al marchese non fanno caldo né freddo. Lui dice solo che non intende pagare un riscatto per lei. La vorrebbe magari sul prezzo del suo».

La marchesa ha però il suo carattere e la sua dignità. Ha capito benissimo che il consorte la molla e siccome ha nelle vene sangue reale in quantità ben maggiore di suo marito e soprattutto è lei ad avere il patrimonio più grosso, ha intenzione di dare battaglia: ordinerà ai suoi fattori di pagare per il suo rilascio quello che verrà chiesto da Baba Arouj senza discutere, per non perdere tempo con le trattative. Se il marchese per la sua parte pensa di lesinare, aspetti pure.

«Dunque presto la rispediremo. Per il riscatto della bambina ci sono invece problemi».

A dire la verità Anna di Braes è meno bambina di quando è arrivata. Nei mesi che sono passati si è messa addosso un filo di carne ed è alta tre o quattro dita di più.

«È la sua stagione per crescere, si alza come il grano prima che spunti la spiga».

Per la ragazza non c'è nessuno che paghi né che pensi a pagare in futuro.

Il marchese ha deciso che non tocca alla loro famiglia poiché il contratto nuziale è stato firmato regolarmente e il marito ha preso possesso dei beni dotali. La consumazione effettiva del matrimonio non ha rilevanza, visto che nella stipulazione era differita, logicamente subordinata a certi accadimenti, normali per una fanciulla, ma non ancora successi, che avrebbero reso la consumazione suddetta più consona alle regole della natura.

Nella stipulazione, però, sostiene il principe sposo, si contemplava altresì che la sposa fosse condotta dai familiari al marito. Non c'è stata consegna, non c'è adempimento del patto, non c'è nessun contratto validamente perfezionato. I legali hanno aperto la discussione. E se Osman vede giusto potranno passare mesi, anni. Meglio per la bambina, che non ha fretta.

Osman non conosce il principe Ermenegildo, ma non c'è bisogno di averlo davanti per sapere che orrore può essere un vecchio sposo per una bambina. È certamente gottoso, asmatico, con il sangue fradicio e con il mal francese. La porterebbe alla tomba, per carità. La bambina non può finire nelle sue mani. Conclusione, bisogna farsela dare da Baba.

Osman dà un'occhiata al pupillo, che continua a leggere, nemmeno sfiorato dalla voce del vecchio. È vero che queste cose le sa benissimo, ma non era per informarlo che Osman parlava, voleva per prima cosa interrompere la sua lettura e farlo andare a dormire e per seconda cosa sperava di fargli prendere una decisione. Se Hassan prima o poi riesce a partire per quella sua Persia stramaledetta, che protettori avrà la bambina? Dovrà restare in balìa dei capricci di Baba Arouj e di quella strega della marchesa.

L'infuso è diventato freddo, si può buttare dalla finestra, a riscaldarlo diventerebbe cattivo davvero.

La notte è umida, c'è un temporale in arrivo, forse è l'annuncio del ritorno di Kair ad din. Quel volpone aspetta il maltempo per attraversare il mare.

Osman richiude il portello della finestra e si appoggia pensoso al battente. Perché Kair ad din con un messaggio chiaro e deciso avrà negato al figlio di fare il suo viaggio, lui che è sempre pronto a spingerlo nelle peggiori avventure? Osman Yaqub era al corrente del divieto di Kair ad din, aveva chiesto notizie al ragazzo per farlo sfogare. Comunque sia, questo divieto è giunto molto opportuno, così Hassan starà a casa al sicuro e potrà aiutarlo a tenere a palazzo la piccola Anna di Braes il più a lungo possibile, benché non mostri per lei un interesse speciale.

Il lume è agli sgoccioli e questo testone di Hassan sembra inchiodato sul suo poema persiano. Vuole sembrare saggio come un vecchio mullah ed è tutto schiuma come un puledro. Per farlo smettere è meglio tornare alla carica con una domanda diretta.

«Non potremmo tenere Anna con noi? Tu hai diritto alle tue prede di guerra e hai diritto ad un harem tutto per te, donne e ragazzi, come conviene ad ogni rais».

Tra quanti hanno avuto una sorte come loro, quelli che sono rais o visir o sultani, perfino i ricchi mercanti, tutti hanno un harem e ci si divertono. Sono infiniti i divertimenti possibili e Hassan li conosce, ha passato nell'harem buona parte della sua fanciullezza. Cos'importa se a qualcosa dovrà rinunciare? Non potrà avere figli del proprio sangue, non godrà di qualche soddisfazione di cui godono gli altri, che del resto non può rimpiangere. Osman Yaqub invece è stato preso da grande, ha avuto persino una moglie nei tempi lontani in cui era pescatore vicino a Salerno. Ma, quanti uomini ignorano tante altre gioie che possono essere offerte dalla natura? Senza parlare delle gioie dell'intelletto, che per molti sono per tutta la vita un mistero.

«Non dico di metterla dove c'è l'alambicco per distillare,

quantunque la stanza sia grande, ma nella saletta della stagionatura degli elisir non darebbe fastidio a nessuno, anzi potrebbe darmi una mano a girare i vasi, a tenere il conto preciso delle ore di sole. Che cosa ne pensi?»

Hassan non risponde, si potrebbe scommettere che non l'ha sentito.

«Questo ragazzo dovrebbe andare eremita».

Invece stavolta non si tratta di particolare concentrazione. Anche i semidei hanno i loro abbandoni, Osman constata che, sempre curvo sopra il libro persiano, il principe Hassan dorme come un bambino.

La notte volge alla fine, non vale la pena di mettersi a letto. Osman stende pian piano un panno addosso al pupillo, passa nel corridoio, si fa scudo di un vecchio mantello trapunto ed esce nel vento. Il rumore del mare arriva fin su.

Non c'è bisogno di curare le pianticelle medicinali sparse nei vari giardini e terrazze. È tutto potato, legato, coperto come si deve. Di giardino in giardino Osman scende al quarto livello. Approfitta di quel che è rimasto della nottata per andare a raccogliere qualche cucchiaio della pasta burrosa secreta dalle viverre. Vorrebbe iniziare domani la laboriosa preparazione dello zibetto.

Baba va matto per quel profumo e ha quasi finito la scorta; ne consuma a bizzeffe, ne fa continui omaggi alle favorite più favorite perché ne spalmino i corpi e intridano pezzette da mettere in tasca o sotto i cuscini del letto. Baba sostiene che lo zibetto gli dà ristoro nelle fatiche amatorie, gli calma le smanie eccessive, lo predispone a pensieri giulivi. Per questo tollera, anzi richiede, che le viverre stiano a palazzo, naturalmente purché a lui non arrivi né puzza né chiasso notturno.

Quello dei loro versi durante la notte, simili al grido delle civette, è un altro argomento della marchesa Comares per non volere le bestie vicino.

«Mi portano il malaugurio».

Osman, che di malocchio e malaugurio s'intende assai, le spiega ogni volta che non è vero, che le viverre civette non portano male, che sono diverse dalle civette uccello. Oltre alle strida, l'unica somiglianza che si può trovare tra la civetta che vola e la civetta viverra è che sono entrambi animali notturni. Queste due viverre che Baba gli ha regalato sono infatti di notte arzille e curiose e di giorno dormono come animali in letargo, nascondono il loro musetto da cane sotto il corpo accoccolato da gatto.

Mentre gli passano in testa questi pensieri e ricordi, Osman arriva al quarto livello, di faccia alla gabbia, e vede che dalla parte opposta qualcuno armeggia quatto quatto nel buio con un bastone. Osman si avvicina con cautela, quindi si lancia di scatto in avanti ed acchiappa il misterioso sabotatore. È la marchesa.

Che diavolo cerca di fare quell'invasata bizzosa invece di starsene a letto a badare alla propria salute?

A cavalcioni sulla transenna di protezione, con una paletta improvvisata legando una tegola in fondo ad un bastone di scopa, la nobilissima Carlotta Bartolomea ruba escrementi animali. Incredibile, ma incontestabile.

Osman l'accusa di furto, dicendole appunto che non può negare l'evidenza del fatto, essendo stata colta in flagrante. La marchesa accampa però un altro punto di vista, sostiene che è semplicemente ridicolo chiamare furto una normale opera di pulizia.

«Normale? E allora perché compierla nel buio della notte?»

«E tu, non vieni di notte con sacco e spatole?»

Osman è venuto di notte perché sta per giungere un gran temporale e potrebbe disperdere tutto il prodotto che si è accumulato. Osman è qui per toglierlo e portarlo al sicuro.

«Bene, ti ho preceduto e non farla lunga che non è il caso. Guarda, ho già preso tutto e non te lo do».

«In altre parole, madama, vuole farmi un dispetto».

Ci mancherebbe che una marchesa di così alto lignaggio si mettesse a fare dispetti alla servitù, peggio, a un servo apostata! È a Baba Arouj che Carlotta Bartolomea vuole fare dispetto. Baba Arouj è il suo nemico. Baba Arouj è colui che la umilia, che la tiene lontana dal suo sposo e dalla sua patria cara. Ha intenzione di fargli guerra. E dovrebbero fargliela tutti i cristiani.

Così dicendo con un gran lancio disperde il prezioso prodotto delle viverre, poiché tra gli escrementi ci sono i depositi della loro pasta burrosa. Le ostilità sono iniziate. Baba non avrà il suo profumo.

Se Osman la denunciasse, addio testa per la marchesa, visto che dichiara di aver agito deliberatamente per fare guerra e dispetto a Baba Arouj, al beylerbey, signore di Carlotta Bartolomea e di tutti. Sarebbe un delitto di lesa maestà per il quale c'è sempre la morte.

Osman potrebbe però punirla personalmente, se non vuole ricorrere al giudice; potrebbe darle una dose di bastonate, tanto più che ha una scopa in mano e la marchesa ha gettato la sua insieme con gli escrementi aromatici: ma è un uomo mite. Le dice solo, con voce smorzata per non svegliare le guardie ma con tutta la rabbia di cui è capace, che è una vecchia meschina e bugiarda, perché sa benissimo che Baba Arouj vorrebbe spedirla al più presto nella sua terra e l'avarizia del suo Comares, e dell'intera famiglia a quel che pare, non la giudica degna del sacrificio di un po' di denaro. È una vecchia infingarda che si trincera nel buio dietro il pretesto di una guerra santa con Baba Arouj solo perché odia quelle due povere bestie innocenti e vuole che siano gettate via come inutili, vuol che si dica che sono incapaci di produrre alcunché di buono, nemmeno un profumino per Baba che le mantiene. Questo è un colpo a tradimento, e non una guerra aperta e leale.

La marchesa risponde indignata alzando la voce, le civette urlano ancor più del solito. Si sente arrivare la ronda. Carlotta Bartolomea scappa a gambe levate per non incorrere in punizioni severe. Osman scappa anche lui, per non essere costretto a fargliele dare.

XII.

1.

Guerra o non guerra, la marchesa ha vinto una prima battaglia. Per evitare inutili dispersioni di beni, il giorno dopo le viverre hanno un ulteriore trasloco. Scendono al terzo livello, dove potranno stare più in pace o quanto meno avranno una sede più idonea.

Nelle terrazze del terzo livello, a levante ci sono le fiere e gli animali degni di cure speciali. Ci sono leoni, pantere, scimmie, zebre, coccodrilli, pavoni, falchi e ghepardi da caccia. A volte fanno tutti un gran chiasso, ma non danno fastidio, perché ai due lati del vasto serraglio degli animali ci sono ambienti spesso deserti; a mezzogiorno ci sono i giardini di agrumi, i cortili, i campi per le ginnastiche e i giochi; e a mezzanotte i padiglioni per le occasioni particolari, con fontane e bagni grandissimi e vuoti. Né si è mai considerato che bestie sovrane, ossia appartenenti di fatto e diritto al beylerbey, possano indurre a lamentele le modeste abitanti dell'harem di seconda classe per funzionari e ufficiali di stanza a palazzo, situato dal lato opposto, a ponente.

Sembra quindi che nel serraglio reale, tra tante puzze e versi ferini, le civette viverre di Osman possano vivere indisturbate. Ma le due dormiglione hanno il destino di portare perenne scompiglio a palazzo.

Durante la placida ora della siesta pomeridiana, a metà della stessa giornata del loro arrivo al terzo livello, una giornata che nonostante il maltempo della notte è sbocciata fuori azzurrina e tiepida, nel lato di ponente, nei padiglioni dell'harem di seconda classe solitamente immersi in un decoroso silenzio, accade l'imprevedibile.

La siesta pomeridiana nell'harem di seconda classe non è mai dedicata agli amplessi e nemmeno alle visite dei mariti, degli amanti o dei proprietari comunque legittimati all'uso delle signore. È previsto che la siesta sia veramente un riposo per tutti, persino i servi e gli eunuchi si ritirano nei loro alloggi. Perciò la muta dei ghepardi che si fionda dentro in corsa dietro le due viverre impaurite trova un ambiente sguarnito di ogni difesa.

Sulle prime non succede nulla di grave. Qualche dormiente apre un occhio avvertendo strani fruscìi, ma nel torpore si rigira sul fianco e riprende il sonno.

Le viverre sempre più spaventate si cercano subito adeguati ripari, una si caccia sotto un divano dove i ghepardi non ce la fanno a seguirla per questione di mole, l'altra si tuffa in un ripostiglio per abiti, dove i ghepardi possono entrare benissimo e infatti entrano, ma lei s'introduce in un cofano per le babbucce, il coperchio chissà come si chiude e la civetta, salva, si mette a dormire.

I ghepardi restano padroni del campo senza nulla di preciso da fare, visto che le due viverre si sono rintanate. Che cos'altro potrebbero mettersi in mente se non di giocare ad acchiappare le dame che nel frattempo hanno preso ad alzarsi guardinghe, svegliate da uno scalpiccìo persistente come una pioggerellina? Da qui lo scompiglio, le urla, la paura terribile. Scoppia un finimondo di strilli, una generale alzata di morbidi e pigri sederi, un fuggi fuggi di sciaguattanti babbucce e di piedi nudi, di veli e di rasi, di brache rigonfie, uno svolazzare di ampie maniche ornate di campanelli. Nella calca, nel gorgo, non si saprebbe trovare nessun punto fermo, se non degli occhi sbarrati, delle mani strette sul petto o ritte per aria come bandiere di resa. Tutto crolla e si schianta: divani impetuosamente e vanamente scambiati per zattere di salvataggio si afflosciano, vetri e alabastri urtati si ammassano in briciole, cancelli forzati e porte divelte giacciono a terra, vittime rassegnate si accasciano senza più fiato.

Per fortuna le guardie accorrono, ma sono quasi impotenti. È naturale che vogliano salvare le dame dei loro ufficiali, però non possono certo fare del male ai ghepardi che, quantunque di scala animale, sono di prima classe, proprietà diretta dei tre grandi rais, mentre le dame del terzo livello con i rais abitualmente non hanno a che fare e sono di seconda classe soltanto.

Quando le bestie cominciano ad essere stanche, la pace, a fatica, viene ristabilita. C'è qualche graffio nelle tenere carni, domani si vedrà qualche livido, ma niente d'irreparabile. Un ghepardo ha sbattuto il muso con troppa irruenza e gli sanguina il naso; un eunuco gli sta facendo un impacco, la nobile bestia potrà guarire.

Inutile tirare le somme dei danni, per quest'aspetto si è alla catastrofe. Funzionari e ufficiali dovranno risparmiare per settimane e settimane sul soldo per cavar fuori di che riparare il loro harem che era tanto accogliente, di che rivestire le loro dame, di che rifondere all'amministrazione centrale le spese per i restauri ai giardini pensili, alle facciate dei padiglioni, ai corpi di guardia ammaccati.

L'eunuco capo dei servizi d'ordine dell'harem di seconda classe vuole sviscerare le cause di quell'apocalittico evento, preoccupato che a lui ne venga addossata la responsabilità, e non riesce a comprendere come mai gli animali siano giunti sino ai suoi padiglioni; o meglio non sa capire come abbiano fatto a forzare le gabbie, perché dopo chiaramente è stato per loro uno scherzo passare siepi e transenne fiorite e devastare ambienti pieni di stoffe e altre soffici e fragili cose.

Sistemata alla meno peggio la situazione, rinchiusi i ghepardi in un'unica sala e le viverre in una solida cassa, l'eunuco capo dell'harem va baldanzoso alla ricerca del collega berbero, capo del padiglione degli animali, deciso a presentargli la nota dei danni e a chiedere spiegazione di quel disservizio inaudito; se non che trova alzata la barriera delle emergenze e ne arguisce che al di là ci siano caos e pericoli ancora maggiori. Il povero eunuco capo del devastato harem di seconda classe non sa se tentare bellicoso di superare comunque quella barriera per chiedere ragione dell'incursione subìta o aspettare o addirittura tornarsene indietro: dal serraglio in quel mentre si leva un ruggito.

2.

I guai nel terzo livello erano iniziati a mezzogiorno esatto, quando Anna di Braes aveva pensato che, approfittando dell'ora morta e del riposo di tutti, poteva spingersi a fare visita alle viverre. Era scesa con facilità al terzo livello, era entrata nei giardini di agrumi, di lì era passata negli edifici.

Si guardò intorno, ma non le vide. Essendo state portate in quel luogo solo da poche ore, le civette potevano essere ancora rinchiuse nella cassa usata per il trasporto, ma di casse non c'era l'ombra. Provò a fare il loro verso notturno, non ebbe risposta. Allora si mise a cercare pazientemente cella per cella nella speranza di scoprire dove si fossero cacciate le sue due amiche.

Vide il coccodrillo nella brodaglia in cui era seminascosto e si stupì; non aveva mai saputo dell'esistenza di un cosiffatto e orrendo animale, che le sembrò tuttavia tranquillo e bonario, con un occhio sveglio e l'altro assonnato. Dai leoni si tenne lontana, ne aveva visto uno al serraglio della reggia in Borgogna e le era bastato il ruggito per metterle un grande terrore. Le zebre erano buffi cavalli dipinti. I ghepardi le parvero splendidi. Ne aveva udito narrare le gesta da Osman, che da tempo non segue le cacce e si sfoga a parlarne abbellendo il racconto di fatti eroici, attribuendo doti impossibili di intelligenza e di assoluta docilità alle fiere, che d'altro canto egli teme moltissimo.

«Non c'è che parlare con loro e ti capiscono subito, meglio degli uomini. Io li ho visti mollare la preda, anche molto affamati, e consegnarla al padrone. Sono più ubbidienti dei cani. In piena corsa, se ricevono l'ordine, puntano a terra le zampe e si bloccano».

Invece, fermare dei ghepardi lanciati è impresa tremenda; Osman Yaqub parla sempre con fantasia.

Quando Anna si vide davanti i ghepardi rimase ammaliata dai manti lucidi, dalle movenze leggere, dagli sguardi fieri eppure languidi; erano gattoni ancora più dolci e belli delle viverre, che intanto non saltavano fuori. Eppure l'olfatto diceva che non potevano essere molto lontane.

Alla fine Anna le scorse. Erano addormentate, arrotolate come due ricci, nella celletta a fianco ai ghepardi da caccia.

Chissà quando Anna di Braes avrebbe avuto di nuovo la possibilità di tornare: doveva entrare per fare un saluto più affettuoso alle bestiole e deporre in un angolo una manciata di noci, che aveva procurato poiché sulla nave le viverre amavano farle correre durante la notte.

«Dormono, sono tranquille» pensava, decisa a far loro qualche carezza.

Trovò un chiavistello, tirò e si avvide di avere sbagliato. I ghepardi saltarono in piedi. Era il portello del loro abitacolo.

Anna riaccostò in fretta, cercò di rimettere il chiavistello che non volle entrare del tutto nel suo passante, ma il portello le parve ugualmente ben chiuso.

Per entrare dalle viverre c'era un cancelletto quasi invisibile nella parete di sbarre. Anna lo aprì, si avvicinò alle bestiole che stavano appiattite una sull'altra nell'angolo, mise a terra le noci e fu investita dal primo ghepardo, che non ce l'aveva con lei, ma puntava dritto sulle viverre.

Anna si rialzò in piedi appena possibile, però non ebbe il tempo di uscire. Dal cancelletto entravano altri ghepardi, la urtavano, la ricacciavano indietro. Una volta schiacciata sul fondo, Anna d'un balzo si arrampicò sulle sbarre più in alto possibile. Per sua fortuna i ghepardi non avevano il benché minimo interesse per lei, si divertivano con le viverre. A furia di stuzzicarle con zampate e morsetti le fecero alzare e allora le poverine, con le loro gambe corte e sottili, cercarono di darsi alla fuga. I ghepardi giocavano, concedevano spazio per poi raggiungerle, bloccarle, lasciarle, farle correre ancora.

Ben presto le bestie uscirono dal padiglione e Anna si trovò sola e spaventatissima, appesa alla gabbia senza sapere che fare. Scese per terra e corse fuori.

I ghepardi e le viverre erano partiti verso il settore dei padiglioni per le occasioni speciali. Anna sentì il tramestìo dei guardiani in arrivo e si nascose dietro un angolo. Non poteva tornare al quarto livello, perché i passaggi erano appunto nella zona dove si erano diretti gli animali in fuga.

Tentare la fuga era l'unica prospettiva anche per Anna di Braes, dopo il disastro che aveva combinato. Nessun paragone con la volta che aveva lasciato scappare le due viverre nell'alloggio del capitano. Quell'episodio le sembrava adesso come una premonizione di guai maggiori.

Anna decise di tenersi nascosta mentre pensava a una via di scampo. Trovò un mucchio di paglia che andava bene. Poco dopo sentì un gran rumore di ferraglia.

I custodi andati ai gabbioni per le pulizie si erano accorti che la cella dei ghepardi da caccia era vuota e per prima cosa, seguendo le norme del loro ufficio, si preoccupavano di alzare la barriera d'emergenza che toglieva la comunicazione con gli altri settori.

«Che tonti!» pensò Anna, poiché non era venuto loro il più vago sospetto che la muta dei fuggitivi avesse già oltrepassato lo scoglio.

Eppure Anna udiva benissimo gli strilli delle signore dell'harem, indovinava il pandemonio che era successo e cercava di penetrare più che poteva dentro il mucchio di paglia.

Dopo un urlìo generale, poco a poco incominciò a tornare la calma dalla parte dell'harem, mentre aumentava a dismisura il parapiglia dentro il serraglio degli animali. I custodi rientrati nei padiglioni s'erano dati ad ispezionare le celle palmo a palmo con rabbia e strepiti, disturbando gli animali che divennero tutti inquieti e cattivi. Il leone più grosso s'innervosì e levò alto un ruggito.

In quel momento l'eunuco a capo dell'harem di seconda classe era giunto alla barriera divisoria. E qui la parentesi può essere chiusa.

3.

L'eunuco è dunque con la testa per aria, gli occhi fissi nel vuoto: pensa che se di là c'è il leone infuriato è meglio darsela a gambe, e così fa.

La giornata continua ad essere bella, ma lontano si sentono i tuoni; la bufera, che si era annunciata col vento durante la notte, all'alba si era spostata sul mare e ora imperversa da qualche parte lì intorno, pronta a tornare.

Visto che è sola, Anna esce dal nascondiglio e raggiunge il parapetto, si sporge per studiare come passare al sottostante livello, prima tappa della sua fuga, e si rende subito conto che non è operazione da poco.

Il secondo livello è un immenso pianoro a picco sull'acqua; sembra accogliente e soffice, con prati e piste di polvere, ma è troppo in basso, per arrivarci c'è un salto impossibile anche se proprio in quel punto ad abbreviare le distanze ci sono dei tetti, che potrebbero essere delle scuderie. Al secondo livello, per quanto Anna ha sentito, ci dovrebbero stare i cavalli, i distaccamenti dei corpi scelti, la zecca, i depositi dei materiali pregiati.

Per affacciarsi al parapetto, Anna ha lasciato i ripari, se i custodi ritornano non ha dove nascondersi; per non essere vista dovrebbe scavalcare il muretto e reggersi in qualche modo all'esterno. Ci sono pietre sporgenti come quelle che immancabilmente trovano nei muri antichi i protagonisti di fughe secondo quanto si narra nelle leggende, ma Anna non è un eroe muscoloso e addestrato a fatiche. Comunque scavalca quel parapetto e ce la fa a sostenersi alle sporgenze quanto basta a individuare con calma un appiglio che sia migliore di qualche pietra mal messa: scesa miracolosamente di sette o otto bracciate, scorge poco più sotto un provvidenziale rampicante, foltissimo e con un solido tronco. Si lascia scivolare sopra i suoi rami e resta appesa come una scimmia cercando di capire cosa succede.

Al terzo livello le cose non sono ancora tranquille, c'è un viavai di custodi e una babele di voci. Riprendono a gridare le donne, forse perché passata la prima paura si rendono conto dei danni alla roba, gridano gli uomini, gridano gli animali domestici e quelli feroci.

Al secondo livello, che poco prima era deserto, è tutta vita. Sembra sia l'ora che i cavalli escono fuori a sgranchirsi le gambe; l'aria rimbomba di zoccoli con accompagnamento di sbruffi e nitriti. Corrono i cavalli, gli stallieri, i soldati ed i servi. È una girandola senza posa, bisogna aspettare.

Anna si fa un nido a mezza via nell'intrico dei rami e decide di attendere. Sia sopra che sotto non continueranno ad agitarsi per molto, ormai. E con questa speranza la fuggitiva si mette a dormire.

4.

Chi invece comincia ora ad entrare in agitazione è Carlotta Bartolomea; appena si è accorta dell'assenza della nipote, poiché il suo chiodo fisso è che una volta o l'altra sia lei che la piccola debbano cadere vittime della violenza di qualche infedele moro pirata, afro, orientale, beduino o turcomanno, è convinta che il fatale momento sia giunto e attende il suo turno, paralizzata dall'ansia. Poi si fa forza, si muove, prende anzi a girare intorno alla stanza imprecando contro la sventataggine della ragazza e lamentando le pene continue di una povera zia. Infine risiede esausta sul letto e recita cento avemarie alla Madonna di Gand, più dieci requiem ai genitori di Anna perché si ricordino della figliola e badino a riportargliela com'è loro dovere. I puri spiriti possono andarla a cercare con libertà maggiore di quella che a lei sarebbe concessa.

Ma, scesa la sera senza che Anna sia ritornata, Carlotta Bartolomea chiama a raccolta gli angeli custodi di stanza lì intorno, quello della ragazza, anzitutto, che forse si è addormentato, quello suo, quelli del marchese Comares e dei soldati spagnoli di scorta, uomini forti che non soffriranno a restare per qualche tempo senza i loro protettori divini dietro le spalle.

E quando le tenebre sono dovunque, perché il brutto tempo in agguato ha fatto calare precocemente la notte, e la nipote non si vede ancora, alla zia viene il dubbio che angeli, santi e preghiere non contino in terra infedele. Meglio chiedere aiuto a qualcuno che sia in carne ed ossa.

Quando arriva Pinar a portare la cena, la marchesa Comares lo assale adirata, peggio di come è solita fare, quasi fosse lui il responsabile della scomparsa di Anna.

«Dille che torni subito, se no tutti e due ne passerete di belle. Non è il luogo né l'ora di giocare a nascondersi».

Pinar la guarda stravolto.

«Ah» dice, «allora è stata Anna davvero a portare le noci alle viverre!»

Pinar ha riportato le bestie dall'harem distrutto al serraglio e quando ha visto le noci per terra nell'abitacolo delle viverre ha pensato subito ai giochi della traversata, ma credeva Anna tranquilla nel suo alloggio, occupata a insegnare a leggere alla zia sui libri prestati da Osman Yaqub, l'aveva veduta poco prima dell'ora di siesta tanto infervorata in quell'impegno da rinunciare a una partitina a dadi con lui per non perder tempo.

«Questa è una vera disgrazia, signora».

Se è stata Anna a combinare il pasticcio e se è rimasta laggiù, adesso è in pericolo molto serio. La notte nei tre livelli più bassi si mollano i cani e sono bestie che sanno fare il loro dovere; nei punti strategici si aprono i trabocchetti, si tirano frecce o si spara a chiunque vada in giro senza parola d'ordine o altri lasciapassare palesi.

Inoltre, il visir che sovrintende alla disciplina a palazzo ha l'incarico, direttamente da Baba, di trovare chi ha aperto le gabbie e di punirlo in maniera esemplare, senza processo.

E se pure Anna riuscisse a scampare a questa marea di pericoli, resterebbe la bufera, che monta e minaccia di essere grossa sì da formare rigagnoli e fiumi lungo i pendìi e vortici fin dentro i pozzi.

«Madonna santa, ci manca che mi si ammali, delicata com'è» piange Carlotta Bartolomea, «sicché cosa dico al suo sposo, se la viene a pigliare e la trova ammalata? Corri, Pinar, corri e riportala subito qua!»

In un caso così disperato, Pinar non può far nulla, da solo; né servirebbe allarmare il povero Osman Yaqub. Pinar come al solito si rivolge al suo amico e padrone, il principe Hassan.

Non ha bisogno di fare lunghi discorsi. Appena Hassan lo vede affannato a quel modo, balza in piedi e prende due torcioni dal muro.

«È stata lei» dice correndo via, «dovevo capirlo subito».

Pinar prova a imbastire mille ragioni di scusa, correndogli dietro, ma Hassan gli piazza in mano un torcione senza starlo a sentire.

«Lascia perdere, è inutile. Adesso bisogna trovarla».

5.

Scende la pioggia, prima tranquilla, poi a torrenti; non si riesce a tenere accese le torce.

Il visir preposto, che ha già steso un lungo elenco di possibili pene in modo da essere pronto a dare subito allo sconosciuto colpevole la punizione esemplare richiesta da Baba per mettersi in luce con la sua solerzia, teme che il principe voglia adesso tenersi per sé il diletto di fare giustizia, visto che ha dato l'ordine che chiunque venga trovato gli sia consegnato vivo ed indenne. Pazienza, il visir è senza fortuna, ogni bella occasione gli viene strappata di mano: purché Hassan non si accorga che le ricerche erano state sospese! Le squadre rinviate da un'ora negli alloggi a dormire vengono in fretta chiamate e rimesse al lavoro, nonostante la pioggia e il fango portino danno a vesti e calzari.

La tensione di tutti è aumentata, quando si è sparsa la voce che alle ricerche partecipa il principe Hassan.

Benché il misfatto sia accaduto nel terzo livello, per precauzione e per ordine espresso di Hassan prima si cerca a fondo nel quarto livello. Nessun risultato. Si passa al terzo. Si fruga nelle fontane, nei bagni degli ospiti e nei padiglioni deserti delle occasioni speciali, si cerca nelle alcove, nelle dispense e persino nei resti dei pasti degli animali. Nessun indizio. I passaggi dal terzo al secondo livello sono sempre sbarrati, ci sono guardie che fanno continui e accurati controlli, ma si perlustra anche lì. Nulla. Si scende al secondo livello. Si esplorano le scuderie, i depositi e qualsiasi altro ambiente. Si guarda nei pozzi, nei cunicoli più segreti ed impervi, nelle siepi, nella paglia e nel fieno, nei letamai, nelle riserve dell'acqua piovana. Alla fine si pensa al tetto delle scuderie, nell'ipotesi di una caduta dal parapetto. Ormai ognuno ha capito che più che d'un condannato da acchiappare qui si tratta di qualcuno che si è ansiosi di mettere in salvo, altrimenti si sarebbe potuto aspettare il mattino, con il diluvio che sta scendendo dal cielo.

«Fate luce!» sbraita il visir saltando da un posto all'altro. «Occhio dovunque! Attenzione!» E si augura di essere il primo a cogliere il premio del salvataggio, se le cose ormai stanno così. «Adagio con lance e alabarde! Non voglio ferite».

Ma è proprio Hassan che sventagliando la torcia nota una macchia più chiara nelle chiome del rampicante sopra l'abbeveratorio delle scuderie: con qualche piccola acrobazia il salvataggio è presto compiuto.

«Anna di Braes sembrava morta, invece dormiva» racconta più tardi Pinar alla marchesa Comares, «dormite anche voi; vostra nipote sta in buone mani».

Quando gliel'hanno portata, Osman Yaqub ha diagnosticato che quello era un sonno di sfinimento molto vicino alla morte.

«Che notte, Gesù, che brutta notte!»

La marchesa ha gli occhi rossi e tirati, ma è stata per tutti una notte agitata.

6.

Gli avvenimenti si sono accavallati gli uni sugli altri senza respiro. Trovata la fuggitiva, sono giunti messaggi dell'arrivo in porto di Kair ad din e di tutta la flotta.

«Che grande notte» pensa commosso Osman Yaqub indolenzito fino al midollo, «che grande notte! Il nostro signore Kair ad din è tornato con la sua faccia bella di padreterno. La piccola è stata strappata ad una morte insensata e ha fatto pace con il principe Hassan».

Osman non era presente, le guardie gli avevano impedito di uscire, però il fatto gli è stato riferito nei più minuti particolari: dormisse, la piccola, o fosse svenuta, la sostanza non cambia. Quando ha ripreso coscienza e ha veduto che il suo salvatore era Hassan, gli ha gettato le braccia al collo e non l'ha più mollato se non per lasciarsi mettere a cuccia da Osman, in un bel letto caldo nella foresteria degli appartamenti reali, sotto piumini a cataste, tra vapori aromatici uscenti dai pentoloni posti sopra i bracieri, tra effluvi di pomate balsamiche e tisane specifiche contro i raffreddori e i malanni dell'umidità.

Con l'arrivo di Kair ad din c'è stato un gran correre su e giù per ogni livello, ma all'alba è finalmente tornato il silenzio, dormono tutti a palazzo o così pare ad Osman. Lui non dorme, perché ha sempre meno bisogno di sonno e perché ama godersi questi momenti di gioia. Sta accanto ad Anna a sorvegliarne la febbre e il respiro.

Quando l'ambiente si è riscaldato a dovere e il tremito della ragazza è passato, per evitare un'eccessiva sudorazione, Osman toglie uno per volta i piumini, lascia una coperta di lana nascosta sotto una trina, spegne il lume nel corsello dietro il gran letto, abbassa la cortina della finestra perché la luce del giorno nascente non risvegli la malata assopita.

Una soffusa gradevole luminosità riverbera dai bracieri che si stanno spegnendo e rende tutto rosato, quando un'ombra si alza improvvisa alle spalle di Osman Yaqub e lo sprofonda in un cono buio.

«Muore?»

Osman dà un sobbalzo.

«Signore mio, che spavento!» Baba gli sta dietro le spalle gigantesco e nero come una nube di temporale. «Che vi succede, signore, che siete in piedi a quest'ora?»

«Rispondi, ti ho chiesto se muore».

«Spero di no».

«Che risposta!»

Osman si alza, fa un passo indietro per non dare le spalle al padrone, lo guarda come sempre con enorme timore, senza dire parola.

«Perché la fai restare magra così? Questa ragazza è una gran seccatura, ma non è un buon motivo perché tu la tenga digiuna. Di' che le rosolino un bel capretto». Il corpo abbandonato di Anna si delinea sottile sotto la coperta di trina. «Pare un cadavere! Cerca di fare qualcosa! Sei sempre stato un mezzo medico. Perché non le metti una fascia sul braccio, che è tutto raschiato!» Il respiro di Anna è difficile. Baba va alla finestra, la pioggia non è cessata. «Però! Ha avuto coraggio, la piccola». Baba Arouj la scruta, pensoso. «Bene, quel che è deciso è deciso. Quando sarà fuori pericolo dovrà vedersela con il visir. Non credere che il tuo beylerbey si rimangi un ordine dato: al momento del fatto si era detto punizione esemplare ed esemplare sarà. Non lo scordare».

Osman Yaqub e Baba Arouj sono uno davanti all'altro. Baba fissa il servo con insistenza.

«Il visir la può imprigionare, hai capito?»

Osman Yaqub non apre bocca.

«Le può tagliare la testa, a lui non importa se è delicata, se ha i capelli di questo strano colore, tanto, una testa mozzata si butta».

«Signore, volete che la piccola resti qui a lungo, malata?»

«Sciocchezze, non sarebbe affatto una soluzione».

«Signore, Kair ad din è tornato con tutta la flotta e con un grande bottino, sia lodato il Santissimo, nonostante l'inverno e i pericoli della bufera».

«Beh, cosa c'entra?»

«Signore, scusate».

Anna ha un accesso di tosse fortissimo. Osman scansa Baba per porgerle aiuto. La malata è talmente debole che non si sveglia nemmeno con la tosse che la scuote tutta. Finalmente l'attacco è finito. Osman le accarezza la fronte, le sistema i capelli sudati, le stende meglio coperte e lenzuoli.

«Dicevo, signore, del ritorno di vostro fratello perché sono curioso» biascica Osman con fare distratto, «non so se ordinerete la sospensione dei giudizi e delle pene e darete l'indulto, in segno di gioia e di ringraziamento ad Allah... Talvolta succede...»

«Che gran ruffiano di rotto in culo!» Baba dà una pacca gioiosa sulla schiena di Osman. «L'indulto! Pensa a farla mangiare che il resto è sistemato. Sarà dato l'indulto».

Baba Arouj potrà dunque graziare Anna di Braes senza smentirsi, con un provvedimento più generale e perfettamente consono alla maestà del regno. Rasserenato si toglie il turbante, siede sul cuscinone ai piedi del letto e si fa massaggiare dal servo la nuca ed il collo per stendere i muscoli irrigiditi dall'umidità. E per passare il tempo racconta delle belle risate che si è fatto quando è andato a vedere il cataclisma di quei ghepardi.

«Che non gli venga voglia di lanciare ogni tanto qualche belva negli harem!» pensa Osman, e per prudenza aggiunge alla crema d'arnica essenza di camomilla in dose abbondante, per il benessere del suo signore e la propria tranquillità.

XIII.

1.

Il ritorno di Kair ad din come sempre porta diversa vita alla corte, un respiro di grandi imprese, vasti legami col mondo. I suoi progetti di un inverno pacifico sono andati in fumo; ha dovuto fare per conto del Gransultano operazioni di ripulitura, come le chiama, di tratti di costa inquieti e disordinati. Dopo è stato necessario fermarsi a lungo nei porti per i capricci del mare, infine ci è voluta qualche modesta puntata in terre nemiche per non tornare a mani vuote. Ma ora la flotta è rientrata con il suo ricco carico di merci e notizie.

La novità più stupefacente che Kair ad din ha raccontato è quella che riguarda Cai Tien e spiega il veto al viaggio di Hassan in Persia. Laggiù le cose non sono tranquille, Cai Tien è stato fermato durante il ritorno al suo regno ed è bloccato come ostaggio in una remota città. Hassan a maggior ragione vorrebbe adesso partire e con lui vorrebbe andare Amed Fuzuli, forse riuscirebbero in due a farlo fuggire. Ma Kair ad din è fermissimo: ogni cosa a suo tempo. Questa non è una faccenda da risolvere con un rapimento o una fuga, richiede piuttosto trattative pazienti, che sono già in corso tra il Gransultano, la Persia e il padre del giovane. È una questione complessa di confini e tributi, con intrichi di traffici e di influenze e con aggiunta di accanite dispute teoriche in materia di religione, che si traducono in fatti gravi e violenti: tribù che si scannano, altre che migrano, altre che chiudono i valichi alle carovane.

Il Gransultano garantisce che Cai Tien non corre pericolo perché egli stesso ha preso a Istanbul ostaggi persiani molto importanti, in contropartita. E anche il padre di Cai Tien ha provveduto per proprio conto a salvaguardarsi, ha fermato grossi carichi persiani in transito e ha sospeso pagamenti di ingenti somme dovute. Si può trattare con calma, senza temere alcun danno per Cai Tien, che d'altronde non ha la minima fretta di tornare al suo regno. Kair ad din ha con sé due suoi messaggi in cui dice di essere in buona salute e di non annoiarsi per nulla. Perciò, con grande pace di Osman, il principe Hassan dovrà pazientemente aspettare prima di farsi questo viaggio in Oriente che sogna da tempo.

2.

A palazzo la vita è diventata monotona. I lavori al cantiere sono finiti, le galere papali sono state vendute insieme a parte dell'equipaggio. La massa dei soldati prigionieri è passata nei bagni dove, grazie a sensali esperti e a condizioni fisiche in genere buone, alle aste sta trovando acquirenti a prezzi elevati. Per un gran numero dei viaggiatori è stato pagato il riscatto. I primi a pagare sono stati i mercanti, con loro si è giunti in fretta a fissare le cifre e spesso si sono iniziati proficui discorsi di scambi ulteriori; taluni hanno deciso di comprare fondaci, di aprire case di corrispondenza, hanno trovato sbocchi ai loro prodotti e hanno adocchiato ottimi affari con merci esotiche da far conoscere nelle loro città. Agli artigiani che stavano a bordo è stato offerto di restare nelle terre dei Barbarossa, con clausole molto prudenti e paghe tali da favorirne la fedeltà. Per gli ufficiali ci sono state soluzioni diverse. Due sono morti; quattro, che erano figli cadetti di famiglie generose ed abbienti, non hanno avuto problemi a farsi inviare il denaro; gli altri, che avevano parenti poveri o tirchi, o non avevano né parenti né beni, hanno seguito la sorte dei loro soldati e si sono lasciati mettere in vendita o si sono fatti artigiani. Si sarebbero anche fatti soldati di Barberia, ma né la flotta né l'esercito del Barbarossa sono soliti accogliere mercenari; non è escluso che ufficiali stranieri capitati in Barberia come prede di guerra passino col tempo a far parte dell'esercito o della flotta di lì, come del resto può succedere con i soldati semplici, ma prima, sia gli uni che gli altri devono dare prova di affidamento totale, in altre parole devono diventare barbareschi essi pure.

Insomma, l'affare delle galere papali è concluso, è rimasta solo qualche complicazione per i riscatti dei pezzi grossi. Le trattative si allungano in proporzione del prezzo che sale, tanto che quelle per Jean Pierre de la Plume e per i Comares rappresentano un dramma in più atti che non accenna a finire.

Il comandante francese ha compreso per tempo che dal Papa non gli sarebbe venuta nessuna speranza e poiché le sue personali fortune si sono liquefatte da anni e sua moglie, ricca di terre e denari, non è mai stata con lui troppo tenera, ha cercato sin dall'inizio di assuefarsi all'idea di un lungo soggiorno in Barberia, senza illusioni.

«Io qui posso stare anche tutta la vita» va dicendo in cantiere, «ho degli amici, un lavoro». Ed è maestro a trarre divertimento da ogni cosa.

Quando si è posta la necessità di liberare il cantiere dai prigionieri per fare largo ai marinai di Kair ad din, che dovevano approfittare degli ultimi resti d'inverno per ripulire e rinnovare le navi, Jean Pierre de la Plume non ha sollevato problemi, ha accettato la nuova sistemazione.

Jean Pierre era entrato presto nelle grazie di Baba Arouj perché aveva un buon bagaglio di carte vincenti: il carattere molto gioviale, la conversazione piacevole, l'assenza di preconcetti, la disponibilità e quasi il gusto per l'imprevisto che la vita riserva. Era invitato sempre più spesso a palazzo, dove passava ormai intere giornate, tuttavia non poteva prendervi fissa dimora in qualità di ospite e amico. Per le prede di guerra vigono regole e usanze, e non hanno nulla a che fare con i sentimenti o le simpatie. In conformità a queste norme, Jean Pierre de la Plume venne ufficialmente e felicemente piazzato nella casa di Koira Taxenia, la ricca vedova di un mercante armeno, in attesa del suo riscatto.

Ora che da molto tempo vive in casa di Koira Taxenia, Jean Pierre de la Plume può affermare che non poteva avere un alloggio più confacente e strizzando l'occhio sussurra a Baba che la sua esistenza è forse più gaia da lei di quanto sarebbe stata a palazzo. Koira Taxenia ospita anche due medici assiri e un matematico che tiene cattedra nella medrese della città, per cui la colta conversazione non manca, con gioia dell'intelletto, e poiché la signora è gradevole, affabile, dolce e traboccante d'amore, anche il cuore è allietato. L'unico indizio di prigionia potrebbero essere le guardie davanti al portone, ma Koira ha abituato Jean Pierre de la Plume a guardarle piuttosto come un elemento decorativo che dà lustro alla casa con il vivace bagliore delle armature. Resterebbe da dire delle bellezze della casa in se stessa, dotata di un giardino interno pieno di fonti, di una terrazza di faccia al golfo, di un bagno turco, di provetti massaggiatori e di molte domestiche servizievoli, comprensive e bellocce.

3.

Comares invece ha voluto una cella. Impossibile metterlo in una cella qualsiasi nel carcere dei delinquenti comuni, non sarebbe stato conforme alle regole e oltretutto sarebbe stato imprudente mischiarlo con gente così poco sicura. Dal porto bisognava assolutamente tenerlo lontano, non era il caso di fargli seguire i preparativi della flotta, di fargli fiutare gli spostamenti previsti nella campagna di primavera, di fargli vedere i carichi d'armi, le esercitazioni degli equipaggi. Gli si è dovuto adattare a prigione l'alloggio del capitano di una compagnia delle guardie nel quarto livello, a palazzo. Ha insomma una cella ricavata apposta per lui nella residenza del beylerbey, tra due cedri ombrosi e con davanti un limone, e non è contento.

È vero che sul suo stesso livello vive Carlotta Bartolomea, la quale ha una stanza e non una prigione, dal momento che per le donne non è prevista regola alcuna relativa all'alloggio, quando cadono prede di guerra. E la marchesa Comares invade lo spazio riservato al suo sposo. Carlotta Bartolomea ritiene suo sacrosanto dovere visitare quotidianamente il consorte e quando entra nella sua cella, con la sua mole, il suo piglio e la valanga della sua parlantina, il marchese si sente mancare il respiro, soffre di ristagno o di eccessive flussioni di bile. I colloqui dei due Comares sfociano quasi sempre in litigi, che formano oggetto di chiacchiere e di divertimento fra i militari di stanza e le donne degli harem. Nei casi estremi se n'è parlato e riso persino in Consiglio.

4.

La trattativa per i Comares dura da mesi, con alti e bassi. Ora languisce. La corte di Spagna ha giocato sullo scambio richiesto da Baba Arouj tra il marchese e Ben Gassa, che nel frattempo è defunto; pare che sia defunto per malattia, ma non si può mai giurare. Sta di fatto, comunque, che una volta spirato Ben Gassa, la cifra non è rimasta la stessa, come al contrario pretendeva la Spagna vantando una causa di forza maggiore. I Barbarossa hanno alzato moltissimo il tiro.

È venuto un primo banchiere degli spagnoli ed è ripartito, ne è venuto un secondo ed è stato cacciato. Comares si rode il fegato, benché sia trattato con ogni riguardo da Kair ad din e da Baba che vogliono dare una lezione di civiltà a quell'uomo acido e rozzo anche se è nobile fin dal concepimento della sua stirpe antica.

Rispetto a quel diplomatico nato di De la Plume, filosofo e goloso di vita e di conoscenza, Comares è un soldato e nient'altro, settario, incapace di vedere quello che c'è di buono presso il nemico. Nulla ha apprezzato in terra di Barberia, nemmeno le delizie arcinote nel mondo e universalmente riconosciute del bagno turco. La prima volta che l'ha provato gli è sembrato una vera tortura, poi, quando ha temuto di sentire un certo benessere, l'ha definito, con scarsa coerenza, un'inutile mollezza pagana.

Finalmente sembrava che si fosse raggiunto un accordo per il marchese, ma dalla Spagna non è stato inviato il riscatto aggiuntivo per la marchesa, la quale è riuscita a non far partire il marchese da solo, invelenita dal fatto che, secondo lei, era stato proprio Comares a spedire un messaggio cifrato in cui diceva che una clausola del patto matrimoniale gli dava il diritto di esprimere il placet sulla destinazione e l'uso della ricchezza dotale e che nella fattispecie lui quel placet non voleva esprimerlo affatto; tanto per essere chiari, negava quei soldi, quantunque non fossero suoi.

«Il marchese mio sposo non ritiene giusto che io spenda troppi dei miei denari per liberare me stessa dalla prigionia: sia fatta la sua volontà» aveva detto con sottomissione Carlotta Bartolomea davanti a Baba Arouj e Jean Pierre de la Plume, lasciando umilmente cadere il capo sul seno. «Egli è il mio signore e padrone».

Ma la docile moglie aveva soggiunto che forse Baba aveva accettato quel prezzo esiguo per liberare un grande di Spagna come il marchese Comares solo perché si trattava di un doppio affare, chiede scusa del termine, di una doppia transazione a riscatto di prede di guerra. Caduto il riscatto uxoris nomine, la parte rimasta come riscatto del marchese, pro eo, era troppo meschina, lei lo diceva con umiltà, per intuito di buona massaia e per orgoglio di sposa.

Baba Arouj colse al volo l'idea e capì che la signora chiedeva in tal modo vendetta.

I tempi sono tornati lunghi, le secche della discussione infinite. Se il marchese vuole dividere quello che di comune accordo si era congiunto in certe voci contabili, bisogna rifare i conteggi, stabilire nuovi termini di pagamento e consegna, convertire in denaro i ritardi sui tempi già pattuiti e pagare comunque, prima che il marito sia rilasciato, una rata di anticipo per il mantenimento della signora che, essendo preda di guerra con trattativa tuttora pendente, non offre utili di nessuna specie. Un certo utile, abitualmente riscosso anche in pendenza di trattative nel caso di prigioniere, cioè l'uso delle loro persone a scopo di lucro o di godimento, non è stato richiesto sinora per particolare riguardo, così è scritto negli atti, ma nulla impedisce che in futuro si possa altrimenti disporre.

Il giorno che Baba Arouj fa il primo accenno a questo tipo di utili, il marchese Comares sembra stringere ancora di più le mascelle abitualmente inchiodate, fissa il vuoto con aria assente e non raccoglie la provocazione, ma la marchesa, per i misteri che riempiono l'animo umano, non avverte il contorcimento dei visceri che in genere le procura l'orrore, avverte un palpito strano.

Scorrono i giorni, le settimane. Comares vuole un colloquio con Kair ad din. Impossibile. Appena tornata la buona stagione Kair ad din è ripartito per Istanbul. È chiamato dal

Gransultano che lo vuole di nuovo con sé, ha da affidargli lavoretti di grande fiducia, stavolta sono da ripulire le isole, diventate insicure.

La marchesa, furente per quella che davanti a tutti non esita a definire la taccagneria della razza Comares, lamenta che a furia di tira e molla i suoi abiti si sono consumati, e una signora non può vestire di stracci.

Baba, galante, le fa avere un buon numero di stoffe leggere e le manda il sarto di corte che le confeziona un abito di veli e ori, con pantaloni rigonfi alla turchesca e altri capi di moda negli harem di Barberia, che la signora trova una vera delizia.

Carlotta Bartolomea si è lasciata iniziare anche ad altri segreti dell'harem, perché passando dal quarto livello alla foresteria degli appartamenti reali dove Anna giaceva malata e, dopo, convalescente, attraversando i giardini ha incontrato spesso le mogli e le concubine di Baba Arouj e di Kair ad din e si è intrattenuta con loro. Si è tinta come loro i capelli con riflessi di henné e le ciglia con polveri nere. Ha mangiato montagne di dolci inzuppati nel miele ed è un gigantesco barile. Ciò nonostante Comares dovrà portarla con sé, perché madre Chiesa non consente il divorzio, come spiega alle signore dei due rais, ridendo, la fiamminga, divenuta quasi gioviale.

5.

La novità di avere a palazzo donne che non fossero parte dell'harem fu dapprima uno scandalo per le altre signore, poi, dato che le decisioni di Baba e di Kair ad din e ora anche quelle di Hassan sono legge assoluta, è stata via via assorbita, è diventata abitudine, i mormorii sono cessati. I primi incontri sono stati apparentemente casuali, in realtà cercati da ambo le parti per una più che giusta curiosità. Si era scambiata qualche parola. Le straniere erano state invitate nell'harem a bere sorbetti, a piluccare dolcini. La gigantessa fiamminga era buffa, così diversa, così imprevedibile. La piccola faceva pietà e quelle madri abituate ad allevare in comune figli neonati si sono sentite in dovere di prendere la biondina esile sotto le loro ali. Negli harem del Barbarossa alle signore resta sempre la voglia di giocare alla mamma, essendo i loro bambini spediti presto fuori palazzo per evitare litigi e raggiri: il che può anche essere una precauzione eccessiva, visto che per espresso volere dei padri i figli dei Barbarossa non hanno alcun diritto di successione semplicemente basato sul legame di sangue, e le madri dovrebbero essere ormai rassegnate e consapevoli di non avere alcun compito di generare sovrani.

Insomma, tutte le signore dell'harem erano felici di prendersi Anna di Braes per figlia e si facevano un vanto d'avere mille cure per lei. Anna però si è sentita un po' oppressa dal fiorire di tante madri e se le è in fretta scrollate di dosso, scegliendo come unica madre putativa il tenero Osman. Tuttavia è rimasta tra Anna di Braes e le dame dell'harem un'intensa corrente di simpatia, sia con le anziane che con le giovani.

Da che hanno fatto amicizia con lei, le signore dell'harem si sono trovate più volte a dover fare da maestre ad Anna di Braes che ha nella pratica immense lacune e prova smarrimenti improvvisi di fronte alle cose più naturali, che le sembrano insondabili arcani pur avendo passato sui libri gran parte della sua infanzia ed adolescenza, con dovizia di precettori chiamati ad insegnarle lo scibile e l'inconoscibile.

Quando ad esempio una mattina al risveglio si è trovata tutta piena di sangue, ha pensato di essere molto ammalata, addirittura vicina a morire e disperata si è nascosta dietro una siepe: è stata la più giovane e dolce delle concubine di Baba Arouj a spiegarle che si trattava del flusso vitale che tutte le donne devono avere e che bisognava far festa e pregare per la purificazione. La concubina Lunte Bima, mandata in dono da una tribù nera molto lontana, aveva acceso un focherello a un suo dio perché proteggesse la futura vita di donna della nuova amica Anna di Braes, ignara di moltissime cose del mondo. Le signore dell'harem che come lei sono poco più che bambine, appaiono ad Anna donne mature, magari precocemente invecchiate, forse per quella loro esistenza rinchiusa tra quattro pareti e un giardino. Non che la vita di Anna fosse più libera e varia prima di salire sull'ammiraglia papale, ma era diversa.

È sempre stato un mistero per le donne di corte come mai i Barbarossa non si siano presi capriccio della ragazza. Appena arrivata poteva essere troppo poco invitante, così magra e diafana. O chissà, avranno temuto di romperla con il loro peso. O forse avranno deciso che doveva essere solo amica di Hassan. In effetti Hassan è molto spesso con lei, motivo di più, questo, perché le donne dell'harem la vezzeggino e l'amino, per amore di Hassan.

Anna, con tante maestre solerti ed affettuose, ha imparato nell'harem tutto quello che una fanciulla deve sapere. Si è fatta abile in molti lavori quali il ricamo orientale, la tessitura, la cura del corpo, la fabbrica della bellezza, la rapidità nel captare voci e notizie, la preparazione di dolci e rinfreschi, la danza, la calligrafia, la tecnica per un buon bagno, e infinite altre specialità ed esercizi.

La sua educazione supplementare non avviene solo nell'harem; in diversi settori del grande palazzo impara pratiche e teorie: nelle cucine dei giorni feriali e in quelle dei giorni festivi, nelle immense lavanderie, nella medrese, al maneggio dei purosangue, perfino alla scuola di tiro, tutti luoghi dove sarebbe proibitissimo entrare per qualsiasi ragazza, ma a lei è concesso o, come dire, lei entra con aria tranquilla e candida, quasi fosse quello il suo posto da sempre, secondo i canoni e le buone usanze e a quel punto parrebbe strano a qualsiasi guardia o custode cacciarla o anche solo dirle con garbo che lì non può stare.

Ovunque a palazzo ci si è assuefatti a trovarsela all'improvviso davanti, sola o con Pinar, che dopo lo sciagurato tentativo di fuga quando può le corre dietro per essere certo che ritrovi la strada per tornare alla foresteria, o con il principe Hassan, che ha trovato in lei una sorella minore, una compagna di svaghi.

Purtroppo Hassan non ha molto tempo per gli svaghi e i momenti di ozio, la cura del regno lo assorbe e sovente lo tiene lontano per giorni e giorni, cosa che spiace ad Anna come spiace a Jean Pierre de la Plume, che ama parlare con lui nella sua lingua madre di quel che accade dall'altra parte del mare.

6.

Una sera al tramonto Hassan esce con la sua scorta dalla moschea, dove è stato per la preghiera come vuole il suo ufficio, quando gli corre incontro agitato Jean Pierre de la Plume, strigliato e bardato come un pavone.

Il suo vestito è di una foggia mai vista. Le scarpe sono di pelle di fiera maculata.

«Le ho volute così per garantire che in Africa ci sono stato davvero!» dice toccandole con la punta del suo sottile bastone intrecciato.

Le calze di seta gialla, leggera, sono fermate sotto il ginocchio da fiocchetti turchini; sopra il ginocchio le brache sono fissate da due fiocchi larghi, turchini anch'essi, di una sfumatura più chiara. Forse quello di brache non è il termine esatto, poiché si tratta di curiosi drappeggi celeste pallido, che sgorgano fuori da fantasiosi intagli e ricadono ai lati delle gambe, in pieghe a borsa, mentre la stoffa di base, di un grigio argentato, è ridotta a quattro strisce sottili. E altri drappeggi complicatissimi e sapientemente sfumati escono da sotto il corsetto, in cintura. Le maniche ricche, il pourpoint, la dogalina, il berretto sono tutti ornati di tagli, sbuffi, squarci su sete brillanti e danno a Jean Pierre l'aspetto di un mago.

«Sono venuto per abbracciarvi. Devo partire. Indovinate: mia moglie, che per quindici anni non ha fatto che mettermi in croce, che ha sempre cercato di vivere mille miglia lontano da me, ha sacrificato una parte dei suoi beni dotali per il mio riscatto, ha mandato una nave per riportarmi da lei. Misteri dell'amore, mio caro, o magari della vecchiaia. Ho il dovere di apparirle davanti bello, o per lo meno opulento, visto che mi paga tanto salato. Che dite, potrò piacerle con questa mise?»

Il comandante torna in Francia. A Roma non metterà piede finché non sarà certo che il Papa non lo ritenga imputabile di non aver difeso le sue navi con migliore fortuna. Peccato, avrebbe voluto tornarci a Roma e dire due parole al principe Ermenegildo, lo sposo promesso di Anna di Braes. Vergogna, gli avrebbe detto, vergogna! Jean Pierre lo conosce, sa che possiede case, castelli, paesi, ha forzieri stracolmi, ha mercenari a bizzeffe, famigli, paggi da lettura e da letto, mantenute di rango e baldracche e sta a consumare mesi, fiumi di inchiostro e rotoli di pergamena per discutere se gli tocca accollarsi il riscatto della fanciulla in parte o per intero.

Del resto, c'è il caso che sia meglio così per la piccola Anna, che intanto qui può crescere in pace. Jean Pierre de la Plume è anzi sicuro che le dispiacerebbe partire.

Se il principe Hassan permette una confidenza, anche a Jean Pierre, in fondo, spiace partire. Ha passato un indimenticabile inverno in prigionia. Ricorderà con rimpianto i discorsi scambiati sulla riva del mare, le dormite all'aperto dopo giornate di lavoro accanito.

«Potete restare».

Facile a dirsi, ma Jean Pierre non se la sente di fare uno sgarbo a sua moglie. È di dieci anni più vecchia di lui, povera donna, non vorrebbe infliggerle un colpo fatale con un rifiuto. Non se lo merita con la generosità che ha mostrato. E poi nel messaggio gli dice che il re di Francia lo chiama; potrebbe essere un trucco, ma Jean Pierre ha sangue di paladini, non può ritrarsi alla chiamata del re.

Un venticello leggero porta gli aromi delle colline. Jean Pierre de la Plume ricorderà questa terra, i suoi odori, i suoi colori violenti. Ricorderà e rimpiangerà molte cose della sua vita con loro. Rimpiangerà anche i magnifici strilli regali di Baba. L'ha salutato commosso subito dopo che si è contato il riscatto. Si sono fatti un reciproco inchino.

«Come mai tanta fretta?»

«Nessuna fretta, la trattativa è stata fatta con calma».

Il comandante spiega che è durata tre interi giorni, tra il banchiere mandato dalla signora sua moglie e un ministro di Barberia. Nel frattempo lui e Baba andavano a spasso per i giardini.

«La mia partenza giunge improvvisa a voi solamente, che ve ne andate a zonzo. Con la buona stagione è un miracolo vedervi a palazzo. Fate più strada voi dei vostri piccioni portamessaggi. E non mi dite che siete stato chiuso da qualche parte a far vita contemplativa!»

«Invece è proprio così».

Hassan è stato in visita ad Amed Fuzuli che, incerto tra

fare il guerriero o lo studioso eremita, per ora è a capo di una guarnigione riparata e tranquilla in un'oasi all'interno, dove ha tutto il tempo di darsi alla meditazione.

«Bene, e allora vi dico che mentre voi state fuori del mondo qui succedono un sacco di cose. Non sapete che anche per il Comares è arrivato un banchiere a trattare?»

Per loro, però, sono sorte complicazioni. C'è un gran da fare di esperti, con conti, clausole e controclausole. Baba Arouj ha mollato gratis frattanto un paio di soldati spagnoli, il che ha imbestialito il marchese.

«È pelle e ossa, quell'uomo, dovrebbe curarsi. Scommetto che ha in corpo umori malsani».

Giunge un messo dalla nave francese. Sarebbe l'ora propizia per levare gli ormeggi. Bisogna dirsi addio.

«Allora, se permettete vi abbraccio, figliolo».

Mai avrebbe pensato Jean Pierre de la Plume di diventare tanto amico del suo pirata, pardon, del suo vincitore; non può nascondere di avere le lacrime agli occhi.

«Nei vostri vagabondaggi spero troviate il tempo di venirmi a trovare. Ne sarei lieto. Potrete sempre contare su di me».

Così dicendo l'abbraccia di nuovo, poi, per non farsi troppo prendere dalla commozione, cerca il dovuto distacco tornando al tono scherzoso.

«Piano, non vi impigliate nei miei intagli e nelle mie pieghe, per carità d'Iddio!» si assesta rapido con sapienti colpetti qua e là. «Non roviniamo il bel quadro che devo offrire alla sposa!»

Il comandante francese dà un'ultima stretta di mano all'amico e si avvia.

«Dimenticavo, guardate che meraviglia».

Sul petto di Jean Pierre de la Plume pende un enorme zaffiro, dono di Baba Arouj, che non potendo rifiutare un riscatto, non ha voluto fare un guadagno sulla testa di un nuovo amico.

XIV.

1.

Partito il comandante Jean Pierre, la marchesa Comares si sente più sola, non ha con chi parlare di corti, di feste, di nuovi giochi, di fogge d'abiti, della bella gente del suo mondo lontano.

Ma dopo qualche giorno d'isolamento, con stupore di tutti Baba Arouj l'invita nelle sue stanze e poi continua a invitarla nelle serate oziose: si direbbe che ha preso gusto alla sua compagnia.

La signora gli dà qualche vizietto, il vino anzitutto. Il sensale, che è venuto di Spagna a trattare per ultimo, ha portato due barilotti di Xeres. Ufficialmente Baba non beve alcolici, ma si sa che il pregio fondamentale dei barbareschi è di essere duttili, di non legarsi mai completamente alle abitudini. Baba segue il Corano, ma è sempre un greco con alle spalle secoli di tradizioni diverse che hanno diritto al rispetto. Sicché è piacevole per entrambi trovarsi la sera con un bicchiere in mano a fare due chiacchiere in gran segreto. Parlano di quel che capita, senza nessuna formalità, di cose semplici in genere: come far cucinare bene un montone, come trastullarsi durante una cerimonia noiosa, come ottenere che i servi ubbidiscano senza atteggiamenti da cani bastonati.

Carlotta Bartolomea è fiera di saper essere all'occorrenza durissima, tuttavia ammette che le dà proprio fastidio avere intorno dei servi con la faccia della paura. Per ovviare a questo piccolo inconveniente ha affinato una tecnica di comando che si potrebbe definire dell'urlo modulato, messo a punto per mettere fretta a quelle canaglie di ancelle pigre e molli come la sonnolenza, senza togliere ad esse il gusto del gioco e del riso, la faccia serena, la voglia di divertirsi quando ne ha voglia anche lei.

La marchesa Comares ha la bontà di far sentire, una notte che il beylerbey è particolarmente giocoso, come modula certi comandi a seconda degli scopi che si propone e delle necessità. Baba prova ad imitarla, il gioco gli piace e ripete i comandi in fiammingo, cercando i toni giusti a furia di tentativi, variando il volume e il colore della sua voce. Poi la signora con grinta autorevole passa a illustrare gli ultimi avvisi, i richiami, i rimproveri, tutti concisi, ah, eh, ih, oh, uh, ehi, ohi, ahi e così via, il campionario può diventare infinito con appropriate combinazioni. La marchesa garantisce il successo, sostiene che ancelle e servi zittiscono, eseguono, capiscono al volo, si fanno in quattro con il suo sistema. Di fronte ad un lungo discorso una linguaccia di servo potrebbe sentire la tentazione di replicare, ma di fronte a un dignitosissimo urletto non sa che fare. Carlotta Bartolomea potrebbe scrivere un vero e proprio trattato sul comando sintetico, con impiego di minimo sforzo e massima resa. Baba Arouj si fa risate da matti. Chiede che la signora si esibisca di nuovo perché lui possa imparare e ripetere, poi i due riprovano in coro, con voce acuta o gutturale, in un mormorio sommesso o a gola spiegata. Alla fine Carlotta Bartolomea chiede un po' di tabacco; Comares lo ignora, ma la marchesa ne mastica ogni domenica, a vespro; è un'abitudine che le ha dato un fratello tornato dal Nuovo Mondo; e da quella confessione maliziosa nasce un altro piacere, Carlotta e Baba tabaccano insieme.

Il corpo di guardia disposto attorno alla stanza di Baba Arouj, una sera che la dama straniera dà al beylerbey con molto entusiasmo lezioni di buon comando con variazioni sull'urlo, sospetta che i due si diano invece ad un'orgia sfrenata. Le voci dilagano, tutti parlano in breve degli incontri notturni di Baba Arouj e di Carlotta Bartolomea di Comares.

In effetti la chioma e la barba di fuoco di Baba, la sua gioia di far baccano e la sua foga hanno acceso Carlotta di una gran voglia di divertimento; la povera donna pensa che dopotutto è una schiava e se le cose accadessero non sarebbe certo per sua colpa e volontà.

Le cose però non accadono. Baba Arouj da parte sua non ha mai inteso pigiare quel tasto. Donne e ragazzi in genere gli piacciono tutti, ma per Carlotta Bartolomea non ha mai avuto in quel senso un pensiero o un fremito.

Tutt'altro continua a dire la voce che gira per il palazzo e giunge agli orecchi della favorita in carica.

Apriti cielo. Costei fa i capricci, strepita e smania, piange e si straccia i veli, dice che Baba può fare con la marchesa tutti i giochi che vuole, Baba è il signore e il padrone, ma non sta bene questo trattamento speciale: chiuda anche la marchesa nell'harem, stabilisca i suoi titoli, la metta sinceramente nell'ordine di preferenza, la metta prima se vuole, se il suo gusto è tanto cambiato.

Davanti all'improvvisa scenata che la favorita ha il coraggio di fargli in pieno colloquio amoroso, Baba trasecola e si diverte ancora di più. A parte il fatto che ogni tanto le donne arrabbiate gli piacciono, è l'equivoco che lo fa ridere, poiché mai e poi mai ha supposto nella marchesa Comares una donna da letto, oggetto di piacere e magari d'amore. Inoltre erano anni che le sue donne non si mostravano gelose fino a quel punto. Si sente un idolo, si pavoneggia, fomenta la lite, procura ad arte un incontro tra le rivali che alla fine si azzuffano peggio di due scalmanate rissose alla fontana.

Ma è fatale che ciò che diverte a lungo andare diventi insulso e noioso, così Baba Arouj, preso da altri giochi e da altri pensieri, dirada le visite della marchesa, senza per questo diventarle nemico né rinunciare allo Xeres finché i barilotti non sono finiti.

Carlotta Bartolomea non afferra bene la situazione, sente comunque che il capitolo Baba non avrà altri sviluppi ed essendo saggia e poco incline ai rimpianti si consola di aver goduto qualcosa che alla sua età pensa sia raro godere: il suo cuore ha tremato, e lo credeva da tempo imbalsamato e sepolto nel petto.

«Quanti miracoli avvengono in terra esotica!» pensa la sera stendendosi per la nottata e sperando nei sogni, e la mattina non vorrebbe mai svegliarsi del tutto, per conservare intatta dentro di sé l'immagine del proprio eroe.

Un giorno, in un'aurora che sembra un tramonto, è svegliata a forza da un trambusto che sale; l'aria è densa di polvere, di scalpiccìi di zoccoli, di suoni di corni e trombe. La marchesa si precipita al belvedere e le sfumature di henné fanno faville drammatiche intorno al suo capo mentre si sporge dalla balaustra a guardare Baba che si allontana a cavallo, col seguito, partendo per chissà dove, per chissà quali avventure.

«È pur sempre un pirata!»

La marchesa sospira, con gli occhi pieni della smagliante visione del suo pirata di cuori.

2.

Le trattative, impantanate da mesi, per l'ennesima volta ripartono e Carlotta Bartolomea avverte imminente il ritorno nella sua patria; non sa bene quale patria, non sa se dovrà andare prima alla corte di Spagna o dagli Asburgo o nelle terre di Fiandra, nella sua vera casa che nella memoria le appare come una tetra ed uggiosa magione, abituata com'è alla luce africana.

Certamente i Comares non passeranno da Roma poiché nelle faccende di Anna e del suo riscatto c'è il buio totale e un incontro con il principe sposo sarebbe prematuro ed inconcludente.

Ora che la marchesa deve guardare al futuro come ripresa di vita normale, si preoccupa che tutto proceda nel modo migliore, senza il pericolo di noiosi strascichi pecuniari e legali. A suo avviso la questione di Anna di Braes non si può chiudere semplicemente con un abbandono, si perderebbe la faccia e sarebbe rischioso. Il punto spinoso resta quello della consegna: c'è stata o no? È o non è stata condotta la sposa al nubente, come diceva il contratto?

È vero che i due non si sono toccati la mano per via di una causa di forza maggiore, ma questo, a sentire i legali del principe, conta se mai ad evitare penali non già a perfezionare il contratto. A meno che, aggiungono quelli dei due Comares, si dimostri che la sposa è stata portata al marito e che la causa di forza maggiore è intervenuta dopo una consegna legalmente valida, sia pure prima dell'incontro effettivo. Ed è a proposito di tale dimostrazione che a Carlotta Bartolomea viene in mente di assicurarsi una testimonianza che secondo lei dovrebbe essere risolutiva.

Il contratto chiedeva che la sposa fosse condotta dal nubente, ovverossia dallo sposo, senza specificare dove, per cui sarebbe lecito intendere anche semplicemente nello stato della Chiesa di Roma, dove il principe sposo vive. Ora, mettere i piedi su una nave del Papa, di cui il principe Ermenegildo è devoto suddito, e tanto più sull'ammiraglia, è come metterli sulle sue terre. Una volta condotta la sposa sopra quell'ammiraglia papale la consegna era dunque legittimamente avvenuta.

Perciò, una mattina, venendo dalla prova dell'abito per il ritorno alla corte di Carlo d'Asburgo, la marchesa, felice della propria furbizia, bussa alla porta del principe Hassan e gli chiede tranquillamente una testimonianza scritta in latino, lingua che piace ai giureconsulti e ai causidici, sul fatto che Anna di Braes è stata da lui catturata a bordo di una nave di proprietà del Papa, e non altrove.

«È una semplice formalità» gli dice vedendolo attonito, «per provare al processo che il matrimonio è valido, cioè che la sposa era giunta sotto la giurisdizione del Papa, poiché era sopra una nave di sua proprietà».

Hassan le risponde con garbo, ma con estrema fermezza che non vede il motivo di entrare in una diatriba tra stati e genti straniere, di immischiarsi in beghe processuali e garantire cose che ignora.

«Sapete benissimo di chi era la nave» insiste lei con aria autorevole e complice. «Era indiscutibilmente di proprietà del Papa».

Hassan potrebbe spiegarle che proprietà e uso non sempre coincidono, ma preferisce liquidare in fretta la dama dicendole che non farà nessuna testimonianza. È strano tuttavia che il marchese Comares voglia presentare nei tribunali di Spagna e di Roma la parola giurata di quelli che chiama infidi pirati. «È un controsenso».

La signora ammette che si trattava di una sua idea, e si profonde in dichiarazioni di stima, di assoluto rispetto, esterna sentimenti di ammirazione e amicizia.

«Mi sembrava una cosa lecita e utile a tutti. Anche voi sareste più facilmente venuti a capo di una trattativa, liberandovi di una prigioniera».

La marchesa insiste e quando capisce che non otterrà mai la testimonianza richiesta passa a impetrare un altro favore. Si dice turbata per la sorte della nipote, cerca qualcuno che la protegga. Vuole affidarla ad Hassan.

Anche su questo terreno non ha promesse di nessun tipo, le pare anzi di cogliere un'irritazione che la stupisce, perché i due giovani stanno insieme ore e ore.

Comprendendo che il colloquio è finito, Carlotta Bartolomea per non far vedere che sa di aver perso se ne va lanciando sorrisi al principe, alle guardie che sono alla porta, ad Osman che si affaccia, alle serventi che hanno portato i rinfreschi, persino agli arredi. Una volta fuori sfoga lo smacco e la delusione nel ritmo della camminata, picchiando con i tacchi delle sue calzature stranissime, mezzo trampoli e mezzo babbucce, sulle piastrelle del passaggio coperto che costeggia il giardino d'estate.

«Mi sono sbagliata» pensa un po' con rabbia e un po' con malinconia, «mi pareva che avesse affetto per lei. Eh, quanto è raro l'amore!»

Osman è indignato. Non ha mai fatto pace sul serio con la Comares, vecchia intrigante, a parer suo, che dove s'impiccia fa danno.

«Ci ha preso per i suoi scribacchini? Quella donna è noiosa fino all'ultimo giorno. Con quello che ha combinato a quel povero Baba meritava d'essere infilzata sul palo, ma ha una fortuna sfacciata».

E una fortuna sfacciata ha anche il marchese. Chissà perché Baba si è rammollito verso di loro. I Comares nemmeno si rendono conto che stanno a palazzo solo per concessione speciale di Baba, il quale potrebbe sbatterli da un momento all'altro nel bagno, insieme agli altri schiavi comuni. Comuni per modo di dire, perché nel bagno ci stanno fior di uomini e donne d'ogni paese.

«Ma Baba Arouj non resta paziente in eterno».

3.

Qualche settimana dopo i Comares hanno conferma di ciò. Appena alzati dal letto, ciascuno nel proprio alloggio, si trovano di faccia le guardie addette agli schiavi, che li impacchettano e li portano via. C'è stato un nuovo ritardo nel pagamento, accompagnato dalle solite affermazioni sprezzanti dello spagnolo. Baba Arouj si è finalmente seccato. Se tra quindici giorni la questione non sarà risolta, i due verranno messi all'asta, valutati solo per l'effettiva capacità di lavoro e per gli utili d'uso. Altro che titoli e parentele!

Osman corre a dare l'annuncio al figlioccio e si frega le mani contento all'idea che Comares possa, magari, finire a lavare i cessi del porto.

Passati due giorni e due notti, prima dell'alba della terza giornata, Osman sale fin su all'osservatorio astronomico dove il pupillo è al lavoro con le sue stelle.

«Hassan, sta' a sentire: ce l'hanno mandato davvero».

Hassan distoglie lo sguardo dal firmamento e l'osserva senza capire.

«Comares è là che pulisce i cessi del porto».

La giustizia di Baba Arouj ogni tanto è veramente imparziale.

Sembra che Comares abbia offeso il capitano delle guardie del bagno, così l'hanno punito di nuovo. Sì, Baba non c'entra direttamente, perché è lontano, ma è sempre il suo regno. Ed è proprio con Baba che ce l'ha a morte il marchese. La marchesa, al contrario, ce l'ha col marito.

«È colpa tua se è successo. Dovevi far venire in tempo il riscatto. Prendila almeno con filosofia, stai al gioco! Fingi di credere che sia uno scherzo».

Carlotta è sicura che con il caratteraccio di Baba Arouj bisogna agire d'astuzia, aspettare che passi la sua sfuriata.

«È come un vulcano!» pensa la marchesa con un sorriso.

Stava tanto bene a palazzo e per i capricci di suo marito l'ha dovuto lasciare. Carlotta Bartolomea quasi non mette in conto che Baba si era stufato di lei e dei suoi giochi e vizietti; vede il suo cavaliere svanito come un miraggio per colpa della taccagneria del marito.

«Quando si ha un debito, si paga e via, non si sta a cincischiare. Ha voluto ridurmi così, ma sulla mia dote Comares non potrà contare mai più».

Trasferito il consorte a scontare la pena sul porto, la signora ha il tempo di pensare a se stessa. Il giorno dell'asta è in arrivo.

Ci sono molte donne nel bagno, le avvicina, si informa. Sono passati i momenti in cui se ne stava altezzosa, evitando i contatti; del resto ha capito che si può trattare col prossimo restando indiscutibilmente di rango diverso.

Si dice che si venderanno subito e bene le femmine di una certa presenza, atte a svolgere a un tempo servizi di casa e di letto, buone a figliare. Ci sono molti acquirenti di mezza tacca in cerca di concubine. La maggior parte delle prigioniere sarà però acquistata da uomini facoltosi e importanti e destinata agli harem, chi con mansioni amatorie, chi per altri servizi più o meno gravosi. Ma la scelta come avverrà?

Carlotta Bartolomea è sicura di andare a finire in un harem di alto livello con compiti d'amore e nient'altro. Le tocca per esclusione. Che cosa potrebbe fare altrimenti? Non ha mai fatto e non sa fare la serva e nemmeno la cameriera; non sa fare la sarta; non sa filare; non sa mungere né vacche né capre e pecore, delle cammelle non sa neppure dove hanno il petto; non tesse, non ha mai ricamato. Ora ha imparato a leggere e scrivere, ma a fatica. Nonostante la chioma foltissima e le forme rigogliose, Carlotta Bartolomea sa di non essere un prato novello. E non può dire d'esser mai stata prolifica. Ma grazie a Dio è sempre stata una dama, e che dama. Già, qui però il suo nome non è conosciuto: il pascià che dovrà sborsare una fortuna per lei, pretenderà tanto di garanzia. La metteranno, questo è possibile, tra quelle da sottoporre a una prova.

Poiché ovviamente l'harem di lusso resta la meta più ambìta, corre voce che le schiave, tranne poche esclusioni, saranno chiamate a una prova che accerti il grado di capacità amatoria, onde procedere ad una specie di obiettiva qualifica.

La marchesa teme di essere la più inesperta nel fatto specifico. Da quel benedetto Comares non ha imparato nulla di nulla. Le sfugge un ricorrente sospiro al pensiero che Baba Arouj sarebbe stato il maestro che ci voleva per lei, ma la sorte attua i suoi inspiegabili piani senza indulgenze. Baba è lontano. Con tutto ciò, Carlotta cerca di affrontare la prova restando calma e si prepara raccogliendo notizie, con il necessario riserbo, per scoprire il modo di fare una discreta figura.

«Carlotta Bartolomea!» chiama il guardiano di turno.

Carlotta si liscia le gote, apre e chiude velocemente la bocca per dare tono ai muscoli e colore alle labbra. La prova è giunta.

Ahimè, sì, e non è quella attesa. È una prova faticosissima. Tre ceste di fagioli, due di cipolle, quattro di rape da pulire, tagliare e passare alla cuoca pronte da mettere in pentola, cento scodelle da rigovernare e tre montoni da steccare di aromi, frollati all'eccesso, con un odore nauseante. Discutere con Baba Arouj di come va cucinato un montone era una cosa amabile, steccarne tre puzzolenti è un'altra cosa davvero. La prova non è superata. Le operazioni hanno richiesto più tempo di quanto era preventivato. La marchesa Comares viene addetta per cinque giorni alle cucine del bagno e della caserma adiacente per fare pratica, con salvaguardia totale della sua virtù.

«Mio Dio» pensa Carlotta ogni sera, «fate che torni Baba!»

Perché Baba da gran nemico è diventato nella sua mente un eroe paladino.

4.

La sera prima dello scadere dei quindici giorni, il termine posto dal beylerbey che coincide con la grande asta indetta nel bagno, dalla Spagna arriva il riscatto, completo di tutto.

Si firma l'atto in una sala di ceramica azzurra e bianca, riservata agli affari di commercio con gli stranieri. Baba non è tornato.

Sono presenti un notaio turco che redige l'atto ufficiale in tre lingue, il tesoriere di palazzo, il banchiere ebreo venuto a portare la somma richiesta, un frate scalzo, il sospirato confessore nuovo che il marchese sognava e che ha pretesto al suo fianco, e gli stessi Comares in pompa magna, lei commossa e agitata, lui sempre duro, irritante, lugubre, gli occhi fissi sull'oro che viene versato. Il principe Hassan, seduto al posto d'onore, firma l'atto in nome e per conto di Baba Arouj, sultano di Tlemcen, Tênes, Cherchel, sovrano di Algeri riconosciuto col titolo di beylerbey, confermato dal Gransultano di tutto l'Impero ottomano.

La stessa sera il modesto legno del banchiere ebreo punta verso la Spagna con il suo carico legittimamente pagato. La nave sembra innocua, ma è armata oltre misura, con mortaietti e cannoni nascosti. Tutti nel porto si erano accorti del trucco, ma avevano avuto l'ordine di fare finta di nulla, per non rischiare di mettere ostacoli alla partenza del marchese Comares. Ha pagato e finalmente se ne va via.

Il mare è mosso e la nave ha forti scossoni, ma Comares è in piedi sul ponte e fissa la città del nemico come se la volesse incendiare con l'ultimo sguardo. La moglie, dimenticate apparentemente le vicende passate, gli è accanto e l'implora che abbia cura di sé, che entri nel castello di poppa e si ripari.

«Siete pallido, il mare agitato vi nuoce. Stendetevi un poco. Su questa nave non si usa nemmeno offrire un tonico caldo ai passeggeri».

Carlotta ha deciso di temporeggiare, verrà il momento della vendetta, per ora deve riprendersi in pugno le prerogative di moglie e di marchesa.

5.

Quando Pinar annuncia ad Anna di Braes che la nave del banchiere ebreo è scomparsa all'orizzonte, la fanciulla è fuori di sé dalla gioia.

«Anche se il mare è brutto, non c'è pericolo che tornino indietro. Impossibile ormai. Comares preferirebbe morire tra i pesci che tornare qui».

Saltando e urlando Anna attraversa le sale e i cortili che portano dalla foresteria dove si era serrata agli appartamenti del principe Hassan.

«Osman, evviva!»

Il vecchio apre l'uscio e Anna gli si appende al collo.

«Osman, vanno in Spagna e mi lasciano qui».

«Beh? Lo sapevi. Come mai ti agiti tanto?»

«Perché adesso è successo. Niente intralci: sono proprio partiti».

Anna era sicura che dal lato dei suoi zii e tutori Comares non avrebbe mai corso il rischio che venisse pagato un riscatto per lei, ma fino all'ultimo, adesso lo può confessare, ha temuto che il banchiere ebreo avesse l'incarico di pagare per conto del re.

«Osman, non sono mai stata bene come sto qui. Spero che duri. Mi sento libera».

Il vecchio la prega di ricordare che non è libera affatto, che i Barbarossa sono notoriamente padroni molto severi.

«Avrai delusioni, se ti aspetti che si prendano cura di te».

«Ci sei tu, Osman caro e non ho bisogno di nessun altro. I miei padroni di prima erano tanti e si prendevano tutti troppa cura di me».

Anna ha ben presenti, i suoi carcerieri d'un tempo, maestri, istruttori, confessori, dame di compagnia, cameriere di stanza, di tavola e di passeggio.

«Mi pare di vederli schierati al completo di là dal mare ad attendermi. Ma io sono qua con voi e vi voglio bene. Sono felice».

E giù a piangere, abbarbicata al vecchio che la sostiene.

«Per fortuna che sei felice, figliola!»

Poiché i pianti sono contagiosi quasi come le risa, Osman singhiozza con Anna fino a quando alzando gli occhi si trova davanti il principe Hassan.

«Ma che spettacolo!»

Osman Yaqub, che ha le guance rigate dai lacrimoni, abbozza goffamente un inchino e cerca di far comprendere alla ragazza che non sono più soli, ma quella non s'accorge di nulla, piange che sembra un mantice e gli abbondanti sbuffi dell'abito, metà alla turchesca e metà alla spagnola, ansimano insieme con lei.

«Devi farle un infuso» dice Hassan che pare insensibile, mentre Osman sa benissimo che è imbarazzato. «Quando hai finito sali in osservatorio».

Anna stavolta ha sentito, tira su le lacrime arricciando il naso e si asciuga gli occhi. Hassan intanto è scomparso.

La ragazza siede per terra nel corridoio, le braccia strette intorno alle ginocchia, come un bambino imbronciato.

«Osman, che gli ho fatto? Da quando è via Baba non mi rivolge più la parola».

«Non dire sciocchezze. Ieri sera leggevate insieme qualcosa in giardino e io non potevo dormire».

«Ma devo sempre venirlo a cercare!»

«Bella fatica, sei a due passi».

«Tu non capisci. Non è decente. Io sono una dama».

«Andiamo a fare l'infuso». La trascina per mano nel bugigattolo per le alchimie, accanto all'altana fiorita. «Un futuro re non ha tempo da perdere con una ragazzetta che non ha niente da fare dalla mattina alla sera! E poi non è tuo fratello. Non ha nessun compito di darti un'educazione».

Anna gli sgrana gli occhi addosso, preoccupata.

«Questo lo so, ma che c'entra?»

Osman Yaqub incalza con fredda logica:

«Ha forse fatto un contratto per insegnarti le lingue, le matematiche, per portarti a spasso sul suo cammello?»

«No».

Anna ammette, Hassan non ha nessun compito e nessun dovere, però si diverte anche lui quando fanno le corse in groppa ad un cammello o un cavallo sulla riva del mare.

«Dio mio, Osman! Se lo zio Comares avesse saputo di quelle corse mi avrebbe scannato prima di andarsene! E io le adoro».

6.

Passano i mesi tra piccole guerre, ambascerie, cacce, razzie, sedute al Consiglio, cerimonie ufficiali e per Hassan periodi di studio. Anche lui viene e riparte come fa Kair ad din; entrambi hanno ben poco tempo da dedicare ai piaceri dell'ozio, contrariamente a quello che sembra voler fare Baba. Sembra, ma in realtà Baba Arouj tra le ordinarie occupazioni del regno, le copiose abbuffate, le visite a terme e mercati prepara progetti molto ambiziosi.

Ancora si aspetta il riscatto per Anna di Braes, cioè le pratiche esistono nelle varie cancellerie, ma sono ferme da tanto tempo che Anna è in un limbo giuridico; in sostanza qui è la sua casa e ci vive serena. I rais non hanno fretta alcuna di mandarla via, stanno molto volentieri con lei e lei con loro.

Quando c'è Hassan a palazzo è naturale che la ragazza preferisca la compagnia del rais giovane, anche se Osman protesta e trova assurdo e scortese che gli stia così appiccicata.

«Gli dai fastidio. Ti devo sempre ripetere che un rais non può stare ai comandi di una sfaccendata egoista».

Anna non ha intenzione di dare fastidio ad Hassan, e ha certo quel po' di intuito che basta a comprendere se questo avviene. È più che sicura che il principe è contento di stare con lei.

«Domandaglielo, se non sono belle anche per lui le galoppate che facciamo insieme al mattino!»

Prima correvano solo sulla riva del mare, ora che lei ha fatto progressi e può affrontare percorsi difficili, seguono le creste delle colline, dove gli orizzonti sono più ampi e il vento soffia con forza, da qualsiasi parte si levi.

Quando Hassan è lontano, però, Anna di Braes passa molte ore con Baba Arouj, che se la tiene vicino più o meno come altri sovrani hanno un buffone, o meglio il matto, colui che diverte e all'occorrenza dice cose molto sensate, impreviste, talora imprudenti, sempre sincere.

Vestita da paggio l'ha seguito persino nelle camminate per la città e qualche volta l'ha visto amministrare giustizia. Baba non bara con lei. Anna sa che può essere molto crudele. È cresciuta, ha capito che un giorno è fatto di tanti momenti, quelli felici sono assai pochi e pochissimi quelli in cui la vita procede con delicatezza e bontà.

A Baba piace sentire la sua risata, gli piacciono gli scherzi che la ragazza combina, anche se finge di minacciarle una pioggia di sculacciate quando qualcuno a palazzo protesta per lo scompiglio e il rumore.

«Cosa faremo di te quando sarai grande?» sospira Osman Yaqub, quando Anna ritorna conciata da far paura dalle sue scorribande.

«Io sono grande».

In effetti si vede, a guardarla, che il tempo è passato.

«Ti protegga la Vergine Maria benedetta» pensa Osman allarmato.

Sono mesi che egli cova una nuova paura, ma se ne sta zitto e la tiene dentro di sé.

XV.

1.

Le frange dell'estate, l'autunno, l'inverno sono volati e agli inizi di primavera Baba Arouj chiede il cambio a palazzo poiché l'ha punto di nuovo l'aspide del gusto alla guerra.

Sarà Kair ad din a badare alle faccende del regno. Baba parte. Si è voluto provare dapprima in scaramucce verso l'interno e si è sentito fresco e pieno di forze, pronto ad attuare il suo piano. Il mare stavolta non c'entra, la sua sarà un'impresa tutta di terra e sarà molto azzardata; però Baba è tranquillo. Ovverossia è eccitato in maniera gioiosa. Se Baba fosse tranquillo nel senso comune agli altri mortali sarebbe cosa da preoccupare.

Basta vedere come cammina quando discute con i luogotenenti i preparativi della campagna per rendersi conto del fuoco che dentro lo brucia; con quattro passi la sua gran mole si sposta da un capo all'altro del corridoio, in un lampeggiare perenne, perché non fa che muovere il braccio finto che i servi tengono lucido alla perfezione. Le poche battaglie che ha combattuto con l'arto meccanico sono bastate a far nascere una leggenda. Si dice che in guerra quel braccio d'argento metta terrore al nemico già quando Baba lo alza, prima del segnale di attacco. C'è chi sostiene che dalle schiere nemiche, il braccio si vede grande più dell'intera persona, sfolgorante di luce propria.

2.

La fortuna e la fama hanno arriso anche al marchese Comares, che una volta in patria ha saputo mettere a frutto le pene passate. È rinomato come il maggior esperto degli affari di Barberia. Suscita odî e fomenta vendette contro gli infedeli in genere e i Barbarossa in particolare. Predica la guerra santa, la necessità di brandire la spada contro i nemici di Cristo, assassini e pirati.

Ha viaggiato in lungo ed in largo per gli stati di Carlo d'Asburgo sparsi per tutta l'Europa, nel tentativo di mettere insieme cattolici e luterani, distraendoli da altre battaglie e spingendoli contro i Barbarossa e il loro protettore ed amico, il Gransultano di Istanbul, per conto del quale i due ribaldi sconvolgono i mari e li precludono alla gente per bene. A tutti Comares chiede denari, uomini e navi per una santa crociata.

«Fratelli, muoviamoci finché siamo in tempo» dice con fare profetico, «prima che la terra sia divorata dal feroce Mammona».

Nessuno l'ascolta quando invita a dare oboli o navi o soldati. L'ascoltano commossi e turbati quando racconta storie di sue presunte terrificanti avventure di prigionia, piene di malefatte di barbareschi e di turchi, quando inventa terribili antri, che descrive nei più raccapriccianti particolari, dove secondo la sua testimonianza Baba Arouj vive e trama, con quell'altro ossesso di suo fratello e quel rinnegato bastardo che i Barbarossa chiamano figlio.

Tuttavia luterani e cattolici continuano a farsi la guerra tra loro. Gli stati e i privati dotati di spirito intraprendente armano navi come non mai, ma non pensano affatto a crociate per la libertà del Santo Sepolcro. I loro legni, pur sempre a gloria ed in nome di Cristo, fanno vela verso le Nuove Indie, per tornarne carichi di cose preziose.

«Abbiate pazienza» prova a dire al marito Carlotta Bartolomea, «che può importare ad un principe delle terre ghiacciate dell'Alta Germania, ad un borghese di Amburgo, di Gheldria o di Frisia, se il Gransultano degli ottomani ha fatto lega con i barbareschi, se li considera i suoi custodi e gli fa fare piazza pulita in un mare piccolo e interno dove essi, per ora, non hanno tempo né voglia di andare? Io non vedo in giro gente che arda di dare inizio a crociate».

La marchesa ha ragione. I cristiani danarosi e potenti non sono d'accordo sulla crociata che Comares propone.

L'unico che darebbe retta al marchese è suo cugino Carlo d'Asburgo, che pensa spesso alla crociata come ad un imprescindibile compito che lo attrae assai più della conquista delle Indie lontane; ma nemmeno un sovrano tanto potente può fare quello che vuole. Prima di arrivare a prendere decisioni da solo, Carlo deve mettere ordine in tutto il suo regno e avere una cassa così pingue da potersi pagare le navi e gli eserciti senza dipendere dai grandi nobili, dalle città, dalle corti.

3.

Baba è partito per la sua guerra. E se la guerra di Baba Arouj sarà davvero un'andata e ritorno senza problemi, come egli ha detto partendo, Hassan potrà sperare che il suo sogno del viaggio in Persia si avveri. Kair ad din ha promesso che al ritorno di Baba, se il Gransultano di Istanbul darà il suo consenso, manderà il figlio a trattare per la liberazione del suo amico Cai Tien, tuttora tenuto in ostaggio.

Questo Cai Tien è proprio strano, secondo il parere di Osman Yaqub, perché ogni tanto manda messaggi in cui si dice contento di avere in sorte un prezioso tempo di meditazione. Quando era ad Algeri non sembrava fatto per diventare eremita. La gente cambia, vivendo, e Osman che l'ha spesso notato, non si stupisce; vorrebbe provare il brivido di cambiare anche lui, invece gli sembra di restar sempre uguale. Gli piacerebbe diventare un uccello e volare. Ma forse no, non sarebbe poi così bello, perché non potrebbe più vivere con quelli che ama.

A proposito di cambiamenti, con Kair ad din a palazzo ogni giorno prendono il via cento iniziative diverse che si susseguono come le onde, probabilmente perché egli s'illude in tal modo d'essere sempre sul mare. Naturalmente, in ogni cosa importante vuole il figlio con sé, e gli ha perciò cambiato la vita, sconvolgendone i ritmi e le occupazioni.

Anche la vita di Anna di Braes è cambiata. Sono sospese le matterie che faceva con Baba, e ahimè sono troppo spesso sospese anche le galoppate al mattino, le lezioni di vario scibile e le conversazioni col principe Hassan, preso dalle cure dei pubblici affari che Kair ad din gli affida. Quando Hassan deve addirittura partire per una lunga ispezione nelle zone dei monti a occidente, Kair ad din, che invece è restato a palazzo, fedele alla promessa fatta a Baba, impara a conoscere meglio la sua prigioniera Anna di Braes che non è né bambina né donna, in ogni caso è una strega e si fa ben volere.

Anna non passa tutto il suo tempo con i rais, aiuta anche Osman nelle sue tante faccende di spezieria e frequenta le donne dell'harem. Per ricambiarle di tutti gli insegnamenti che le hanno dato, Anna s'è messa d'impegno al lavoro. Ha deciso di cavar fuori dal suo bagaglio di conoscenze quello che può essere utile o divertente per le donne di qui, per esempio le tecniche per fare le stoffe a telaio, i ricami, le trine, i pizzi che ha imparato da bambina nella sua patria, assai diversi da quelli che usano in Barberia. Poiché Anna è di natura impaziente, non è molto abile nell'esecuzione, ma sa perfettamente come si dovrebbe fare e si diverte a insegnare ad allieve che in breve diventano molto più esperte di lei.

Nel padiglione d'estate dell'harem di prima classe, nel porticato e nel giardino con la fontana al centro e i grandi flabelli ai lati, è installato un perfetto laboratorio cui le dame dell'harem possono accedere indipendentemente dalle liste di preferenza e di anzianità, comprese ancelle e serventi, anch'esse con facoltà di prendere aghi e fili, e pazientemente tutte quante si dedicano per settimane ai noiosi imparaticci.

È naturale che scoppi qualche litigio ogni tanto, ma sono robette da nulla, in genere l'ambiente è sereno con un cicaleccio che ad Anna di Braes ricorda la ricreazione con educande e novizie mischiate, al convento dov'era stata messa per breve tempo, prima che saltasse fuori il matrimonio romano. Qui al posto della badessa c'è l'eunuco capoguardiano e succede che qualche dama debba interrompere i giochi d'ago e l'apprendimento di trine e sfilati anziché per una penitenza o una preghiera aggiuntiva, per assolvere i compiti proprî dello stato di favorita, di moglie o di semplice addetta agli amori.

Finiti gli imparaticci, maestra ed allieve mettono mano ad un gran tendone di pizzo da offrire a Baba quando sarà di ritorno. Però le allieve hanno scoperto che Anna, oltre al lavoro comune, ne porta avanti uno suo, che tiene in un cestello appeso in cintura come una qualsiasi borsa per poterci mettere in fretta dei punti ogni volta che pensa di essere fuori da sguardi indiscreti.

«Cos'è?» le hanno chiesto le amiche. «È per Baba?»

«No» ha detto lei. «È un segreto».

4.

Per tenere in caldo Comares e i suoi sacri ardori, Carlo d'Asburgo lo nomina governatore di Orano e gli dà ampio mandato di fare contro barbareschi, turchi, africani tutto quello che può con gli eserciti e i mezzi che ci sono a disposizione, in attesa di indire una vera e grande crociata che spazzi via gli infedeli dal mondo.

Nel palazzo di Carlo, a Toledo, nella sala delle investiture addobbata di drappi cremisi, irta di armi brunite, Carlo stesso investe Comares del nuovo titolo.

Sono presenti un cardinale, tre generali, quattro duchi, due ambasciatori, l'intero collegio dei notai di corte con segretari e scrivani, oltre ai comuni preti, frati e notabili che riempiono due file di panche all'intorno. Le dame sono al di là di una grata; si ode a tratti il ronzio dei loro discorsi in sordina.

Il marchese Comares è in partenza e sente il dovere di rivolgere un saluto al sovrano e alla corte.

Con parole commosse e decise esterna la volontà di estirpare i barbareschi, pericolosi banditi e corsari, dalle coste d'Africa e dall'universo.

«L'onore degli avi, i secolari sacrosanti diritti, la difesa di una civiltà millenaria, la fede, tutto spinge alla lotta. Potreste pensare, signori, che quegli immondi predoni vivano nel deserto, che occupino insieme alle fiere terre maledette da Dio. Al contrario! Hanno usurpato un eterno giardino».

E Comares si mette a illustrare il favoloso giardino che potrebbe arricchire le riserve di Spagna e i commerci del suo buon popolo. È un paese, quello ch'egli s'accinge ad assoggettare, dove crescono ulivi, cedri, limoni, e altri frutti strani e bellissimi, grano abbondante e legno per centinaia di navi. È un paese che spetta alla corona di Spagna e all'impero in quanto eredi della potenza romana, sottolinea Comares, che di quelle terre fu sempre signora: i nuovi barbari verranno cacciati, a ciò il governatore di Orano dedicherà l'esistenza.

Comares continua a spiegare che gli interessi spagnoli non saranno sicuri sui mari finché la mala erba non sarà estirpata. Insiste soprattutto con Carlo. Non ha visto, sua maestà, che i barbareschi nella loro impudenza saccheggiano le navi in arrivo dall'oceano, sicché le ricchezze faticosamente raccolte per le casse reali nelle Nuove Indie, tributo di vassalli di recente convertiti ad una vita cristiana e civile, vanno sacrilegamente a rimpinguare le casse degli infedeli?

«Anziché chiese di Cristo, con quell'oro si erigeranno moschee!»

È arrivato il momento di far pagare a quei Barbarossa le loro gesta criminali di rinnegati. Questa è la missione per cui il marchese Comares è nato; perciò, chiesta ai sacerdoti presenti licenza di pronunciare un voto solenne, si fa portare un messale ed un cero istoriato, mette avanti la mano destra tesa, pone la sinistra sul cuore, piega il ginocchio, alza lo sguardo al cielo e giura.

«Davanti a sua maestà Carlo» eccetera, eccetera, la sfilza dei titoli ha bisogno di almeno dieci profonde prese di fiato, «davanti all'Eminentissimo» altri titoli e fiati per l'ecclesiastico più alto in grado che rappresenta la Chiesa di Roma, «prometto, giuro e faccio voto solenne di portare Baba Arouj, vivo o morto, alla vostra presenza, distrutto, annientato, per onore e gloria del nostro paese e della nostra fede».

Sulle panche più alte, nell'angolo opposto, un gruppetto di nobili trattiene a stento le risa. In una corte ci sono sempre i nemici e i maligni. Nonostante Comares sia all'apice della fortuna e del credito, qualcuno ha diffuso la voce che egli abbia con Baba Arouj una questione banale di gelosia e che Carlo si sia lasciato prendere in mezzo per il suo fanatico sogno di guerre sante. Ma sono voci di sfaccendati senza seguito e peso.

Terminato il giuramento con una preghiera in coro di tutti i presenti, viene servito un rinfresco quaresimale, modesto perché è tempo di penitenza secondo la liturgia. Si intrecciano i conversari. Però Comares prosegue come se stesse ancora parlando in veste ufficiale.

«A parte le nefande azioni, i continui peccati che da uomo immerso nel vizio commette senza sosta dalla mattina alla sera e dalla sera alla mattina, in quanto sovrano, se mi è concesso chiamare sovrano questo mostro diabolico con barba e capelli tinti d'inferno, egli è reo di tirannia efferata».

Comares interrompe per tirar fiato e riprende, ma i presenti intorpiditi nella noia non l'ascoltano più; non c'era bisogno che venisse Comares a spiegar loro chi è Baba Arouj; sono giudizi scontati, quelli che esprime Comares; tutti sanno che questo Baba è un rinnegato infedele e pirata, nessuno lo crede un santo o un nobile re.

«Si diceva tempo addietro, marchese, qui alla corte di Spagna, che Baba Arouj emanasse perfino puzza di zolfo invano mascherata da essenze e profumi d'Oriente» interviene uno dei cortigiani tanto per ridere un po' in una corte in genere troppo compunta, «voi che ci dite a questo proposito, caro marchese? Emana davvero odor di demonio?»

Comares conferma che Baba Arouj usa molti profumi, però, in verità la puzza di zolfo non l'ha notata. Ma questi sono dettagli. L'importante è che l'insieme delle orribili colpe di questo Baba fa sì che egli sia odiato da molti.

È noto che Baba Arouj è stato sempre un briccone con gli altri sultani e rais della costa. Di molti di loro si è sbarazzato senza scrupoli, con la scusa che non erano alleati fedeli, in realtà per dominare da solo zone sempre più vaste. Di altri da troppo tempo si prende gioco, li chiama suoi federati, ma succhia loro eserciti e beni.

«Ecco il punto dove far leva».

Finita la cerimonia, Carlo d'Asburgo si ritira in una saletta attigua in conferenza ristretta con il cugino neo governatore della città di Orano che deve esporgli il suo piano d'azione: occorre venire a patti con qualcuno che voglia pareggiare un conto sospeso.

Baba Arouj, lasciato il fratello ad Algeri, s'è gettato in un'impresa azzardata; va dagli altri sultani e in mille modi cerca di legarli al suo carro, poi con il loro aiuto fa guerra a quelli che non sono disposti ad unirsi a lui, perseguendo il folle progetto, cui da anni mira, di annettersi l'Africa intera.

Ora, uno dei sultani cui Baba ha proposto l'accordo è stato tra i primi e più ardenti assertori della bontà di quell'alleanza, ma la sua era una finta, concordata con il marchese: questo sultano da anni ha giurato vendetta perché Baba gli ha fatto subire un'umiliazione.

Il marchese per ora non ne fa il nome, poiché trattandosi di Baba Arouj, lestofante e mago, persino l'aria potrebbe portargli il messaggio e così il piano sarebbe condannato a franare, e non dice, a tutela del proprio buon nome di aristocratico, che di quell'umiliazione egli stesso è stato non solo testimone, ma compartecipe poiché il sultano in questione fu suo compagno di turno, una notte, in un certo sgradevole ufficio, ai cessi del porto di Algeri.

5.

Le più giovani signore dell'harem, tra risa, corse e scambietti intrecciano quasi una danza e inseguono Anna nel grande giardino posto sotto le sale ufficiali per sottrarle il cestello con il misterioso lavoro, sciamano tra i cespugli, le vasche e le fontane e proprio sulla fontana al centro Anna si arrampica, sale fin sotto il tettuccio, dove le altre non hanno il coraggio di andare.

I soldati di guardia temono che il chiasso arrivi dentro la sala del Consiglio dove si sta discutendo di cose importanti, che hanno bisogno di calma e non di voci femminee che turbino la concentrazione; perciò intervengono bruschi.

«Silenzio, donne! Non fate schiamazzo. Ehilà! Sapete che qui non si può stare quando c'è Consiglio».

L'eunuco di turno, uno dei tanti dell'harem, piuttosto nuovo e inesperto, non sa come spingere le ragazze a rientrare nei loro recinti.

«Su, belle, andiamo, vi prego. Siate carine. Venite in casa».

Le guardie addette al Consiglio sono molto arrabbiate e mostrano meno rispetto per le signore dell'harem che hanno scelto un momento inopportuno per fare baccano.

«Forza, rientrate altrimenti son botte. C'è seduta speciale».

Le giovani dame, deluse che sia finito il gioco, guardano la grande fontana temendo che Anna, rea di un'indisciplina ancora più grave, corra il rischio di una punizione se viene scoperta lassù. Invece è lei stessa che scende e si avvicina alle guardie tenendo il cestino abbracciato sul petto.

«Come mai c'è seduta, che accade?»

Il capoguardia, riconoscendola, abbandona l'aria villana di prima e le parla con confidenza, come a dire che di lei si fida anche se è in mezzo a quelle donnette scipite.

«Sono faccende di guerra, signora, è in partenza una spedizione per il campo del beylerbey. Già stanno strigliando i cavalli del corpo scelto che allo spuntare del giorno dovrà partire».

Anna corre via velocissima, verso gli appartamenti di Hassan con dentro l'anima un gelo improvviso e un gran bisogno del conforto di Osman.

6.

Il beylerbey ha inviato un messaggio laconico e sibillino da cui si può tuttavia dedurre che avendo estrema urgenza di aiuti militari e non potendo contare sugli alleati, troppo deboli, egli ha deciso di assoldare un esercito mercenario e chiede gli si mandi al più presto oro o denaro.

Il Consiglio ha ratificato la richiesta di Baba, ha messo insieme un tesoro composto di monete, ma soprattutto d'oro e gioielli, e l'ha affidato al principe Hassan, perché con la scorta del corpo scelto di cui è il capitano lo porti nella lontana regione ad occidente dove Baba sta guerreggiando.

Terminata la seduta speciale convocata per rispondere a Baba, Kair ad din esamina a lungo la situazione in un colloquio privato col figlio.

Troppe cose non gli sono chiare e lo preoccupano. Anzitutto, Baba Arouj dev'essere in un guaio molto grosso per aver scelto di usare dei mercenari, quando è sempre stata cura di entrambi evitarli in ogni modo. C'è di più: l'esercito che Baba vorrebbe comprare appartiene ad un certo sultano Ibrahim, che non ha mai fatto parte della loro alleanza, quantunque Kair ad din non abbia in verità raccolto sul suo conto notizie cattive, ma chi ha procurato il contatto con questo Ibrahim e ha suggerito l'operazione sembra essere il sultano di Fez, personaggio equivoco, mai stato amico, al contrario spesso nemico. Hassan del resto l'ha conosciuto perché è stato ad Algeri, più prigioniero che ostaggio, proprio al tempo in cui c'era anche Comares.

«Portagli quel tesoro, ma resta con gli occhi aperti e di' a Baba che si ricordi del sultano di Belim».

Kair ad din, per dissipare i tristi pensieri, racconta al figlio una vecchia storia, sulla quale i due fratelli hanno riso parecchio all'inizio della loro carriera. Un giorno Baba Arouj, quando aveva sì e no sei galeotte e incominciava a far parlare di sé, aveva incontrato un sultano generoso e socievole che l'aveva invitato a trascorrere un mese nel suo palazzo a testimonianza della propria amicizia e del piacere che provava a stare con lui, e in segno di omaggio e di grande affetto gli aveva aperto le porte dell'harem.

«Scegliti quelle che vuoi» gli aveva detto il sultano di Belim, tirandolo dentro, «saranno tue finché resti da me».

Baba Arouj aveva scelto tre donne, ma alla fine di quel soggiorno di pace era tornato a casa coperto di rogna, perciò aveva giurato di non fidarsi mai più alla cieca di un altro sovrano.

7.

Molto prima che la riunione in Consiglio fosse finita, siccome tutti i muri hanno dei pori da cui le notizie trapelano, Osman sapeva della spedizione imminente: quando Anna di Braes era corsa da lui con la notizia drammatica della spedizione di Hassan non gli aveva rivelato una novità, aveva reso più dolorosa la piaga.

«Sempre guerre e battaglie! Possibile che Dio non ne incenerisca perfino il nome?»

Anna si è chiusa nella saletta delle stagionature a ricamare come una forsennata e Osman si è dato ai preparativi del bagaglio di Hassan, arrabbiato con Baba che potrebbe vivere in pace una vecchiaia regale e invece si sprofonda nei guai più terribili.

«Più di tanto non può star fermo. Deve combattere. È un'ossessione. Vuole vedere la gente che si sbudella».

Baba ha deciso di prendersi tutta la costa africana per spiccare poi il salto e mangiarsi la Spagna. Osman Yaqub sa perfettamente che è questo il suo sogno, ma è un progetto insensato. Baba Arouj non si è domandato se era pronto per un'impresa del genere, si è guardato allo specchio, ha notato che la vecchiaia era in arrivo, che bisognava sbrigarsi, ed è montato a cavallo. E i suoi uomini, soldati e ufficiali, tutti dietro, in fila come le oche, pronti ad andare al macello.

Poi Osman si pente di nutrire pensieri tanto ingiuriosi per il suo padrone. Baba Arouj non è un bestione che vuole solo mordere, è un grande sovrano e come non lascerebbe mai morire la sua gente di fame e sete, così non vorrà certo mandarla a morte in una guerra senza necessità, o per lo meno senza un nobile scopo. Forse avrà uno scopo imperscrutabile ai comuni sudditi o ai servi. Ma, se si lascia che un dubbio s'insinui dentro il cervello è finita la pace interiore, perciò Osman Yaqub stringe i denti.

«Lavora, lavora» si ordina, «prepara il bagaglio, che il ragazzo abbia con sé tutto quello che gli può servire».

Hassan manda a dire che vuole un piccolo rotolo e basta. Allora gli si può mettere solo il mantello; Osman Yaqub ha tolto dai cassoni montagne di roba che dovrà riporre. Sempre così. Ad Hassan non serve una galleria d'abiti come questa, così ben fornita. Meno male che al suo servo Osman Yaqub Salvatore Rotunno, un dì pescatore miserrimo, non par vero di lustrarsi gli occhi ogni giorno a guardare quei bei vestiti, e si allieta a tenerli in ordine, puliti, stirati, catalogati per ogni evenienza.

Prima di fare il rotolo Osman cuce in una piega del mantello da campo un sacchetto piccolo in cui ha infilato un pezzo di becco d'aquila appena nata, due peli della coda di un topo delle piramidi e la squama di un pesce trovato in mezzo al deserto che, insieme, formano un possente scongiuro.

8.

L'indomani, davanti alle scuderie tutto è pronto per la partenza del principe Hassan e del suo corpo speciale. Comandante in seconda è Amed Fuzuli, da due giorni arrivato dalla sua oasi. Non è uomo d'armi per vocazione, ma va sempre in guerra lo stesso, per amicizia, e quando fiuta odor di battaglia si precipita a raggiungere Hassan.

Nel cortile c'è l'aria tesa delle grandi occasioni, la guardia di palazzo è schierata al completo per salutare i partenti, che sono i cavalieri migliori del regno. Avranno una missione difficile, una corsa sfiancante per giungere in fretta al lontano campo di Baba. Alla testa del suo drappello è già a cavallo anche Hassan. Amed Fuzuli è al centro, di fianco al tesoro, custodito in un bauletto posato su un traino appositamente studiato per procedere ad alte velocità.

Dal passaggio interno che collega le scuderie con i livelli più alti due soldati trascinano fuori una donna che si divincola e urla.

«Giù quelle mani, imbecilli, l'avete fatto cadere!»

In effetti il cestino correrebbe dritto dentro lo scolo, se non lo fermasse in tempo uno stalliere che riconosce Anna all'istante e la libera dalle due guardie, appena assurte all'onore di servire a palazzo e stupite che si debba tanto riguardo a una ragazza, per di più senza veli sul volto. Anna di Braes ha intanto raccolto il suo cesto ed è corsa a cercare Hassan.

La luce dell'alba lascia intravedere la sagoma della moschea di levante con i suoi minareti sottili quando il mullah anziano attacca i versetti della preghiera; e quando la preghiera finisce, Anna, che è giunta alla testa della colonna ed è accanto ad Hassan, prima che s'apra il cancello estrae dal suo cesto un copricapo di raso color rubino, con fitti ricami argentati, ciascuno riproducente una scena. A guardarli con ordine, seguendo il giro, si legge nei ricami una storia che inizia con due galere sul mare.

Hassan prende il berretto, l'osserva, ringrazia con un sorriso, scioglie il turbante da viaggio e la lunga striscia di seta rigata che lo formava ricade nelle mani di Anna.

Il berretto nuovo è piccolo e floscio, dà risalto e respiro ai lunghi capelli neri inanellati. La misura è perfetta.

«E se vola via?»

«Te ne faccio uno più bello».

Hassan snuda ed alza la scimitarra. Le guardie aprono la cancellata, in un baleno il drappello è partito. La guardia disposta per il saluto rompe le righe, il mullah anziano torna al suo alloggio, i mozzi di stalla escono fuori per tirar di ramazza e rimettere in pari il terreno.

Anna è rimasta dov'era, in mezzo alla polvere, con la sua striscia di seta a colori sgargianti raccolta nelle mani serrate e protese, quasi fosse un'offerta. Fa lunghi respiri. Fissa gli occhi in un punto qualsiasi e li tiene sbarrati. Non vuole piangere. Non può. Giura che mai più verserà una lacrima, qualsiasi cosa succeda. Altrimenti come potrebbe chiedere a Kair ad din di ammetterla nel corpo scelto dei cavalieri di Hassan?

È un progetto che cova da tempo, per l'esattezza da quando ha saputo che per l'assunzione non c'è nessuna norma precisa. Bisogna eccellere. Anna di Braes conosce tutti i segreti del duellare e Kair ad din non può non saperlo, visto che è lui che per divertirsi l'allena. Sul cavallo non teme confronti: quanti sono gli uomini più veloci di lei, a parte Hassan? Resterebbe da dimostrare la sua resistenza sulle lunghe distanze, e questa poteva essere l'occasione per farlo. Non c'è stato il tempo per chiederlo, ma date le circostanze Kair ad din avrebbe risposto con un netto rifiuto. La prossima volta.

Intanto, Hassan è partito per il campo di guerra.

«Che maniera di passare queste ramazze!»

Senza un po' d'acqua la polvere sale e fa cortina, ma non è colpa dei mozzi di stalla se il lavoro vien male; con lei nel mezzo si sentono in imbarazzo e non hanno il coraggio di farla andar via.

Bene, può muoversi, le lacrime non sono uscite e non usciranno mai più, perché non sarebbe decoroso per un cavaliere. Ha giurato. Con il cestino vuoto infilato nel braccio, Anna lentamente s'avvia.

9.

Osman Yaqub è in preda al tremore. Gli auspici richiesti a vari indovini non erano stati chiari; pur ritentati per tutta la sera e la notte, dicevano bene della cavalcata, ma prospettavano nubi. C'era anche stato un sogno tre giorni prima, venuto ad Osman sul fare dell'alba, che è l'ora della preveggenza: una lama batteva la roccia e gocce dense e rossastre ne sprizzavano fuori, subito ricoperte da polvere o fumo. La scena sicuramente significava battaglia e morte, che però in guerra sono avvenimenti normali. Occorreva sapere quale fosse la battaglia indicata e dove, e di chi la morte. Il sogno non dava indizi. Il giorno appresso, dai moti di una lucertola un giardiniere aveva tratto un responso contraddittorio: vita troncata o vita scampata?

In tal confusione di segni a Osman Yaqub tocca accendere una selva di ceri e far penitenza nei modi più crudi; deve impetrare grazie su di un fronte vastissimo, non sapendo dove e quando l'insidia si celi.

Osman è sicuro che si tratti di insidia, perché le figure uscite nel piatto del latte cagliato indicavano reti tese e corpi senza la faccia, cioè tradimento ed agguato.

«Che fai?» dice Anna ad Osman, quando finalmente lo trova seminascosto da un cedro nel giardino d'inverno di Baba, con le ginocchia e le mani appoggiate alla ghiaietta appuntita.

Osman non risponde, sta biascicando parole che non si afferrano, ogni tanto respira profondo, con gli occhi rivolti al cielo e si trascina avanti con evidente dolore. Riprende più volte l'identica pantomima che poi conclude con innumerevoli segni di croce sulla fronte, sulle labbra e sul cuore. Si prosterna per qualche secondo in raccoglimento, indi s'alza di scatto e tendendo alte le mani con l'indice e il medio accavallati saltella in cerchio, a gamba zoppa, con gli occhi stretti, la bocca in preda a grotteschi contorcimenti senza emettere suoni.

«Fermati, Osman, ti rompi i piedi su questa ghiaia».

Osman continua, aumentando gli scotimenti del capo, finché casca in terra.

«O Dio, cosa ti prende, stai male?»

«No, no. Forse giravo troppo stretto e veloce. Peccato, così non vale, i cerchi devono essere sette! Ma questa volta non sbaglio».

«Guai a te!» Anna lo mette a sedere per terra. «Scommetto che non è questo il compito che ti ha affidato il principe Hassan. Non ti ha dato cose più serie da fare?»

«Bada ad Anna di Braes, mi ha detto, ma non mi ha proibito di recitare preghiere per chi mi pare, né di fare penitenze e scongiuri!»

«Ripeti, Osman».

«Mi ha detto di badare a te».

Anna gli stringe le mani e il povero Osman le ritira con un lamento, perché la ghiaia gliele ha tutte escoriate.

«Ti ha detto di badare a me perché non si fida? Ripeti, Osman, ripeti le sue esatte parole, le voglio sentire».

«Bada ad Anna di Braes».

«Semplicemente».

«Sì».

«Allora gli importa di me, Osman Yaqub! Tu lo credi?»

XVI.

1.

Dopo giorni di corsa attraverso luoghi impervi ed infidi, i cavalieri guidati da Hassan, che non si era mai spinto tanto a occidente, giungono sull'imbrunire al campo di Baba, pronti ad affrontare una situazione che immaginano difficile e grave.

Felicemente sorpresi, trovano aria di festa e un buonumore diffuso. Li accoglie un canto, in un luccicare di armi drizzate nel saluto d'onore contro gli ultimi raggi di luce. Nel campo aleggia un confortevole odore di cibo. Sul faccione di Baba Arouj c'è un sorriso. Il sovrano è contento.

«Siete stati veloci. Bene. Benissimo» dice, invitando i cavalieri a prendersi tutti il meritato riposo e, abbracciato il figlio, se lo porta verso la tenda reale. «Adesso ti spiego perché era urgente quell'oro. Secondo le informazioni raccolte dal sultano di Fez e da quel tale Ibrahim, il sultano che ci affitta il suo esercito, questo è il momento opportuno per ributtare in mare gli stranieri che stanno in Africa».

Detto ciò Baba si siede e sta zitto un attimo, forse aspettandosi esclamazioni di gioia da Hassan. E poiché il figlio ha invece lo sguardo perplesso, Baba continua, incalzando.

«Per un'impresa del genere occorre molto denaro. Non c'è soltanto da pagare l'esercito del sultano Ibrahim, si deve fare un'operazione a raggiera, conquistando con il prestigio della ricchezza il favore di città e tribù che si erano lasciate abbindolare dagli spagnoli per pochi spiccioli. Gli spagnoli adesso faranno i conti con noi».

Baba parla con una calma e una lucidità sconcertanti, per chi è abituato al suo modo arruffone.

Il tempo è giusto, spiega: gli spagnoli, convinti di aver comprato gli abitanti per sempre con piccoli accordi commerciali e vaghe promesse di protezione, da anni trascurano le guarnigioni della costa, cadute ora in uno stato di totale abbandono.

Baba ha un entusiasmo incredibile, lo appassiona l'idea di poter contare in futuro su di un territorio che arrivi all'oceano, da dove si possa tener bene d'occhio le favolose navi che vengono dalle Nuove Indie.

«Tu sai perché protoghesi, spagnoli e tutti gli altri si sono cacciati fin là? Per sfuggire alle nostre reti! E guarda un po' adesso cosa gli capita: Baba Arouj si piazza di sentinella sopra la costa e li aspetta all'arrivo.

Visto che quelli, laggiù, avevano fatto fortuna, c'è stato un momento in cui Baba aveva pensato di andar loro dietro, di imboccare anche lui nuove strade, ma avrebbe dovuto cambiare navi e magari sostituire le sue vecchie ciurme. Perché andare alle Nuove Indie a cercare l'oro visto che gli spagnoli glielo portano qui sotto casa? Dal solido nido di falco che si costruirà, Baba Arouj potrà mangiarsi tanti di quei prelibati bocconi che gli spagnoli saranno costretti a studiarsi altre rotte.

Il beylerbey mostra soddisfatto la grande fibbia preziosa che campeggia sul suo pancione. È stata trovata indosso ad uno spagnolo, che senz'altro l'aveva presa a qualche ricco selvaggio delle Nuove Indie. Tutto gira, nel mondo, ormai. Ci sono vasti orizzonti. Anche Baba ha bisogno di spazî maggiori. Gli viene da ridere pensando alle preoccupazioni che suo fratello ha nutrito per lui. Kair ad din lo credeva accerchiato? Tenuto forse in ostaggio da creditori e strozzini? Vassalli in rivolta? Baba Arouj invece è al culmine della potenza. I sultani di gran parte del mondo hanno veduto che gli si deve rispetto e ubbidienza.

«Io non so scrivere, avrò sbagliato il messaggio».

Tocca ad Hassan ora mandare a palazzo un messaggio come si deve.

«Digli che va tutto bene, digli che Algeri riavrà il suo tesoro centuplicato e sarai tu a riportarglielo, a rimetterlo nei nostri forzieri. Ma che cos'hai che mi guardi fisso come un allocco?»

A palazzo tutti avevano dato un senso diverso ai messaggi di Baba, sembrava proprio uno stato d'assedio più che l'avvio di una marcia trionfale.

«Beh, hanno capito male, non sei contento?»

Purtroppo è una marcia costosa, conferma Baba, però, se tutto fila come dovrebbe filare, non basteranno i depositi a contenere il bottino cavato dal ventre delle navi spagnole che tornano dalle terre dell'estremo Occidente.

«Ti vedo troppo pensoso, coraggio, ragazzo!» dice Baba sempre più euforico, abbrancando Hassan per una spalla con la sua manona e squassandolo tutto per allegria. «Non hai più fede nel vecchio Baba? Non sei abituato alle guerre di terra: l'orizzonte ti sembra troppo ristretto perché non sai vedere oltre le prime colline e ti senti in trappola. Hai bisogno di un pasto che ti rimetta in corpo sostanza ed energia». Il beylerbey fa un urlo ed accorrono servi e attendenti. «Su, quanto manca? Perché non rullate i tamburi? Mettete in tavola. Volete far bruciare i capretti?»

2.

Mentre si cena, Baba Arouj non resiste al piacere di illustrare i suoi piani ad Hassan.

«Fra qualche giorno leveremo il campo e ci trasferiremo più ad ovest».

Prima si devono attendere i contingenti di tre rais non molto potenti, ma da sempre fedeli alleati. Altri due rais si aggiungeranno lungo il cammino. Ciascuno di questi non ha grandi forze, ma porta tutto quello che può con generoso entusiasmo.

«Non sono guerrieri, capisci, sono contadini o pastori, questi nostri buoni alleati. Perciò mi serviva comprare anche un esercito vero! Adesso che ho il tesoro in mano, lo do al sultano di Fez che penserà a perfezionare l'accordo col vecchio Ibrahim e saremo al completo. Gli spagnoli dovranno tornarsene a casa».

Baba improvvisa una mappa sulla mensa, spiega dove e

come ci saranno gli incontri con i vecchi e nuovi alleati disegnando confini e traiettorie di spostamenti con stecchi aromatici e marcando città e accampamenti con datteri e focaccine ripiene.

«Il piano è semplice, non si prevedono grosse difficoltà. Se dovessero sopravvenire siamo qui per superarle».

A Baba piace il cimento. Gli è sempre piaciuto, ma da quando gli è schizzato via il braccio gli piace ancora di più, e ha fretta.

«Ogni cosa si compia prima che il resto di Baba sia fracassato e distrutto» dice Baba Arouj con ostentata rassegnazione, e per quel vezzo che ha di battere il braccio d'argento con gran frastuono, quasi per assicurarsi che è lì appeso e attende d'essere usato, con il cucchiaio che è in tavola colpisce le borchie e gli ornamenti che meglio risuonano, poi riprende ad esporre il suo piano di guerra con la sicurezza del grande stratega. «Attraverseremo i territori del sultano di Fez, ci incontreremo con lui, prenderemo l'esercito del sultano Ibrahim e ci spingeremo fino alle ultime coste abitate, con tutte le forze riunite. Arriveranno alleati fin dalle grandi foreste».

Baba è tanto giulivo che dal suo tono sembra prepari il raduno d'un gruppo di bimbi vogliosi di gioco, non d'una massa di uomini pronti a squartare e ad estrarre budella, a spiccar teste e a forzar guarnigioni.

«E appena saremo pronti: giù addosso!»

La mano sinistra di Baba Arouj rotea nell'aria a simulare il volo di un falco e il suo repentino virare e gettarsi a freccia sulla preda che vuole ghermire.

«Piomberemo sulle guarnigioni spagnole del litorale e le smantelleremo in un battibaleno».

Durante tutto il focoso parlare di Baba, Hassan ha la sensazione chiara che sarebbe inutile e sciocco tentare di riportarlo su tranquilli sentieri, visto che quel gran cavallo balzano ha imboccato la strada del sogno sfrenato.

3.

La prima parte del sogno di Baba si avvera. La marcia procede. Si sono aggiunti alla spicciolata o in gruppi parecchi alleati.

Hassan vorrebbe comunque convincere Baba ad usare almeno una maggiore prudenza, a prendere atto di quel che non va. Gli alleati che finora sono arrivati sono un peso più che un aiuto: completamente laceri, armati di fionde, bastoni, lacci da caccia e al massimo archi e frecce, sono sfibrati da marce insensate, non hanno un minimo di disciplina.

Quanto alla disciplina, Baba ribatte che è bastato appendere una decina d'uomini per porre rimedio alla confusione. Gli eserciti grandi si devono tenere nei ranghi col pungolo e con il capestro.

Baba vede tutto roseo, in una maniera che sarebbe ridicola se non fosse tanto pericolosa. Per lui non esistono intoppi, non esistono difficoltà.

I nuovi cavalli sono fiacchi e poco veloci? Ma di ciò Baba Arouj si era accorto prima che Hassan lo dicesse, ha gli occhi anche lui, però non è un guaio, anzi questi sono i cavalli adatti per gli ultimi contingenti arrivati, composti di uomini piuttosto piccoli, magri, spauriti che di baldanzosi destrieri non saprebbero che farsene.

Un rais dell'interno giunge solo, ha dovuto lasciare la truppa accampata oltre le colline che si vedono all'orizzonte, stremata e decimata dalle febbri: meno male che ha pensato a lasciarla lontana, commenta Baba, se l'avesse trascinata con sé avrebbe portato le febbri a tutto l'esercito che invece gode salute ottima; questa non è una disgrazia, è una fortuna, si è evitata un'epidemia; si ringrazi dunque il generoso e previdente rais, rispedendolo com'è giusto dai suoi, senza farlo smontare di sella, con la benedizione di Allah.

Può essere che a Baba Arouj abbia dato di volta il cervello, anche se appare sereno.

I viveri sono sempre più scarsi, si dovranno intaccare le scorte. Altro evento propizio, secondo Baba. Le scorte sarebbero state d'intralcio, abbondanti com'erano, nelle zone aspre e selvagge che si dovranno attraversare nei prossimi giorni. Un ingombro minore consentirà di andare più lesti.

Baba è come invasato. Osman Yaqub direbbe che qualche nemico gli ha versato un filtro in corpo. Deve correre a ripulire le coste finché il vento è propizio. E intende il vento del Fato. Si sente come i duci di un tempo, portato in braccio dagli dèi dell'Olimpo, per il sangue greco che gli ribolle dentro le vene. Parla ad Hassan o ad Amed Fuzuli, che vuole spesso in sua compagnia perché quando è felice Baba diventa cordiale, come se stesse tenendo una solenne orazione, lui che non ha mai fatto nemmeno un discorso ufficiale alla truppa.

«Dove stiamo andando? Perché vogliamo gettarci verso la linea equinoziale a caccia di guarnigioni abbandonate?» dice Hassan a Baba Arouj nel tentativo di riportarlo con i piedi per terra. «Se vogliamo buttare a mare un po' di spagnoli, cominciamo da quelli che occupano posti più vicini alle nostre città!»

Baba, senza arrabbiarsi, ripete il suo ritornello:

«Si vada oltre senza indugiare».

Non ama perdere il tempo in ragionamenti che gli sembrano assurdi, non tiene conto dei puntelli che saltano, non teme passi difficili o scivolosi, qualsiasi contrattempo gli appare al massimo un piccolo fastidio senza importanza. In parte ha cambiato carattere. Non ha scatti d'ira. Le sue punizioni sono sempre dure, esemplari, come ama dire, ma le commina senza mai farsi sangue cattivo, come un padre potrebbe mollare un ceffone a dei figli che mettano il dito nel piatto e ciuccino il sugo senza permesso.

Per tenere in pugno l'esercito Baba Arouj non fa soltanto scannare i riottosi o mozzare i piedi agli sfaticati; quando nel piano di marcia è prevista una sosta, fa allestire spiedi giganti, che non servono per eseguire condanne, come qualcuno potrebbe pensare: ci fa arrostire montoni o pecore, o cavalli azzoppati, o animali selvatici presi con i lacci. Vuole che ognuno si sazi e abbia il suo godimento, con balli e canti.

«Gli uomini sono come i cavalli, se li bastoni ogni giorno diventano bolsi e cattivi».

Apre lui stesso le danze intorno ai fuochi ed incita la truppa a prendersi ristoro e svago.

4.

Con tanti uomini che giungono al campo, provenienti dai posti più vari, talvolta arrivano anche notizie.

Così, cercando di fare il conto dei nuovi gruppi, Hassan scopre un giorno, dal racconto di un tale, che in una delle guarnigioni spagnole che, secondo i nuovi amici di Baba dovrebbero essere senz'armi e senza soldati, c'è un gran viavai di navi con rifornimenti straordinari, come se si preparassero a dare battaglia ad un nemico atteso. Ed è la guarnigione che dovrebbe essere attaccata per prima.

Un'altra volta ha finalmente informazioni sul sultano Ibrahim: brav'uomo, senza ambizioni, vive in una valle molto isolata, è indipendente e fiero, sì, ma non ha mai avuto tanti uomini armati. Allora, come e perché avrà messo insieme un potente esercito da offrire in vendita?

Bisogna che Baba apra gli occhi. Forse l'esercito in questione non è mai esistito, semplicemente qualcuno lo usa come un miraggio per attirare Baba Arouj in un tranello.

Con tatto, Hassan fa rapporto al padre su quel che ha sentito e aggiunge i sospetti suoi e di Amed Fuzuli, che Baba ritiene un giovane saggio, avendolo messo più volte alla prova; e una cosa riesce a ottenerla, benché Baba Arouj la conceda solo per non vedere i suoi ragazzi con i volti bui, essendo egli di buonumore: sarà cambiata una parte del piano, non s'andrà alla cieca contro le guarnigioni spagnole, si cercherà di appurare se qualcosa è mutato da quando gli informatori del sultano di Fez hanno inviato il messaggio allettante che assicurava via libera sull'intero arco di costa che guarda all'oceano.

Purtroppo non c'è verso di convincere Baba a tenere questa decisione segreta; egli manda subito un messo al suo novello amico per avvisarlo che, essendo giunta voce di rinforzi spagnoli alle guarnigioni, Baba vuole mettere a punto con lui i cambiamenti di rotta.

Quello che temono Hassan e Amed Fuzuli è che se, come credono, è proprio il sultano di Fez che complotta, messo in avviso avrà tempo e modo d'inventare un'altra trappola per Baba Arouj, visto che il trabocchetto delle guarnigioni sguarnite non può più funzionare.

«Mandiamo almeno staffette in esplorazione! Ti fidi proprio del sultano di Fez?» domanda Hassan che è diventato noioso come una mosca.

Si mandino delle staffette a vedere le guarnigioni, concede Baba. Qualche notizia fresca non potrà che giovare, ed è sperabile che Hassan si dia pace; con pazienza suo padre Baba lo rassicura, sono mesi e mesi che il sultano di Fez è devoto, pronto a pagare i tributi, ossequiente, ansioso di collaborare e pieno di idee brillanti.

«Tu neghi a un uomo di diventare migliore! Aspetta e vedrai, figlio mio, come ci è amico».

In effetti, entrano senza intoppi nei territori del sultano di Fez. I rifornimenti sono ovunque puntuali. Ci si acquartiera in posti più che decenti. Sono arrivati i cavalli che erano stati promessi. Non sono tornate, invece, le staffette; a parte questo tutto va liscio.

Ma arriva il momento che qualcosa turba la festa interiore di Baba.

5.

La vigilia del giorno in cui, secondo le decisioni comuni, si sarebbero dovuti riunire gli eserciti di Baba Arouj e del sultano di Fez, costui si presenta col volto simile ad un limone macerato in guazzetto di magro, spaventato a morte, benché sia nel suo territorio, e con la furia di un uomo inseguito, benché dietro a lui non ci sia che il suo drappello di scorta.

Baba Arouj sul momento non sospetta nulla di strano e lo saluta da lontano a gran voce, festoso.

«Giungi in anticipo, amico caro».

Ad Hassan dà fastidio che Baba Arouj si sbilanci con questi termini affettuosi; quando mai Baba ha chiamato amico un uomo come il sultano di Fez? Tanto più che a bassa voce, al suo orecchio, Baba insiste.

«Hai veduto? È qui che s'inchina».

«Appunto, è diventato servile e non è un buon segno».

Il sultano di Fez è sceso da cavallo ad una più che rispettosa distanza e si è quasi prostrato per terra in un inchino eccessivo.

«È un leone domato».

«Il sultano di Fez è uno sciacallo, che cosa vedi in lui d'un leone?»

«Guarda che bella criniera!» dice Baba con divertimento, poiché l'ampio e fulvo manto da viaggio del sultano di Fez, sempre prono nel suo smodato saluto, gli incorona la testa con una piega rigonfia.

Ma poiché quell'uomo sembra incollato per terra, alla fine Baba si secca.

«Alzati. Vieni avanti».

Lo sguardo di Baba è sottile come una lama, quello dell'altro troppo umile e incerto.

Il sultano di Fez fa due passi ed attacca con titubanza.

«Il mio compito è duro, Baba Arouj. Ti chiedo perdono, vengo a portarti notizie cattive».

Gli uomini di scorta del sultano di Fez sono rimasti a cavallo e non hanno affatto l'aria avvilita e mansueta del loro padrone. Squadrano il campo dall'alto, in atteggiamento di all'erta, pronti a scattare.

«Ti sei giocato il tuo esercito?»

Senza aspettare risposta, Baba comanda ad Amed Fuzuli che si occupi di fare agli ospiti gli onori di casa. Le parole sono cerimoniose, ma il tono è inequivocabile: sorveglianza assoluta.

«Alzati, ho detto. Vieni e parliamo».

Baba Arouj entra nella sua tenda, seguito dal sultano di Fez e dal principe Hassan.

Baba punta la testa in avanti, si mette a braccia conserte, cioè con il braccio vero sostiene quello d'argento e lo stringe.

«Non mi hai portato il tuo esercito. È questo il succo della notizia?»

«Il mio esercito è tutto per te e benedico la sorte di poterti servire, potentissimo ed eccellentissimo Baba Arouj. Abbiamo avuto disgrazia».

Il sultano di Fez prende il discorso alla larga, continua a invocare celesti benedizioni.

«Vieni alla disgrazia. È Ibrahim che non vuole più dare il suo esercito? Non ce l'ha più?»

«Ci hanno traditi».

Il sultano di Fez confessa di essersi lasciato stupidamente giocare dal vecchio Ibrahim e dagli spagnoli.

«Gli spagnoli che c'entrano con Ibrahim? Siediti e vuota il sacco».

Il sultano di Fez siede sul tappeto come hanno fatto Baba e Hassan.

Ibrahim ce l'ha quell'esercito, ed è un esercito grande e bene addestrato, non è questo il problema: ma su quell'esercito non c'è più da contare, Ibrahim ha stretto un patto con gli spagnoli, si è impegnato con loro ad attirare Baba sempre più addentro nel suo territorio. Ed è vero che le guarnigioni spagnole si sono armate. Ibrahim aveva messo in piedi un imbroglio.

«Ma ora basta, ci siamo accorti del suo tradimento, Baba Arouj, per nostra fortuna».

Il sultano di Fez ha parlato tutto d'un fiato, quasi cavandosi un peso dal cuore.

«Che bella fortuna! Dovevi farmi arrivare fin qui?»

Baba si irrigidisce, scruta l'altro come un felino puntato.

Il sultano di Fez non cerca attenuanti, è pronto ad offrire la testa per la sua dabbenaggine, ma Ibrahim gli pareva assolutamente fidato: hanno combattuto insieme parecchie battaglie, regolarmente si scambiano doni, ci sono tra loro abbondanti commerci. Gli spagnoli devono aver costretto in fretta e furia Ibrahim ad un accordo capestro, oppure devono averlo pagato moltissimo. Il loro scopo è quello di logorare Baba Arouj ed il sultano di Fez in tanti piccoli assedi alle guarnigioni che gli spagnoli hanno rimpinzato di viveri, uomini, polveri e cannoni nuovi, per poter dare alla fine con facilità il colpo di grazia. Il sultano di Fez dice di aver ricevuto messaggi in proposito dall'interno delle guarnigioni medesime, da gente che è al suo servizio.

«Ma non erano anni che gli spagnoli lasciavano le loro guarnigioni spoglie di tutto?»

«Questo dicevano prima gli informatori!»

«Dunque prima i tuoi informatori dormivano e adesso hanno mangiato lo zenzero e si sono svegliati. È così?»

Il sultano di Fez è di nuovo in ginocchio a battersi il petto. È stato uno sciocco. Però, che le guarnigioni da tempo languissero nell'abbandono era esatto. Ci sono le prove che i rifornimenti e le opere di riassetto sono state una manovra recente e segreta.

«A che servono gli informatori se non fanno conoscere le cose segrete? Le normali notizie le porta anche il vento».

Timidamente si affacciano i vivandieri. La cena è pronta. Baba si alza e prova il filo di un'enorme lama. Il sultano di Fez non sa se alzarsi o restare giù prono in attesa del suo momento. Trattiene il fiato.

«Vieni. Non vuoi mangiare? Per ora non so che farmene della tua testa. Preferisco affettare il montone arrostito».

Non si deve allarmare la truppa con notizie cattive. Stasera si farà come sempre, si mangerà fuori, con gli ufficiali e i soldati riuniti. Sembra che Baba abbia ripreso il suo umore sereno.

«Quanto al tuo amico, il sultano Ibrahim, lo lasceremo con un palmo di naso. Non ci faremo attirare fin là. Non attaccheremo le guarnigioni spagnole, per ora. Sapremo temporeggiare».

È inutile saltare la cena, uno stomaco vuoto non aiuta a risolvere nessun problema di guerra, meglio seguire l'invito degli stuzzicanti aromi pungenti che vengono dallo spiazzo al centro del campo, le decisioni a più tardi. Ciascuno proceda alle abluzioni di rito.

Il sultano di Fez è accompagnato nella tenda dove i servi gli hanno preparato i lavacri a ristoro delle fatiche del viaggio.

Baba Arouj ha ben altro da fare che le abluzioni, deve pensare. E deve lasciar sbollire la rabbia. Vuole mostrarsi freddo e calmissimo.

«Dovrei farlo tuffare nell'olio bollente, invece di aspergerlo di acque rosate. Potrei ucciderlo con tutta la scorta, ma non serve a nulla. Bisogna capire a che cosa mira. È chiaro che mente. Dev'essere lui che trama con quell'Ibrahim. È geloso che sia io a condurre l'impresa. Non sei d'accordo? Parla».

Tutta la storia di Ibrahim, del suo esercito all'asta, delle guarnigioni spagnole che prima erano vuote e facili a prendersi come mele mature e ora sono zeppe di difensori e di armi è una favola che non sta in piedi. Hassan non ne è mai stato convinto, e Baba lo sa.

«Si può benissimo andare a vedere nelle terre di questo Ibrahim; con qualche giorno a cavallo si possono avere notizie di prima mano. Si può fare un salto anche in una guarnigione spagnola visto che le prime staffette devono averle fermate. Dobbiamo uscire da questo pasticcio. Io sono pronto a partire».

Baba lo guarda con molta tristezza, si batte e preme la fronte come se volesse spezzarla.

«È una testa balzana, non serve più. Si è presa il gusto di dondolarsi tra i sogni».

E quasi la pacca alla fronte avesse sortito l'effetto di farne uscire insieme preoccupazioni e mattane, Baba Arouj si avvicina rasserenato al figlio e gli posa la mano sul braccio. Non vuole che vada a cacciarsi in una missione pericolosa, soprattutto non vuole che si separino ora.

«Tu devi restare con me».

Del resto se quell'Ibrahim e il sultano di Fez sono in combutta, come ormai Baba sospetta, è l'ospite che bisogna tenere a bada, per non cadere del tutto nelle sue mani. E non deve accorgersi che hanno scoperto il suo inganno fino a che non abbia sputato intero il suo fiele e i suoi tradimenti.

«Andiamo a cena, figliolo. Sta per alzarsi il vento, dobbiamo far presto se non vogliamo mangiare la sabbia insieme al montone».

6.

La cena in ogni caso doveva avere il destino di venir consumata in piena tempesta.

Appena fermati gli spiedi ed iniziato il taglio degli animali arrostiti, arrivano due uomini del sultano di Fez con nuovi messaggi. Purtroppo le cattive notizie non sono finite.

Gli informatori assicurano che dalla Spagna sono partite navi per assaltare il porto di Algeri che gli spagnoli ritengono di trovare sguarnito, a causa dell'impresa di Baba Arouj verso occidente.

Il beylerbey si è girato di scatto. A questo non crede, ma è fortemente irritato. Non crede che sia in corso un attacco ad Algeri, perché se così fosse Kair ad din lo saprebbe e li avrebbe avvisati.

Ma il sultano di Fez continua a straziarlo come un unicorno malefico, rigirando il suo pungolo nella pelle che è riuscito a scalfire. I messaggi di Kair ad din potrebbero essere stati bloccati. Baba ha spostato il campo più volte, non sarebbe stata impresa da poco, per eventuali messi da Algeri, rintracciarlo passando indenni tra possibili agguati.

La spedizione su Algeri è studiata a tenaglia, dicono gli informatori, poiché contemporaneamente un cospicuo esercito sta uscendo da Orano sotto il comando del marchese Comares.

«Comares?»

«È il nuovo governatore» spiega il messo testé arrivato mentre consegna al suo sultano un plico ben chiuso.

Baba Arouj è sconvolto. Non sapeva che Comares fosse divenuto governatore di Orano. Se c'è lui di mezzo la notizia dell'attacco ad Algeri può essere vera.

Per di più, il plico che il sultano di Fez ha dissuggellato contiene una prova: una lettera autografa del marchese Comares al re di Spagna, intercettata in mano al corriere. In essa il governatore dà conto dello stato effettivo della guarnigione di Orano, riferisce la consistenza numerica e il grado degli armamenti dell'esercito pronto a partire e di quello che resta in castello e nel porto, computa l'ammontare del soldo di paga e delle spese per cavalli e viveri, prevede tempi e modi dell'avanzata, dell'assedio e dell'approvvigionamento ulteriore di munizioni, uomini e sussistenze se i tempi dovessero prolungarsi.

Baba Arouj restituisce al sultano di Fez la missiva del marchese Comares e si rimette a mangiare il suo pezzo d'arrosto. Gli altri cercano di fare altrettanto, ma l'appetito è saltato. Il sultano di Fez non tocca più cibo. Baba Arouj, da perfetto ospite, si mostra preoccupato che le carni si siano troppo seccate e fa spremere due arance succose sul cosciotto rimasto quasi intatto davanti al suo commensale.

La truppa barbaresca, nonostante gli sforzi di Baba, ha capito che c'è qualcosa di grave. Il pasto procede in silenzio, senza il normale contorno di giochi e di risse.

Dagli spiedi ormai quasi vuoti cola il grasso sui residui del fuoco e manda odore cattivo.

«Getta acqua di salvia su quelle braci, cabilo».

Baba è tanto attento ai particolari da parere perfettamente sereno.

«Qualche proposta? Dicci che cosa consigli».

Il sultano di Fez si schermisce, protesta di sentirsi troppo inferiore per dare consigli a Baba, grande sovrano e grande stratega, ma via via tira fuori il suo piano e le parole gli escono come torrenti che abbiano fatto saltare una diga. La condotta che si deve tenere è per lui chiara e precisa. La proposta del sultano di Fez è che l'indomani Baba ritorni ad Algeri; egli stesso provvederà personalmente a rimandare gli alleati nelle loro terre, e con il proprio esercito attuerà subito una conversione su Orano; ha intenzione di dar fastidio agli spagnoli usciti dalla loro città affinché Baba con i suoi possa velocemente puntare su Algeri. Gli indica la strada che deve seguire, sin da ora gli fissa i punti dei rifornimenti e dei cambi degli animali. Farà trovare in ogni tappa stupendi cavalli moreschi, ben nutriti e strigliati, pronti per Baba, perché Algeri ha bisogno di lui.

La sollecitudine con la quale il sultano di Fez pensa alla salvezza di Algeri lo riabilita completamente agli occhi di Baba.

«Questo è davvero un amico» pensa, perché i suoi sentimenti vanno su e giù come i fagioli in pentola, «come ho potuto sospettarlo in combutta con quello sciagurato Ibrahim. Di lui c'è da fidarsi, non racconta menzogne».

Comunque chi pensa più ad Ibrahim, alla costa da conquistare, alle navi che portano l'oro dalle Nuove Indie? Ora che ha visto la lettera del marchese Comares, Baba non ha altri sogni che correre a casa, a difendere la città che è la perla e il cuore del regno.

Hassan invece non crede all'attacco di Algeri, come non crede alle supposte macchinazioni del vecchio Ibrahim per condurre Baba Arouj allo sprofondo d'accordo con gli stranieri, come non crede alla lealtà sbandierata dal sultano di Fez.

Il vento s'alza. All'inizio è poco più di una brezza, ma prima che gli uomini abbiano il tempo di porre i ripari si fa impetuoso. Si lasciano le mense a mezza cena, si corre a fissare le tende con doppi e tripli tiranti, alcune devono essere tolte, altre abbassate. Gli animali, abituati alle follie del cielo, si stipano nei recinti a formare una massa compatta per resistere alla forza del turbine. La sera è calata in fretta, l'aria densa e terrosa avviluppa il campo e lo separa dall'ampia conca in cui giace. Gli ospiti hanno chiesto licenza di andare a dormire e sono stati condotti ai loro alloggi, ben rinforzati e per cortesia e precauzione guardati a vista. Ogni rumore è impastato nei sibili della bufera montante.

7.

«È il sultano di Fez che prepara una trappola».

Hassan cerca di far comprendere a Baba Arouj questo fatto evidente: è tutto un trucco ben preparato. Poiché la pania delle guarnigioni non ha funzionato, ora si vuole costringere Baba ad andare da qualche altra parte dove sia facile tendergli un bell'agguato. Prima di cena anche a Baba pareva equivoco il comportamento del suo alleato e cominciava a vedere più chiaramante quale ruolo giocasse, ora è tornato cieco. Per Hassan il sultano di Fez è in combutta con il marchese Comares, che ha conosciuto proprio ad Algeri.

Baba Arouj obietta: se il sultano di Fez fosse colpevole, perché mai l'avrebbe avvisato che Algeri è in pericolo?

«Perché non è in pericolo affatto».

Secondo Hassan non è possibile che gli spagnoli dispongono di tante forze in questa parte del mondo da provocare volutamente assedi contro tutte le proprie guarnigioni, come il sultano di Fez asseriva prima di cena, e da inviare contemporaneamente una flotta e un esercito contro Algeri, tutto ciò con l'impero perennemente in subbuglio, le spedizioni alle Nuove Indie che si susseguono senza posa, i turchi pronti a incunearsi nelle terre in mano agli Asburgo ai confini dell'Europa orientale.

Ma Baba Arouj non intende ragione. La via che il sultano di Fez ha indicato gli pare ben tracciata e percorribile, molto giusta, affidabile. Serve aiuto per muoversi a marce forzate con un intero esercito e se il sultano di Fez è disposto ad offrirlo non vede perché non lo si debba accettare.

E gli alleati? Come si fa a lasciarli così, privi di scorte, di armi, di qualcuno che li diriga? Non sono in grado di seguirli nelle marce forzate, né di resistere soli in terra straniera.

Baba Arouj è sensibile al tema. Certo, il sultano di Fez non è tipo da farsi protettore dei deboli, questo lo ammette. Forse Hassan è riuscito a smuovere l'assurda fiducia cui Baba Arouj sembrava essersi cocciutamente appeso scambiando il sultano di Fez per un'ancora di salvataggio. Per non lasciar cadere gli alleati nelle mani del sultano di Fez, il beylerbey sembra disposto a preparare un contropiano. Anzi, poiché il sultano di Fez gli è sempre stato antipatico, a Baba verrebbe quasi l'idea di filarsela nottetempo, lasciandolo imbavagliato e pieno di rabbia, ma dato che non dubita dell'autenticità della lettera del marchese Comares né che l'attacco ad Algeri sia in corso, non vuole fare nulla che possa tardare o mettere in forse il suo tempestivo soccorso ad Algeri.

All'alba fingeranno di eseguire i piani dell'ospite. Baba partirà, prendendo il cammino che gli è stato consigliato e avrà Hassan al suo fianco. Amed Fuzuli resterà al campo con gli alleati e con un suo contingente, con il compito ufficiale di preparare i carichi delle retrovie e, appena partito il sultano di Fez verso Orano, rimanderà nei loro distretti gli alleati più deboli, fornendoli dei possibili aiuti, ma soprattutto cercherà di verificare se il sultano di Fez ha detto qualcosa di vero o se le sue sono tutte invenzioni.

Baba Arouj e Hassan alla prima tappa prevista dal sultano di Fez per gli approvvigionamenti non correranno pericolo poiché si tratta di un luogo aperto, inadatto alle imboscate, in cui vive gente fedele a Baba, che tiene in Algeri i figli dei maggiorenti di quelle tribù, un poco ospiti e un poco ostaggi, come si usa. Lì ci saranno sicuramente degli emissari del sultano di Fez e si avrà cura che possano tranquillamente riferire al loro padrone che tutto si svolge come lui vuole: così gli spioni saranno a loro volta spiati e giocati.

Per prudenza verrà invece spostata un po' più a sud la seconda tappa, dove si dà appuntamento ad Amed Fuzuli. La deviazione sembrerà un semplice errore di strada.

Il vento violentissimo continua a spegnere i lumi e a far turbinare la terra sabbiosa; dato che si dovrà partire all'alba si dà l'ordine che gli uomini si mettano tutti a dormire sotto i ripari, tranne i soldati di turno per ronde e vedette, che Baba comanda siano scelti nelle pattuglie migliori.

Le bestie sembrano calme, ma se la bufera di vento non cala non riusciranno ad avere un sufficiente riposo.

«E allora cantategli la ninna nanna» dice Baba Arouj a mo' di commiato, rinfrescandosi con una pezzetta calda intrisa di acque odorose il volto tornato disteso, «perché in ogni caso all'alba si partirà».

XVII.

1.

La stessa notte Algeri dorme tranquilla, tranquilla come può esserlo una città, con il suo porto, le sue taverne, la sua gente che a sera diventa più gaia o più litigiosa, i suoi delinquenti che al buio vanno in giro a far danno, con tutti quelli che piangono, quelli che ridono, con le nascite e le morti che la notte sono più numerose. Algeri, sul suo cuscino di fatti e misfatti, riposa.

Anche Osman Yaqub a suo modo sta riposando. Approfitta dell'assenza del principe Hassan per riordinargli la biblioteca; e mentre toglie la polvere, mentre ricuce un drappeggio o cerca di decifrare uno scritto troppo complicato per lui, Osman si riposa divinamente cantilenando con voce sommessa, senza riuscire a imbroccarlo, un motivo che gli frulla in testa, benché non sappia da dove gli arriva. Cantare fa bene. Quando Carlotta Bartolomea s'arrabbiava, perché non poteva dormire per gli strepiti delle viverre, lui per calmarla la invitava a cantare.

«Canticchi un po', marchesa. Quel che le viene le viene, vedrà come fa compagnia».

Quella povera donna, pensa Osman, in fondo non è cattiva; avrà filo da torcere, tornata sotto le grinfie del suo Comares.

Quando Comares stava a palazzo si era visto chiaro che portava scalogna. Bastava che Osman l'incontrasse, perché gli andassero storte le cose per l'intera giornata.

«Purché non mi porti male anche a distanza! Speriamo che non basti questo passaggio rapido nella memoria».

E per cavarsi di mente la nefasta immagine di quell'uomo, Osman si mette d'impegno a far tornare le note della sua cantilena, strofa per strofa. Gli sembra di aver finalmente afferrato tutto il motivo, ma l'improvviso rimbombo di una corsa nell'atrio esterno lo fa stonare.

«Sarà qualcuno mandato dall'intendente».

Osman Yaqub sta fermo e zitto, perché l'intendente di palazzo, che per lui ha un'invidia di lunga data, gli fa prepotenze e dispetti; ora non vuole che negli appartamenti reali si tengano i lumi accesi la notte. Osman potrebbe ricorrere a Kair ad din, che è a palazzo, ma non gli pare bello disturbarlo per stupide cose domestiche, delle quali egli non ha amato mai occuparsi. Cerca di prepararsi a fare una faccia altera e irritata per impressionare la spia dell'intendente, ma il suo sforzo è inutile, perché compare invece Anna di Braes, che gli si piazza davanti muta e con gli occhi fissi.

«Signore Iddio, cos'è? Baba è tornato stavolta senza una gamba? È successo qualcosa al principe Hassan?»

Anna tira profondi respiri, senza dare risposta e senza batere ciglio.

«Sono morti entrambi?»

Anna fa di no con un debole cenno del capo, ha gli occhi sempre più grandi e le sue spalle ad ogni respiro s'alzano come due ali.

Osman lascia cadere i suoi stracci, si pulisce le mani nella ruvida veste da lavoro e spinge dolcemente la ragazza verso il divano.

«Uccellino mio, tu stai male! Siedi, riposa. Che c'è, tesoruccio? Dimmi che c'è, cuore mio».

C'è che il maledetto principe romano ha mandato il riscatto e un emissario è venuto per condurla a Roma: il delicato uccellino di Osman, Anna di Braes, dà prova di aver imparato tutti gli insulti di moda giù nelle stalle e li grida all'indirizzo del suo sposo novello, degli zii Comares, del sovrano di Spagna e anche del Papa, che forse con quel matrimonio non c'entra ma è il sovrano di Roma, dove vive quel-l'odioso principe Ermenegildo.

«Devi dirmi una formula che sciolga dai giuramenti».

Osman non conosce nessuna formula adatta, lui ne fa pochi di giuramenti, perché se poi non ci si sta attenti e si infrangono è peccato grave, sono patti con quelli del cielo.

«Sbrigati, inventala, se non la sai, che ti ci vuole? Non vorrai farmi diventare spergiura!»

«Beata Vergine, madre di Dio...»

«Fa' in fretta, che mi viene da piangere e ho giurato di non piangere più!»

«Beata Vergine, madre di Dio libera Anna dal giuramento e lasciala piangere in gloria del Padre, del Figlio e dello Spirito Santo, amen. Apri la diga». Ad Anna non scende invece neanche una lacrima. «Sembrava che tu volessi allagare il palazzo! Sei troppo arrabbiata per piangere, tesoro mio» le dice Osman carezzandola, «che posso fare per te?»

«Dammi un veleno».

«Io non faccio veleni».

«Non conosci nessun veleno?»

«Ne conosco di ottimi, ma non voglio farmi tagliare la testa. Sai che succede, se avveleni l'emissario del tuo sposo e signore?»

«Sono io che voglio morire».

«Sciocchezze, uno sposo vecchio non ti darà fastidio a lungo, il Signore è pietoso» dice Osman fingendosi cinico e duro, nella speranza di darle coraggio, «non ti crucciare, tesoro. Quando è successa questa disgrazia?»

Nessuno ne sapeva nulla, ma l'emissario è arrivato da due giorni almeno. I contabili hanno rivisto le carte e controllato il riscatto; tutto era a posto, compresa un'abbondante penale per il prolungato ritardo. Allora hanno steso il foglio per il rilascio e, finito il Consiglio, l'hanno portato a Kair ad din per la firma.

«Lo vedi? Non c'era niente da fare».

Anna è così disperata che sembra inerte. I rais si trovavano bene con lei e anche le dame dell'harem, anche i soldati e gli animali che stanno dentro il serraglio. C'è tanta gente a palazzo, poteva restarci anche lei. Non si aspettava che Kair ad din la lasciasse partire.

Osman la prende alla lunga. Certo, quel mascalzone di sposo ci ha messo anni a decidersi, se ce ne metteva ancora un po' se lo pigliava la morte e la storia era chiusa, ma se adesso ha adempiuto a tutti gli obblighi previsti dalle clausole del primo contratto, dagli accordi aggiuntivi, dalle trattative più volte prese, lasciate e riprese, non c'è proprio niente da fare. Kair ad din non può rimangiarsi una transazione firmata e controfirmata pubblicamente. Non è lecito nemmeno ai re di sbugiardare la parola data. Anche i sovrani devono pure obbedire a qualcosa. Ci sono leggi e usanze anche per loro.

Anna non ce l'ha con il rais Barbarossa che ha fatto quello che ritiene giusto; però ci sarebbe stata una soluzione che, rientrando nell'uso comune, avrebbe tagliato la testa alle trattative quando erano lì che languivano.

Osman Yaqub comincia a tremare. Dice che non bisogna tentare troppo la sorte, e la sorte prevede per Anna un futuro di donna potente, altro che essere chiusa in un harem. Sarà padrona di terre vastissime, vivrà in una città piena di divertimenti e di cose sante, avrà molti servi, famigli, scudieri, udrà salmi cantati con tale perfetta armonia da sembrare cori di angeli in paradiso, avrà uno stuolo di sarti, di parrucchieri e di adoratori. Qui cosa sperava?

«Zitto, Osman, per carità, che vai dicendo?» si rimprovera il vecchio tutto turbato: se Anna dice a cuore aperto cosa sperava, a lui tocca parlare di quello che ha sempre voluto tacere. «Benedetta la madre del mio ragazzo» pensa Osman Yaqub con angoscia, «doveva farlo proprio con quei due occhi e quel volto? Per forza, la piccola doveva cascare in trappola!»

Forse è venuto il momento che Osman parli, invece. E forse, benché Osman Yaqub si senta il cuore spezzato, è per il meglio questa partenza mentre il principe Hassan è lontano. Osman è vecchio e non s'intende di cose d'amore, ma l'aveva capito da un pezzo che si preparava un disastro.

Anna ha lo sguardo vuoto, come se l'avesse lasciata ogni pensiero di vita; tiene le braccia abbandonate nel grembo e il mento chino, come quando bambina, stava a rimirare le sue viverre per ore, facendole correre dietro le noci.

«Osman, dimmi se è vero che Baba Arouj un tempo ha offerto ad Hassan di tenermi con sé?»

Osman può mentire, se a qualcuno è utile, ma questa volta non serve. Fa cenno che è vero.

«E Hassan non mi ha voluto tenere».
Osman fa un altro cenno col capo. È meglio che la piccola sappia.
Anna si alza e per tre volte fa il giro intorno alla stanza. Osman resta inchiodato a fissare una stupida pietra per terra. Sarebbe giusto spiegare. Ma che cosa c'è da spiegare che Anna di Braes non abbia intuito?
«Sai, Kair ad din mi regala Pinar, che è contento di venire con me. E come dono di nozze mi ha dato questo smeraldo. Anche tu devi darmi qualcosa».
Ad Osman non par vero di poterle fare una cosa gradita, balza in piedi per cercarle un dono.
«No. Non adesso. Non voglio sapere cosa mi dai. Non voglio saperlo nemmeno sulla nave, mi terrò la sorpresa fino all'arrivo, per serbarmi un momento felice quando sarò lontana. Puoi consegnarlo a Pinar. E lui ti darà una mia lettera. La partenza è domani. Non scendere al porto; non ti fare vedere, ti prego».
Osman abbassa gli occhi per tenere nascosto alla piccola quanto lo laceri quest'addio inaspettato.
Un uccello notturno lancia per l'aria il suo grido. Gli risponde un secondo grido, o forse è una semplice eco.
«Se il grido ha risposta non porta il malaugurio. Non lo sapevi? Stai serena, piccola, io pregherò e ti avrò nell'anima ogni momento, come ho il mio figliolo e signore. Quando Hassan è lontano, me lo figuro tante volte che è qui scolpito nelle mie pupille».
«Fammi guardare».
Osman serra gli occhi strettissimi e le prende le mani tirandola a sé.
«No. È meglio di no».

2.

Le truppe di Baba Arouj sono duramente provate da una marcia senza respiro.
Hassan è riuscito a convincere Baba, sempre oscillante tra momenti di fiducia ed altri di insicurezza e d'insofferenza, ad avanzare molto guardinghi benché dopo la prima tappa

ci si tenga un po' discosti dal percorso consigliato dal sultano di Fez. A parere di Hassan bisognerebbe allontanarsene molto di più.

Le staffette mandate a perlustrare sono tornate con la notizia di piccoli agguati. Neanche Baba ha più dubbi sulla slealtà del sultano di Fez, tuttavia questi agguati potrebbero essere spiegati come azioni di tribù o di gruppi isolati, dal momento che sicuramente s'è sparsa voce che Baba trasporta un enorme tesoro.

Ma al quinto giorno si ha la prova definitiva della connivenza tra il sultano di Fez ed il marchese Comares.

Anche il sultano di Fez manda ronde in perlustrazione per avere conferma che il suo piano abbia seguito, che cioè Baba vada in direzione di Algeri, sia pure per una strada ogni tanto un po' differente da quella da lui suggerita. Una di queste ronde è catturata: si tratta di sei uomini, di cui quattro sono spagnoli. I prigionieri vengono interrogati senza clemenza. Ne crollano due. Rivelano quel poco che sanno, cioè che il sultano di Fez è d'accordo con il governatore di Orano, il che poteva essere sufficientemente provato dalla presenza degli spagnoli, ma soprattutto rivelano che le forze congiunte dei due attendono al varco i barbareschi in un punto del percorso dove contano di annientarli con facilità, data la postazione favorevole e la sorpresa.

I prigionieri non sanno nulla di una spedizione su Algeri.

«Vedi? Quella era un'invenzione per farti passare di qui» dice Hassan a Baba, contento che la sua convinzione trovi conferma, «e se non c'è urgenza di precipitarsi ad Algeri, perché continuare per una via che porta dritta in bocca ai nemici?»

Ma su quest'ultima parte della faccenda Baba Arouj non si lascia smuovere: la lettera di Comares che il sultano di Fez gli ha mostrato testimonia validamente per lui che quell'attacco è in corso, mentre il fatto che quattro soldati spagnoli lo ignorino non ha la minima rilevanza. Si deve a tutti i costi raggiungere Algeri. A nulla giova che Hassan gli rammenti che la città ed il porto non sono affatto sguarniti, che ad Algeri c'è Kair ad din con i suoi uomini, Baba vuole correre nella sua tana, con la stessa determinazione e irruenza, con la stessa follia con cui prima voleva dominare l'intera costa e conquistare i conquistatori delle Nuove Indie. Ammette che ci siano dei rischi a seguire il percorso tracciatogli dal suo ex alleato, ma insiste a seguirlo poiché è il più breve; tuttavia costringerà i suoi nemici a dargli la caccia a zig zag con una tal serie di deviazioni da farli ammattire.

«Conosco la zona» garantisce Baba, e in prospettiva di questo gioco a rimpiattino riprende fuoco e baldanza.

Hassan, che teme i suoi entusiasmi, gli ricorda che il sultano di Fez conosce quelle terre ancor meglio perché sono le sue e potrebbe quindi esser lui a godersi il divertimento finale, se restano a portata di mano.

Da vari giorni avrebbero dovuto incontrare Amed Fuzuli; il suo ritardo è per il principe un'altra fonte di preoccupazione.

«Sarà andato a cercarsi dei guai. Se si è perso, pazienza. Noi non possiamo aspettarlo».

Baba Arouj, deluso, sfinito, mostra i suoi lati peggiori.

Nei momenti più pazzi Hassan cerca di stargli lontano per lasciarlo sfogare. Eppure, quando il Barbarossa sprona il cavallo e gira intorno urlando da satanasso, la sua esplosione insensata serve a mandare avanti la spedizione. La truppa, che l'ha sempre adorato pur nel terrore, è convinta che il beylerbey faccia così per incitarla. Urla in risposta e continua con maggiore energia il suo cammino. Si va avanti per ore.

Man mano che i giorni passano, la situazione si aggrava. L'esercito comincia a venir decimato dai disagi di questo dannato ritorno. Gli approvvigionamenti sono quasi impossibili. Il sultano di Fez, accortosi che il suo gioco è stato scoperto, non pensa certo a farli arrivare.

Bisognerebbe uscire dai suoi dominî, cambiare radicalmente di rotta, piegare molto più a sud, affrontare i deserti, se davvero si vuole sfuggire alle insidie tese dal marchese Comares.

Forse il sultano di Fez potrebbe inseguirli fin nel deserto, ma il suo solo esercito non rappresenta un pericolo grave e gli spagnoli non potrebbero accompagnarlo laggiù, sono inesperti e non attrezzati per farlo.

Certo, decidere il percorso dentro il deserto vorrebbe dire accettare tempi molto più lunghi per il ritorno ad Algeri e lo scoglio è sempre il medesimo, Baba Arouj preferisce continuare il suo gioco del gatto e del topo, facendo perlustrare la rotta normale per percorrerla quando è sicuro che non sia infestata, disposto a deviare solo se è indispensabile.

La truppa è stanca, gli animali hanno sempre più spesso bisogno di soste, in queste condizioni sarebbe impossibile evitare imboscate basandosi sulla velocità. Ci si mette anche il clima. Riprendono le tempeste di terra e sabbia. Per quasi due giorni si resta bloccati in una conca.

«Perché non ci attaccano qui? Sono codardi». Al nemico che può mettere in campo forze non provate da lunghe marce converrebbe arrischiarsi col tempo cattivo e sorprenderli, piombando giù dai pendìi circostanti. «Voglio vedere se vengono! Fatti avanti, Comares!»

Sembra che Baba desideri avere lo scontro il più presto possibile, anche se nei fatti tende a evitarlo, perché sa che avrebbe addosso avversari molto più forti e che l'urto sarebbe insostenibile.

Quando la tempesta è al culmine, l'attacco nemico diventa improbabile, ma si passa l'ordine di stare all'erta ugualmente. Le sentinelle sono nervose, la visibilità quasi nulla, perciò appena sul far della sera si profila un gruppo che avanza, per poco non lo si ricopre di frecce, senza guardare di chi si tratta.

È il contingente di Amed Fuzuli che miracolosamente ce l'ha fatta a tornare. Amed Fuzuli è ferito, da giorni i suoi lo trascinano su di un'improvvisata lettiga.

«Ti sei fatto ambizioso, hai voluto un traino come quello che porta il tesoro» dice Baba Arouj lieto di rivedere il giovane amico, scordando che prima era disposto a lasciarlo tranquillamente per strada.

Le notizie raccolte da Amed Fuzuli sono un'altra chiarissima prova degli inganni del sultano di Fez. Quel povero vecchio Ibrahim è morto da più di due mesi, ucciso a tradimento. Egli non aveva un esercito, ma un esiguo manipolo di valorosi guerrieri pronti a combattere al fianco di Baba Arouj contro gli spagnoli, senza pagamento alcuno, persino dopo la morte del loro signore, se il sultano di Fez non li avesse annientati con tranelli e imboscate onde evitare intralci ai suoi piani.

Impossibile alzare tende per la nottata, uomini e bestie si

ammassano a terra per farsi l'un con l'altro riparo, sperando che il mattino non li trovi sepolti. Si riesce a tendere appena un bassissimo tetto di pelli, dove i capi devono stare a consiglio.

Secondo le informazioni di Amed Fuzuli, gli eserciti di Fez e di Spagna continuano a contare sulla fretta di Baba, e lo attendono sempre lungo la strada del ritorno ad Algeri. Ritengono che un paio di luoghi siano passi obbligati e in entrambi hanno messo contingenti nutriti.

Ci sarebbe una speranza di forzare il blocco, seguendo una pista abbandonata da secoli, perché disagiata e troppo scarsa d'acqua; se però si sceglie quella pista, bisogna lasciare i carichi pesanti, gli equipaggiamenti non indispensabili e le bestie da vettovagliamento. E resta pur sempre il rischio che i nemici, non vedendoli passare dalle strade usuali e nemmeno nei territori adiacenti, risalgano anch'essi il vecchio cammino.

La polvere si stende ovunque e la s'inghiotte parlando; i volti sembrano maschere, i caftani e i mantelli hanno tutti un colore di luna, benché non ci sia luna nel cielo.

Valutati i pro e i contro, Baba Arouj decide che si tenti la via più impervia, la pista antica. Se tutto deve finire, finisca in gloria. Un cenno di Baba Arouj pone fine al consiglio notturno. Ciascun ufficiale torna al proprio squadrone.

Il palafreniere di Baba, con un gesto che da tempo gli è divenuto abitudine, prima di inchinarsi nel saluto deterge con un lembo della sua tunica il braccio meccanico.

«Amed Fuzuli ha una richiesta da farti» annuncia Hassan prima che Baba congedi anche l'amico appena arrivato.

Per raggiungerli Amed Fuzuli è transitato da zone desertiche e ha scoperto un'oasi pressoché abbandonata, ben nascosta e protetta.

«Vuoi farci un castello?»

«Un accampamento».

Nella difficilissima strada scelta per il ritorno ad Algeri, la truppa a piedi, la gente malata o ferita è solo un peso e non ha alcuna probabilità di salvezza; ne avrebbe di più facendo un percorso a sud, sfruttando le scorte che gli altri non possono portarsi dietro, compresi gli armenti da cibo. Inoltre, in tal modo il campo verrebbe completamente smontato, si eviterebbe di lasciare indizi pericolosi. Gli uomini a piedi non sono tanti, potrebbero nascondersi bene in quell'oasi, aspettando di rimettersi in sesto per poi prendere a sud e di lì con ampio giro tornare ad Algeri con calma, passando per terre che dovrebbero essere di genti amiche. Dividendo così l'esercito in due tronconi è sperabile che, pur tra molti disagi, sia per entrambi maggiore la possibilità di sopravvivenza.

La proposta è accettata, soprattutto perché consente che gli uomini validi arrivino prima a difendere Algeri.

Baba non spreca parole quando apprezza un suo uomo e gli è grato.

«Bene, passate gli ordini» dice abbracciando Amed Fuzuli, «ci vedremo ad Algeri, ti farò preparare da Osman Yaqub un buon impiastro da mettere sulla ferita appena arrivi, così potrai subito tornare in battaglia!»

No, Amed Fuzuli non vede l'ora di ritirarsi a studiare in pace nel silenzio della sua scuola o, forse, raggiungerà Cai Tien e faranno vita da anacoreti tra le sue montagne, come sognavano quand'erano insieme a palazzo.

«Era per questo!» lo sguardo di Baba corre ad Hassan. «La tua grande smania per il viaggio in Persia era per farti anacoreta con loro!» Con uno dei suoi rapidi sbalzi d'umore Baba Arouj ritrova la sua faccia ironica da pirata impunito. «Volevi scappare, ma io ho combinato guai così grandi che ti ho fermato: adesso avrai il gusto di provare a fare il rais meglio di me, altro che diventare filosofo ed eremita! Beh? Che ci fai ancora qui a perdere tempo? Vai. Controlla che sia ben saldo il traino della cassa dell'oro, ne avremo di buche e di sassi da superare di corsa!»

Baba desidera restare solo. Sgancia il braccio d'argento e se lo fa scivolare in grembo sotto la protezione del manto, che tira su fino a ricoprire il turbante e a formare due ampi ripari ai lati del volto. Chiude gli occhi, cerca riposo all'affanno interiore nello sforzo per bilanciare la furia del vento. Che fine ha fatto il suo bel sogno di gloria? È caduto in frantumi e Baba non riuscirà mai più a raccoglierli e a rimetterli insieme, lo sente. Per la prima volta nella sua vita trova sollievo nel desiderio di un prodigio impossibile. Immagina tutti i suoi uomini portati in aria dalla bufera e rideposti miglia e miglia più in là, via dalle unghie degli sciacalli, mentre lui, Baba, resta solo ad aspettare immobile gli sciacalli e la morte. Gli piacerebbe diventare terra sotto la terra piovuta dal cielo che già lo ricopre. Però il cielo non può volergli donare una tranquilla morte da anacoreta. E se ha destinato altro per lui, il suo destino si compia.

Quando Hassan rientra dal suo turno di guardia, Baba è ancora immerso nel riposo della sua morte sognata. Apre gli occhi solo poco prima che la luce del giorno ritorni. Nel campo è silenzio profondo, la bufera di terra è finita.

«Sei sempre rimasto seduto?» chiede Hassan con affetto a suo padre Baba. «Il vento è cessato, si è stancato di battere contro il tuo petto».

«Oh, il petto è saldo, è il cervello che è tutto svanito. Zitto! È così. E se mi va, io posso urlarlo che Baba è folle».

Il beylerbey s'alza di scatto con sorprendente vigore, puntando in su la sua barba carota; si scuote la terra di dosso e leva in alto il braccio d'argento come un trofeo.

«Sveglia, soldati di Baba Arouj! Toglietevi dal polverone e rendete grazia ad Allah». La sua voce ha più rapido effetto di qualsiasi tromba e ciò lo rincuora. «Mettimi il mio bel braccio, Hassan. Dimmi come va la ferita di Amed Fuzuli».

«Bene. Forse oggi Amed potrà cavalcare».

All'ora della seconda preghiera il campo è tolto e nessuno potrebbe notarne traccia.

3.

Nonostante fosse pronto ad Orano un palazzo per ospitare la moglie del governatore, la marchesa Comares è rimasta in Spagna e non essendo chiari i motivi della sua mancata partenza c'è chi loda la delicatezza del marchese suo sposo, che non ha voluto costringerla a tornare sul continente dove ha subìto l'umiliazione della prigionia, c'è chi dice che sia un sopruso e che in realtà Comares non la volesse tra i piedi, e c'è chi sostiene, ed è più nel giusto, che la marchesa è rimasta in Spagna di sua volontà con precisi programmi da svolgere.

La marchesa Comares si è totalmente data agli affari.

Vuole al più presto rimettere a posto i suoi beni dotali, vale a dire recuperare quelli che i legali hanno alienato per pagare il suo riscatto, e poiché non le manca il talento, è sulla via buona e può concedersi qualche elemosina. Ha deciso di destinare un quinto dei suoi introiti a costruire chiese e cappelle di cui adorna le sue proprietà, seguendo l'uso di ogni regina o gran dama, sopportando con signorile distacco le forti spese e le inevitabili grane. I pittori addetti agli ornati le danno qualche contrarietà, perché hanno il vizio di piazzare ovunque inferni zeppi di demoni con barbe e capelli di fuoco e, siccome per fare onore al Creatore del mondo è meglio trovare cose più allegre che non le fiamme degli inferi, Carlotta Bartolomea di Comares se vede demoni rossi fa rifare tutto da capo. Se poi l'operazione minaccia di costare un po' troppo, si limita a far raschiare via quei Belzebù. Non che le spiacciano le barbe fulve, anzi, nel suo palazzo ha fatto aggiungere qualche pennellata di rosso nelle capigliature e nelle barbe di un gruppo di fauni aitanti per dare più vita al quadro, dice, e per far rabbia a Comares che schiatta di gelosia, non per l'oggetto del proprio amore, ma del proprio odio.

La marchesa Carlotta Bartolomea sentendosi piena di vita progetta viaggi nelle sue Fiandre, nelle terre orientali dei cugini Asburgo e a Roma, dalla nipote Anna di Braes e dal nuovo nipote principe Ermenegildo, il vecchio sposino. Non è stata invitata alla festa di nozze, ma farà finta di credere che il principe non abbia voluto darle il disturbo di doversi occupare d'abiti, acconciature e frivolezze del genere mentre il marito partiva per le sue guerre; quantunque le frivolezze non siano disdegnate per nulla dalla marchesa Comares che le ha tramutate in concreti affari. In un suo podere ha stabilito un'officina speziale che produce belletti, acque odorose, polveri vivificanti e altre manteche per l'epidermide, e ha in animo di farsi mandare qualche viverra perché l'odor di zibetto è di gran moda e può offrire guadagni buoni. Naturalmente non è lei che vende direttamente la mercanzia. Passa tutto a un convento, dove le dame e le damigelle vanno a dire preghiere e a fare periodi di penitenza e digiuno in ossequio al calendario liturgico e approfittano di quel soggiorno per farsi belle di dentro e di fuori.

Carlotta Bartolomea ha deciso di scrivere a Baba Arouj di questi suoi affari e di inviargli in dono un saggio di acque nanfate e manteche eudermiche. Ma dove, dove?

«Eh» pensa emettendo un sospiro nostalgico, «chissà mai dove sarà il mio beylerbey!»

4.

I veterani proteggono in coda l'armata, Hassan è alla testa con il suo gruppo di cavalieri speciali, il beylerbey sta al centro, dove corre il traino con la cassa contenente il tesoro.

Il solo vederlo infonde agli uomini fiducia ed energia: Baba Arouj pare un centauro che si diverta alla caccia. Nelle membra e nel volto è scomparsa ogni traccia di stanchezza e tensione. Nei brevi momenti di sosta, quando tutti scendono a terra per dare riposo alle bestie e per farle mangiare, egli non sta fermo un minuto. Dice che la sua schiena è di ferro, a meno che per qualche miracolo non sia diventata d'argento come il suo braccio destro. Attraversa in lungo e in largo le file. Parla con gli uomini; la sua prodigiosa memoria gli consente di chiamare per nome quasi tutti i soldati, di chiedere notizie dei familiari, di ricordare episodi, momenti tragici o allegri vissuti assieme. Baba è sempre stato ciecamente seguito dai suoi combattenti che non gli hanno mai chiesto conto dei suoi disegni, ma nei momenti cruciali è lui stesso che preferisce, per quanto è possibile, informarli di quel che succede e come suo fratello ha l'abitudine di dire loro la verità; se si deve affrontare un pericolo, ripetono entrambi, è bene che lo conoscano tutti e stiano pronti. Anche stavolta il Barbarossa non dà illusioni. I suoi uomini vogliono come lui arrivare in fretta ad Algeri e sanno bene quant'è difficile che ci si arrivi. In questa guerra tutta di inganni, ovunque può esserci un trabocchetto.

Si fa sosta quando è indispensabile, non sono più le notti e i giorni a scandire la marcia e il riposo, si cammina alla luce o col buio secondo le zone che si attraversano, le protezioni che offrono, le difficoltà che presentano. Avanzare di notte è difficile, ma di giorno il caldo toglie le forze ai più deboli e molti ne uccide, come fa ormai la fatica.

Dopo la terza notte di quest'ultima tragica parte del viaggio, la gola rocciosa lentamente percorsa nelle ore di tenebra interseca a croce una valle più ampia e più fonda, scavata da un largo fiume che scorre al centro, turbinoso, in gorghi di fango. Poiché si era temuta la mancanza d'acqua e le scorte sono prossime all'esaurimento, di primo acchito il fiume è una lieta sorpresa, ma subito dopo si vede quanto complicato sia il guado. La testa della colonna passa senza intoppi e già sale sulla sponda opposta, guidata da Hassan, quando per il grosso dell'armata cominciano i guai. I cavalli sono troppo stanchi e agitati e il fiume li terrorizza. Occorre lasciarli tornare tranquilli e l'attesa e il faticosissimo guado prendono un tempo più lungo di quanto si era sperato, tanto più che il fango si è smosso e rende il passo scivoloso e molto incerto. Finalmente tutta l'armata è sull'altra sponda, dove punta ad oriente costeggiando il fiume; la valle più ampia consente un'andatura spedita che tuttavia non recupera il tempo perduto nel guado. La strada facile non dura a lungo, si deve abbandonare il fiume che s'incurva e volge a nord per imboccare un'altra gola in cui le rocce assolate sembrano un forno per cuocere il pane. Quel po' di terra che affiora tra un lastrone e l'altro è rovente anche lei. Si avanza di poco. La fatica di tutti è immane. Non si può tendere oltre lo sforzo.

«A terra».

Baba Arouj ordina una piccola sosta. C'è una sorgente con acqua abbondante e freschissima, assai migliore di quella raccolta in fretta nel fiume che era melmosa. Quanto al cibo è un disastro, quel poco che ancora è rimasto per gli uomini è quasi immangiabile per il gran caldo che l'ha imputridito, col fango che è penetrato negli involti e nelle bisacce durante il guado; e per le bestie non c'è nulla e non si vede pastura. Si approfitta comunque della sosta alla sorgente per distribuire un po' di razioni, che vengono consumate in silenzio. Occorre fare molta attenzione, nelle soste si è più vulnerabili.

Non ci vuole soverchia attenzione per avvertire un ronzio inconfondibile, che non è un temporale d'estate anche se gli uomini sanno che tra breve l'aria sarà come piena di tuoni: è un esercito in movimento. Da come il rumore gonfia si può dedurre fra quanto e da dove spunteranno gli inseguitori.

«A cavallo!»

Ci si rimette in sella e all'inizio sembra che si ritrovi la velocità delle prime giornate. Ma è impossibile far durare lo scatto. I cavalli hanno i mantelli bagnati e le bocche piene di schiuma, tuttavia si continua a sperare che questi sfiatati moreschi possano ancora avere la meglio sulle bestie degli spagnoli, certo meno stanche ma pesanti e non avvezze al clima africano.

Dove la valle riallarga e a lato non ha più le pareti di roccia, la strada torna fangosa per i torrentelli torbidi che scendono dai pendìi delle colline e dal sovrastante pianoro. Molti dei cavalieri, ebbri per la stanchezza, si aggrappano al collo dell'animale, rallentano.

Si cerca con pungoli e grida di forzare il passo ai cavalli, ma oltretutto il cammino da fare è in salita.

La testa della colonna guadagna, anche troppo se si vuole tenere unita l'armata. Finalmente anche il centro riprende fiato. La retroguardia, pur avanzando, tentenna. Il ronzio del nemico che avanza è diventato frastuono e si sente anche correndo, con centinaia di zoccoli che battono il suolo, prova evidente che gli altri sono molti di più. Se si riuscisse a superare la doppia fila di colline che sta di fronte, si sarebbe quasi al sicuro, poiché lì dovrebbe finire lo stato del sultano di Fez e iniziare uno stato amico, federato del Gransultano di Istanbul. Non che i confini siano in alcun modo difesi in quel tratto, ma Fez e Spagna sanno benissimo che potrebbero imbattersi in quei territori nei giannizzeri che il Gransultano vi tiene di stanza.

Hassan vuole vedere se serve soccorso alle retrovie, ha già girato il cavallo, quando Baba giungendo a spron battuto gli sbarra il passo.

«Non pensare alla retroguardia, porta via tutti gli altri».

Chi è sano, ha un buon cavallo e può correre lasci la valle e punti a raggiungere Algeri. Baba resterà e cercherà di far andare più in fretta la retroguardia o almeno di rallentare la corsa degli inseguitori.

Hassan vorrebbe opporsi all'ordine e rimanere con Baba che però incalza furioso.

«Daremo l'esercito e le nostre insegne a Comares o a quel senzanome del sultano di Fez? Tu non sai contare gli armati dal rimbombo dei loro cavalli, io li ho contati. Sarebbe inutile restare qui tutti a farci ammazzare. Il tuo beylerbey ti comanda di portare l'armata ad Algeri».

Giù nello slargo spuntano i primi spagnoli. Anche loro hanno cavalli moreschi. Saranno quelli che il sultano di Fez diceva di aver messo in serbo per Baba. Il nemico attacca la retroguardia.

«Corri. Falli partire. Tuo padre Baba lo vuole. Io non sarò sconfitto, se tu li porti in salvo ad Algeri!» dice Baba ad Hassan, col tono secco di un ordine e nello sguardo l'affettuosa dolcezza di un ultimo addio, e si getta per la discesa urlando che chiunque si sente in grado di farcela fugga ad Algeri con il principe Hassan, per ordine del beylerbey.

«Ad Algeri!»

Di squadra in squadra passa l'ordine della ritirata, come Baba ha deciso. Forse gli uomini non sono d'accordo, ma non è questo il momento per fare storie, i più forti e veloci sfilano verso la testa della colonna.

Il contingente di coda è rimasto completamente accerchiato dal primo gruppo degli inseguitori.

Il nerbo dell'armata nemica si affaccia in fondo alla vallata grande; sul fianco irrompe, scendendo dal pianoro di destra, la cavalleria del sultano di Fez.

Già molti dei barbareschi di Baba cadono nelle retrovie, il grosso di quelli rimasti si ammassa intorno al tesoro. I soldati più validi, spinti da Hassan e dai suoi ufficiali raggiungono e passano le creste delle colline; sono davvero un esiguo drappello a paragone dell'orda di cavalieri di Spagna e di Fez che convergono al centro valle.

Baba imprecando contro il marchese Comares, il sultano di Fez e la sua razza di porci incita i veterani che ha intorno; con loro, con i feriti, con gli uomini rimasti appiedati riesce a tenere impegnata la montante marea degli assalitori.

Prima che il nemico si accorga della fuga del meglio dell'armata di Baba, questa è scomparsa.

Il beylerbey ordina che si apra la cassa, si butti a manciate il tesoro per terra e si tenti di nuovo la fuga. C'è qualche speranza che il luccichìo delle gemme e dell'oro induca i soldati nemici a fermarsi per raccogliere tutte quelle ricchezze.

Un soldato spagnolo si china, allunga la lancia verso una grande collana a castoni, ma prima che l'abbia afferrata il marchese Comares lo infilza da dietro e l'uccide. La stessa pena fulminea è inflitta dai suoi gregari a chiunque sia attratto dall'oro.

Il tesoro di Algeri, calpestato dagli zoccoli in corsa, è ingoiato dal fango o si frantuma sui sassi. Gettare le perle ai porci non è servito.

Con il braccio sinistro il rais mena grandi fendenti di scimitarra e usa il destro, d'argento, come una mazza. Baba Arouj è enorme, luccicante e regale. Urla senza posa. Chiama a duello il sultano di Fez e il marchese Comares. Mentre combatte Baba ritrova il divertimento, vede con gioia che i suoi penetrano come mortali aculei nelle schiere nemiche e di nuovo cavalca un sogno: per anni i poeti canteranno di quei suoi combattenti dalle scimitarre lanciate in una danza d'inferno, e di lui, Baba, grande come gli antichi eroi.

Il beylerbey si gira a guardare la cima delle colline all'orizzonte. Nessuno si getta all'inseguimento di Hassan e dei suoi. Ormai Comares non li prenderà più. Baba lo cerca, lo sfida. Ma una picca spagnola lo coglie e gli stacca di netto la testa, che ruzzola via nel guizzo di fiamma della sua rossa criniera scomposta. Il gran corpo si regge un attimo e crolla. I cavalli calpestano e trascinano il manto cremisi, famoso su tutti i mari.

5.

Comares fa cessare l'attacco. Ha compreso di essere stato giocato, il grosso dei barbareschi è fuggito. Ma Baba è morto.

«Si leghino i prigionieri».

Ordine vano. Non c'è barbaresco, sul campo, che non sia morto o morente.

Si finiscano i feriti spagnoli che non si possono più strappare alla morte. Si benedicano col segno della croce i cadaveri di tutti i cristiani.

Sia presa la testa di quel bandito: è promessa al sovrano. Se si ritrova il braccio d'argento sarà trofeo di Comares. La scimitarra spetta al soldato che ha lanciato la picca, ma costui sembra scomparso. Se non si fa vivo, la scimitarra di Baba Arouj ed il suo manto cremisi formeranno un unico ex voto.

Si faccia spoglio a piacimento di tutti gli altri morti infedeli.

La mattinata è stata durissima anche per gli spagnoli. Comares siede stanco su una scranna da campo che viene aperta per lui. Gli si ghiaccia il sudore addosso. Ha freddo, in quel meriggio assolato. Soffre da giorni di una fastidiosa diarrea che gli rovina la soddisfazione della vittoria.

XVIII.

1.

La notizia della fine di Baba Arouj giunge nella città di Gand mentre Carlotta Bartolomea, da poco tornata nelle sue Fiandre, sta acquistando un merletto nel negozio degli Hoepper. E la colpisce come uno strale.

«Baba Arouj è morto, Dio sia lodato! Hanno tagliato la testa al demonio!» grida Tommaso Hoepper spalancando la botola.

«Senti che modo di urlare!» strilla a sua volta Cornelia Hoepper al marito che spunta dal pavimento di legno.

Madama Carlotta, visibilmente sconvolta, lascia ricadere le braccia sul tavolone della merciaia. Il pizzo le pare di colpo un macigno e mille nubi le invadono gli occhi e il cervello.

«Una sedia, svelta, Beatrice! E un boccale di vino del Reno».

Gli altri avventori, che stavano a rispettosa distanza, si sono accorti del lieve malore.

Un cavaliere gentile avvicina alla dama in deliquio la bacinella di peltro dove bruciano i grani d'incenso.

«Si accomodi qui, signora cara, si appoggi...» mormora la merciaia con la confidenza che la situazione consente e mette seduta l'illustre Carlotta Bartolomea sul seggiolone che Beatrice ha portato, sistemandole l'impalcatura che regge l'abito, perché non abbia a darle fastidio.

La marchesa è sempre più pallida e gli occhi le vagano a

vuoto; reclina la testa all'indietro e non vuole aprire la bocca per bere un poco di vino, anzi debolmente respinge il boccale che la merciaia le porge.

«Su, su, almeno odori, la prego. Le farà bene l'aroma del vino. È meglio dei grani d'incenso, vedrà. Dio mio! Chiude gli occhi del tutto. Corri, Tommaso, corri, non restare così che sembri anche tu con la testa mozzata!»

Il capo di Tommaso Hoepper spicca infatti spettrale sulle assi dell'impiantito, al riverbero dei bracieri del piano di sotto i ricami argentati intorno allo scollo gli danno un tragico alone. Il merciaio fissa immobile la cliente svenuta.

«Gesù, è la marchesa Comares!»

Carlotta Bartolomea è la più gran dama di tutto il paese, dopo la governatrice Maria che per la sua posizione non può concedersi il lusso di andare per compere in giro per la città come fa sua cugina Comares.

«Sali e chiudi la botola. Non vedi che il puzzo sturba anche gli altri signori?»

I clienti si sono dovuti scostare dall'apertura da cui entrano folate d'aria malsana, tanfi d'acque stantìe e di maceri, vapori di zolfo infernali.

Hoepper serra la botola e si scusa con la clientela lanciando sorrisi, mentre si toglie di dosso il mantello intriso delle prime nebbie autunnali.

«Quando vieni su dalle conce per fare più in fretta, è come se spalancassi una fogna, con rispetto parlando».

Tommaso aveva smania di comunicare la gran notizia, arrivata fresca con i corrieri di sua maestà.

«E intanto madama Comares sta male! Prendi un ventaglio, Beatrice!»

La commessa è incantata davanti alle enormi brache arricciate, a bande rosse e turchine, che spuntano inaspettate e bizzarramente esotiche dalle gonne della marchesa, di usuale foggia spagnola, nere e pesanti.

«Beatrice» insiste la padrona scuotendola, «sei diventata di marmo? Capita proprio di tutto, oggi, Signore Iddio. È una giornata speciale».

«Ah, questo è sicuro, oggi è giornata di eventi!» conferma il marito, e rinfrancato da un mezzo gesto di saluto della malata tornata in sé riprende il discorso iniziato spalancando la botola. «Insomma, l'hanno accoppato, hai sentito Cornelia?»

«Per grazia di Dio!» fa una sconosciuta cliente tuffandosi a palpare con gusto damaschi e velluti. «Quel Barbarossa pirata e assassino è finalmente schiattato!»

La Comares lascia cascare la testa sul petto.

«Santo cielo! La marchesa sta male di nuovo. Mi dia la mano, signora marchesa, coraggio! Stia allegra... Oh che guaio... Cosa possiamo fare, Tommaso?» e poiché l'angoscia la rende aggressiva, assale la cliente che ha appena parlato. «Scusi tanto, signora: se avesse la cortesia di moderare un po' il tono, di tenere un linguaggio più fine... Qui, vede, c'è gente di rango. Lei non è pratica del nostro ambiente. Nemmeno la gioia, qui, ci può fare trascendere. Madama è molto sensibile...»

Per aiutare il respiro della marchesa gli Hoepper sventolano con forza le mani davanti al suo volto, in attesa che arrivi il ventaglio.

«Beatrice! Ci sono ventagli per un reggimento, portane uno qualsiasi!»

«Non serve un ventaglio» fa la marchesa con voce sottile, sgranando gli occhi, «è passato, grazie, carissimi, grazie» e manda in giro languidi sguardi, con un sorriso leggero, battendosi con eleganza i polpastrelli delle dita sul viso per ravvivare le gote, «forse stamani mi sono alzata troppo per tempo per le devozioni in cappella».

La spiegazione delle preghiere all'alba è tenuta per buona, insieme all'altra dell'aria cattiva salita su dalle conce. Nessuno in negozio collega il mancamento della signora con la notizia che Baba Arouj è stato preso con la sua banda tra le montagne africane e tolto di mezzo con un colpo di picca bene assestato.

Il messaggio imperiale è ricco di particolari e Tommaso Hoepper li riferisce con gioia.

«Dicono che a tirare quella picca sia stato un soldato spagnolo, però io credo sia stato un angelo o un santo. La morte di Baba Arouj è un miracolo della potenza divina». Il merciaio congiunge le mani sul petto e alza le pupille al cielo in ringraziamento. «È una liberazione per tutti, nel mondo intero! Sgominato quel vecchio predone, le navi con le mercanzie viaggeranno sicure e veloci, con beneficio dei commerci e gioia delle signore».

A Tommaso Hoepper sta a cuore anzitutto il vantaggio che ne trarrà la sua clientela.

«Chiedo scusa, oggi per l'emozione non ho nemmeno salutato come si deve».

E rimedia con una serie di cortesissimi inchini, girando intorno come un pavoncello spennacchiato nei giorni di muta. Davanti alla marchesa Comares piega a terra il ginocchio e resta bloccato, quasi fosse colpito da un crampo improvviso, fino a che un piccolo cenno di lei lo fa alzare.

La Comares è stata sempre una buona cliente, ma da che è rientrata dal suo lungo soggiorno in misteriose contrade straniere ama vestire con sfarzo e frequentare i negozi. Si dice che ella pure non disdegni i commerci. In ogni caso, per i commercianti di Gand è la manna discesa dal cielo. Madama attira i clienti nelle botteghe dove mette piede, come il nettare attira le api sui fiori. Se compra una stoffa, una gala, una trina, una scatoletta o un bicchiere, subito le altre dame fanno altrettanto e le pezze finiscono in fretta, le casse si svuotano appena sballate.

«Proprio a lei doveva nuocere il tanfo!» sussurra Cornelia al marito. «La delicatezza tu non la conosci. Manchi di tatto».

Tommaso, poiché la moglie gli predica costantemente che l'eccesso di buone maniere con la clientela non nuoce, al contrario piace moltissimo, si mostra più premuroso e zelante del solito, per ottenere il perdono.

«Cornelia, tesoro, ci hai pensato che sono giunte le navi nel porto?»

Dagli Hoepper quando arrivano i mercantili si usa far festa, si servono agli avventori dolcetti con l'uva passita che sono divenuti famosi e giuggiole all'essenza di pino.

«E che rinfresco, signore, ci ha offerto madama Hoepper!» conferma un cavaliere vestito d'azzurro e giallo che accompagna un'enorme matrona in cremisi e nero. «Una merenda e dei rosoli con i fiocchi! Servitevene un poco anche voi, con le emozioni che avete provato...»

La piccola mensa è ancora imbandita nello sguincio del finestrone; Tommaso si rifocilla e continua eccitato il racconto.

Ha saputo della morte di Baba Arouj nella casa di dazi, dove gli esattori imperiali hanno subito porto l'invito a versare un contributo spontaneo alle casse pubbliche, per rifondere in parte le spese di guerra. Chi aveva i soldi in mano ha pagato, sull'onda dell'entusiasmo per la vittoria; tanto, volenti o nolenti, bisognerà tutti pagare. Ma per un motivo del genere è giusto, verrebbe da dire che è bello. La città intera, del resto, sta sborsando denari così sui due piedi per improvvisare luminarie e festeggiamenti adeguati.

«Al tramonto, signore mie, ci sarà una fiaccolata fino al palazzo della governatrice e dopo si canterà in cattedrale un solenne Te Deum. Ci vogliono buratti, merletti e pizzi nuovi per l'occasione, forza, signore! Scegliete. Vedremo di accontentarvi sul prezzo».

Il tavolone in un attimo è coperto di rotoli di nastri e trine, di pezze di stoffa variopinta e preziosa. Si offre di nuovo il rosolio. Le signore scherzano e ridono con i loro accompagnatori più o meno galanti. Tutti sono in grande allegria, tranne Carlotta Bartolomea, pallida e assorta.

«Marchesa, provi a bere un goccetto» la supplica Cornelia Hoepper, con la paura che possa serbare rancore per il guaio passato, «fa bene, mi creda».

La nobildonna fiuta il boccale di vino del Reno, poi si decide a bere un sorsetto per cortesia.

«Vede come riprende colore?»

Il vino ridesta le forze e purtroppo anche la pena. Sorbendo pian piano la sua medicina, Carlotta si immerge in dolci e strazianti ricordi, le vengono in mente le sere in cui lei e Baba a palazzo facevano festa in segreto, parlando fitto e ridendo di cuore. Mai con nessuno Carlotta Bartolomea si era sentita tanto a suo agio e quel benessere le era rimasto gioiosamente nel petto. Da quando era tornata le bastava sapere che Baba era là, con la sua testa balzana, la sua simpatia, la sua barba di fuoco. Ora il mondo le appare senza colore, tristissimo e molto noioso, ma poiché il suo passato africano deve restare un mistero in terra di Fiandra, Carlotta Bartolomea stoicamente sorride e riprende in mano le guarnizioni di pizzo che stava comprando, di un profondissimo nero.

«No, no, marchesa, il nero non va per stasera». Il merciaio le mostra con grande orgoglio una stupenda trina chiara da cerimonia e gliela pone sul capo. «Con questo capolavoro sarà magnifica al Te Deum di stanotte e anche in Spagna alla corte dell'imperatore quando festeggerà la vittoria insieme al suo eccellentissimo...» Tommaso Hoepper lascia la frase a mezzo, folgorato da un'intuizione improvvisa. «Sua signoria mi perdoni! Cornelia ha ragione, io manco di tatto. Dovevo dirle per prima cosa che il suo sposo sta bene! Sua eccellenza il governatore di Orano è incolume! Tornerà presto, madama!»

Carlotta deve fare buon viso a questa seconda notizia cattiva e stira le labbra per fingere un grande sollievo, mentre Tommaso Hoepper si offre di provvedere egli stesso a condurla a casa con una lettiga il più presto possibile.

«I corrieri avranno messaggi privati per sua signoria, la staranno cercando in giro per la città. Partiamo appena si è ristabilita del tutto. Qui si fa troppa folla per lei».

Sono entrati infatti nuovi avventori, esultanti per la notizia, che ormai si è diffusa. Il negozio degli Hoepper è un felice punto d'incontro per le signore di Gand. Per fare acquisti sarebbe più spiccio chiamare in casa i garzoni o il padrone stesso con i campionari, ma andare dagli Hoepper è più divertente. Si fanno due chiacchiere senza l'obligo di aprire le porte di casa, sensa impicci di cerimonie, senza intorno i mariti e nemmeno la servitù. Si scoprono i fatti del giorno, le nuove mode, i segreti delle rivali. Dagli Hoepper c'è un ambiente elegante, piacevole e, quando serve, discreto. Ogni tanto ci si può imbattere in qualche persona di altissimo ceto. Si può sentire il profumo della nobiltà, si può vedere qualcuno dei più bei fiori di corte, come Tommaso ama dire.

In verità la signora Comares, con il malore che ha avuto, anziché un fiore in questo momento sembra un ortaggio un po' sfatto. O magari, guardandola proprio con un grande rispetto, può sembrare un simulacro di qualche vecchia santa o beata pronto da venerare, così come gli Hoepper l'hanno bardata: le hanno messo i paramani e il collare di pizzo nero che stava comprando e le hanno appuntate sul capo con due spilloni lucenti la trina chiara da cerimonia, tanto ampia e regale che le scende giù come un manto per le spalle, le braccia, le gambe, avvolgendo i braccioli e lo schienale della poltrona e facendo a terra un monticello a corona.

«Voglia accettare l'omaggio di questa trina, madama, in segno di giubilo, e perdoni la mia stupida foga».

E poiché la signora benignamente ha accettato, si fa un brindisi e tutti hanno il permesso di renderle omaggio e di rallegrarsi con lei. Sicché vanno a gara per farsi amica la moglie del vincitore. La invitano a riposarsi nei loro castelli, a prendere aria nelle loro campagne, le promettono affetto per alleviarle la lontananza dell'eroico consorte, vantano legami di parentela. Sorridono, parlano, svolazzano come farfalle e danno a Carlotta un fastidio infinito.

In questo momento nulla ha importanza per Carlotta Bartolomea, tuttavia quest'abbondare d'inchini e carezze le fa una gran rabbia poiché è sicura che non appena avrà voltato le spalle tutte queste farfalle vezzose diventeranno mosche, zanzare e tafani e mormoreranno di lei, di Comares, di Anna di Braes, del suo matrimonio e di tutti i casi della loro avventura africana che si sono tenuti nascosti.

Nelle Fiandre un ordine espresso della governatrice ha imposto il segreto sulla storia della prigionia e del faticoso riscatto delle due dame Comares. La governatrice non ama che le chiacchiere sfiorino nemmeno di scorcio la famiglia reale. Ma poiché c'è un andirivieni continuo di persone, dispacci e voci cattive tra la corte della governatrice Maria, quella di Spagna e quella di Ferdinando d'Asburgo, il mistero ufficiale ha dato corpo alle maldicenze peggiori.

2.

Insomma, quello che nel negozio degli Hoepper non è stato neppure supposto, serpeggia nei giorni seguenti in tutti i salotti di qualche peso, dove si usa dar vita alle ombre per diversivo alla noia e si riferiscono come verità assolute, che devono uscire allo scoperto per il bene della comunità, le dicerie più incontrollate, che tuttavia si mormorano a bassa voce perché la decenza sia salva e perché il godimento maligno possa essere pieno. In tali salotti si dice o si lascia intendere che Carlotta Bartolomea di Comares è donna di laceranti passioni amorose: prova ne sia che, pur così grossa e orzuta, nel negozio degli Hoepper è diventata più molle ed :vanescente dei fini merletti che aveva in mano, per un so›rassalto del cuore. E Carlotta non è dispiaciuta per nulla he si dica questo di lei.

«Bene, benissimo» pensa vedendo le facce invidiose delle ignore che bazzicano nel suo palazzo e in quello della cugiıa Maria, «crederanno che io abbia vissuto mille follie. Crelano pure, credano tutto! Saranno invidiose fino a crepare».

Carlotta è convinta che quel soprassalto, quel cedimento he davvero c'è stato, non lo vuole negare, non sia avvenuto nvece per la forza d'amore. È stata la bile a bloccarle il respiro, a farle velo negli occhi. Se c'è qualcuno che regge il nondo, come ha potuto permettere un simile insulto all'arnonia del creato? Come ha fatto a darla vinta ad un uomo ozzo e meschino dal cuore avvizzito come il marchese Conares? Davanti a tanta ingiustizia, la marchesa è venuta neno.

Da quando il marchese ha fatto il possibile per lasciarla aggiù, Carlotta Bartolomea, se in pubblico è costretta a rattarlo come conviene che una signora per bene tratti il narito, coltiva nel profondo dell'animo un crescente diprezzo, che in piccola parte la compensa del fastidio di porare il suo nome e di vederselo accanto nei ritratti ufficiali. Ia giurato a se stessa di dargli tormento senza più tregua di non prestargli il minimo aiuto in denaro quando verrà domandarlo. E verrà: verrà perché è senza un soldo ogni nomento come lo sono tutti quanti questi soldati, che quano guadagnano in una battaglia fortunata lo sperperano nella uccessiva che va a catafascio. La marchesa Comares accunula oro su oro per togliersi la soddisfazione di poter dire l marchese suo sposo: i miei soldi, carissimo, non te li do. 'er quel momento vuole averne moltissimi, di soldi e tesori, er sciorinarglieli davanti, belli e intoccabili.

«Non c'è il minimo dubbio» conferma Carlotta a se stesa, «è stata la rabbia per la vittoria del marchese Comares farmi cadere in deliquio».

Tuttavia, quando scende la notte e la marchesa si mette letto, confessa, sempre solo a se stessa, che veramente la norte di Baba Arouj le ha sparso una cenere triste nei penieri e nei sensi, le ha cacciato via il sonno, le ha stancato le ossa. Non ha più voglia di procedere con i suoi viaggi, preparati con cura e iniziati con tanto splendore, comunica ufficialmente che i doveri e gli affari la richiamano in Spagna si scioglie da ogni promessa ed impegno nelle Fiandre, invia messaggi di scuse per la mancata visita in terra d'Asburgo ed a Roma, e corre alla corte imperiale, per accogliere il suo sposo con la giusta vendetta.

Invece, quando lei giunge, lo sposo è arrivato da parecch giorni, è in pieno trionfo e le ha riservato un'amara sorpresa. Comares ha esposto alla gogna in una delle chiese nuove di Carlotta Bartolomea ciò che nel mondo è rimasto del beylerbey, la barba e il manto, ed è fiero di aver trasformato in un sacro ex voto quelle demoniache insegne.

«Purtroppo sì, la signora mia moglie è molto malata» risponde Comares tutte le volte che gli domandano perché Carlotta Bartolomea non si affacci mai né a corte né in nessun altro pubblico luogo al suo fianco, «non può uscire di casa e voglia Iddio che riesca a guarire».

3.

C'è qualcun altro che dal dolore per la morte di Baba non riesce a guarire. È Osman Yaqub che ha perduto la sua croce, perché Baba era in genere un vero tormento, e invece d sentirsi leggero ha addosso un gran peso, che fa fatica a portare.

Parecchio tempo è passato dalla fine di Baba Arouj m per Osman questo tempo svanisce poiché la sua pena è sempre nuova.

Kair ad din è partito per un'ennesima orribile guerra ch secondo Osman sarà dura, lunga ed inutile come quella d Baba. Baba andava verso occidente e Kair ad din si è gettat ad oriente, solo questa gli sembra la differenza.

Hassan sta sul mare per una sortita, che non è altro se no un'impresa di guerra, forse più breve di quelle dei padri certamente non meno rischiosa.

Il Consiglio governa in assenza dei principi senza tropp follie. Gli intendenti a palazzo godono molto a strafare, m ad Osman non osano imporre ordini o veti.

Le pianticelle vivono ignare di non poter mai più servire per impiastri o decotti per Baba che fu loro signore e padrone; continuano a spuntare, a fiorire, a seccarsi quando il loro ciclo è finito.

Non c'è più da tempo a palazzo Anna di Braes a combinar guai o a chiedere consolazione ed abbracci.

Osman Yaqub non avrebbe niente da fare se non si fosse assunto un compito quasi impossibile. Vuole forzare per Baba le porte del paradiso. Non fa che vagare per tutto il palazzo e non sa più quali penitenze fissarsi per espiare le colpe di Baba Arouj, che senza dubbio saranno molte e costringeranno i giudici eterni ad un estenuante lavoro. Tra peccati grandi e piccini san Pietro sarà tuttora impegnato a contarli, poi dovrà metterli sulla bilancia, valutarli uno per uno e confrontarli con le buone azioni. Baba ha fatto moltissime cose che potrebbero ben figurare e servire da contrappeso sul piatto della bilancia che misura la vita degli uomini, sta a vedere se sono di un genere che in quel processo è presentabile. Osman non ha idea di come la pensi san Pietro, se sia rigoroso, se segua regole ben definite; vorrebbe invece conoscere tutto in materia di giustizia celeste, per stabilire un buon piano d'attacco.

Ha speranza che la Madonna gli porga aiuto per ottenere clemenza nel tribunale di Dio, la invoca con le giaculatorie che riesce a ricordare della sua vita in terra cristiana, più tutte le formule dei vari riti che ha conosciuto negli harem, nei mercati e sopra le navi, posti dove c'è gente di tanti paesi e si impara a rivolgersi a strane e segrete divinità.

Per non sbagliare, comunque, Osman offre ogni giorno mille piccoli sacrifici, che dovrebbero essere accetti a chi sta su in alto. Va per strada senza babbucce, tiene alzate le braccia finché la pelle gli diventa come quella di un morto; sopporta la sete, la fame, la veglia, le parole scortesi e le persone antipatiche. Sacrifici per modo di dire, tutte cosette da poco che però, se lassù vengono messe nel conto, possono dare a Baba un giovamento.

Osman ha fiducia che Baba stia bene, perché nei sogni gli appare tranquillo, con la testa tornata al suo posto sul corpo, come il braccio mancante, di nuovo sano e regolarmente attaccato alla spalla nella vita eterna. Anche il braccio d'argento compare nei sogni, appeso al fianco di Baba come una scimitarra di luce.

Purtroppo, al di fuori dei sogni, quel braccio pare perduto. Non è detto che sia andato distrutto, semplicemente non si sa che fine abbia fatto. Qualcuno potrebbe tenerlo nascosto come una reliquia o come un oggetto da cui cavar fuori in futuro parecchio denaro. Ad Osman piacerebbe moltissimo averlo in ricordo del suo matto padrone e lustrarlo ogni giorno. Gli piacerebbe farlo sonare come un cembalo o come un tamburo quando il palazzo è immerso in quell'eccesso di ordine e in quel silenzio mortale in cui l'intendente capo l'annega ogni volta che i signori sono fuori, in guerra o in missione.

Allenato da anni a vivere tra grandi strateghi, Osman, oltre al piano d'attacco per spalancare le porte celesti davant al suo defunto signore, ne redige un secondo per recuperare il braccio d'argento cui Baba Arouj tanto teneva.

Anzitutto deve spargere voce che a palazzo si è dispost ad applicare condoni e a pagare una ricompensa superiore ad ogni guadagno ricavabile da vendite clandestine, che sono sempre rischiose. Ciò basterà ad indurre il possessore a fars avanti se il braccio è rimasto in terra di Barberia.

Ma nell'ipotesi che sia finito in Spagna, per prima cosa bisogna cercare di cogliere qualche notizia da chi arriva di là vale a dire bisogna andare nei bagni dove sono raccolti gl schiavi appena razziati. Quando gli uomini sono lontani da casa e non hanno niente da fare soffrono di nostalgia e parlano dei fatti loro e di quelli dei loro paesi senza più il freno della segretezza, resa vana dalla distanza; parlano per cacciar fuori con le parole un po' di tristezza, perciò a stimolarl in proposito non c'è niente di male. Fino a che non sarà d ritorno il principe Hassan Osman Yaqub andrà a prestare servizio nei bagni: cosa antipatica, perché vi si buscano insulti, e anche peggio, e c'è un odore sgradevole e un eterno vociare, ma molto proficua per raggiungere insieme due scopi, cercare notizie del braccio meccanico e accumulare penitenze a vantaggio della vita futura di Baba tra angeli e santi

4.

Il guaio è che Osman non è il solo a cercare il meraviglioso braccio d'argento. Lo vuole anche il marchese Comares che, superando la propria avarizia, ha mandato intorno emissari dotati di pieni poteri e denaro contante. E lo vuole la marchesa Carlotta Bartolomea. È stata la stessa marchesa ad informare Osman Yaqub del suo pio desiderio e della voglia malsana del suo consorte. La marchesa cerca quel braccio per amore, il marchese per odio, per esporlo tra i suoi cimeli a ludibrio di Baba Arouj. Osman è d'accordo con la marchesa che l'atteggiamento dei due Comares è profondamente diverso ed in nome del comune affettuoso ricordo di Baba Arouj anziché sentirsi rivale della marchesa accetta di collaborare con lei, che oltretutto ha promesso di trattenere il braccio meccanico solo per un breve momento di consolazione, se sarà lei a conquistare il desiderato trofeo, e di inviarlo quindi ad Algeri, dov'è giusto che stia.

La marchesa si ritiene sicura di arrivare a quel braccio prima di suo marito, perché ha stanziato un premio ingentissimo, tale da far sembrare una briciola quello stanziato dal suo marchese, implacabile, ma sempre taccagno, e perché può contare su conoscenze, agganci, amici e clienti, che suo marito nemmeno si sogna, senza dire che la marchesa è paziente e ha dalla sua la buona ragione.

Di tutto questo ella informa l'amico Osman Yaqub con lettere che invia con regolare frequenza al palazzo reale di Algeri.

«La gente è strana e cambia umore, simpatie e passatempi!» pensa Osman Yaqub, confermandosi sempre più nell'idea che se il cielo cambia aspetto in continuazione e i fiumi via via cambiano il corso è naturale che cambi anche l'animo umano. «Chi vive muta» sentenzia Osman, con l'aria stupita di chi scopre qualcosa benché si tratti di una legge vecchia come è vecchio il mondo, da lui più volte enunciata, che tuttavia nel caso specifico serve a spiegargli come mai, nonostante le baruffe e i puntigli passati, madama Comares abbia preso a scrivergli con amicizia dopo la tragica uscita di scena di Baba Arouj.

Le lettere della nobile dama iniziano con un ritornello diventato un rito: al caro e fedelissimo amico dell'Amico comune, che fu. Sono lettere molto noiose e mal scritte e implicano la fatica della risposta, ma Osman le accoglie con gratitudine, come un omaggio per Baba.

Ognuno ricorda i morti a suo modo. Scrivere lettere ad un servo non è più disdicevole che scannare gente in un'infinità di battaglie, come fanno Kair ad din e Hassan. Perché mai, ad esempio, una volta ancora quei due sono partiti per fare la guerra? Per impellenti necessità di governo del regno, come essi sono convinti che sia? Niente affatto. Sono partiti per non sentire l'angoscia dell'assenza di Baba, per poter fare, in un certo senso, cosa gradita a lui.

Hassan è via da poco, va e viene, passa da un'avventura all'altra com'è comprensibile alla sua età, ma Kair ad din è fuori da molto e all'età sua sarebbe ora che mettesse giudizio.

Ha preso Tunisi. E non è tornato subito dopo perché la situazione era incerta, diceva. Ora è assai peggio, si va facendo pericolosa, a quanto sente Osman nelle caserme e nel porto e a quanto scrive madama Comares, che stando a corte, alla corte nemica, senza accorgersene manda notizie preziose. Osman dice corte nemica quantunque Carlo d'Asburgo non sia il bey di Tunisi, perché l'imperatore sacro e romano è sempre nemico di quelli di Algeri e quando costoro vincono da qualche parte gli viene voglia di dargli addosso con bombarde e cannoni.

Ci sono cose gravi nell'aria. Ma siccome, più o meno, ci sono sempre, per adesso Osman si preoccupa di cercare il braccio d'argento e vive, come ha stabilito, nei bagni dove sente sui fatti di Spagna ancor più dettagliate notizie di quanto possa udirne Carlotta Bartolomea vivendo accanto all'imperatore, alla reggia spagnola.

XIX.

1.

L'onda batte sui sassi del litorale con lo sciacquio di sempre. Le barche scivolano, approdano quasi senza fruscìo, riversano a terra il loro carico di ombre nere e scattanti che invadono le strade sopra il pendìo.

Ogni uscio si scosta senza rumore né luce, altre figure nere balzano fuori e insieme a quelle salite dall'arenile s'inerpicano fin dove il ventaglio di strade si appende alla piazza, alta sul mare.

Sulla piazza, nuove ombre sbucano dai portali dei vecchi edifici e dai vicoli della cittadina spagnola arroccata a semicerchio.

Oltre la piazza, un'unica strada mena al santuario e alla città più recente dove sono le residenze degli spagnoli, tra giardini cupi e odorosi. Al culmine domina la guarnigione munita.

I neri gatti a due zampe puntano là. Li guida Hassan dei Barbarossa, come loro dipinto di una manteca che sembra pece.

Sotto le mura della guarnigione attendono altri armati, appostati da tempo vicino alle garitte di guardia.

La prima azione avviene in silenzio assoluto. A subirla sono gli spagnoli in vedetta. Nessuno di loro ha il tempo di dare l'allarme, né di emettere un grido o un lamento. Quindi, sempre in silenzio, il grosso degli assalitori s'assiepa intorno alla guarnigione, gli altri dilagano poco più sotto, tra le dimore dei militari e dei residenti spagnoli.

Si alza lo zufolo di un uccello di passo, fuori stagione. È il segnale per l'attacco.

Il muro merlato è aggredito con corde, ganci, pertiche e scale. Gli uomini neri scavalcano a frotte.

Un urlo all'unisono, identico alla chamade degli arrembaggi, squarcia la notte. In quel preciso istante cadono insieme le porte delle dimore spagnole e il portone ferrato della guarnigione.

Nella roccia i soldati sono sgozzati in gran parte ancora nel sonno, un gruppo riesce a combattere e alcuni tra gli assalitori cadono feriti o uccisi, gli spagnoli sono però sopraffatti ed eliminati tutti prima che possano opporre una resistenza efficace. La guarnigione è espugnata.

Nella città nuova le famiglie spagnole sono passate a filo di spada. L'ordine è netto. Nessuno deve aver scampo, potrebbe dare l'allarme ai più nutriti distaccamenti militari sull'altro versante della collina o al forte che sta all'imbocco del golfo. Vengono uccisi anche i cani, gli asini e i muli. Un gatto è morto abbracciato al suo padrone bambino. Il sangue è molto. Pochi i lamenti e le grida. I giardini delle case spagnole tornano silenziosi e immoti.

La notizia corre giù in piazza e nelle strade a budello della città vecchia, dove abitano tutti i moriscos. La gente esce fuori festante. È finita la schiavitù.

I guerrieri tinti di nero, i barbareschi e i moriscos che hanno partecipato alla battaglia scendono dalla collina e si uniscono a donne, bambini, vecchi, malati. Il popolo intero sciama fuori da case e cortili. Chi non può camminare è portato a spalle dagli altri. Qualche piccolo piange dal sonno, dalla paura del chiasso e del buio.

Le porte e le vie sono troppo anguste per farvi passare in fretta quello che i fuggitivi vorrebbero portare con sé: ceste, cassoni, sacchi, grandi fagotti, animali, calderoni, pignatte, ogni possibile attrezzo. Qualcuno ricorda che non era nei patti portare la roba. Scoppiano i primi litigi. I barbareschi intervengono; più di tanto le barche non conterranno, inutile ingombrare le strade e la riva; l'ordine del rais è di salvare la gente e lasciare animali e cose, tranne l'indispensabile d'acqua e di cibo.

Da un portale guizzano fuori cinque giovani mori con fiaccole in pugno e si fiondano per la salita. I barbareschi li inseguono, li sopraffanno, gettano a terra le fiaccole e le spengono con molta cura. I giovani non comprendono perché non li lascino correre ad appiccare il fuoco alla guarnigione e alle case degli spagnoli.

«Perché gli incendi si vedono molte miglia lontano».

Era già stato detto che il fuoco era proibito, questi giovani meriterebbero di essere duramente puniti, ma non c'è tempo. È meglio cacciarli alle barche. Per fortuna loro non li ha veduti il rais.

Hassan è ancora su nella piazza, dove gli vien dato conto delle perdite umane. Soltanto quattro sono i morti tra i barbareschi, vari i feriti, tutti in grado di tornare a bordo. Maggiori le perdite tra i moriscos che si sono improvvisati soldati: diciotto morti, compresi coloro che i compagni stessi hanno finito, secondo il loro antico costume, per non lasciarli a subire torture peggiori.

Il bilancio è buono, però la partita non è terminata. Occorre affrettare le operazioni d'imbarco. Troppa gente indugia lungo le strade. Tra le generali urla di gioia si levano i pianti di coloro che nell'assalto hanno perduto i parenti, le grida degli animali che, destati nel cuor della notte, vengono ora abbandonati, legati al chiodo o serrati dentro i cortili, con la crudeltà generata dallo scompiglio.

L'aria è piena di un rombo assordante, le barche scendono a mare per le lunghe strade a strapiombo. È una flotta saltellante e bizzarra. Le vecchie barche spagnole scendono più composte, trascinate, quasi, dall'abitudine a quel tragitto che ha inciso e adattato il loro legname. Ma più numerose sono le imbarcazioni nuove, che i moriscos si sono costruiti di nascosto con grandi rischi e stratagemmi continui, in fosse appositamente scavate, sotto i letti, nelle cucine, nelle cantine, nei patii e negli orti delle case più ampie, sotto le stalle o i letamai, ovunque fosse possibile impiantare un cantiere segreto. Ne sono nati questi piccoli mostri di carpenteria riluttanti alla sfida imminente col mare, nel quale sono costretti a tuffarsi a furia di spinte, di cime tese, di cunei, di guide impeciate. E non solo le barche, gli stessi moriscos hanno paura del mare. Non è la discesa dei legni che li impensierisce, essi sono veloci ed abili in questo lavoro che hanno sempre eseguito per gli spagnoli. Erano gli schiavi moriscos ad avere in consegna le barche da pesca; dovevano tenerle in ordine e trainarle su e giù dal paese alla riva: ma solo fino al bordo dell'acqua, nell'acqua del mare nessun morisco poteva spingersi, pena la morte. Invece adesso dovranno tutti avventurarcisi, in mare, nelle tenebre, su queste barche di fortuna costruite senza il legname adatto, nelle anomale forme e misure che gli improvvisati cantieri hanno permesso. Reggeranno? Il problema è qui. E oltre a reggersi a galla le barche dovranno avanzare, con il pesante carico dei fuggiaschi, condotte da marinai novelli che si sono esercitati a remare all'asciutto, ripetendo puntigliosamente all'infinito i gesti dei vogatori spagnoli.

2.

Quando Hassan giunge sull'arenile gremito, le donne gli si buttano ai piedi, protese ad afferrare i lembi della sua veste che accarezzano e baciano nel tripudio del ringraziamento, gridando con voci alte e stridule.

«Benedetto da Allah?»

«Presto, alle barche. Alle barche!»

Hassan non gradisce queste effusioni, che rallentano l'esodo. Chiama a rapporto i capi moriscos e i suoi ufficiali di Barberia: minaccino provvedimenti severi, li prendano se è necessario. Bisogna assolutamente partire. Si dovrebbe già essere in mare.

Proprio allora sulla collina divampano fiamme. Disegnano un arco grandissimo, come se il fuoco avesse covato per scoppiare improvviso in un'avvolgente corona sulla città.

«Maledizione, cacciateli in mare!» grida Hassan infuriato mentre i moriscos ridono e sbraitano pieni di gioia a vedere la roccaforte dei vecchi padroni che brucia. «Abbandonate a terra chi indugia. Si parte».

Bisogna roteare le scimitarre, perché l'ordine sia eseguito.

Intanto le fiamme si estendono a tutte le abitazioni spagnole, raggiungono la piazza nella parte vecchia della città, guizzano per le stradine in discesa. Le case bianche risplendono in un bagliore accecante.

«Alle barche, alle barche!»

Finalmente sono sull'acqua cento e più barche e un'altra ventina è pronta a raccogliere gli ultimi che stanno scendendo dal monte, stanati e rincorsi dal fuoco.

3.

Al largo le barche avanzano lente, stipate a tal punto che i bordi sono a pelo dell'acqua.

Verso levante l'orizzonte comincia a sbiadire e in fondo, dove il golfo si restringe prima del mare aperto, prendono corpo le masse scure dei due promontori.

Quello a sinistra, più basso e più nero perché coperto da un bosco, guarda un tratto di mare tutto secche e rocce affioranti, quindi nessuno ha pensato a munirlo, essendo abbastanza munito da sé. Quello di destra è un dente di roccia a strapiombo che protegge dalle furie del mare un naturale passaggio per il quale potrebbero entrare con agio navi anche grandi, che troverebbero subito dietro un comodo approdo, a completo ridosso. È lì che sta il forte, sopra quel gran picco roccioso, dotato di robusti cannoni e di ininterrotte vigilie. E di lì occorre passare. Il progetto iniziale dei barbareschi era di sgattaiolare sotto il forte rasente alla roccia con le barche in fila indiana, protetti dal rumore dei flutti che all'esterno del promontorio frangono, per poi tagliare trasversalmente all'imbocco del golfo e uscire nel mare aperto oltre il promontorio boscoso, appena fuori delle secche peggiori: il tutto fidando nelle tenebre di una notte senza la luna. Ma dalla parte della città abbandonata le tenebre sono squarciate dall'incendio, che infuria, e dall'altra parte aumenta il chiarore del giorno che nasce. Le vedette del forte potrebbero avere già dato l'allarme e l'attacco potrebbe scoppiare da un momento all'altro, quantunque si sia ancora lontani.

Prima che dal forte, arriva un attacco dal litorale ad occidente della città, dove spunta, poi cresce e avanza una nube di polvere che via via, giungendo sotto le case, si stempera e svela un drappello di soldati a cavallo.

Le barche sono abbastanza distanti da non temere le armi di quei cavalieri, modeste bocche da fuoco dal tiro corto che fanno soltanto schizzi sull'acqua, vicino alla riva. I fuggiaschi, che ormai si sentono in salvo, rispondono con insulti e gesti di sfida, rendendo ancor più precario l'equilibrio delle imbarcazioni. Per fortuna i cavalieri che stanno nell'alone di luce delle fiamme, pur avendo compreso che c'è gente in mare, dalla riva non possono distinguere di quante barche si tratti, né sospettano che siano fuggiti tutti i moriscos poiché la barriera di fuoco giunta alle case più basse impedisce che si rendano conto di ciò che è accaduto in città.

Un po' con le buone un po' con le spicce si fa star ferma e zitta la gente. Le scialuppe dei barbareschi, sparse tra gli altri legni, danno aiuto e consiglio ai vogatori inesperti, indicano il tragitto, gettano funi per aiutare a traino nei momenti difficili.

Si giunge all'altezza del forte. Si sta molto accosti alla roccia, ma non c'è più da pensare a poter scorrere in fila indiana, si è in lotta col tempo, la notte è troppo avanzata. Si corre più che si può tesi fino allo spasimo, col fiato in gola, consci del rischio, a stuzzicare un mastino così sotto il naso.

Occorre aumentare la velocità; si gettino a mare i fagotti rimasti, i rotoli delle coperte, anche le sacche con i viveri nelle barche troppo a fior d'acqua, e si voghi, si voghi con forza maggiore.

Quando si è al punto dove l'imbocco del golfo è più stretto, si deve lasciare la parete di roccia che scendendo concava dà un materno riparo; miracolosamente ci si ritrova tutti quanti dal lato opposto dove sono le secche.

La notte se ne sta andando. Il mattino occhieggia sempre più spudorato e se aiuta il passaggio tra i bassi fondali, aumenta il pericolo molto più grave di un allarme nel mastio, ora di fronte, che si staglia sempre più nitido e minaccioso, Le vedette, se pure non hanno sentito gli spari dei cavalieri, se non si sono messe in sospetto con quell'incendio che difficilmente poteva sembrare una bruciatura normale di stoppie e di erbacce, fra poco vedranno la processione di barche e non la scambieranno per una festa né per un'innocente partita di pesca. Apriranno le loro bocche da fuoco, ben più ringhiose e potenti di quelle dei cavalieri.

La prima salva di cannonate è troppo corta e non colpisce. Ma al forte avranno il tempo di ricaricare e correggere il tiro prima che si sia in zona franca, dietro il promontorio boscoso che è, ahimè, lontano.

Dal forte viene la seconda salva, corretta, ma per fortuna non abbastanza precisa. La maggior parte delle palle va a vuoto, una sola centra una barca e la sfascia. Tutti gli occupanti sono sommersi nel gorgo.

La galeotta ammiraglia di Hassan spara in risposta, come si era convenuto nel caso che qualcosa del genere fosse successo. Si è sporta dal promontorio pur restando fuori tiro. Da lì non potrà tentare di colpire i cannoni del forte, i suoi spari devono solo annunciare che i mori in fuga hanno una flotta agguerrita a raccoglierli. Ormai non conviene farne mistero. Le galeotte potrebbero avvicinarsi tutte e rispondere al fuoco con energia, ma il rischio non vale la pena, il compito è un altro, ci sono i moriscos da riportare nella terra degli avi.

Solo adesso i fuggiaschi hanno compreso che non sono liberi ancora e non sono affatto al sicuro. L'aria di festa disordinata è finita. La gente è pronta davvero a seguire i comandi.

Fra poco i tiri dal forte saranno perfetti. Sarà una strage se non si aumenta la velocità.

«Diminuite il carico. Chiunque si regga a galla si getti in acqua!»

Si tuffano molti dei giovani tinti di fuliggine che hanno assaltato la guarnigione, che non solo si reggono a galla ma sanno filare.

La terza salva colpisce pesante il bersaglio. Diverse barche sono schiantate. I marinai barbareschi tirano via quanti è possibile dalle barche colpite e trainano le barche lente fino a che doppiano il promontorio. Là dietro sono nascoste più di una ventina di galeotte, spericolatamente infilzate in una zona di scogli inaccessibile alle comuni navi da guerra.

Le scialuppe barbaresche riversano il carico e tornano indietro a soccorrere le barche rimaste nell'area di tiro finché il grosso del convoglio è fuori pericolo.

La quarta salva non fa grandi danni. Si ribaltano due imbarcazioni, più che altro per i movimenti inconsulti della gente terrorizzata.

La quinta salva colpisce i rottami. Ci sono però nuovi morti tra i poveretti che, stretti ai legni spezzati, ancora attendono d'essere tratti in salvo.

La scialuppa di Hassan e altre due, nella pausa che segue il tiro, risbucano dal promontorio. Gli uomini frugano con i remi a cercare i superstiti, guidati da richiami e lamenti, issano a bordo quanti naufraghi è possibile far entrare nei legni, ad altri gettano funi e li trainano.

La sesta salva tarda a venire, si spera che i tiri siano cessati, ma il silenzio dei cannoni del forte non deve illudere; si è pur sempre sulla soglia di casa del nemico gabbato e ormai consapevole di quanto è successo.

Arriva uno sparo isolato. Si deve tornare in fretta alla flotta. Il rais indugia a pescare quelli rimasti in vita tra le barche colpite. Sente un lamento, si gira, non vede intorno che morti e rottami. Avvicina col remo i corpi che affiorano: uno debolmente respira, è un ragazzino coperto di sangue. Lo tira a bordo. Dall'ammiraglia viene il segnale che si è pronti a salpare.

Le barche che i barbareschi avevano portato con loro sono già fissate agli stalli, le altre sono lasciate in balìa delle acque basse. Se gli spagnoli vorranno riprenderle avranno un bel lavorare per ripararle, dopo che le onde le avranno fatte ballare su e giù, sbattendole contro le rocce degli scogli affioranti.

Sulle galeotte ricominciano l'agitazione e i pianti. Ci sono quelli che piangono i morti, quelli che vorrebbero restare a cercarli e a seppellirli, a dar loro comunque un addio; ci sono altri che, finiti gli spari, hanno pensato agli squali e terrorizzati preferirebbero alla pericolosa libertà del mare l'apparente sicurezza del bosco sul promontorio. Si stipa la gente a bordo come la fretta impone, non c'è tempo di riunire i gruppi né le famiglie, di qui altri strilli. Questi moriscos non sono ospiti facili, ma ormai non resta che tenerli a bordo e farli stare buoni.

Il sole è uscito dalla linea dell'orizzonte, quando la flotta, lasciati gli ormeggi, dirige su Algeri.

Il mastio riprende i suoi tiri, ma poco dopo torna il silenzio. Gli occhi dei soldati di guardia saranno tutti puntati sulla fila di navi che al largo spiegano alla brezza la velatura arrogante, per il solo gusto di farsi notare.

Dall'ultima delle galeotte si leva la voce del muezzin nella preghiera che saluta il mattino.

4.

A giorno fatto la costa spagnola è un filo verde lontano. Sono già stabiliti i turni di remo, che non sono pesanti, i moriscos non sono pratici di vita di bordo, ma sono forti e pronti a imparare. Gli manca la disciplina. È vero che proprio all'insofferenza delle imposizioni devono in parte la vita: molti di quelli che si sono gettati in mare per alleggerire le barche avevano imparato a nuotare nelle notti più tenebrose per divertirsi ad eludere i divieti dei loro padroni.

Non ci sono porti militari intorno, in ogni caso le galeotte sono preparate a difendersi, malgrado il peso eccessivo tolga parecchio all'abituale agilità. Quando si è sicuri che non c'è in giro nessuna nave sguinzagliata all'inseguimento, si fa il bilancio generale ed il conto delle perdite umane. Il rais non è soddisfatto del tutto di come sono andate le cose, le cannonate dal forte si sarebbero dovute evitare, però il risultato è decente, potrebbe dirsi anche buono.

Tutto è tranquillo. Ci si può concedere un po' di riposo.

Hassan si distende su un sacco a prua, come gli piace fare da quando, ragazzo, seguiva Kair ad din nelle sue imprese spericolate. Cullati dal regolare beccheggio è piacevole lasciarsi andare anche se il sonno tarda a venire.

Il vento sale; si avrà una buona andatura, perché spira nella direzione che serve. Hassan non vede l'ora di rientrare ad Algeri dove ha lasciato tutto in mano al Consiglio. Kair ad din è a Tunisi, preso da troppi problemi; la conquista della città è recente, l'ambiente è infido e tutto potrebbe accadere, con gli spagnoli che stanno in agguato. Questa volta Comares non sarà solo a dare battaglia, c'è con lui la flotta di Andrea Doria e ci sarà presto l'imperatore in persona, che sta radunando le truppe per l'assedio a terra. Tunisi è come un vulcano.

Il vento muta e si tende, occorre modificare la superficie di vela. Hassan resta placidamente disteso, non ha bisogno nemmeno di aprire gli occhi, la sua è una ciurma perfetta, la sente al lavoro.

I marinai sono ancora eccitati dal pericolo appena passato e trovano sfogo giocando col vento e col mare. Per gli uomini dei Barbarossa è sempre uno spasso giocare tiri mancini agli spagnoli, come lo era per Baba. E come lo è per Kair ad din, nonostante la sua aria compassata e sorniona; prima di pensare a Tunisi, egli si è divertito a combinarne di tutti i colori sulle coste italiane, da Napoli in giù, portando via prigionieri, merci e ducati dai dominî di Carlo d'Asburgo in memoria di Baba Arouj.

Ad Hassan piacerebbe trovare Baba Arouj al ritorno. Gli piacerebbe ricevere una sgridata rabbiosa, di quelle che Baba sapeva dare al momento giusto, per poi avere un gesto, magari goffo, di affetto sincero. Suo padre Baba gli manca molto. Gli manca la sua illuminata follia, che non concedeva mai spazio alla noia. Il fatto che Baba esistesse lo costringeva a veder chiaro nei proprî pensieri, se non altro per cercare di mettere ordine in quelli arruffati del beylerbey; poiché Baba Arouj diceva quasi sempre il contrario di tutto e di tutti, stimolava gli altri a rafforzare le proprie opinioni, a difenderle, a farle uscir fuori. Adesso, dopo parecchio tempo che Baba è morto, Hassan è certo che spesso non desiderava di meglio che lasciarsi convincere, dar torto agli altri era il suo modo di far lavorare il pensiero; pigro com'era, aveva trovato la scappatoia di far pensare gli altri per lui. In ogni caso, per chi aveva il coraggio di insistere, era una gran bella soddisfazione quando tra centomila sbuffi, urlate, infingimenti e capricci alla fine capitolava. Era come ammansire una fiera.

C'erano le volte che Baba fingeva di cedere subito per riservarsi il piacere di fare ripicche, di aggiudicarsi la vittoria finale a sorpresa, quando sembrava ormai fuori gioco. Così ha fatto da morto con il suo nemico Comares che l'aveva vinto da vivo.

Baba è rimasto ucciso in battaglia, d'accordo, ma ora la sua rivincita arriva. Il marchese Comares non si è accontentato di vederlo con il collo reciso, ha voluto infierire e com'è noto ha ficcato il bellissimo manto cremisi del beylerbey sulle spalle di san Bartolomeo in una delle nuove chiese della marchesa e ha rinchiuso la favolosa barba in una teca, anzi una gabbia di vetro e ferro posta sotto i piedi del santo. Ebbene, il cartello dice chiaro e tondo che si tratta dei resti di un demonio sconfitto, messi lì a notizia della sua fine e a gloria perenne del suo vincitore, ma la folla che i giorni di festa affluisce a vedere l'altare di san Bartolomeo è incantata davanti alla magnificenza del manto e al rosso di quella barba che la morte e il tempo non si decidono a scolorire. Nessuno parla del vincitore Comares: sulle labbra di tutti è il nome di Baba Arouj Barbarossa e la sua leggenda cresce. Hassan scommette che dovunque si trovi suo padre Baba si pavoneggia e ne gode. Tante volte ha sognato di fare un salto in quella chiesa di Carlotta Bartolomea a ripigliarsi barba e manto, ma ha sempre concluso che Baba avrebbe trovato ben più divertente restare sopra l'altare a dar fastidio al marchese, anziché tornare nella sua Algeri sotto forma di miseri resti, a pezzetti.

E c'è un altro fatto: la marchesa, con la scusa che san Bartolomeo è il suo venerato patrono, tiene sempre intorno al manto e alla barba trofei di fiori. Questo pure dev'essere un gran gusto per quel vanitoso di Baba Arouj, se i morti sanno dei vivi e se gli è rimasta la voglia di farsi qualche risata.

Il vento è stabile, le navi avanzano con un dondolio armonioso, Hassan continua a restare sopra il suo sacco e i pensieri vagano perché il sonno non viene.

Quel che manca a palazzo da che è morto Baba e se n'è andata Anna di Braes è l'allegria.

Chissà se Anna sa ridere ancora. Chissà se tira ancora su il mento con un grande respiro e guarda per aria quando è arrabbiata o commossa e non vuol che si veda, o quando sta per fare un capriccio. Non può più fare capricci, sarà cresciuta del tutto.

Secondo l'ordine che ha imposto a se stesso, questi pensieri vanno scacciati. Passano tanti pensieri nella mente di un essere umano, nell'animo ci sono tanti ricordi, tanti affetti diversi che a confinarne da parte qualcuno non dovrebbe esserci pericolo di sentire un vuoto. Eppure quando Hassan scaccia il pensiero di Anna di Braes sente dentro un gran buco nero: e, se lo lascia tornare, quel pensiero ugualmente tormenta e scava. Gli altri ricordi ed affetti possono liberamente sostare nella sua memoria, o andare e venire senza che egli avverta come la punta di un bulino che continua a infierire.

Un po' di affetto ritorna a galla ogni tanto, ad esempio, per una figura lontana, la zia che un poco gli ha fatto da madre. Hassan si è preoccupato della sua sorte e ha voluto averne notizie; ha saputo che la zia si è davvero sposata con il fattore Ponteddu, come il nipote scherzando le aveva predetto l'ultimo giorno che l'aveva veduta, alla festa in paese. Ma della zia non ha mai sentito nostalgia vera, è rimasta una presenza gradevole e mite nei suoi ricordi, nient'altro. Aultinu passava tutto il suo tempo sulla montagna con gli animali, la zia aveva scarsa importanza nella sua vita. La terra natale, invece, ne aveva moltissima: a volte gli tornano ancora in mente le tinte, gli odori acuti, le sagome irregolari delle sue montagne lucenti come cristalli nel disegno della memoria.

Oggi però la sua terra è diventata quella di Barberia, il palazzo dei Barbarossa è la sua casa e la sua famiglia sono Osman Yaqub, Kair ad din, gli harem, i soldati, gli amici e il ricordo di Baba Arouj. Chissà se Anna di Braes ha serbato ricordo della vita a palazzo e di loro.

Un bambino correndo gli dà un calcio a uno stinco e questo lo aiuta a troncare i fili sciolti dei suoi pensieri. Osman direbbe che con lui ci vuole la maniera forte, perché è cocciuto, ma Osman Yaqub che può saperne di questi suoi interiori conflitti che sono un mistero anche per lui?

5.

I bambini moriscos hanno recuperato col sonno le loro energie e riprendono i giochi. Si rotolano come ondate sulla tolda, strillando.

«Questa è una nave da guerra, non un cortile per scatenarsi nelle corse e nei salti. Ohi! Fermi» protesta il capociurma, «a furia di chiasso sveglierete il rais».

È proprio il rais che i bambini vogliono andare a vedere. Gli si fermano a grappoli intorno. Sapevano della ricchezza del manto di Baba, si aspettavano che anche il figlio fosse pieno di ricami dorati e quando lo vedono disteso sul sacco, sporco ancora della fuliggine, sono stupiti. Ma non sono delusi: a loro piace anche così, è giovane e bello. Qualcuno prova a toccarlo, gli tira i capelli, si china a guardare meglio la faccia. Parlottano fitto tra loro, soffocano risate e commenti, finché Hassan allunga le mani di scatto e ne acchiappa un paio; gli altri fuggono urlando, poi tornano per farsi acchiappare a loro volta e tra va e vieni, risate e cadute, il gioco continua davanti agli occhi del capociurma allibito.

Le donne non intervengono, sono ferme ai bordi, coperte degli stracci che sono riuscite a tenersi stretti. Non sanno se vivono un incubo o un sogno. Non hanno nulla da fare, tranne quelle con i figli piccoli da tenere in grembo, e anche l'ozio aggiunge disagio, è cosa nuova e le lascia smarrite quanto l'acqua che è intorno senza una fine, quanto il pensiero della vita diversa che le attende. Quella di prima era un'esistenza disperata, ma quasi tutto in essa era noto, le pietre, le strade, la casa angusta, i previsti dolori. Qui tutto è un'incognita che mette paura, come il gesto del rais che all'improvviso interrompe il gioco e se ne va. È l'ora del suo turno al timone, ma le donne non sanno se il principe Hassan è chiamato ai suoi doveri o se si prepara a punire i loro figlioli. Solo più tardi si tranquillizzano, quando, all'ora del pranzo, verificata la rotta, controllati i tempi della navigazione, lo stato dell'equipaggio e del mare, i collegamenti con le altre navi, il rais torna tra i suoi passeggeri lindo e magnifico come si addice al suo rango, con la veste di seta e il turbante di velo blu.

6.

Anche gli uomini adulti hanno voglia di parlare con il rais venuto da Algeri. Gli dicono com'erano stati felici quando avevano avuto notizia che i Barbarossa vuotavano interi paesi e liberavano i mori di Spagna a migliaia e come la loro speranza di liberazione fosse svanita quando Kair ad din era andato a Tunisi e troppe navi dell'imperatore erano partite contro di lui perché potesse pensare ai moriscos di Spagna. Era stata una sorpresa quando era venuto l'annuncio che

Hassan sarebbe giunto a prenderli al cambio di luna.

Ora che sono sulle navi, i contadini moreschi sono contenti, ma incerti; non sono convinti che il peggio sia davvero passato, come ha annunciato loro il capociurma durante la distribuzione del pasto serale. È proprio sicuro che nessuna nave li insegue? Che non li attaccherà qualche convoglio incontrato per strada? E come si può giurare che non verrà il temporale, che nessuna nave andrà a picco per il troppo peso?

Se è per questo potrebbe anche spuntare uno scoglio nel bel mezzo del mare, potrebbe uscir fuori un pesce gigante, potrebbe scoppiare la peste e seminare bubboni, potrebbe cadere una stella cometa, un'idra marina potrebbe aprire la bocca e ingoiare una per una le galeotte.

Ma a parte questi imprevedibili guai, Hassan li assicura che il tempo si presenta stabile e buono e che, quanto ad attacchi nemici, sono molto improbabili. Le navi spagnole, come del resto gli stessi moriscos hanno saputo, sono impegnate a Tunisi; i francesi sono per ora amici dei barbareschi, perché nemici degli spagnoli, quindi, se si incontrano navi francesi non c'è da temere; gli inglesi, i portoghesi e gli olandesi sono puntati verso l'oceano, i loro fatti di guerra si svolgono altrove; la Serenissima Repubblica di Venezia si muove più a levante e in questo momento nemmeno a levante vuole attaccare. Stiano dunque tranquilli e facciano i loro progetti per il futuro.

Già, per il futuro c'è un altro intoppo: hanno dovuto lasciare attrezzi e animali, come coltiveranno le nuove campagne?

Il capociurma propone che venga legato a una corda e calato a farsi un bel bagno nel mare il primo che tira fuori altri lamenti.

Però le domande continuano. Come sarà la loro vita nella terra dei padri?

Forse Osman Yaqub ha ragione quando protesta che Hassan si perde in una pazienza da maestro di scuola, ma è piacevole oltre che giusto quando la gente chiede di non vivere con i paraocchi. Hassan spiega ai moriscos che verranno loro assegnate, per gruppi, delle terre da coltivare, vicino al deserto o nel deserto stesso, dove ci sono villaggi abitati da moriscos tornati da anni in Barberia. Saranno questi fratelli ad avviarli ai nuovi lavori.

Mentre i padri si informano ansiosi, i figli sbucano in mezzo a loro, tornano accanto al rais, soddisfatti di vederlo con l'abito bello da principe, con un pendente prezioso che luccica al sole.

Allora gli adulti, seguendo l'esempio dei loro figlioli, prendono un po' confidenza, parlano con meno timore.

Comprendono che avranno spesso lavori duri da fare, ma non si erano attesi una vita di ozio. Dissodare il deserto per sé è molto meglio di condurre una vita da schiavi, quale quella che hanno lasciato. Chi racconta una cosa, chi l'altra; sembra che vadano a gara a liberarsi delle miserie passate.

«La mano di Allah stia sul tuo capo in eterno, benedetto rais!»

Hassan dovrebbe sorbirsi un lungo coro di elogi e di benedizioni se non ci fosse subbuglio al boccaporto di poppa.

7.

Il ragazzino tratto in salvo per ultimo dallo stesso Hassan, rimasto tutto il tempo tra veglia e sonno, riapre gli occhi, si guarda intorno, si leva di scatto e fa per gettarsi oltre la murata nel mare.

«Che ti prende, sei matto?» strillano le donne che l'hanno curato sinora. «Sta' buono. Siamo lontani dal forte, non c'è più da temere. Guardate, sanguina tutto. Chiamate il chirurgo che torni a bruciargli la piaga!»

Dapprima le donne faticano a trattenerlo, poi il ragazzo ricade, floscio come uno straccio, e perde i sensi di nuovo. Non sente nemmeno la bruciatura quando il chirurgo la cicatrizza.

«Chissà perché avrà voluto scappare».

«Non aveva coscienza».

«No, no» protesta una vecchia che si fa largo, «lasciatelo a me. So ben io che cos'ha, poverino». E se lo abbraccia quasi volesse nasconderlo a tutti con grande mistero. «Buono, Amin, sta' tranquillo. Aspetta, lascia che ti bendi questa brutta ferita. Perché mai devi buttarti nel mare? Chi sei tu per decidere di vita e di morte? Sei forse il padrone su questa nave?»

«Questo è giusto. Devo parlare al rais».

«Sta' fermo, non vedi che non hai la forza di reggerti in piedi? Devi esserti proprio ammattito».

Amin non l'ascolta più, guarda in aria con espressione di gioia.

«Con che cosa mi taglierai la testa, signore?»

Davanti a lui è comparso il principe Hassan.

«Allora è vero che ti sei ammattito, se pensi che ti tagli la testa solo per farti piacere».

«Hassan di Baba Arouj, prendi la tua scimitarra. Mi sta bene la scimitarra, ti prego. Sei tu, vero, Hassan della città di Algeri?»

«Lo sai benissimo chi sono io. Dimmi chi sei tu. Mi hanno detto che vuoi gettarti dalla murata».

«Adesso vorrei morire per mano tua e con la benedizione di Allah, però se tu lo comandi io non ho paura di gettarmi nel mare».

«Finiamola con i misteri. Cos'hai fatto per giudicarti da solo degno di morte?»

Il ragazzo gli porge le mani piene di bruciature.

«Ho cominciato dalla casa più alta. Sono stato io ad accendere i fuochi. Però non sapevo che tu l'avevi proibito. Ero stato lassù tutta la notte».

«Se non lo sapevi, non sei colpevole».

«Sì che lo sono. Ho svegliato gli spagnoli del forte e quelli dei paesi vicini. È colpa mia se ci sono stati tutti quei morti».

«Devo credere che da solo hai bruciato un'intera città?»

«Lo posso giurare. Ho appiccato ventidue fuochi».

Hassan, scampato prima al coro dei ringraziamenti, rischia ora d'esser sommerso da quello delle implorazioni.

Le donne non hanno il coraggio di rivolgersi direttamente al rais, ma gli si sono ammassate all'intorno a biascicare una tiritera a voce bassissima, che piano piano si alza come una piena, monta fino a diventare un'unica nota acutissima. Il loro coro è efficace. Hassan alza la mano e impone il silenzio.

«Lo volete morto, con questo lamento da funerale? Siete voi e non io, quindi, a pronunciare la sua condanna».

Le donne si agitano, non sanno che fare, si dondolano ritmicamente variando il loro lamento, finché una si butta ginocchioni per terra davanti ad Hassan e offre la sua vita in cambio della salvezza di Amin. China il capo, si denuda il collo e si mette a strillare in attesa che il rais cali la scimitarra.

Hassan chiede uno scranno, ci fa mettere seduta la donna che vuole morire al posto di Amin e tra lo stupore di tutti dice che è giunto il momento che i moriscos riprendano a giudicare la loro gente da soli. Quanto a lui, nei suoi riguardi il ragazzo non è reo di disubbidienza se non ha sentito il suo ordine. L'incendio c'è stato e conseguenze ne ha avute, in ogni modo mettano in conto che non saranno stati solo i fuochi di Amin a destare le vedette del forte, che si suppone sappiano fare il loro mestiere. Non è facile tirare via indenni gli schiavi dalle sgrinfie dei loro padroni.

8.

Con il processo ad Amin i passeggeri hanno il loro da fare per il resto del giorno e la faccenda serve a distrarli dalla tensione del viaggio; passano voce da un legno all'altro, eleggono tra i capi dei gruppi coloro che dovranno emettere il verdetto finale, interrogano le famiglie che hanno avuto dei morti per quei colpi di cannone.

La sentenza parrebbe scontata, ma va per le lunghe, perché ognuno vuol dire la sua anche se tutto sommato dice le stesse cose degli altri. Si deve dare la pena capitale? Quei cinque giovani molto più grandi di Amin, colti con le fiaccole in mano, non erano stati passati a fil di spada; inoltre, come sarebbe possibile in un giorno di pace condannare ad una pena tale un ragazzo che è stato solo più svelto e più coraggioso di tutti loro? Non era desiderio comune distruggere quella città di tristi ricordi? Il povero Amin per miracolo uscito vivo dal fuoco e dall'acqua deve proprio morire quando il suo popolo è felicemente salvo?

Alla fine, al grido compatto delle donne che chiedono grazia, risponde quello dei novelli giudici che la concede.

Amin non la pianta, non si sente del tutto redento senza una pena. Stoicamente domanda delle frustate, con l'atteggiamento del vero eroe. Tuttavia, quando il timoniere per farla finita e liberare il ponte dalla confusione gli dà due ceffoni e manda tutti a dormire, gli scendono lacrime grosse come i fagioli che gli hanno messo davanti per cena insieme a quattro gallette.

«Mangia, adesso che ti ho fatto contento!» gli dice il timoniere.

E Amin ubbidisce, visto che per stanotte non gli è toccata una morte da condannato.

9.

Le tenebre abbracciano le galeotte che in fila ordinata avanzano con allegra andatura. I moriscos si buttano da forsennati sui remi per uscire al più presto dai flutti. Il comite fischia con ritmi molto serrati; appena uno rende di meno per la fatica viene sostituito e mandato a ritemprarsi in coperta, dove sembra che tutti dormano e invece sono svegli ed attenti. Tant'è vero che quando si nota nel buio una linea di lumi che si avvicina serpeggiando, le voci si levano immediate in un agitato brusìo.

Hassan assicura che non c'è da temere, poiché i lumi indicano un convoglio di semplici navi da carico, che non hanno interesse ad attaccare.

«Peccato!» fa quel matto di Amin, che è stato tra i primi a scorgere la fila di luci.

«Perché? Vorresti dare battaglia?»

«Magari!»

Questo Amin ricorda al principe il mozzo Pinar, quantunque assai diverso d'aspetto, per l'entusiasmo che ha; vuole sempre arrivare dritto allo scopo.

«Non hai bisogno di un servo? Se anche ne hai altri, io non ti costo nulla, tienimi in soprannumero. Da mangiare me lo trovo da me. Voglio starti vicino, perché mi piace fare la guerra».

«A me non piace».

Amin scoppia a ridere, tanto la cosa gli pare buffa e impossibile.

«Allora cosa ti piace».

«Mi piace molto guardare le stelle».

La notte è limpida e completamente stellata. Amin guarda il cielo e ride di nuovo.

«Bah, stanotte ci provo gusto anch'io a guardarle, perché penso che potevo essere là con loro, se mi toccava morire, invece sono qui sulla terra! Per il resto, a me non importa nulla delle stelle del cielo. Sono troppo lontane. Ma ti farò la guardia quando avrai voglia di rimirarle, e potrai godertele in pace».

Il convoglio di navi da carico lentamente è sfilato via, tenendosi sempre a prudente distanza per evitare brutte sorprese. Il mare ritorna nero. Le stelle senza la luna non riescono a farlo brillare, sono davvero lontane.

XX.

1.

Osman Yaqub, per il quale pare che gli anni non passino mai bloccato com'è nelle sue rughe minute, è su tutte le furie e strepita con la sua vocetta.

Tra poco è mattina, Hassan avrà mille cose da fare e i suoi servi se la prendono comoda. Nessuno risponde, nessuno si muove intorno alla stanza del principe.

Non si è mai visto a palazzo una pigrizia così diffusa. Colpa di Hassan, che non fa dare frustate, non impicca, non mette alla gogna e naturalmente non usa il palo per infilzarci i malnati. Il palo è una pena orrenda, nemmeno Osman ce l'ha in simpatia, ma qualcosa ci vuole per dare una scossa a questi poltroni. Tra poco il principe si sveglierà e non c'è nessun servo a vestirlo, nessun paggio con i lumi per scortarlo agli uffici, nessuno. L'appartamento è deserto.

Il vecchio senza fare rumore apre la porta della stanza di Hassan per dargli il buongiorno e per vedere di cosa ha bisogno: la stanza è vuota, il letto è sfatto, gli abiti per la notte sono gettati in un canto, il lume al corsello è smorzato, la finestra è aperta, fuori ancora non nasce il mattino.

In preda all'agitazione, Osman Yaqub, temendo già rapimenti o magiche sparizioni, gira per tutto l'appartamento privato, passa arrancando nei settori di rappresentanza, vola per i corridoi reali dove trova le guardie schierate, a quest'ora, come nelle grandi occasioni per le sedute importanti. Non si cura dei sorrisetti che sbocciano quando i soldati se lo vedono ciabattare davanti avvolto nello scialle da notte, stringe al seno le sbrindellate frange di lana e seta e si va a fermare nell'anticamera planando come una cicogna dalle ali arruffate. Lì apprende sgomento che il Consiglio è riunito da un pezzo, per chiamata straordinaria e notturna.

Madonna santissima, stavolta la vecchiaia è arrivata. C'è tanto fermento che sembra bruci il palazzo e Osman dormiva come una talpa, se la pigliava col prossimo e voleva infilzare i pigri sul palo. Non ha udito nulla, vecchio stupido e sordo. Vorrebbe punirsi per questo, ma è troppo importante capire, prima, cosa succede.

Siede raggomitolato per terra, come solo a lui è lecito fare in un ambiente così decoroso e ufficiale, e con la vergogna e il pudore di chi non sa e dovrebbe sapere s'informa con tatto per conoscere i motivi di tanta urgenza e di tanto trambusto.

Durante la notte sono venuti messaggeri a cavallo portando cattive notizie, che purtroppo i piccioni viaggiatori confermano.

Le guardie e i servi dell'anticamera sono perfettamente al corrente di tutto, benché si tratti di segreti di cui si dovrebbe parlare solo all'interno del Consiglio. Ma quanto a questo non c'è una corte diversa dall'altra, l'anticamera è l'anticamera ovunque, il luogo dove ogni cosa trapela.

I servi aggiornano Osman Yaqub, a voce bassa per via del segreto, ma con gran foga, fieri di essere loro stavolta a saperne di più di un servo ultraspeciale.

Tunisi non è ancora caduta, ma si teme che non resista a lungo, assediata da truppe ingentissime e ben rifornite e, quel che è peggio, ridotta in uno stato pietoso all'interno: fame, ovviamente, e disagi tremendi, più la paura delle vendette. I residenti, spaventati dalle probabili ritorsioni dei partigiani del sultano deposto che sta per ripiombare loro sul collo, perdono il tempo a progettare impossibili fughe o inventano nascondigli vani, invece di collaborare alla difesa. L'esercito barbaresco è stremato, i contingenti turchi ormai decimati.

Osman serra gli orecchi. Che cosa dovrebbe ancora ascoltare? I particolari non gli interessano.

Posa il mento sulle ginocchia ossute e si sforza di comprendere come mai anche nella vicenda di Tunisi si sia giunti sull'orlo dello sfacelo. Questa impresa non è stata condotta da quel pasticcione irruento di Baba, qui c'era un saggio a tenere le redini in mano. Kair ad din ha una mente lucida e chiara come uno specchio ed è così bravo a valutare i pro e i contro che sembra abbia un abbaco in testa. È proprio la guerra che non funziona. Osman ne è convinto e in tali frangenti desidererebbe essere un grande rais, anzi il più grande e potente di tutti per poter dire: basta, smettete di essere tanto incoscienti, a cosa vi serve portare a spasso armi e soldati su e giù per il mondo? Se volete far pulizia non è questo il modo. Sembra che abbiate in mano delle ramazze sporche, troppo dure e malfatte, che alzano solo polvere e fanno buche dentro il terreno.

Due colpi di tuba avvertono che il Consiglio è concluso, il cerimoniere spalanca le porte.

«Parti anche tu? Aspetta, ti prego» grida Osman Yaqub, spinto indietro dall'ondata di consiglieri ed armati, «dimmi che devo fare, Hassan, figlio mio! Cosa succede?»

Ma Hassan non lo vede e non lo sente, in un lampo è lontano.

Che gran confusione per tutta la vita trovarsi un figlio che ha la disgrazia di essere figlio anche di un paio di re e deve correre ogni momento come se il mondo altrimenti cascasse!

Comunque, nell'anticamera si dice che nessuno lascerà Algeri per andare a Tunisi, è troppo tardi.

«Se non altro mi resta a casa» sospira Osman, «non lo vedrò dalla mattina alla sera, ma sarà qui al riparo».

2.

Il palazzo è sconvolto da un turbine. Bisogna apprestare in fretta una gagliarda difesa. Tutti corrono e si danno da fare. Non si capisce se sia ora di pranzo o di siesta o se sia quella giusta per faticare, perché nessuno ha mai posa. Solo le tenebre fitte sospendono le attività. L'imperatore Carlo d'Asburgo, sulla cresta dell'onda, potrebbe decidere di venire anche qui, ma intanto che cerca di prendersi Tunisi, Algeri si veste di una corazza.

E cosa può fare un povero vecchio, anche se pensa quello che pensa sulle battaglie e su tutte le guerre? Tenta di rendersi utile. Così Osman si getta nel lavoro a capofitto, per quel che gli spetta e per quel che può.

Il suo compito ufficiale è di dare una mano al servizio piccioni. Lo sanno anche i sassi che in caso di assedio i piccioni sono il mezzo migliore per inviare notizie, ma pochi hanno un'idea precisa di come si debbano usare. Se ci sono da coprire grandi distanze, certo si devono istituire cambi intermedi, esattamente come per i cavalli, però comportano meno problemi. Che ci vuole a tenere nascosta qua e là qualche cassetta con dei piccioni? I piccioni sono ben più sicuri di cavalli e cavalieri, nuotatori, acrobati, trasformisti di qualsiasi taglia. Se si cerca di camuffarne un po' la partenza, perché a quel momento basta una fionda a distruggere tutto, più in là è difficile intercettarli nel volo. Osman ha una lunga esperienza in proposito e non riesce a star zitto quando vede come i giovani lasciano andare le cose. Questi ragazzi cui sono affidati i piccioni sono bravi e generosi, ma si preoccupano sempre più del messaggio che del piccione e non capiscono che ci vuole tatto, ci vuole affetto, ci vuole cura grandissima; c'è da badare alle ali, alle zampe, alle unghie, sentire se il cuore batte con troppo spavento, controllare le piume. Bisogna essere molto pignoli. E bisogna avere animo saldo, perché non è bello che sia il piccione a pagare se la notizia è cattiva.

Purtroppo quasi ogni sera c'è da rimpiangere il messaggio arrivato al mattino, già triste, più triste di quello che l'ha preceduto. Ci vuole pazienza e fiducia; ma si va sempre peggio. Osman Yaqub, che in tutti gli anni passati a palazzo e sulle navi ammiraglie ha imparato a leggere a fondo i messaggi cifrati, cioè oltre le parole che escono fuori una volta applicata la chiave, ha capito che la situazione è intricata. Ha capito che Tunisi è una gran bolgia di patti traditi, di maneggi, di trame, che la gente è divisa in gruppi nemici, che ciascuno ha il solo scopo di salvare le proprie ricchezze, non importa come, e ha capito che Kair ad din dovrebbe mollare. Se s'intigna a restare dev'essere per via di quel verme della passione guerresca che i Barbarossa hanno succhiato col latte. Come fa Kair ad din ad illudersi, a comunicare ogni tanto vittorie che non sono vittorie? È sortito dalle mura con una gran parte dei suoi nel tentativo di ricacciare a mare gli imperiali ed è riuscito a distruggere le postazioni più vicine ai bastioni: questa, secondo le parole del messaggio sarebbe stata una vittoria. Ma per Osman è stata una vittoria di corto respiro, le navi di Carlo d'Asburgo sono rimaste in bell'ordine senza arretrare di una bracciata e il suo smisurato esercito non ha risentito affatto di quelle poche postazioni distrutte.

Non può essere che Kair ad din non sappia più valutare le cose. Quegli avversari se li vede ogni momento scodellati davanti, migliaia di alemanni, spagnoli, portoghesi e altri alleati venuti da chissà dove. Piú di cinquecento vele hanno portato l'assedio a Tunisi.

Affacciato alla sua piccola altana, Osman Yaqub Salvatore Rotunno guarda il suo mare, terrorizzato al pensiero di quale spettacolo potrebbe presentarsi sotto di lui se quella torma di armati e di navi si trasferisse ad Algeri.

Dev'essere questo stesso pensiero a tormentare il suo Hassan.

«Al lavoro» ha detto il principe alla sua gente, «tutto il resto non conta. Approntiamo le nostre difese».

E la città s'è svegliata come se fosse piovuto pepe e fosse entrato nelle membra e nei misteriosi recessi dove nasce la volontà.

Quel ragazzo rais è di una pasta speciale. È sempre calmo, trova sempre le cose giuste da dire, tra i soldati delle caserme o tra la gente degli infiniti quartieri di cui la città è composta.

Algeri è diventata come quei grappoli d'uva fitta e sugosa che all'esterno sono una massa compatta e lucente e dentro sono un intrico di raspi, piccioli e acini impiantati in tutte le direzioni. Vista dal mare è uniforme, una grande scala di pietra bianca e liscia sul dolce pendìo; all'interno è un groviglio appunto come quell'uva, o come la pancia di una melagrana, densa, con le case che nascono una dall'altra, a fianco, sopra e sotto le rampe e le strade. Anzi no, non è come nessun frutto della terra, i suoi cortili sembrano aprirsi per il pulsare di un frutto vivo, come i frutti del mare, pronti a rinchiudersi, a farsi impenetrabili. O forse Algeri non assomiglia ai frutti della terra né a quelli del mare, è simile solo a se stessa. E ad Osman ogni volta che la percorre pare un miracolo.

Tal quale a Tunisi, anche qui abitano genti diverse, ma Hassan tiene tutti d'accordo, di più e meglio di quanto hanno fatto i suoi padri. D'accordo, si sa, per quanto gli uomini riescono ad andare d'accordo!

Hassan va tra i sudditi con una piccola scorta che lo aiuta a passare notizie, a dare istruzioni per le cose da organizzare. E dietro la scorta ufficiale spesso saltella Osman Yaqub, così magro e leggero che è come un'ombra, tanto che nessuno lo guarda, forse nessuno lo vede, benché le sue vesti bizzarre erompano vistosamente persino dagli elastici canoni della miriade di fogge che coesistono nella città.

3.

È un luglio pesante con l'aria immobile, o piena di sabbia che secca il naso quando finalmente il vento si mette a spirare. Ma nonostante l'afa e gli altri disagi del clima, i lavori che servono per fronteggiare l'emergenza vanno così veloci che Osman si trova sempre davanti grandi sorprese. Sono giorni di angoscia ma di incredibile attività. Non che Algeri sia in genere una città morta, al contrario, ma quella solita è un'attività che non si nota, finché continua ad avere i suoi ritmi. Adesso Osman se la ricorda con precisione; gli mancano i suoni di sempre ed è come se tutto il chiasso che ha intorno fosse pieno di buchi. Mancano ad Osman le voci cantilenanti dei venditori, quelle dei giocolieri e dei saltimbanchi, le rissa di strada e persino i richiami dei compratori di escrementi. La paura ha messo tutti a tacere. Le donne stesse si sono azzittite, quasi mancassero i ragazzini disubbidienti, o le amiche bisbetiche da rimbeccare.

I cittadini sono al lavoro in turni ordinati per preparare le difese sui moli, sugli arenili, sulle colline. I cantieri sono gremiti e nelle botteghe gli artigiani tralasciano le consuete faccende di pace e preparano ordigni per la difesa e l'offesa.

La città ha perso lo smalto opulento e conta le sue incrinature per porvi rimedio e le sue riserve per non farne spreco. Il rais Hassan fa stipare nei magazzini viveri che garantiscano la sussistenza in caso di assedio totale, dal mare e da terra; di quel che resta impone una distribuzione oculata. Si stabiliscono i razionamenti, si prevedono pene per i contravventori.

«Chi vende sottobanco e chi accumula in casa merci oltre il consentito sarà ucciso da qualsiasi soldato che lo colga sul fatto».

Queste e simili norme strillano i banditori per ogni piazza, vicolo e scala. Uomini e donne di Algeri promettono unanimi ubbidienza e disciplina, ma Osman sa che non sono angeli calati dal cielo e trapiantati in Barberia a edificazione del mondo; è molto meglio affidarsi ad una giusta severità.

«Voce, ragazzi, che tutti sentano bene» incita Osman, agitando un vecchio flabello rosso come fosse un tizzone ardente, per dare coraggio ai banditori ormai stanchi, «dite chiaro che il rais farà eseguire i suoi ordini, che nessuno si aspetti clemenza».

Le pene vengono enunciate con tanta forza che la gente mormora rassicurata.

«Sarà come se Baba Arouj fosse tornato».

Pare che abbiano nostalgia delle giornate in cui Baba diventava crudele ed essi, raccogliendo mani e teste mozzate, pensavano:

«Però, che gran sovrano!» E contando le vittime prendevano misura e coscienza del suo potere. «Ben altro e peggio saprebbe fare il beylerbey contro i nostri nemici!» dicevano con molto orgoglio, e la cattiveria del loro signore era garanzia di sicurezza e pace quanto un bastione imprendibile.

Talvolta gli uomini riescono ad essere stupidi come i somari, si attaccano a guide e puntelli che li trascinano nel precipizio. Ma con Hassan possono stare tranquilli, il ragazzo non è un cavallo balzano.

Un cavallo balzano è la sorte, che sottopone a prove continue questa povera gente di Algeri. Nessuno qui ha scelto una vita da eroe, ma se ci sarà assedio tutti saranno costretti ad improvvisarsi eroi. E la gente di Tunisi? Che cosa ha scelto e che cosa può scegliere? La gente minuta, intende Osman Yaqub, non i capi delle fazioni, non quelli che hanno ricchezze e potere e conoscono le situazioni e gli intrighi, per i quali la sorte è un cavallo un po' più domabile.

4.

Un tristissimo giorno di questo luglio angoscioso, il piccione del mattino dà notizia che la fortezza della Goletta nel porto di Tunisi è crollata sotto i colpi delle settanta e più navi della prima fila d'assedio, addossate ai bastioni. Il piccione della sera reca l'annuncio ancora più duro che l'immensa flotta imperiale si è ingoiata in un solo boccone ottanta bellissime vele di Barberia, infrangendo il rifugio che Kair ad din si era illuso di avere trovato per loro in un angolo dai bassi fondali.

«Bello sforzo!» borbotta Osman Yaqub correndo da Hassan con il brutto messaggio, che gli vuole portare personalmente come voleva somministrargli personalmente le medicine più amare quand'era piccolo, nella speranza di addolcirgliele un poco. «Bello sforzo!» Le navi barbaresche sono destinate a soccombere in una battaglia a legni ancorati, quando la docilità di manovra, la velocità, la sorpresa non contano più!

Ma che stupidaggine: perché mai Osman si tramuta in stratega? È inutile che spieghi le cose al principe Hassan che le sa meglio di lui. Le parole di Osman sono una vana ricerca di consolazione. Ottanta navi sono una perdita grande.

«Però non le hanno potute godere, sai? Sono andate a picco».

Per non vedere le sue navi nelle mani di Carlo d'Asburgo, Kair ad din quando ha capito che il rifugio era diventato una trappola le ha fatte affondare tutte, compresa la sua stupenda ammiraglia.

«Adesso cosa accadrà?» si domanda la gente di Algeri dentro e attorno la casbah fortificata e persino nei quartieri un po' sonnolenti, nascosti tra il verde delle colline. «Cosa accadrà?»

Tra la gente comune nessuno riesce a dare una risposta, perciò si riversano tutti davanti al palazzo. C'è chi ha a Tunisi dei familiari tra i combattenti dell'armata, c'è chi li ha tra i residenti o tra i corrispondenti di commercio. Molti hanno depositi, fondaci, botteghe. E poi c'è la flotta che è un bene comune. Ma quel che turba l'intera città è la paura di un prossimo attacco ad Algeri. Chi fermerà gli imperiali?

Hassan scende a parlare con i suoi. Ottanta legni perduti sono un bel disastro, ma non sono la fine. Altre navi stanno nascoste al sicuro nel porto di Bona e ci sono quelle rimaste ad Algeri.

«Mandiamole a Tunisi da Kair ad din!» strillano i più scalmanati.

«Imbecilli» pensa Osman furibondo, «sarebbe come gettarle in massa dentro un falò! Questi non hanno cervello, bisogna tappargli d'urgenza la bocca».

Osman è tanto arrabbiato che non sente quello che Hassan risponde: per fortuna anche stavolta non parte per Tunisi nemmeno una nave, quelle che salpano hanno una destinazione diversa. Poiché i rifornimenti in futuro saranno difficili e rari, Hassan manda tre golette a spazzare il mare, come dice scherzando al momento della partenza alla gente che fa ressa sul molo. E quando le galeotte rientrano, dopo che hanno spazzato a dovere il mare all'intorno e si sono portate dietro quattro legni diretti in Spagna con le stive piene di ottimo grano, il rais fa distribuire un'abbonante razione supplementare per tutti. Ci vuole ogni tanto un po' di sollievo.

5.

Successivi messaggi, una mattina, danno notizia di una nuova sortita di Kair ad din dalle mura della città assediata allo scopo di danneggiare le riserve d'acqua degli imperiali e tagliare loro le vie d'accesso alle fonti.

«Nessun altro sarebbe stato capace, ma quel mago è andato a colpo sicuro» confida Osman alle viverre nate da poco nell'officina odorosa, durante una rapida visita per controllare la loro salute e il loro umore, «ha messo a secco i soldati di Carlo d'Asburgo ed è rientrato a Tunisi senza fare chiasso».

Però, un maledetto messaggio che arriva all'imbrunire porta un corollario molto noioso a quella notizia: Kair ad din ha trovato, rientrando, un gran chiasso in città. Le molte migliaia di schiavi cristiani che erano stati rinchiusi nei bagni erano insorti e fuggiti di prigione.

Dentro le mura di Tunisi c'è dunque in queste ore una vera battaglia, non la solita scaramuccia con un gruppetto ribelle.

«E come hanno fatto quegli schiavi cristiani ad uscire dai bagni, ad invadere le strade e in qualche punto gli spalti?» si domanda Osman Yaqub. «Semplice» si risponde indignato, «qualcuno ha aperto loro le porte: ma così non si fa!»

Prima questi signori di Tunisi hanno chiamato Kair ad din perché gli cacciasse via il loro tiranno Moulay Hassan e oggi, che il tiranno deposto si è trovato un alleato tanto potente come Carlo d'Asburgo e con lui s'è piazzato sotto le mura, non vedono l'ora che torni indietro. Dalle finestre gli fanno di nuovo gli inchini, gli chiedono ordini, prendono al laccio gli amici che li hanno aiutati a cacciarlo e sono pronti a gettarglieli ai piedi. Questo è tradimento.

Fin dall'inizio Osman ne aveva fiutato l'odore e aveva avuto una paura tremenda che Kair ad din, con tutto il genio che ha nel cervello, facesse la fine di Baba Arouj, ingannato da gente meschina.

Eppure Osman, che oltre al vizio di tirar fuori troppi perché ha sempre quello di guardare con la coda dell'occhio nelle pieghe dei cuori altrui, avrebbe giurato che, in fondo, a Kair ad din non fosse importato mai nulla dei tunisini né delle azioni cattive di Moulay Hassan.

«Dio mi perdoni» pensava il vecchio quando l'avventura era all'inizio, «è la città di Tunisi che gli interessa, con il suo bel porto. Gli è sempre piaciuta. È una vecchia fiamma che si è riaccesa». Come al solito tutti pensieri inutili, questi, e di un genere che un servo non può nutrire.

Fatto sta che si sono perse ottanta bellissime navi e la città di Tunisi potrebbe essere per Kair ad din una trappola fatale.

Tuttavia si profila un timido indizio di miglioramento: l'albume di un uovo di passero, auspicio di delicata lettura, ha dato esiti soddisfacenti.

La mattina dopo, infatti, giunge un insperato messaggio. Kair ad din ha finalmente deciso di lasciar perdere Tunisi e i tunisini, cercherà il modo di venirne fuori.

6.

«Se gli imperiali lo tengono stretto a tenaglia» si chiedono i servi dell'anticamera al palazzo di Algeri, «ce la farà il Barbarossa a portar via di là tutti i nostri?»

Allora Osman Yaqub si arrabbia con loro. Come? Non hanno sentito che Kair ad din va avanti e indietro, fuori e dentro le mura della città assediata quando e come gliene viene il capriccio? Però egli dice così per tenere i servi sotto controllo e per evitare che da loro si diffonda sfiducia in città, ma sa che la ritirata è un grosso problema.

Ciò nonostante, un sospirato tramonto, sia i piccioni che i messi a cavallo portano la notizia che Kair ad din ha forzato una breccia ed è ormai fuori tiro. Per una sera ad Algeri si fa un po' di festa.

Soltanto Osman non riesce a festeggiare né a prendere sonno, perché ha il cuore farcito di desiderî impossibili. Si è steso sopra i graticci per l'essicazione accanto ai fiori di camomilla e di rosa canina per respirare i loro aromi rasserenanti e depurativi, ma si sente invasa la mente e l'anima da una folla di facce che non ha mai visto prima, eppure sa bene chi sono. Sono tutti coloro che di lì a poco a Tunisi dovranno patire pene d'inferno.

«Noi che faremo?» gli chiedono con gli occhi sbarrati e imploranti.

Osman prova una rabbia infinita per come va il mondo e, tutto sommato, per come va il cielo. Se non possono proprio far niente Gesù Cristo e Maometto, con l'aiuto di Allah Padre Eterno, che può fare un modestissimo e vecchio Osman Yaqub Salvatore Rotunno?

L'indomani gli abitanti di Algeri tornano al lavoro, Hassan continua a insistere che bisogna fare più in fretta. Tutto potrebbe accadere, appena gli imperiali si sentiranno padroni assoluti di Tunisi.

«Coraggio, coraggio» sussurra Osman alle signore dell'harem, stanche di preparare bende e filacce, «trottiamo come girandole, io lo so bene, ma alla fine questo figlio nostro ci darà pace».

Con le signore dell'harem Osman Yaqub può tranquillamente usare un simile tono parlando del rais, poiché molte l'hanno tirato su come lui, vezzeggiandolo, quand'era fanciullo.

«Vorrei sapere di che ti lamenti» chiede Osman la sera al principe Hassan preparandogli un buon pediluvio, «i terrapieni vengono su come funghi!»

Invece, Hassan gli dimostra che mancano mastri petrai e carpentieri di vaglia. Bisogna finire la diga a mare, rifare una seconda e più ampia cinta di terrapieni e di mura dove la città è debordata dai vecchi limiti, rafforzare la casbah dove non potrebbe far fronte ad un assalto. Sono tutte imprese iniziate da tempo, ci si era impiegato il pietrame della distrutta fortezza spagnola El Pẽnon che si ergeva anni addietro al centro del porto, poi i lavori erano stati interrotti. I Barbarossa pensavano che bastasse la loro flotta a scoraggiare un nemico, ora non basta, perché il nemico è troppo forte.

Non andranno forse abbastanza veloci i lavori destinati a durare nel tempo, però sono davvero a buon punto quelli che potrebbero dirsi i rattoppi: consolidamenti qua e là, chiusura di falle, piazzole nuove, finestre sguinciate o truccate, un passaggio segreto, un trabocchetto, un condotto. Piccoli accorgimenti di grande importanza, da cui può dipendere la vita di tante persone.

Per questi lavori minuti si adoperano anche donne e bambini e poiché di donne e bambini ce n'è in abbondanza, enormi nugoli corrono intorno per ammassare nei punti strategici le più impensate e semplici armi, dai randelli alle pignatte forate, dagli stoppacci agli escrementi essiccati, e sassi, ciocchi, cotenne, noccioli, sabbia, pale di fichi indiani, qualsiasi oggetto buono a ferire, a far sdrucciolare, a dare fiamma, fumo, a soffocare, a ingannare, a distrarre, a stupire.

Kair ad din e i suoi soldati puntano su Bona per vie traverse, dicono i messaggi, per non tirarsi dietro gli inseguitori.

«Purché gli imperiali non li precedano per mare, e non distruggano la flotta barbaresca rimasta nel porto di Bona!» si pensa ad Algeri, dove la paura continua a covare pronta a fare faville, mentre lo scettro di Carlo d'Asburgo campeggia nelle fantasie notturne accese di grande terrore.

E poiché nella mente di Osman la fantasia ha dimora costante non è solo lo scettro di Carlo che vi campeggia, vi è l'imperatore intero, nella pienezza della sua maestà.

«Beh, sei contento?» gli dice Osman con piglio assai duro, perché non gli piace la gente tronfia. «Sei contento ora che sei proprio tu a fare la guerra?»

Per Osman Yaqub la cosa è chiarissima. All'imperatore è venuta la smania di scendere in campo personalmente. Non gli bastava più mandare in battaglia per terra e per mare i suoi generali e vassalli, vuole la sua parte di gloria e di festa guerriera. Si è stancato di inviare tutti i navigli verso le Indie lontane, vuole vederseli intorno e comandarli da sé.

«A me!» avrà detto Carlo d'Asburgo. «Venitemi dietro e facciamo la guerra».

Così sono venuti a portare scompiglio nelle nostre città.

«Vuoi la guerra?» dice Osman all'imperatore nella sua fantasia. «Bene, allora sta' in guardia!» E parte all'attacco.

L'imperatore è grande e fermo e ha un sorriso di sfida, molto antipatico. Osman lo rimira da tutte le parti per individuare il suo punto debole. Cerca di fargli sgambetto, di pestargli la coda del manto, di schizzargli sulla corazza della melassa che ne attenui il bagliore. Niente. L'imperatore è sempre lì, altissimo e saldo come una statua con la faccia pallida e il gran mento per aria.

Che la faccia di Carlo fosse di un grande pallore lo diceva sempre la marchesa Carlotta Bartolomea nei momenti in cui era arrabbiata con suo marito e con tutta la corte spagnola.

«Vedeste che mento» raccontava madama Comares, «bianco e piatto come un tagliere».

Ed ora il mento dell'imperatore spicca come un bersaglio davanti ad Osman, così nitido e così reale che Osman con un balzo sublime gli sferra contro un pugno tanto violento che l'imperatore sparisce.

«Proprio adesso ti sei addormentato?» lo sveglia Hassan, agitandogli davanti agli occhi un messaggio. «Kair ad din è a Bona».

E a Bona la flotta, intatta, efficiente, è pronta a salpare. Subito corrono gli araldi per la città di Algeri ad informare il popolo con voce allegra: il Barbarossa non avrà inseguitori, a Tunisi la flotta imperiale non ha tolto le àncore e non ci pensa nemmeno, Carlo d'Asburgo ha concesso ampia licenza di sacco all'intera armata.

7.

Tanto folle è la guerra che una cosa orribile come il sacco di una città può essere altrove considerata una buona notizia; il sacco di Tunisi in effetti procura ad Algeri un po' di respiro. Nemmeno stavolta, però, si può perdere tempo, altrimenti si annulla il vantaggio per la sosta dell'armata nemica. Bisogna dar dentro ai lavori di fonderia e alla preparazione di polveri e fuochi.

In fonderia ha il comando Amed Fuzuli che, puntuale, con l'aria di bufera ha lasciato l'isolamento della medrese dove si era beatamente rinchiuso al ritorno dalla campagna di Baba Arouj. Amed Fuzuli mostra soddisfatto ad Hassan le colate che scendono, ricordando le giornate trascorse nella piccola fonderia di palazzo per forgiare il braccio finto di Baba, giornate piene di paura ma anche di giochi.

«Beh, allora era in ballo al massimo il taglio di un braccio».

«E quel braccio era mio, tu che ci rimettevi?»

Scherzi a parte, questa volta è in ballo la vita di molti, l'esistenza stessa della città.

«Il pericolo è grande, prima o poi gli imperiali verranno, non resteranno per sempre impantanati a Tunisi» conclude Amed Fuzuli controllando il cannello per la colata.

Invece Hassan incomincia a pensare che il pericolo non sia più tanto imminente, che ci sia il tempo di preparare un'accoglienza adeguata.

Amed Fuzuli ha ragione di dire che l'imperatore non dorme sonni tranquilli finché Algeri esiste: se spira il vento adatto la roba che i suoi vassalli e ministri gli mettono nei magazzini in Sicilia può passare in poco più di una notte nei magazzini di Algeri, troppe volte è successo. Ma, forse, Carlo d'Asburgo ha altri guai nel suo vastissimo impero. Se ha concesso quel sacco, significa che deve mordere il freno e rassegnarsi all'attesa.

8.

C'è qualcuno che soffre assai a dover mordere il freno, e ha molta rabbia e pochissima rassegnazione. Questa creatura biliosa è il disgraziato marchese Comares che sente le viscere tremendamente contorte e la testa piena di fumo.

Maledizione, come si balla stanotte. La barca di Caronte non potrà essere un inferno peggiore. Comares, che non è uomo di mare, vincendo se stesso se ne sta nel castello di poppa di una delle ultime navi alla fonda, tra le più esposte ai capricci dei flutti; il marchese vuole restare il più lontano possibile dal sacco di Tunisi, che ha rovinato i suoi piani. Il vento di terra porta le urla e i boati dei crolli, come se il bagliore che invade il cielo non bastasse a rendere conto di quel che succede in città.

Nonostante il rispetto che sa di dovere anche nel segreto dell'animo al suo sovrano, detentore del supremo potere che discende da Dio, Comares non può comprendere il modo d'agire del cugino imperatore.

Questa faccenda di Tunisi finisce malissimo. Ed era stato proprio Comares a dare a Carlo d'Asburgo il consiglio di prestare ascolto ed aiuto a Moulay Hassan. L'idea era splendida, si poteva indurre amici e alleati ad una guerra santa con il pretesto di un patto con il deposto sultano di Tunisi. Amici e alleati, che non si sarebbero mossi per una guerra di religione né per la difesa della civiltà minacciata, si erano precipitati per impadronirsi di una città ricca e di un porto famoso. Lo scopo vero del marchese Comares e dell'imperatore restava l'annientamento della potenza dei Barbarossa, la cacciata di quei demoni dalla terra e dal mare, fiaccandoli prima a Tunisi e poi colpendoli al cuore nella loro tana di Algeri. Questo sarebbe stato il sospirato momento per cogliere alla sprovvista ad Algeri quel rinnegato figlio adottivo di Baba Arouj e di Kair ad din.

«Maestà» aveva detto Comares al suo imperatore, «se gli piombiamo addosso inattesi, lo troviamo che recita versi e gratta i suoi chitarrini».

Ma l'imperatore ad un certo punto dell'impresa non ha più dato ascolto al cugino. All'inizio era un idillio. Il piano era così preciso e la vittoria così immancabile che il marchese Comares aveva fatto preparare un altare per metterci sopra le armi e i resti di Kair ad din, in un nuovo ed eccezionalissimo ex voto. L'imperatore voleva Comares sempre presso di sé, stavano ore e ore a parlare, tanto che il marchese si sentiva assai prossimo a raggiungere l'ambìto titolo di consigliere segreto. Più tardi sono venuti gli intoppi.

Il primo intoppo era venuto dalla marchesa sua moglie, che si era fatta protettrice solerte della sua salute e della sua pace. Costei era andata a pietire dall'imperatrice Isabella, dal confessore imperiale e da Carlo stesso. Il marchese suo sposo, diceva, non era uomo da tirarsi indietro da impegni e fatiche, ma la campagna di Orano l'aveva troppo provato, non si era mai più ripreso ed aveva bisogno di molti riguardi, interiora e cervello erano in preda sovente ad umori maligni. L'imperatore aveva ascoltato la sua grossa ed estrosa cugina e aveva deciso d'accogliere le sue preghiere, tanto che poco a poco aveva lasciato il marchese in disparte. Comares capiva, in verità, che Carlotta Bartolomea aveva fornito appena l'appiglio, non era stato solo per il suo intervento che l'imperatore aveva smesso di consultarsi segretamente con lui.

Essere solo a fianco dell'imperatore era l'aspirazione principale del marchese Comares, ma era purtroppo l'aspirazione di molti, e tra i più accaniti aspiranti vi era il cardinale della città di Toledo, Juan de Tavera, che aveva rappresentato per Comares il secondo e più grave intoppo: i sussurri del porporato erano stati il movente vero del mutamento dell'imperatore.

Il cardinale era contrario alla spedizione di Tunisi e appena ne aveva avuto sentore, probabilmente seccato dal fatto che non era stato lui a consigliarla al sovrano, ha cominciato a dire che si trattava di un'avventura da giovin signore.

«L'imperatore» soffiava qua e là il De Tavera, «è ancora un ragazzo e come tutti i ragazzi fa sogni più grandi di lui».

Carlo si era sentito in dovere di provare a se stesso e alla corte di non essere affatto un giovin signore sventato, poiché questo insinuava il cardinale di Toledo con l'intenzione di essere eletto sua balia ufficiale. A nulla sarebbe valso sbandierare gli anni, che erano passati per l'imperatore come per tutti. Meglio era chiarire che non servivano balie e nemmeno consiglieri segreti. L'imperatore si sarebbe servito di consiglieri ufficiali, cioè di dipendenti regolarmente inseriti nei libri paga, con mansioni specifiche: ambasciatori, banchieri, soldati. Insomma, Carlo non voleva più che nessuno sotto di lui accumulasse troppo potere, anche se, non potendo fare tutto da solo, si era dovuto cercare dei generali, secondo le usanze; aveva posto Andrea Doria a capo della flotta e il marchese Del Vasto a capo delle forze di terra e li aveva invitati a prepararsi a partire.

Ma a Toledo Juan de Tavera continuava a dire in giro cose sgradevoli. Diceva che tutti quei consiglieri e comandanti incaricati di questo e di quello provavano che Carlo non era in grado di far da sé. Stare in guerra sul campo non era come mettere pace in un consesso di feudatari o come andare in mezzo ai notabili delle città a farsi rendere omaggio o come tenere a freno con due scaramucce i parenti, sovrani di Francia o di altre nazioni.

Bene, Carlo aveva accettato la sfida ed era sceso in campo egli stesso in qualità di comandante supremo: esercito e flotta dipendevano direttamente da lui, presente in carne ed ossa in battaglia.

L'analisi del marchese Comares in definitiva è simile a quella di Osman Yaqub

Secondo il marchese Comares, per questo puntiglio di scendere in campo, l'imperatore ha finito con il calarsi perdutamente nei dettagli dell'assedio di Tunisi e gli è sfuggito l'insieme, il grandioso disegno che col suo aiuto era riuscito a ideare. Ecco perché il marchese considera la vittoria di Tunisi un'azione finita malissimo. Che importanza può avere per lui la resa di una città, se la capitolazione di Tunisi coincide con la capitolazione del suo grande sogno?

«Maestà» aveva detto Comares quando aveva intuito che Carlo avrebbe concesso il saccheggio, «io temo che sia molto pericoloso».

«Non è un obbligo, che vengano a terra tutti i miei generali» aveva risposto l'imperatore tirando su il mento, «gli anziani si ritengano pure esentati».

L'aveva insomma trattato come un invalido o un pauroso, e non aveva capito che secondo Comares quel saccheggio era un errore.

Comares fa chiudere ai servi i portelloni delle finestre della cabina, si fa portare acqua calda spruzzata di un po' di limone perché gli spenga l'arsura, si avvolge il capo e i piedi in pezze bagnate, fa spegnere il lume e dopo il rituale pensiero di stizza a Carlotta Bartolomea serra gli occhi e cerca di regolare il respiro per spianare al sonno la strada.

«Verrà anche il tempo di Algeri!» pensa per consolarsi, e si sforza di sognare quel giorno. Vorrebbe essere un gigante e svellere una per una le pietre del palazzo dei Barbarossa, contandole prima di scagliarle nel mare.

9.

«Uno, due, tre, quattro, cinque, sei, sette. Queste sono le parti di salnitro» spiega Alì Ben Gade, che dirige l'officina dove si preparano le polveri da sparo, «queste sono le due parti di carbone pestato e questa è la sola parte di zolfo che ci dovrebbe andare. Abbiamo sempre fatto così».

Un lavorante alemanno consiglia invece di aumentare lo zolfo e diminuire il carbone, perciò Alì Ben Gade ha chiamato il rais a consulto. L'alemanno forse ha ragione, ma una nuova miscela avrebbe bisogno di prove. Questo non pare il momento opportuno per sperimentare. L'amalgama va preparato a tempi serrati, stavolta.

Il parere di Hassan è che si continui al solito modo per la polvere sciolta delle armi pesanti e si tenti qualche variante per l'amalgama dei granuli per le armi leggere, che richiede prove più semplici. Detto fatto si prepara la nuova miscela e si prova.

Ed è tra scoppi e scoppiettìi che si ha l'impressione di udire delle voci lontane.

Non è il tempo delle preghiere, eppure sono le voci dei muezzin. Da un minareto all'altro, a botta e risposta, come un'ondata si diffonde un grido.

Quando nell'officina si fa silenzio, il grido diventa una chiara e bella notizia.

«Kair ad din! Kair ad din! Kair ad din!»

Hassan e gli altri si arrampicano sul tetto a guardare. L'orizzonte è pieno di navi di Barberia.

«Per oggi il lavoro è sospeso».

La città si riversa giù da scale e pendii fin dentro al porto e acclama festosa.

XXI.

1.

Il palazzo è coperto da un turbante nero, zeppo di punti dorati. È una notte di afa. Padre e figlio, dopo la cena, conversano nella grande altana aperta sul mare. Disteso sopra i cuscini, alla luce scarsa delle piccole torce, Kair ad din pare una statua d'argento brunito.

Il Barbarossa racconta al figlio la fuga da Tunisi e l'imbarco a Bona. Parla con voce tranquilla, ma Osman comprende che ha molta tristezza nel cuore. Ha fatto peggio di suo fratello Baba, ha perso ancor più uomini e mezzi.

«Accontentiamoci che la tua testa è rimasta sul collo» vorrebbe dire Osman al suo adorato signore, «non si può vincere sempre. Adesso riposa». E manda i musici dietro il paravento intarsiato, di modo che i suoni arrivino tenui, per indurlo ad un sonno ristoratore.

Osman si prodiga a versare bibite fresche, a cambiare i ragazzi che agitano i grandi flabelli appena calano il ritmo, a rinnovare le pezzuole aromatiche, perché sia confortevole il riposo del vecchio guerriero. Kair ad din è stanco e deluso, la sua bella barba sembra sbiadita.

«Hai bisogno di sonno» vorrebbe dirgli il servo, «lasciati andare».

Ma non ha senso che Osman Yaqub dia consigli al suo saggio padrone; deve ascoltarlo senza interromperlo, perché le parole che sgorgano aiutano a cacciare gli umori cattivi dal corpo.

Osman segue i profondi sospiri di Kair ad din, gli osserva le mani abbandonate sul petto, le palpebre abbassate ma non chiuse del tutto, sotto le quali l'occhio continua a indagare posandosi a caso su questo o su quello, seguendo in verità solo l'immagine del suo pensiero.

Hassan, seduto eretto al suo fianco, enumera le iniziative prese ad Algeri, le opere ultimate, quelle in corso, quelle appena progettate.

Osman Yaqub attende con trepidazione il giudizio di Kair ad din su quanto ha fatto il figliolo. Quel ragazzo, che nell'abito sciolto di lino pare sottile e fragile, non ha bisogno di angeli protettori; il suo servo balia lo sa e non pretende di avere il diritto di trattarlo né di pensarlo sempre come un bambino, ma che male può fargli qualche attenzione di troppo? Gli può nuocere un cuscino ben spiumacciato, un candito posto a sorpresa sopra un tavolo o sulla panca della torretta dove sale a osservare le stelle?

Forse Osman dovrebbe evitare di dargli fastidio. Dovrebbe evitare qualche inutile frase come «prendi il mantello», «tieni, assaggia un boccone», «non hai dormito?», «ti stanchi troppo», «passati il pettine tra quei capelli», o altre simili lagne.

Non c'è pericolo che le sue tenerezze da vicemadre rammolliscano il rais Hassan che è fatto di acciaio! E come l'acciaio è malleabile, pensa Osman Yaqub soddisfatto, ricordando quante volte è riuscito a vincerne la caparbietà nei tempi passati a furia di attese pazienti e di ragionamenti sereni. Non già che da ragazzo quel briccone di Hassan fosse docile in ogni momento con il suo balio, ha fatto bizze e impennate e Osman ricorda benissimo quante sue marachelle ha dovuto nascondere sia ai maestri che a Baba Arouj e quante volte ha dovuto punirlo.

Il profilo di Hassan si staglia netto nella luce lunare, contro le pietre rosate dell'altana.

«Chissà se quel san Gabriele arcangelo della cui bellezza tanto si dice era o è altrettanto ben fatto?» si domanda Osman, fiero dell'avvenenza del suo figliolo come se l'avesse partorito davvero. Ed è fiero che nelle varie corti tanto si parli del bellissimo erede dei Barbarossa, anche se di lui più che altro si mormora, con invidia ed acredine.

«Meglio» pensa Osman Yaqub, «meglio che facciano cumuli di congetture, il mistero si addice ai sovrani e l'acredine può essere un buon condimento al timore».

«Com'è, com'è?» sussurrano i maligni nei corridoi di Toledo. «Ha la vocetta dei castrati?»

Carlotta Bartolomea che sempre più ama stupire e dare scandalo gli ha riferito che un giorno, passando davanti ad un crocchio di funerei curiali che con malizia e con gli occhietti tirati al disprezzo si ponevano questa domanda, ha risposto, lasciandoli tutti di stucco: «Ha una voce semplicemente divina».

E se n'è andata battendo con forza sul marmo, per dare disturbo, i suoi tacchi arditi di foggia italiana.

Misterioso lo è veramente, il suo Hassan, sarà per la vita che ha fatto da bambino sopra quei monti. Anche da piccolo si chiudeva a riccio, ogni tanto, e non era possibile forzarne la guardia. O forse il torto era di Osman: non c'è motivo di forzare la guardia di una mente o di un cuore, ci sono soglie vietate.

Per quanto riguarda l'impenetrabilità della mente c'è una spiegazione ulteriore. Il ragazzo ha fatto capire al suo balio moltissime cose, ma la mente di Osman Yaqub Salvatore Rotunno più di tanto non si è dilatata. Tra le poche nozioni che sono riuscite a insediarsi nello stanco cervello di Osman e la scienza di Hassan c'è una distanza abissale; le rotelle che nella testa di Osman dovrebbero muoversi e far camminare il ragionamento e il pensiero si fiaccano, stridono e non ce la fanno a seguire il galoppo del suo pupillo. Del resto ciò gli dà gioia. Quale madre non è felice se il figlio ha più genio di lei?

«Bravo» dice Kair ad din, approvando, «hai retto bene la nostra città».

Osman non dubitava che il giudizio sarebbe stato eccellente, però nel sentirlo esprimere tira un sospiro di gioia.

Accucciato sotto il muretto che chiude l'altana e regge i vasi di salvia rosata e di timo, fiuta l'aria; è sempre ferma, ma si è fatta meno rovente. È tardi. Licenzia d'un gesto deciso i ragazzi con i flabelli che dopo un inchino grazioso se ne vanno senza rumore. Anche i musici possono andare a dormire, e una volta cessato lo stropiccìo leggero dei piedi che si allontanano un vellutato silenzio chiude l'altana.

Osman Yaqub, sfilati dolcemente i calzari al suo vecchio rais, senza attendere che gli sia dato permesso inizia con le sapienti mani il suo consueto massaggio, partendo dal dito più piccolo, premendo, accarezzando, facendo una frizione leggera e pensando pensieri di pace, per dare pace al suo amico e signore.

Questa è una credenza di cui non oserebbe parlare a nessuno: i pensieri secondo lui passano da un uomo all'altro senza parole, per molteplici vie che non conosciamo. E non solo passano da un uomo all'altro: secondo Osman tutti gli esseri hanno un pensiero, forse tutto il creato. Ma il pensiero che passa non è sempre il più buono, il più bello, il più salutare, è quello che ha una forza più penetrante.

Osman si sente in pericolo. I suoi pensieri di pace sono turbati e via via sopraffatti; la sua anima è piena di tumulti di guerra, oppressa tra battaglie, mosse strategiche, tattiche, diplomazie; egli continua il massaggio e prova a resistere, benché avverta che gli entrano su per le mani e per chissà quali misteriosi passaggi i pensieri del Barbarossa. Altrimenti, perché un servo ignorante si prenderebbe la briga di analizzare la sequela di errori messa insieme dai suoi padroni nella vicenda di Tunisi?

Primo errore: quando i Barbarossa molti anni addietro avevano deciso di lasciare Tunisi, dove abitavano da signori riveriti e potenti, per trasferirsi a Djerba e poi ad Algeri, dovevano lasciarla in mani migliori.

Secondo errore: quando Kair ad din aveva deciso di andarla a riprendere con la scusa della cacciata del tiranno Moulay Hassan, non ha valutato abbastanza l'amicizia di questo Moulay Hassan con l'imperatore di Spagna e Germania, né la possibilità che una volta tanto gli imperiali sospendessero i loro litigi interni per scendere in guerra compatti.

Terzo errore: appena deposto Moulay Hassan, Kair ad din si era sentito sicuro ed aveva rinviato ad Istanbul i giannizzeri che il Gransultano gli aveva dato in appoggio, restando a presidiare Tunisi con poche migliaia di uomini.

Quarto errore: aveva permesso ai mercanti di tenersi ammassati nei bagni molte migliaia di schiavi in attesa di destinazione.

Quinto errore: non aveva portato via ai cittadini oro e beni, lasciandogli quindi l'illusione di potersi salvare venendo a patti.

«Sono stato uno sciocco. Queste due guerre perdute, figliolo, sono la più efficace lezione che i tuoi padri ti hanno impartito» dice Kair ad din dopo un lungo silenzio, dando conferma ad Osman che erano stati i pensieri del suo signore a salirgli fin dentro la testa. «Adesso basta» conclude il Barbarossa con voce ardente, «bisogna scrollarsi di dosso anche il fastidio della sconfitta, che dà letargo. Pensiamo al cantiere. Ci servono in fretta legni leggeri e veloci».

E mentre Kair ad din spiega al figlio il suo nuovo piano, Osman scopre con il solito stupore e la solita angoscia che si tratta di un'altra guerresca follia. Torna al suo angolo sotto il muretto, ascolta e tace. Il suo massaggio non riuscirà mai a liberare il corpo di Kair ad din dagli umori cattivi, se la guerra resta tenacemente attaccata al suo cuore. Al contrario, potrebbe il venefico umore guerresco appiccicarsi al sangue di Osman.

2.

L'indomani, per tempo, Kair ad din si trasferisce in cantiere. I piccioni vanno e vengono da Bona, città rimasta amica ed indenne, e dagli accampamenti di tappa degli uomini che non hanno trovato posto sulle navi scampate e stanno rientrando per via di terra: sono molto provati dal clima, hanno pochi cavalli e cammelli, non abbondano di cibo né d'acqua, ma torneranno.

Continuano a venire messaggi anche da Tunisi. Li manda Rum Zade, un tempo compagno di scuola di Hassan.

«Rum Zade? Che ci fa a Tunisi?»

«Raccoglie notizie per noi!»

Rum Zade andava smerciando sete cinesi per sfuggire a sua madre, che lo voleva con sé, e per via aveva udito che le cose a Tunisi si erano messe per un brutto verso. Arrivato per dare una mano, aveva incontrato i barbareschi già fuori città ed era rimasto malissimo.

«Come farò con mia madre? Lei vuole di ogni piazza descrizioni minute. Non posso saltare un mercato tanto importante. Faccio un salto dentro, così dico anche a voi che aria tira».

Kair ad din si era lasciato sedurre e gli aveva concesso il permesso di entrare in città. Rum Zade, lasciate le sete, si era infilato con facilità nei contingenti ungheresi sotto i panni di un frate. Nel primo messaggio aveva raccontato che appena dentro aveva mutato d'abiti e s'era spacciato per vivandiere. I trucchi a lui non mancano mai e di messaggio in messaggio si legge che li va perfezionando; ora è giunto a partecipare ai consigli in qualità di guardia speciale, tale è la confusione che regna tra gli imperiali.

Carlo d'Asburgo non ha saputo vietare il saccheggio alle sue truppe, da tempo senza paga. E dopo tre giorni di bolgia era fatale che nessuno ce la facesse a far rientrare nei ranghi una soldataglia impazzita, di cento nazioni diverse, ciascuna con i suoi comandanti rivali l'uno dell'altro, con una babele di lingue, di fogge, di usanze, di crudeltà.

«Resteranno lì a lungo, impegolati nel brago».

La previsione di Kair ad din è confermata ogni giorno da messaggi e voci concordi.

I vari eserciti di cui la forza imperiale è composta vanno a gara a rubare, bruciare, stuprare, squartare uomini, donne, bambini, a distruggere ogni genere di manufatti, fondendo insieme nei roghi metalli preziosi e sciupando tesori.

Alla fine il bottino non sarà poi così immenso, se pure non ridurranno in briciole tutto.

Sembra che Kair ad din goda di quel guaio tremendo. Eppure Osman sa che non è un uomo spietato; ma la pietà può affacciarsi al suo cuore di grande rais solo quando la mente e l'animo da comandante supremo le danno il permesso di far capolino. Invece ad Osman, che non ha obblighi di buon governo, la pietà dilaga per tutte le fibre e gli umori, gli toglie le forze, lo strapiomba nel dolore e nella voglia di pianto. Perciò, allontanato il pericolo per la città di Algeri, Osman ha cercato di togliersi dal bellicoso vortice che l'aveva inghiottito ed è tornato ai suoi filtri ed aromi.

3.

La città pian piano riacquista i suoi soliti suoni. Le donne tornano a urlare con i figli. Ricompaiono bisticci ed alterchi.

Si sentono anche risate. Vengono considerate concluse le piccole opere per fronteggiare un attacco e la gente liberata dai turni del lavoro comune riapre botteghe, officine e mercati, riprende le occupazioni normali, tranquilla: anche troppo tranquilla nel senso che in fondo il mancato dramma la lascia svuotata.

Interrotta la tregua, ricomincia la caccia ai topi, che attraversano a frotte le strade; in vista di un lungo assedio, era stato concesso loro di riprodursi, per avere un po' di carne da macellare in tempo di carestia.

Kair ad din vive in cantiere ed è in gran forma. Con gioia ha ripreso i lavori manuali che ogni volta lo riportano indietro all'infanzia e all'adolescenza, quando sul litorale di Lesbo tirava di sega e di pialla per costruire e riparare le barche di Baba e del loro fratello maggiore, che poi era morto ancora ragazzo in battaglia sul mare.

Ai cantieri la legna non basta. Le cataste di scorta e di stagionatura sul litorale sono state intaccate per i ritocchi e i nuovi vari all'inizio della spedizione di Tunisi, perciò, mentre i maestri murari e pietrai continuano senza grossi problemi i lavori ad Algeri, Hassan sale sui monti a far legna con parte della manodopera, dove occorre disfare le cataste già pronte, trasferirle in città e tagliare altre piante, facendo una scelta accurata. Hassan raccomanda che non si sradichino le piante giovani e che per l'abbattimento di quelle grandi si segua l'ordine prestabilito. Nemmeno un ramo si seghi, se non si è sicuri che sia necessario. Guai se la fretta di ora andasse a scapito delle riserve per il futuro.

Una per una si sfoltiscono le foreste sulle digradanti colline, e man mano che si va verso l'interno ci sono maggiori problemi per il trasporto al cantiere, benché si faccia sul posto il primo taglio, l'operazione di scarto e di sfrido.

Sono di valido aiuto i moriscos liberati nell'ultimo viaggio e non ancora stanziati nelle campagne lontane poiché, appena giunti in porto, la situazione era divenuta troppo drammatica per progettare nuove colture verso il deserto e servivano braccia in città.

Questi moriscos che hanno sempre fatto lavori nei campi o nei boschi sanno distinguere un'essenza arborea dall'altra, un legno sano da uno troppo debole o troppo difficile da trattare, sanno legare le funi per i trasporti, sanno tagliare gli assiti. Di legname s'intendono, però sono sorpresi della cernita meticolosa al momento di abbattere gli alberi. Amin, che è riuscito a restare nel gruppo con il principe Hassan, spiega ai compagni che queste foreste bisogna mangiarsele con un po' di misura, come faceva sua madre con la farina; e Hassan si diverte ad insegnare ad Amin i tipi di legno che occorrono per fare le navi. La chiglia, ad esempio, va fatta di pino, mentre per le parti interne può servire anche l'abete; il cedro, che è un legno stupendo, andrebbe a meraviglia per tutto, ma non si può sperperare un'essenza arborea tanto preziosa; quando è ben stagionato pure il cipresso è perfetto; in ogni caso, se è tempo di magra, si possono usare benissimo alberi di minor pregio, purché si faccia attenzione alle resine, alle vernici, alle cere, ai catrami e agli olii lustranti e lubrificanti. Amin non la smetterebbe di chiedere informazioni precise, anche per poter correre a dirle in giro come frutto del suo sapere.

Il caldo è torrido. Senza la minaccia d'attacco, sarebbe stato più giusto aspettare l'autunno per il taglio e il trasporto del nuovo legname per il cantiere; così si perde una stagione di crescita, si suda, si pena e non ci sarà un'essiccazione ben fatta. Pazienza. Si deve varare al più presto la nuova flotta, secondo gli ordini di Kair ad din.

Di solito il taglio dei boschi in montagna è compito assegnato ai berberi, al termine delle semine e degli spostamenti dei pascoli. Quest'autunno, visto che i boschi sono stati tagliati fuori stagione, se non ci sarà assedio né guerra, i berberi per non restare senza lavoro potranno scendere ad aiutare in cantiere. Sono tante le navi che Kair ad din vuole, ci sarà bisogno di molti operai.

«Allora, ci vado anch'io a lavorare in cantiere» afferma Amin con entusiasmo, poiché vorrebbe andare dovunque e fare ogni cosa.

Più giù, a metà del pendìo, un tronco gigante si è messo di traverso sul piano di strascico e inceppa la calata dell'intera partita. Ha invaso la parte di striscia disboscata dove la legna piccola scorre a valle sciolta, sicché tronchetti e rami si stanno ammassando pericolosamente. Occorre spostare quel tronco per sgombrare in fretta il piano di strascico.

Gli uomini insistono energicamente a dare strattoni di fune, ma non riescono a smuoverlo; eppure il tronco è imbrigliato con tante cime che sembra un ragno in mezzo alla tela e l'imbracatura è perfetta. Dev'esserci qualcosa a bloccarlo.

«Che facciamo» domanda il caposquadra al principe Hassan, «ci mandate degli altri in aiuto?»

«Mettete i cunei e continuate con i tiri di fune per sollevarlo» consiglia Hassan mentre finisce un altro lavoro.

A scivoloni e salti Amin è corso dov'è il tronco impigliato.

Gli uomini provano ad alzare l'albero con i cunei, senza successo. Si dovrebbe penetrare fin sotto e porre al centro dei cunei su cui fare leva, ma è complicato arrivarci.

Sta scendendo anche il principe Hassan. Prima che arrivi, Amin afferra i cunei, si getta avanti, ed essendo sottile riesce a strisciare fino al punto dove uno spunzone di roccia s'è infilzato sotto la gobba di un nodo, sistema tre cunei ed esce fuori felice.

«Ecco fatto» dice tirandosi su e scuotendosi dalle vesti il terreno, «adesso tirate».

Con i cunei piazzati al posto giusto, al terzo strattone l'enorme tronco tentenna, si sposta e riprende placido la sua discesa, seguito da un corteo abbastanza ordinato di tronchi minori e da una fiumana di minutaglia tutta sobbalzi.

Per premio Amin viene gettato più volte per aria come un cuscino.

«Lo vedi che so fare di tutto» dice al principe Hassan, «posso benissimo lavorare in cantiere e magari pure alla fonderia. Mi piacerebbe molto fare i cannoni».

«Sei uno sbruffone, Amin» gli fa il caposquadra, irritato che un ragazzetto abbia risolto il problema, «impara a stare al tuo posto o ti rimandiamo in città».

Amin promette che starà buono vicino ai suoi orci, a distribuire mestoli d'acqua ai taglialegna come è suo compito, senza impicciarsi del resto. Quel che gli importa è che Hassan sembra molto contento di lui.

4.

Come spesso ormai gli succede quando Amin gli bazzica intorno, Hassan è portato al ricordo di quell'altro ragazzo che gli è stato amico oltre che servo, Pinar della nave ammiraglia, che poi fu detto Pinar delle ispanotedesche e infine Pinar di Anna di Braes.

Sono molti mesi che di Pinar non si hanno notizie. Prima che scoppiasse il bubbone di Tunisi, Hassan si era accorto che era cessato il flusso di doni e carteggi tra Osman e Anna di Braes. Questa faccenda angustiava assai il vecchio servo. Osman non aveva detto nulla in proposito, ma da tempo non aveva più raccontato, com'era solito fare, piccoli episodi della vita romana dei suoi due amici. Si trattava sempre di accenni, di particolari che presi a sé non dicevano molto, come se Osman avesse voluto provare se il suo padrone aveva interesse a sapere di Anna e Pinar, se domandava di più. Ma da mesi il gioco è finito.

Qualche volta, in passato, erano giunti doni anche ad Hassan: una cintura, un cuscino lavorato a trapunto, un coltellino con un manico d'osso sicuramente intarsiato da Pinar. Hassan aveva trovato i doni nei luoghi più impensati con una spiegazione molto laconica da parte di Osman Yaqub. Da Roma, gli diceva. Né mai Hassan aveva chiesto altro, quantunque sapesse che ad Osman Yaqub giungevano lunghe missive da Anna di Braes. Il servo gliene snocciolava ogni tanto dei brani.

A carnevale, una sera Osman si era presentato all'ora dell'infusione notturna con un serto fiorito sul capo, cantando e disegnando passi di danza.

«Se ho capito bene è così che si usa ballare quest'anno» aveva spiegato, «sentissi che spreco c'è a quelle feste, che confusione!»

Osman diceva con orgoglio che sulle feste di Roma era perfettamente aggiornato, avendone notizia da chi ne era regina.

L'anno passato, durante il mese di maggio, Osman non faceva che parlare delle infiorate che si tenevano a Roma e della figura bellissima che avrebbero fatto le sue rose davanti al Papa, se avesse trovato il modo di mandarle senza far soffrire le piante e pregiudicarne la fioritura.

«Il maggio prossimo provvederò» aveva detto con aria decisa.

Ma questo maggio non aveva più accennato minimamente né alle infiorate, né ad Anna e Pinar. Ha continuato a preparare per lei vasi di frutta in giulebbe, che tristemente si allineano negli scaffali. Hassan teme che Osman abbia perduto i contatti.

5.

«Osman Yaqub, salta fuori! C'è roba per te. L'hanno portata i corrieri del porto».

L'intendente, sempre geloso, ha una voce irata, ma il pacco che sgarbatamente gli getta in mano è fonte di gioia per Osman, che corre a nascondersi nella stanza degli alambicchi e lo apre con gran tremore. Ha intuito subito che si trattava di doni da parte di Anna di Braes e ne ha avuto certezza appena rintracciati i piccoli segni che hanno convenuto di porre nei loro messaggi.

Dopo tanto silenzio, nemmeno stavolta si può dire che Anna abbia mandato notizie; nel pacco ci sono libri freschi di stampa per la biblioteca di Kair ad din, ci sono semi di piante e verdure rare per Osman Yaqub che ne è felice, e c'è un cappello di velluto e perle, bellissimo, che pur senza messaggi indubbiamente è per Hassan.

«Fosse anche a palazzo anziché sui monti a far legna» dice Osman con malizia come se ad ascoltarlo ci fosse Anna in persona, «subito non glielo avrei dato lo stesso, ci vuole il momento adatto per certe cose».

Ripone il cappello in un buon forziere, convinto che bisogna cercare con molta attenzione i momenti adatti per consegnare ad Hassan i doni di Anna di Braes, altrimenti gli danno un'angoscia profonda o addirittura un fastidio che gli muta il colore degli occhi.

Da che Anna è partita il loro alloggio a palazzo pare ad Osman una fontana vuota, senz'acqua e senza allegria. Ogni tanto considerazioni del genere se le lascia sfuggire quando sta con Hassan e allora gli viene spontaneo guardarlo con la coda dell'occhio per vedere se in qualche modo reagisce, per capire che cosa lui pensa e sente riguardo a lei, ma quel ragazzo resta in genere freddo e impassibile come un cristallo, tanto che Osman avrebbe voglia di pungerlo con uno stecco sottile per sentire se dice ahi o se non prova più niente di niente.

«Che Dio lo protegga, sarebbe il male più brutto se gli si fosse seccata la linfa del cuore».

Non è possibile che ciò sia accaduto né che accada mai. Se dovesse accadere, saprebbe Osman propinargli filtri, pozioni e giaculatorie per farlo guarire.

6.

Il drappello è pronto per il ritorno a palazzo. Domattina c'è un varo e Kair ad din vuole il figlio al suo fianco.

Il cavallo berbero del principe Hassan, eccitato dalla brezza serale, tira via fulmineo e il drappello di scorta si sgrana, poi si ricompone a distanza. I cavalieri non forzano l'andatura, sanno che al loro signore piace tornare solo; talvolta prima di rientrare a palazzo sprona il cavallo a lunghe sgroppate sull'arenile, saltando i mucchi delle reti e le piccole barche tirate sul bagnasciuga.

«Lascia stare il cavallo, non ti fidi più dei nostri stallieri?» domanda Osman Yaqub, venendogli incontro nelle scuderie. «C'è pronto il bagno. Corri a toglierti questa robaccia sudata. Sono sciupate sete e perle sopra una testa ridotta così!» E gli ficca in mano il cappello di Anna di Braes. «Tieni, da Roma».

Questa volta il vecchio è sicuro che Hassan ha sentimenti, rimpianti e pensieri di affetto, glieli ha letti negli occhi, quell'attimo che il ragazzo è rimasto immobile con il cappello in mano. La sera infatti, quando la mente senza le briglie gira e rigira in attesa del sonno, Hassan ricorda quanto era bello stare seduti con Anna di Braes a leggere o a ripetere a gara versi latini in fondo al giardino aromatico o sugli scogli a levante, a picco sul mare, correre tra i cedri, cavalcare nelle maniere più pazze, persino in piedi sulle groppe schiumanti; ed era bellissimo restare in silenzio stesi sull'arenile e guardare il palazzo farsi turchino dopo il tramonto fino a confondersi nel cielo blu cupo di notte. Osman, che intuisce questi pensieri, se ne sta in silenzio, seduto ai piedi del letto come un cane da guardia, perché fluiscano in pace.

XXII.

1.

Due settimane sono passate dalla caduta di Tunisi e il sacco continua.

«Tant'è» dicono i consiglieri imperiali per consolarsi quando vedono che non sono capaci di riportare a bordo le truppe, «in fondo è una città di infedeli. Si tagli, si ammazzi, Belzebù sarà pronto a ricevere quei miscredenti».

Carlo d'Asburgo con la conquista di Tunisi si è messo sul capo una corona di gloria il cui alone si espanderà presto fin nelle sue terre gelate del nord e in quelle nuove dall'altra parte del mondo. I comandanti, gli ufficiali e giù giù tutti i soldati potranno affermare «io c'ero» e raccontare per anni la storia, orgogliosi e impettiti, benché in questo momento siano esausti come dopo una sbornia o una malattia.

Dire che è successo un inferno non basta, perché ovunque una città venga posta a ferro e fuoco è un inferno; ogni volta sembra che il peggio del peggio sia stato raggiunto e alla successiva occasione si scopre che la crudeltà, la sofferenza, la follia non hanno confini. Ma a Tunisi non ci sono più esseri umani, ci sono vittime e boia. Nemmeno la puzza d'incendio riesce a coprire l'odore dolciastro del sangue e della putrefazione.

La sera, quando i comandanti rientrano nei loro alloggi sopra le navi per ritemprarsi dalle fatiche o dai troppo grevi bagordi, non servono a purificarli né lozioni né aromi, né pinte di birra e di vino. Del resto nessuno avverte per ora il bisogno di purificazione. Al contrario tutti amano continuare i piaceri del sacco anche nell'ora che precede il riposo, con le parole e il ricordo. Ciascuno confronta le imprese proprie con quelle degli altri e si vanta di cose che in tempi normali sarebbero brutte vergogne.

«A Tunisi» dicono, «si è fatta più grande strage che a Roma otto anni fa!»

E ciò pare un'ottima meta raggiunta.

L'imperatore non gradisce gli accenni alla malaugurata vicenda di Roma, come non gradisce che si parli del sacco di qui, che si stia insomma a rimestare la broda; ha l'impressione che le parole stesse emanino lezzo di morte. Però i soldati non tacciono e all'imperatore non resta che ritirarsi a dettare dispacci e abbassare le cortine della cabina reale, e così dovrà rassegnarsi a fare finché non potrà abbandonare il teatro di guerra e tornare alla vita civile.

I comandanti non hanno stavolta il problema del soldo da pagare alle truppe; il saccheggio ha permesso di stendere un rigo e pareggiare i conti, secondo la regola sancita dall'uso. Per il resto, dati i crolli, gli ammazzamenti e i falò, si è raccolto più cenere che bottino.

Le vittorie, comunque, non si misurano a staia di grano e nemmeno a chili d'oro; si devono valutare le future influenze e alleanze, il prestigio, la fama.

Tuttavia Comares è profondamente convinto che qualcuno dovrebbe tirare le fila di un bilancio e costringere l'imperatore a pigliarne visione. Secondo il marchese i guai sono assai più dei vantaggi.

Comares non è ancora in grado di reggersi in piedi. La notte che il sacco è iniziato, è stato preso da febbri violente, accompagnate dalla dissenteria, che è la sua piaga. Ma appena svanito il delirio e diradati gli impulsi, il marchese si è informato di ogni fase del sacco ed è riuscito a compilare un elenco voce per voce sia del bottino effettivo sia delle perdite dell'armata imperiale durante l'intera impresa.

«È una vittoria troppo salata» conclude, poi si stizzisce col servo che non può fargli la limonata, perché sono finiti i limoni. «Almeno sbrigati a darmi collo e polsini decenti. Questi ormai sono untumi e non gale».

«Non c'è più roba pulita» si scusa il servo, «l'acqua scarseggia, bisogna tenerla per bere».

«Allora, se non c'è più decoro, andiamo a far festa senza pudori!» proclama Comares, riconquistata la calma, sprofondandosi dentro i cuscini e stendendosi un fazzoletto di trina sul volto per non farsi vedere dagli uomini troppo emaciato.

«Oh, issa! Oh, tira! Oh, cala! Oh, molla!»

Dopo urli e fastidiosi voli su e giù lungo la fiancata della nave, la cesta imbottita in cui Comares è adagiato riesce a posarsi sulla barca diretta alla nave ammiraglia, dove la manovra si deve ripetere per la salita e il malato a ogni scossa teme la fine.

«Sua eccellenza il marchese Comares!» annuncia stupefatto l'attendente cerimoniere quanto il cestone viene issato sopra la tolda dell'ammiraglia.

L'imperatore, che mai si stupisce, ordina un brindisi per ringraziare Comares, venuto alla festa pur così malridotto.

«Il vostro coraggio, marchese, è esemplare. Voi onorate la nostra festa di addio».

«Di addio? Perché, si parte? Si va ad Algeri?»

«Vi porteremo fra breve a godere una meritata convalescenza in terra di Spagna».

«Ma come, Maestà, molliamo tutto?» domanda angosciato Comares che sente le viscere ancor più in subbuglio per la notizia cattiva. «Kair ad din non sarà certo arrivato al suo covo, ma fosse anche tornato ad Algeri con quella sua banda fuggiasca non potrebbe fare gran che. Non vogliamo cogliere, cugino caro, un altro bel frutto?» sussurra Comares fissando implorante il braccio che l'imperatore tiene appoggiato alla cesta in cui egli giace infossato e dolente.

Il marchese, ahimè, non ottiene risposta e quando si rigira su un fianco per fare perno ed emerge a fatica dalla sua culla si accorge che Carlo d'Asburgo non l'ascolta per niente, intento a osservare due giocatori di scacchi.

«E quella, mio Dio?» si domanda Comares folgorato da una borchia che brilla sulla cintura di uno dei due giocatori.

È parso a Comares di riconoscere una delle piastre che ornavano il braccio d'argento di Baba Arouj, ma è talmente sfinito dallo sforzo fatto per affiorare al bordo del cesto che voce e coscienza gli vengono meno. Il poveretto ricasca sul fondo, tra lini e cuscini sudati.

«Ha ragione nostra cugina Carlotta Bartolomea» commenta sinceramente spiaciuto l'imperatore, «Comares è bisognoso di cure. Ne terremo conto. Riportatelo sulla sua nave».

2.

Ad Algeri, in cantiere si tagliano legni un po' troppo freschi e i profumi di resina sono pungenti. Il lavoro è piacevole. Kair ad din e Hassan vi passano ore ed ore in un operoso riposo.

Sono già state sfornate otto creature nuove e bellissime che aspettano di prendere il mare ed è quasi finita la ripulitura della flotta riportata da Bona. Ci vorrà tempo prima che sia tappata la voragine di quelle ottanta navi perdute, ma si procede con alacrità.

«Dove stanno i rais? Dove stanno?» strilla correndo Osman Yaqub con un messaggio in mano che sventola come un gagliardetto.

I guardiani aprono svelti i cancelli e fanno un cenno d'inchino al suo passaggio, ma i cani non osservano le buone maniere né rispettano le leggi che vorrebbero incolumi i messaggeri e, spaventati dagli sbattimenti e sbandieramenti che nella corsa fanno i vestiti a lenzuolo di Osman, affondano i denti nella stoffa, la tirano e trascinano il vecchio per terra in mezzo alla polvere, come una regina cui venga pestato lo strascico.

«Qua, qua!» urlano i guardiani richiamando le bestie, che nel frattempo hanno riconosciuto Osman Yaqub e per farsi perdonare la brutta accoglienza lo leccano tutto e gli danno amichevoli spinte come farebbero con uno di loro.

«Sì, adesso venite a chiedermi scusa! Che bestie stupide. Lasciate stare il messaggio! Via, via. Amin! Dove ti sei cacciato? Chissà perché m'hanno costretto a pigliarti come servo. Che me ne faccio d'un servo che non ci sta mai quando ne avrei bisogno! Dove sei?»

Amin ha passato ora il cancello, reggendo sulle braccia tese due immacolati abiti per i rais.

«Lo sapevo! Non puoi neanche pulirmi. Attento agli abiti! Faccio da me» Osman Yaqub è già in piedi e riprende a correre, mentre con la mano libera cerca di togliere polvere, terra e detriti, che lo ricoprono dalla testa ai piedi.

«Fra poco sono qui, signore!» dice Osman trafelato a Kair ad din appena riesce a scovarlo nell'angolo estremo del molo.

«Siediti, Osman, respira. Vuoi dirmi che la flotta imperiale è salpata da Tunisi?»

Valeva proprio la pena di correre a questo modo per portare in fretta il messaggio se Barbarossa sapeva già tutto per scienza infusa!

«Sì signore, hanno tolto le àncore e da un bel po', sta scritto su questo messaggio; che facciamo?»

«La flotta spagnola passerà al largo. Non ti dare pensiero. La guarderemo passare».

«Ah, noi stiamo a guardare? Ci mettiamo a suonare trombe e tamburi per fare onore al passaggio? Gettiamo olio sul mare, perché stia calmo e non dia fastidio all'imperatore? La gente ha lavorato duro e sarebbe felice di poter almeno sparare il cannone. Quando saranno a tiro dovete dare l'ordine di fare fuoco!»

Osman Yaqub Salvatore Rotunno tace e respira ed è come se il suo forsennato discorso tornasse indietro e lui soltanto ora l'udisse. Si fa un segno di croce, si tappa le orecchie, si inginocchia a domandare perdono all'Altissimo dei suoi pensieri crudeli, e se la piglia con Hassan, che vede sbucare da dietro un argano.

«Hai sentito» gli dice con rabbia, «hai sentito che a furia di vivere in mezzo alla guerra m'ha preso il verme? Dio ci scampi dalla peste del verme guerriero. Non c'è filtro o pozione che tenga per sterminarlo!» E si sfoga pulendosi l'abito con schiaffi ed energici strofinamenti. «Però la gente vuole davveso sapere che deve fare. Voi dite che gli imperiali passano al largo, ma c'è paura in città, lo sento. Mi pizzica il naso da quanta paura c'è intorno».

Kair ad din e Hassan, letto il messaggio e calcolato lo stato dei venti e del mare, concordano che la flotta imperiale dovrebbe essere di fronte al porto durante la notte.

«Avviseremo in città e staremo all'erta, nel caso che l'imperatore cambiasse proposito e volesse sostare e ingaggiare battaglia anche qui. Osman» continua Kair ad din facendo la voce severa, «lo sai che dovresti essere frustato per trasgressione di ordini e salto di gerarchie? Ci sono i corrieri a cavallo per i dispacci ufficiali, non è compito tuo portarli in giro per la città. Ti sei fatto ribelle».

«Signore, sono innocente di questo peccato! È la mia copia. Il messaggio giunto con i piccioni ha seguito il suo normale destino. Che colpa ho io se faccio prima delle gerarchie e dei corrieri? Voi mi avete sempre concesso di dare una mano ai ragazzi preposti ai messaggi cifrati, che hanno una lunga trafila di obbligati passaggi...»

La fine dell'arringa di Osman è coperta da un tuono di zoccoli. I corrieri a cavallo, entrati in velocità dal cancello, lanciatisi come durante un attacco lungo il pontile, frenano in bellezza davanti ai rais e consegnano il messaggio ufficiale, firmato, controfirmato dai superiori, munito dei vari sigilli del caso. Il giovane capodrappello guarda costernato Osman Yaqub ed allarga le braccia per chiedere scusa di essere giunti dopo di lui.

«Abbiamo fatto ogni cosa d'urgenza, secondo le norme».

«Certo, ragazzo» lo conforta il rais Barbarossa, «ma Osman Yaqub ha cavalcato una nube».

Il capitombolo dentro il cantiere ha procurato ad Osman più di un livido, ma non è questo il tempo di stare fermi a curarsi facendo impacchi. La città è di nuovo tuffata in una gran frenesia.

Tutti sanno che non si prevede lo sbarco degli imperiali e nessun'altra forma di assalto, lo ripetono con tranquilla monotonia i banditori, lo spiegano gli ufficiali e i capiposto; però ogni uomo, ogni donna, ogni ragazzo e ogni vecchio capace di svolgere una mansione sta all'erta, nel luogo e nel modo che gli è stato assegnato.

L'interminabile notte passa in un silenzio quasi assoluto. Migliaia di occhi scrutano il mare con l'aiuto di una debole luna calante, dalle feritoie, da sopra gli spalti e dalle bianche terrazze a scala sulla collina su cui sono stati stesi dei panni scuri, per non farle vedere dal mare.

I bambini piccoli, nel loro sonno agitato, avvertono che

un pericolo corre intorno e non vogliono rimanere dentro le culle, si aggrappano alle sorelle maggiori, alle nonne, senza strilli, ammutoliti anche loro dalla tensione insolita, dal peso di una misteriosa incombenza.

Osman si aggira per vicoli e spiazzi, fiutando l'aria e dove sente il pizzicore più acuto che gli rivela insidiosi ristagni della paura, sussurra qualche scempiaggine, saltella e canta come un giullare, distribuisce talismani innocenti e formule scacciapensieri. Inventa di angeli che volano sulla città a protezione invisibile, di reti magiche poste all'imbocco del porto dagli spiriti dei trapassati in grazia di Dio. Fa gesti che assicura arcani e infallibili, capaci di bloccare le armi da fuoco, di imporre una rotta alle navi, di spingere i nemici mille miglia lontani, sprofondati nel sonno. I ragazzi ascoltano a bocca aperta, i piccoli si riaddormentano, le vecchie si stancano e lasciano penzolare il capo con la mente alleviata.

«Saranno passati al largo» comincia a dire la gente sul fare del giorno.

«Sono in ritardo» pensano le vedette all'estrema punta del porto come quelle sui minareti o sulla collina o sul tetto del torrione più alto a palazzo.

«Eccoli là!»

La flotta spagnola è un lentissimo bruco che si trascina stirandosi all'orizzonte.

«Perché passano tanto vicini?» si chiedono gli abitanti di Algeri con il fiato sospeso.

«Per farci dispetto!» sentenzia Osman Yaqub in un attimo che la paura gli concede respiro e gli permette di interrompere la corsa per tutte le vie, le case, le fortificazioni, sino ai più spericolati avamposti. Poi riprende a correre e chiede anche lui: «Perché non si scostano?»

«I loro bastimenti devono essere tanto malconci da non poter rischiare lunghi tratti nel mare aperto» gli spiega Amed Fuzuli, ora a capo di una guarnigione sul molo, quando se lo vede spuntare bianco di volto e d'abiti accanto ad una bocca da fuoco.

Kair ad din, Hassan e Alì Ben Gade dalla specola osservano le galere che avanzano con goffi balzi e ad ogni istante sembrano sprofondare nello specchio immobile di quel mare liscio, livido, ancora pieno di notte.

Per troppi mesi le navi spagnole sono state usate come trincee e piazzeforti davanti a Tunisi, tornate alla funzione di bastimenti hanno adesso una durissima prova. Alcune sono rabberciate alla meglio, altre sono male impeciate e tutte sono sporche e conducono una battaglia continua per stare a galla e procedere, stracolme di gente e bottino ammassato senza il tempo di disporre il carico con un po' di criterio. Pungoli e fruste non riescono a imprimere una decente andatura alle navi, poiché le ciurme dei rematori non hanno voglia di ubbidire agli ordini dei comiti e degli aguzzini. Si sono dovuti inserire troppi prigionieri nuovi, per pareggiare i vuoti prodottisi sugli scanni delle sale remiere nelle more dell'assedio, e gli uomini che sono ai ceppi da poco potrebbero avere energie per fare forza sui remi, ma le sprecano per far resistenza. Sono gente indocile. Tanto più che la maggioranza di essi si sente a casa lungo le coste di Barberia e spera in un attacco liberatore.

Hassan conta le navi all'orizzonte e confronta i messaggi. Il numero è esatto. Si tratta del grosso della flotta spagnola. Rispetto all'intera flotta che c'era a Tunisi mancano gli alleati che hanno preso altre vie, mancano l'ammiraglia dell'imperatore e quelle dei comandanti di terra e di mare. L'imperatore, con le navi di scorta, è andato in Italia a raccogliere onori e gabelle per risanare le perdite dei suoi forzieri. Il marchese Del Vasto sta veleggiando per le sue terre, Andrea Doria per non si sa dove.

Le notizie che Rum Zade ha mandato sono complete di ogni dettaglio: nomi dei comandanti, rotte, carico di merci e uomini. Nelle pance delle galere dirette in Spagna c'è quasi tutto il bottino, compresi i barbareschi caduti in mano al nemico.

«Perché non andiamo a tirarli fuori?» chiede Alì Ben Gade al suo signore avvolto in un manto di seta colore dell'ebano, su cui spicca la brace accesa della sua bella barba. «Abbiamo galeotte bastanti per rincorrere quelle carcasse».

«Sono carcasse dotate di un'ottima artiglieria, puntata sul porto e sulla nostra città. Lasciamole andare».

«Rais» insiste Ben Gade che è nato guerriero e pirata, «ai remi ci sono dei fratelli nostri!»

«Frena l'affetto, Alì» gli risponde paziente e divertito il sovrano, «aspettiamo che i cocomeri siano maturi».

3.

L'indomani ha inizio la lubrificazione dei legni. I bambini e le donne, ancora eccitati dalla notte di attesa, dilagano sopra i pendìi per fare incetta di fichi d'India. Servono pale belle succose da strofinare con molta energia e costanza sui remi e sui fianchi delle galeotte pronte all'inseguimento.

Hassan non partecipa alla nuova impresa, per via della scarsità di notizie sui movimenti di Andrea Doria. Meglio restare vigili. Anche se è logico che si smantelli in parte l'assetto di guerra. Si tolgono il razionamento dell'acqua e quello del pane e si allenta il regime dei turni di guardia. Sui minareti le vedette lasciano il posto ai muezzin per le preghiere rituali.

Osman si concede di stare disteso sul pavimento della sua altana e riesce persino a prendere sonno, tanto che Amin, andato con l'intenzione di farlo arrabbiare, gli si inginocchia vicino e con un flabello gli caccia le mosche e gli allevia il caldo eccessivo.

Chi lo crederebbe a Salerno che il pescatore Salvatore Rotunno ha un suo servo che gli fa vento con delicatezza e riguardo e tiene pronte per lui pezzette intrise di acque nanfate?

Ventagli, flabelli e tele esalano pregevolissimi aromi preparati dallo stesso Amin, che rivela una spiccata tendenza per l'arte della profumeria. Ha finissimo naso. È capace di distinguere tra le cinquantatre essenze di cui è dotata l'officina di Osman: ventidue floreali, estratte da rose, giacinti, verbene, lavande; diciannove silvestri, dalle salvie alle mente, ai timi, ai coriandoli, alle maggiorane; e dodici esotiche, ambre, muschi, zibetti e misteriosi granuli di impasti speziati.

È Cai Tien che manda in omaggio ad Osman Yaqub sacchetti pieni di questi granuli dal profumo greve e vertiginoso. Non gli ha svelato di che sono composti, li ha chiamati granuli del respiro felice. A Cai Tien è sempre piaciuto il mistero.

Finalmente Cai Tien è tornato al suo regno, ma poiché in prigionia si è abituato ad una vita di meditazione e di immobilità, nelle lettere che manda ad Hassan dice di voler rinunciare ai diritti di successione e di volerli cedere al figlio avuto dalla terza di quelle sorelle che gli hanno dato per spose e concubine e che non l'hanno affatto reso felice. La prima è risultata sterile, la seconda è affogata in un fiume rincorrendo un aquilone che era caduto nell'acqua. La terza gli ha partorito l'erede, ma è molto noiosa. La quarta è troppo stupida per essere presa in considerazione. Insomma, Cai Tien con tutte le donne che ha intorno, e Osman ricorda che può tenerne duecento a palazzo e quante ne desidera in altre dimore, si lamenta di non avere il conforto di una moglie come si deve; ma poco gli importa, poiché ha deciso che lascerà il regno e lascerà anche tutto il suo harem.

Sarà per questa solitudine o perché ha voglia di riprendere gli antichi discorsi, Cai Tien continua purtroppo a invitare il suo amico Hassan. E Osman Yaqub si tormenta. Ha paura di quel viaggio in un mondo così misterioso. Non teme la lontananza, teme quell'aria delle alte montagne che già ha indotto Cai Tien a diventare sempre più strano, sempre più in dissidio col mondo.

«Non è vero» corregge Hassan, «Cai Tien non è in dissidio col mondo, desidera solo evitarlo».

«Un giorno o l'altro Cai Tien si farà anacoreta del tutto. E Dio voglia» aggiunge Osman nel suo pensiero, senza sapere che anche Baba aveva nutrito la medesima preoccupazione. «Dio voglia che non induca anche Hassan a rifiutare il proprio destino!»

Osman è convinto che il tempo per stare a guardare la vita restando al di fuori da tutto verrà dopo la morte, che è fatta per questo, per metterci su una tribuna a osservare la giostra degli altri uomini che continuano a giocarsi il torneo.

«Sciocchezze» aveva detto Baba la volta che Osman gli aveva spiegato questa sua idea, «la morte è la morte e nient'altro».

Ma Baba Arouj era pigro e forse per questo preferiva che la morte fosse la fine di tutto.

«Vengo a dirtelo che hai ragione, se dopo la morte ci trovo un'altra vita. Lo giuro».

Molte volte Osman ha veduto nei sogni il suo beylerbey Baba Arouj, che però non gli ha mai detto «hai ragione». Il che non significa che Osman abbia torto, né che Baba sia diventato spergiuro. È un appuntamento rinviato. Prima o poi verrà a dirgli che c'è un'altra vita.

4.

Recentemente Cai Tien ha mandato ad Osman Yaqub per una carovana di nomadi altri granuli del respiro felice, insieme a semi rari capaci di germogliare; e ai rais ha inviato libri, gioielli, quattro efebi, sei ragazze dagli occhi a mandorla e dalle pelli chiare, più un bue specialissimo con una gran gobba sopra la schiena, di cui però è giunta la pelle soltanto, perché la bestia è morta per strada avendo troppo sofferto per il cambio della temperatura e le fatiche del trasferimento. Cai Tien ha pensato anche alla gioia dei cuochi, ha mandato ogni tipo di spezie per la cucina.

E i cuochi volendo fare bella figura ne abusano, come oggi, che Kair ad din è tornato.

Sì, perché mentre Osman Yaqub si pigliava i suoi riposi dormicchiando in altana o istruendo Amin nelle arti aromatiche, Kair ad din ha fatto un salto a Minorca a svuotare le pance troppo pesanti di un buon numero di navi imperiali. L'impresa è riuscita: i cocomeri erano diventati maturi.

A parte gli effluvi eccessivi di spezie che salgono dalle cucine, è uno splendido giorno di tarda estate. Cori festosi vengono su dal porto e dal litorale e si espandono dentro il palazzo, di livello in livello, con una piacevole eco.

Osman è contento che sia contenta la gente della sua città, ma non capisce perché debba esserci da che mondo è mondo questo ballo frenetico di ruberie, io piglio a te, tu riprendi a me, e intanto gran parte di roba buona finisce ai pesci sul fondo del mare o vola in cielo sotto forma di fumo o si mischia ai detriti e alla polvere, e fiumane di uomini muoiono prima di quello che forse madre natura avrebbe decretato per loro. Benché la nostra madre natura faccia spesso da parte sua brutti scherzi.

«Ma come si spiega» si domanda troppe volte Osman Yaqub, quando si stanca di tenere sotto controllo la pianticella della curiosità che sempre rispunta in lui, «come si spiega questo disordine? Eppure nessuna foglia dovrebbe muoversi nell'universo senza il permesso di Dio».

Senza dubbio Iddio, gravato dal peso dell'eternità, qualche volta è distratto. Perché non dovrebbe distrarsi? La distrazione fa parte della natura. Baba non dimenticava, in giudizio, di girare in alto la mano? La teneva penzoloni e il giudice vedendo il pollice del beylerbey rivolto a terra non faceva che dire «condanna, condanna», finché Osman non trovava il coraggio di smuovere Baba dal suo torpore.

«Vuoi vedere che ci vorrebbe un Osman Yaqub anche a fianco del Padreterno?» pensa il servo con una punta d'orgoglio. «E Kair ad din? Non ha bisogno che qualcuno gli badi, benché sia la saggezza in persona?»

Del resto Osman stesso ha qualcuno che bada a lui, che gli ricorda i suoi compiti, perché non li possa scordare.

«Osman Yaqub, vi dovete svegliare» gli dice Amin, che quando gli parla da servo a padrone lo tratta con deferenza e distacco come ha sentito che fanno tutti i garzoni di corte, «è ora di salire alla torre per decifrare i messaggi di Rum Zade. Mi hanno detto che sono arrivati».

A furia di finte e di controfinte, quel matto di Rum Zade si sta godendo tutte le feste che i sudditi fanno all'imperatore in Sicilia. Dopo lo sbarco a Trapani il sovrano e il suo seguito hanno passato tra divertimenti continui uno stupendo settembre a Monreale, senza trascurare qualche galoppata in altre città, sempre per riscossioni e festeggiamenti. A Messina hanno avuto i più incredibili archi di trionfo, coperti di verzure, di stucchi e di scritte. Una di queste scritte acclamava Carlo come l'imperatore sulle cui terre il sole non tramonta mai.

«Sarà per questo che ha l'aria insonne» pensa Osman con in mente il volto ritratto sul medaglione che un tempo gli aveva mostrato Carlotta Bartolomea, «non conosce il refrigerio delle buone nottate, questo borgognone tristissimo; chissà come si troverà male tra tante baldorie!»

Così ad Osman Yaqub fa pena persino l'imperatore più potente del mondo.

Rum Zade potrebbe trovare un impiego stabile, se decidesse di fare il buffone di corte: ora ha buon successo come artefice di scherzi per tavola e credenza, va fabbricando congegni per fare uscire dai piatti di portata o dalle alzate di dolci e frutta voli di uccelli, cascate di petali, zampilli improvvisi di vini o di ambrosie. Invece ha annunciato in vari messaggi che è stufo di tedeschi e spagnoli, è stufo di veder contare misure di grano e di olive o monete sonanti per Carlo d'Asburgo.

«Un giorno o l'altro ce lo vedremo tornare ad Algeri» dice Osman, consegnando al suo pupillo un messaggio appena arrivato, «peccato, perché se ci manda messaggi del genere ce la possiamo godere anche noi!»

Questo messaggio tutto da ridere narra le disavventure del marchese Comares, che è stato rinchiuso in convento pro tempore, sinché sarà guarito da certi umori che lo fanno parlare a sproposito. Sarebbe stata intenzione dell'imperatore spedire in Spagna il cugino Comares, alle cure della sua sposa, dopo lo svenimento sull'ammiraglia, ma il marchese è stato abilissimo. Un viaggio lungo poteva essergli molto dannoso, diceva, forse fatale. Inoltre non lo si poteva privare di cogliere, insieme all'imperatore i frutti della vittoria, visto che l'impresa era stata suggerita proprio da lui. E Anna di Braes? Non ricordava, l'imperatore, che la sua nipotina amata viveva in Italia? Dunque, era una consolazione e un dovere per il marchese seguire il suo sovrano fino alla città dei papi, per controllare se la piccola era felice, se la sua vita attuale si confaceva al rango della famiglia d'origine, che è del ceppo imperiale.

In realtà l'unico scopo del marchese Comares, da che l'attacco agognato ad Algeri è diventato una meta lontana, è quello di mettere le mani sulla borchia d'argento del cinturone notato sull'ammiraglia.

Quando Comares aveva ripreso coscienza, di quel cinturone non aveva più visto traccia. Gli ci vollero ore per venire a sapere che l'uomo che l'indossava era ufficiale di una compagnia al seguito del comandante in capo delle forze imperiali di terra, marchese Del Vasto. Ma nel frattempo l'ufficiale era partito da Tunisi col suo signore, diretto ad un porto dell'Adriatico.

«È una complicazione che Del Vasto non sia restato con l'imperatore» aveva pensato Comares, «ma sarà sempre più facile rintracciarlo in Italia, che è la sua terra, anziché in Spagna dove è raro che egli si rechi».

Da qui l'insistenza e l'uso di tutte le astuzie da parte del vecchio Comares per non mollare l'imperatore e con lui l'esile filo che poteva condurlo al braccio d'argento.

«Cugino caro, fatemi assistere al vostro incontro col Papa» piagnucolava Comares. «Maestà, non vorrei perdere le sante indulgenze nello stato in cui sono!»

Carlo, per non sentire più lamentele e perché in fondo è un signore pieno di scrupoli e di buone intenzioni, ha finito col dargli il suo benestare. Passasse pure sull'ammiraglia come parente stretto, trovasse un buco dove alloggiare, si legasse magari al parapetto delle murate, poiché la nave era stracarica: ma la piantasse di dire in giro che l'imperatore non sapeva cosa fosse la famiglia, non conosceva gli affetti e la gratitudine, tutte cose che non facevano per niente piacere a sua maestà, quantunque restasse superiore ai pettegolezzi e ai mormorìi della corte e del parentado vicino e lontano.

Comares venne posto con il suo cestone vicino alla greppia dei due nuovi cavalli imperiali, bestie giovani, fresche, irruenti, appena scelte a sostituire Belfronte, l'amato destriero di Carlo, ferito e caduto sul campo, con l'augusta persona in groppa. Fosse capitato in compagnia di quel glorioso cavallo, Comares avrebbe sofferto di meno, invece così, tra due quadrupedi anonimi, non avvezzi al chiuso e al dondolìo della nave, il viaggio era straziante. Attanagliato da un costante blocco allo stomaco, il marchese non inghiottiva nulla e deperiva come una larva, viveva di succo di agrumi, con qualche goccia di pappa d'orzo che il suo servo ogni tanto provava a mischiarvi.

«Quando tutta la ciccia sarà consumata» chiedeva il servo preoccupato ai cavallari imperiali, «che ne sarà del mio padrone?» E, non ottenendo risposta, incalzava. «Staremo a vedere se si liquefarà prima la pelle o le ossa o il cervello».

I cavallari iniziarono a fare scommesse. Toccò al cervello. Il marchese cominciò a vaneggiare e vaneggiando parlava con i morti, con un morto in particolare.

«Baba» diceva ogni tanto, «Baba Arouj abbassa quel braccio! Abbassalo, ti dico e ti ordino! Lo so che è finto. Io te lo staccherò» urlava minaccioso e tremante, «verrò a prenderlo per deporlo sopra il mio altare insieme al tuo manto e a quella barba rossa della malora».

Una volta a terra la faccenda non migliorò. Restò il blocco allo stomaco, restò la confusione al cervello.

«A me quel braccio» gridava Comares, «a me!»

Questi scatti di nervi lo colpivano all'improvviso e la gente che stava intorno lo pigliava logicamente per indemoniato, perciò sacerdoti e medici al seguito dell'imperatore, provate invano preghiere, pozioni e salassi, ne avevano consigliato il ricovero. Ora Comares giace in convento, con a fianco un cerusico e un esorcista, di giorno e di notte, in attesa che la sua salute migliori.

5.

La maggior parte dei giorni a palazzo non succede niente di niente, tanto che Amin, prima di darsi con soddisfazione all'arte della profumeria, si lamentava e diceva:

«Questo sarebbe dunque il centro del mondo? Non c'è mai niente da fare. Mi annoio».

«Non è proprio il centro del mondo, figliolo» gli spiegava Osman con pazienza. «Così pare a noi, perché è la sede dei nostri sovrani, ma ci sono altri palazzi e altri sovrani, altri centri del mondo. Qualcuno di essi è come l'ombelico del ventre di un gran demonio, pieno di moti e rumori. Qualche altro è come una roccia che cova smeraldi nel silenzio e nell'immobilità. Ci sono poi nidi dove continuamente si rompono uova tra reciproche risse e dispetti. Ci sono gorghi dove nasce ogni corrente vitale o voragini dove precipitano i più tranquilli fiumi. Ma quel che ti voglio insegnare è che dovunque, in uno o nell'altro di questi centri del mondo, le cose accadono senza un ordine che sia mai prevedibile e secondo tempi molto diversi, e inoltre le mutazioni, gli accadimenti, non sempre sono annunciati da trombe, per cui spesso non se ne accorge nessuno. Devi stare attento, con l'orecchio in ascolto».

Amin, stanco di stare in ascolto, aveva capito che non gli importava affatto di aspettare accadimenti, segreti o meno, che avevano per il comune genere umano e per lui una ben relativa importanza e si era votato con gioia agli alambicchi e alle distillazioni, faccende molto più semplici e chiare, per cui sentiva nascere una straripante passione.

Osman Yaqub era stato felice della scelta di Amin, perché in tal modo finalmente oltre ad un servo aveva un allievo. Quanto a lui, pur amando la scienza aromatica e tante altre pratiche e discipline, sapeva di avere un gusto e un'attenzione speciale per gli accadimenti piccoli e grandi del suo centro del mondo, cioè del palazzo di Algeri, forse solo perché il destino bizzarro l'aveva a forza ficcato in quel palazzo e in quel mondo e lui non voleva deludere il suo destino.

Certi giorni, contrariamente a quello che Amin affermava, a palazzo succedeva di tutto, con accompagnamento di suoni di trombe, tamburi e campane.

Stavolta è appunto una campanella che trilla con petulanza e non permette ad Osman di rigirare con ordine i vasi delle infusioni.

È la campanella che l'intendente ha voluto piazzare nel corridoio, perché a sentir lui Osman avrebbe il dono particolare di rintanarsi o di diventare invisibile quando lo cercano le autorità di palazzo, esclusi i rais.

Sembra che oggi le guardie non abbiano altro da fare che chiamare Osman attaccandosi a quella maledetta campana che lo distrae. Prima lo chiamano per dirgli che i due rais ceneranno in cantiere, dove hanno ripreso ad andare per divertirsi a studiare le modifiche alle carene delle galeotte in gestazione. Poi lo chiamano perché le signore dell'harem vorrebbero da lui una lettura di fiabe. Infine la campanella suona all'impazzata perché giù al primo livello c'è una lettiga i cui portantini sostengono di dover restare in attesa di Osman Yaqub: proprio lì davanti al portone, che è cosa vietata per tutti.

«Io non ho chiesto nessuna lettiga» dice Osman quasi offeso, «mi reggo bene sulle mie gambe, ce la faccio da me ad accompagnare gli imbanditori di mensa al cantiere se proprio mi prende voglia di andare».

Ma ad Osman viene spiegato che sulla lettiga c'è una dama molto elegante, e velata, che chiede specificamente di lui chiamandolo eccellentissimo signor Osman.

«Chi può essere?»

Non può essere una delle signore dell'harem che, uscita furtivamente, trovi difficoltà a rientrare, perché non ne manca nessuna all'appello; non può essere una delle poverelle che Osman soccorre in città, perché fin lì non sarebbe riuscita ad arrivare.

«Scendete, se volete sapere chi è!» gli fa l'intendente, spazientito di dover tollerare la sosta davanti all'ingresso della collina reale di una lettiga senza insegne o patenti.

Vinta l'iniziale pigrizia, Osman vola sulle sue ciabatte luccicanti e leggere, dono venuto da Anna di Braes, e si presenta al protocancello, dove le guardie fronteggiano astiose la misteriosa lettiga.

«Mia cara» intona con grande sussiego Osman Yaqub appena la dama ha scostato le varie cortine, «carissima amica, bastava mandaste a chiedere un lasciapassare!»

Si tratta infatti di un'amica che un tempo vedeva sovente, quando accompagnava Hassan dal comandante Jean Pierre. È la signora Koira Taxenia, la ricca vedova del mercante armeno, pensionante e consolatrice del prigioniero Jean Pierre de la Plume.

«Non volevo dare nell'occhio» sussurra la signora restando velata dentro la sua lettiga, «sono ben consapevole della missione che mi è stata affidata. Porto un messaggio che viene da fuori e credo abbia bisogno di discrezione. E poi a me piace l'incognito. Diventando vecchia è il solo gioco che mi resta da fare».

La signora affida ad Osman Yaqub un rotolino accuratamente piegato e legato, su cui è fissato come guarnizione e souvenir un dolcetto di cocco, datteri, spezie e bianco d'uovo e mandando baci sul cavo della mano scuote una bacchetta piena di sonaglini, per ordinare che la lettiga riparta.

6.

Con il pretesto di quella missiva speciale, Osman Yaqub segue i servi al cantiere e sorveglia che la cena sia preparata in maniera decente. Non gli piace che i suoi signori mangino senza motivo fuori palazzo, quando è tempo di pace. Non c'è la comodità necessaria per le abluzioni, non c'è un conveniente spazio per il riposo e la digestione, non c'è nulla di adatto alla regalità. Per Osman Yaqub non è decoroso che i sovrani mangino davanti a tutti. Insomma, se non c'è una corte con le sue norme e i suoi riti alla fine nasce il pericolo che si confonda un sovrano con gli altri uomini e allora è un pasticcio.

Osman Yaqub controlla che siano caldi gli arrosti e ben fresche le bibite, che gli scranni siano spazzati e i tappeti senza lordure, che gli aromi sopra i bracieri concordino con i gusti dei cibi, che i flabelli non sollevino polvere e non perdano piume; ed è talmente impegnato che non si accorge nemmeno di quanto Kair ad din gli va dicendo. Ma quando afferra il discorso fa un gran salto di gioia.

«Davvero ripianteremo gli alberi che avete tagliato per fare le navi? Era ora! Guardate le colline lì intorno, hanno le creste mozzate».

Allah sia lodato, sembrava un giorno fatto di piccole noie, invece si conclude bene. Osman sarebbe tentato di sentirsi felice se non fosse per il contenuto del messaggio portato da Koira Taxenia.

Il re di Francia, quel Francesco di cui Hassan gli ha parlato, vuole stringere nuovi accordi con loro: questo è scritto nella lettera inviata tramite Koira Taxenia dal signor De la Plume, che di re Francesco è amico oltre che suddito.

Kair ad din non può andare a far visita a re Francesco, ha promesso al Gransultano di recarsi a Istanbul. Sarà dunque Hassan a partire per quell'incontro.

«Intanto, con la smania dei viaggi non mangiate più. Anche i cuochi hanno diritto al rispetto, devono avere la loro soddisfazione».

Osman aveva ordinato i panetti di sesamo che piacciono tanto ad entrambi i rais e un intingolo di cacciagione con prugne aspre e coriandoli, oltre ai piatti normali. Perché il pranzo non vada sprecato Osman lo fa distribuire in cantiere, pur borbottando perché i lavoranti, non avvezzi alle leccornie di corte, troveranno i cibi cattivi.

«Se i miei signori non mangiano, come faranno ad arrivare in bella forma dai sovrani che li hanno invitati?»

«E tu?» gli fa Amin, che ha il dovere di seguirlo a ogni passo e di prendersi cura di lui. «Tu non mangi. Io non ti ho mai visto mangiare. Tu campi d'aria?»

«Io sono d'aria!»

Osman alza con impertinente allegrezza le sue piccole spalle puntute, fiero di essere tanto leggero. L'aria se la sente entrare ed uscire dalla pelle vecchia e consunta, gli permea il sangue e il cervello.

«Prima o poi, scommetto che voli!»

Oh! Amin non sa come fa felice il vecchio Osman questo suo insensato augurio. Ad Osman Yaqub piacerebbe volare, talvolta lo sogna. Non osa invocarlo nelle preghiere, visto che Iddio non l'ha fatto nascere uccello e ancora in uccello non l'ha mutato.

«Amin, sai tenere i segreti? Prima o poi, come tu dici, io proverò a librarmi nell'aria. Ma devono passare altri anni. Ci sono troppi fili che mi legano a terra. Per esempio, Amin, io sono un vecchio curioso e la curiosità forse è un peccato e mi pesa addosso. No, non posso ancora volare. Aspettiamo vivendo».

XXIII.

1.

«Non avranno freddo con il vento che balla in quegli abiti così leggeri?» domanda a bassa voce, stringendosi addosso il suo robone trapunto, Eleonora regina di Francia a Margherita regina di Navarra, seduta alla sua destra.

«È una così bella giornata di sole, non pare dicembre!» le risponde Margherita come per confortarla, cosa che fa regolarmente quando parla con lei, e si sporge a guardare gli uomini che sfilano in processione afferrandosi alla balaustra, sicché le sue belle maniche nuove di velluto giallo operato balzano fuori dal pellicciotto di lupo cerviero e fanno una gran figura.

«Che freddo volete che abbiano» salta su con puntiglio madama D'Etampes, seduta alla sinistra della regina Eleonora, sopra un scranno ugualmente imbottito ma appena più basso, «sono o non sono pirati?»

Madama D'Etampes, favorita in carica di sua maestà Francesco di Valois-Angoulême re di Francia, non sopporta di rimanere esclusa dalla conversazione, né di restare dietro Margherita sia pure di mezza spanna, né che la sua immagine venga offuscata da due soprammaniche gialle che brillano al sole; perciò si fa scivolare dalle spalle la marlotta di broccato e vaio, tutt'altro che nuova, per mostrare l'abito color porpora di buratto e ermesino che sfoggia per l'occasione, e si sporge anche lei dalla balaustra, agitando un fazzoletto di trina per salutare gli stranieri.

I marinai barbareschi diretti al palco del re di Francia passano sotto l'edicola issata per le grandi dame del regno. Indossano pantaloni e camicie di lino grezzo con fusciacche rosse, nere, turchine o a strisce multicolori e corti mantelli di lana cruda liberi di svolazzare.

«Fanno le cose in grande, però, questi signori di Algeri» aggiunge Anna d'Etampes, «o dobbiamo dire anche noi che sono mercanti orientali come si racconta alla gente?»

Eleonora e Margherita, le due cognate regine, possono fingere di non averla sentita, voltate come sono a scambiare commenti sulla sfilata con altre dame, tutte entusiaste.

Gli ospiti barbareschi camminano con le braccia tese in avanti a reggere piatti, cesti, cuscini su cui sono in bella mostra i doni: anfore, coppe, scimitarre, pugnali, manili e ciondoli d'argento e d'oro con ceselli e agemine, cofani intagliati in legni aromatici, giade scolpite, pietre dure e una montagna di broccati, damaschi, mussole, veli esotici sapientemente disposti da sembrare fiori giganti, di forme fantastiche mai viste prima.

Le dame ora quasi tutte sporte dall'edicola soffocano educatamente gridolini di ammirazione e di gioia, finché un nuovo numero della parata le fa ammutolire.

Una tigre e un leone avanzano lenti, dinoccolati, stranamente pacifici, minacciosi solo quel tanto che il loro naturale aspetto comporta ma con rara innocenza, possenti ma teneri. Anche da lontano si vede che gli occhi a fessura sono lucidi e vivi.

«È come se gli scappasse da ridere con quegli occhi tirati!» dice una dama giovane con i capelli rossi e il collo sottile, piena di paura e di smania gioiosa.

Ma le due belve non ridono affatto, sarebbe lesivo della maestà loro e di quella del re, verso il quale vanno precedendo il domatore, tanto dritte e sicure che i guinzagli robusti sembrano completamente inutili e strisciano inerti per terra. Poi, giunte davanti al palco sovrano flettono i ginocchi anteriori.

«Oh» recitano in coro gli astanti.

«Che miracolo!» esclama forte madama D'Etampes toccando il braccio della regina quasi a rincuorarla, anche lei, nel pericolo che corre il loro Francesco con le belve ad un passo. «Saranno docili quei due bestioni?»

«Silenzio» ordina Margherita di Navarra, sorella del re, ancor più tesa della moglie e dell'amante ufficiale, «vogliamo essere proprio noi a irritarli?»

Terminato il compito per cui sono stati addestrati. Il leone e la tigre seguono il domatore.

«Dove le portano?» chiede Anna d'Etampes.

«Stanotte hanno eretto un serraglio dietro il pomario» informa Margherita, sempre al corrente di ogni segreto.

La costruzione del serraglio è stata fatta segretamente perché non venisse a mancare la sorpresa alla corte che, in viaggio da Parigi a Lione, ha deviato fino a Clercy per ricevere l'ospite.

Il pubblico non ha nemmeno il tempo di tirare un sospiro di sollievo, che dall'arco sotto le mura si affaccia nel cortile del castello uno splendido piccolo cocchio in legno e avorio, con sopra un incensiere fumante, trainato da un tiro a quattro. L'incensiere è imponente, l'aroma intenso e gradevole, ma la cosa più straordinaria sono di nuovo gli animali: un tiro di quattro pantere adulte dai lucidi mantelli d'oro a macchie d'onice, le teste protese, gli occhi incredibili di smeraldo e zaffiro.

Il quadro semovente è tanto perfetto che alcuni lo scambiano per un gioco meccanico.

I nubiani che attorniano vigili il cocchio sganciano il tiro davanti al palco reale, lasciano l'incensiere e portano via le belve che, senza carico, prendono un'andatura sciolta e terribile prima di scomparire alla vista delle signore e dei signori tutti estasiati, ma ansanti, compresi coloro che hanno le armi al fianco o in pugno.

Le dame si sono accorte che anche gli uomini hanno avuto paura, ma sono pronte a scusarli perché, poverini, non sono avvezzi a frequentare i selvaggi né i loro animali.

«Però» ripiglia Anna d'Etampes, «hanno coraggio davvero questi rinnegati beduini e pirati».

«Hanno molto coraggio» ammette, sempre a voce bassissima Eleonora, e pensa che tuttavia in tal modo costringono anche la corte a dare prova di un grande coraggio e magari lo fanno per questo, per mettere in imbarazzo, e per lo stesso motivo fanno un tale sfoggio di cortesia e di ricchezza.

Suo fratello Carlo d'Asburgo mai l'avrebbe permesso, ma suo marito Francesco ama le cose che lasciano stupefatti, come lui stesso ama stupire. Lo guarda con la solita ammirazione. Sì, le sembra tranquillo e beato. Dio voglia che non gli derivi alcun danno dall'ostentata amicizia con questa gente che viene dall'altra parte del mare. Strana maniera di vivere le è toccata in sorte, pensa Eleonora, eccola qui a ricevere in pompa magna il figlio ed erede di quei Barbarossa contro i quali la sua famiglia si è sempre battuta e si batte.

Il principe Hassan entra dalle mura alla fine del suo corteo, su di un cavallo arabo senza bardature né ornamenti di sorta, senza sella né redini e morso.

Superata la piazzola d'ingresso Hassan scende a terra e avanza a piedi fino al sovrano.

L'ampio caftano di seta bianca a righine lucenti, fluttuando a ogni passo lascia scorgere pantaloni di lino grezzo, identici a quelli dei suoi marinai. I capelli toccano le spalle in riccioli digradanti, in bando al libero gioco del vento, tranne che per un'esile fascia argentata posta intorno alla fronte, chiusa con un rubino e una egretta sulla tempia sinistra.

«Nemmeno un intaglio e uno sbuffo nell'abito» commenta delusa madama D'Etampes, «è come il saio di un monaco».

«Mai visto un monaco con una scimitarra del genere al fianco» osserva Margherita, «e nemmeno con quel collare».

Hassan piega il ginocchio e china il capo davanti a Francesco, depone la propria scimitarra sul cuscino ai piedi del re e accompagna il gesto con una breve frase di saluto e di omaggio in nome proprio e di Kair ad din signore di Algeri e gran navarca di Solimano il Magnifico, sultano di Istanbul.

Altrettanto breve e compita è la risposta di Francesco che precedendo il cerimoniere solleva la scimitarra e la riconsegna al principe Hassan, alzandosi per abbracciarlo. Hassan a sua volta si fa scivolare in mano il grande collare tempestato di pietre preziose e lo aggancia come suo personale dono ai risvolti di martora della samara del re. Il rubino centrale è sfavillante.

«Eppure io dico che non è vero» sentenzia madama D'Etampes mentre tutte le dame hanno gli occhi incollati su quel gioiello, «non posso credere che sia vero».

«Io invece sono sicura che sono gemme autentiche e della più bell'acqua che ci sia» protesta Margherita, offesa che si possa anche soltanto supporre una tale mancanza di riguardo verso suo fratello, «credete che un barbaresco potrebbe venire qui a regalare al re di Francia un gioiello falso?»

Madama D'Etampes chiarisce con una bella risata che non alludeva al collare. Forse la regina di Navarra non ha udito le voci che corrono sulla persona così affascinante che sta loro davanti? Margherita è tanto dedita alla poesia, agli studi, alle pie pratiche e alle diatribe su questioni di fede da non sapere quel che si dice del figlio adottivo del Barbarossa?

«È un gran peccato, carissime, ma temo che nessuna di noi possa nutrire illusioni, se è vero quel che si sente in giro».

E fa un piccolo gesto, discretamente allusivo, che le regine ritengono di pessimo gusto, a giudicar dalle facce. Tanto che Eleonora, allibita, trova un po' di voce per un rimprovero.

«Signora!»

«Che c'è di male? Non si può fare più dello spirito? E sì che avete ciascuna due mariti sul conto! Siamo tutte curiose, anche voi. Vostra zia Carlotta Bartolomea potrebbe raccontarci qualcosa, invece di tenere tanti misteri!» e sbotta in un'allegra risata contagiosissima, se non che le altre dame possono permettersi al massimo i soliti risolini sommessi.

Carlotta Bartolomea di Comares, in visita alla cugina Eleonora, siede in seconda fila senza che questo la turbi; la sua stazza le permette di vedere benissimo e in ogni caso, persino se fosse relegata in ultima fila dietro a persone alte quanto lei e grosse come barriere contro gli assalti, nulla potrebbe toglierle la sensazione piacevole di essere la zia cugina dei re e dei principi di tutto il mondo. Le manca un Papa, non è mai stata parente di un Papa. Per il resto è legata con tutti i regnanti, di Francia, Spagna, Germania, Inghilterra, Borgogna, Austria, Ungheria e, perché no, anche di Algeri: si sente zia di elezione del principe Hassan, forse per l'affetto che ha provato per suo padre Baba, o per quello che la piccola Anna ha provato per lui o che lui ha provato per lei. Perché, secondo Carlotta, quest'affetto c'era da parte di entrambi, anche se Hassan non lo sapeva, o non lo voleva sapere. Spesso si è chiesta per quale motivo. Per quello che ora Anna d'Etampes va insinuando: perché, si dice, da piccolo l'hanno castrato? Quisquilie, pensa Carlotta Bartolomea, convinta che l'amore possa nascere e vivere a dispetto di tutto, della morte stessa. Il guaio è che il cuore degli uomini è un grande mistero, cosa questa risaputa da tutti, che ogni tanto salta fuori con l'evidenza di una novità. O magari non è un guaio che il nostro cuore sia sempre un mistero. Forse il mistero è l'essenza profonda, di noi e dell'universo.

«Beh, sì» dice Carlotta quando si accorge che deve rispondere, visto che è ospite, alla prima signora del regno o comunque a colei che pare sia la prima nell'amore del re, «i misteri mi affascinano, madama D'Etampes, le chiacchiere no. Quelle non hanno importanza. Oggi dicono rosso, domani dicono nero».

Il vento si è fatto gelido e teso. I drappi di cui è ornata l'edicola delle signore prendono a sbattere con violenza.

«Non è meglio scendere da questo trabiccolo, signore, prima che andiamo a finire tutte per terra? Non sarebbe il modo migliore di presentarci ad Hassan!»

2.

Più tardi le dame sono ammesse alla presenza dei due sovrani e il principe Hassan le sorprende ancora più dei suoi doni. Carlotta gongola come se fosse stata lei ad allevarlo. Le piace che tutte gli danzino intorno, che Margherita trovi raffinata la sua cultura, che Eleonora trovi compìti i suoi gesti, che Anna d'Etampes non gli stacchi gli occhi dal volto col rischio di ingelosire sua maestà.

«Stanotte scrivo ad Osman Yaqub» promette a se stessa Carlotta nel turbine della corte festante, «che goda anche lui e racconti al Barbarossa Kair ad din del gran successo».

Carlotta quando dice successo bada soprattutto all'atteggiamento e alle parole del re.

Francesco ama parlare e Hassan ha quasi un'ansia di conoscere tutto, come si istruiscono i giovani e come si compongono i parlamenti, come e dove si costruiscono ospedali e cimiteri, come si coltivano i grani e le vigne, come si rotano le terre messe a coltura e i tagli delle foreste. Vuole provare gli attrezzi e sapere il perché della curva e della lunghezza di un nuovo falcetto, di un giogo. Desidera vedere gli opifici e i mercati, le case dove vive la gente comune, le stalle, le cantine dove si preparano il sidro ed il vino, i mulini e tutte le macchine ad acqua, i forni, i nuovi altiforni, le usuali fonderie dei vari metalli, le stamperie e le botteghe dei mastri vetrai.

«Sapete» gli dice un giorno Francesco mentre visitano un posto dove si batte moneta, «noi non abbiamo oro, ma mio cognato Carlo ce lo fornisce» e spiega ridendo quanta buona moneta sonante gli arriva di Spagna.

Per adesso, ammette, gli spagnoli hanno trovato più oro che i francesi nelle Nuove Indie; ma i francesi se ne portano a casa legittimamente una bella parte quando vanno in Spagna a vendere tele e sai e ad insegnare come si coltiva la terra e come si fanno i raccolti di stagione in stagione.

Francesco ha saputo da Jean Pierre de la Plume che ad Hassan piacciono le fucine e gliene fa vedere di tutti i tipi, ce ne sono parecchie in Francia ora che la gente usa tanti di quegli attrezzi di metallo che qualche anno prima sarebbe stato impossibile immaginarlo. È vero, sono ancora molti a considerare che sia uno spreco, ma intanto fonderie e fucine lavorano a pieno ritmo e non bastano mai. Quando il re ha bisogno di cannoni, di palle per i cannoni, di lame, corazze, insomma di tutto il necessario per fare la guerra, oltre a sborsare quattrini a palate deve mettersi in fila.

3.

Nei giorni seguenti Francesco vuole mostrare all'ospite parte delle bellezze della sua terra. Con cavalcate lunghissime si spingono in varie città e paesi. In tutti li precede la voce che il re ha in casa un principe orientale dagli occhi profondi e dalla figura alta e sottile. Si dice che sia dotto e saggio, gran marinaio e guerriero, ma rinnegato, infedele e pirata. Potrebbe anche essere mago. Eppure i messi ufficiali spiegano a destra e a manca che si tratta dell'erede di un principato franco d'Oriente, di quelli formatisi ai tempi dei tempi, quando cavalieri e nobili andavano crociati a liberare il Santo Sepolcro; e spiegano che insieme a lui ci sono i suoi servi, banchieri, mercanti, ciascuno con regolare patente e salvacondotto. Più quattro navi pirate con tanto di bocche da fuoco nascoste, dice la voce corrente. E le voci, si sa, volano meglio delle notizie ufficiali, soprattutto quando sono maligne.

Tuttavia la gente non è ostile, è semmai eccitata del fatto stranissimo e spregiudicato che uno di Barberia, arabo, turco, nero che sia, cavalchi con il re di Francia, cristianissimo per eccellenza. Signori, popolo e clero si affacciano tutti dalle case a guardare il passaggio, appoggiati alle coperte migliori che ricoprono i bancali delle finestre e ricadono in fuori ad ornare le facciate, come per le processioni dei santi. Chi non ha una finestra se la procura o l'affitta, l'eccezionalità della cosa induce alla spesa.

Il corteo reale sfila ovunque troppo veloce. Contadini e borghesi non hanno il tempo di distinguere in quell'abbaglio di colori in fuga le persone importanti da quelle del seguito.

Si dice che insieme con gli uomini cavalchi una vecchia signora fiamminga, grande e grossa che si dovrebbe notare, invece nessuno può giurare di averla veduta davvero.

«E il mussulmano qual era? L'hai visto?»

«No, nemmeno il re ho potuto vedere».

«Sono passati come una pioggia di frecce».

Nelle case e nelle piazze si continua a parlare per ore e il discorso si riaccende la notte, dopo che i rari e fortunati prescelti sono tornati dai conviti, dalle rappresentazioni, dai giochi.

Talvolta i reali scelgono di sedersi a mensa in qualche locanda o in qualche radura tra i boschi, durante le cacce o le passeggiate, e allora s'allarga il numero di chi li ha potuti vedere e di loro narra con stupore ed orgoglio.

Il re di Francia trascorre con gioia queste giornate di pace con il giovane principe di Barberia, benché stia preparando una guerra per quel suo benedettissimo ducato di Milano. Suo perché gli spetta, dice; ma così poco suo in realtà che da anni cerca invano di conquistarlo. Milano è se mai, per ora, la sua croce più grande.

Questo vagare qua e là con l'ospite straniero riporta indietro Francesco a momenti felici, quando menava a spasso la corte per l'intera Francia, per mesi e mesi.

«La gente deve vedere il suo re».

Francesco ha ragione. Hassan comprende quanto sia utile. Anzi, è indispensabile nel grande regno di Francia che non solo il popolo, ma i signori, i nobili, i reggitori di diocesi, di conventi e abbazie vedano bene che il re esiste, comanda e gli si deve ubbidienza, omaggio e tributi.

Quando Francesco passa con la sua corte quasi infinita, con gli armati, i servi, i carri di roba che riempiono miglia di strade o interi fiumi, con il seguito di dame e nobili che invade i palazzi o fa fiorire nei prati tende multicolori, chiunque ha davanti lampante la potenza del re e non può pensare a rivaleggiare con lui.

Però un simile modo di dire in continuazione «io sono il re» costa fior di denari. E bisogna trovarli.

Il re, o chi per lui, chiede e raccoglie. Anche in questo viaggio di puro piacere, Hassan può constatare che il re di Francia concede udienze e grazie, risolve piccole beghe, presenzia a feste, battesimi, matrimoni, insediamenti in pubblici uffici, ma dappertutto riscuote, in beni o in denaro.

Ad Algeri è diverso. È più facile mostrarsi al popolo e costa meno, i conti tornano prima, perché è un piccolo stato ed è uno stato speciale. Ma qui siamo in Francia, dice a se stesso il principe Hassan, ed è la Francia che bisogna studiare, senza distrarsi a pensare ad Algeri. Stare attenti a ogni cosa può servire a comprendere quali siano le reali intenzioni del re, che ha fatto l'invito, è un ospite molto cordiale, ma non si scopre di più. A tutti presenta Hassan come amico, ma a troppi nasconde la sua identità, o per lo meno vorrebbe nasconderla.

4.

«Scudi d'oro e lire tornesi stanno in buona salute» spiega fierissimo un banchiere venuto a trattare prestiti con il sovrano mentre mostra allo straniero la finezza del conio, «voglio dire che a chi li chiede li diamo alti ovunque, al cambio con le altre monete. Ma voi lo sapete senz'altro» aggiunge con rispetto e malizia.

«E lo sa bene nostro cugino Carlo d'Asburgo» sussurra Carlotta Bartolomea di Comares all'orecchio di Hassan, «settemila sacchetti di monete d'oro ha preteso da Francesco per restituirgli i bambini reali che teneva in ostaggio e per dargli in moglie sua sorella Eleonora! Il mondo è tutto un va e vieni di patti e riscatti. Si riscattano anche i cadaveri degli uomini morti in battaglia».

La stagione prima è clemente, nonostante sia inverno, poi vengono giorni di tramontana, viene la neve che in quell'angolo della terra di Francia è assai rara. Così c'è un nuovo motivo di festa.

La vita della corte accampata è tranquilla, o quasi: nel senso che non hanno tregua gli affari, gli intrighi, i processi, insomma la faticosa vita normale. Il re manda e riceve corrieri, continua a reggere il regno e a preparare la guerra, è pronto ad invadere ogni regione che va dalla Francia a Milano e fa finalmente capire ad Hassan ciò che vorrebbe da quelli di Algeri. Sembra che voglia un appoggio dal mare contro Genova e il Doria. Sono quasi otto anni che Andrea Doria l'ha abbandonato ed è passato all'imperatore e Francesco non ha ancora ingoiato il rospo. Sa che nemmeno Barbarossa è amico del Doria e domanda: verrebbero, i signori di Algeri, ad aiutarlo a dargli battaglia quassù? Hassan risponde e non risponde, per cui Francesco intuisce che Barbarossa gli ha dato istruzioni di prendere tempo; deve avere altro in mentre o altro da fare. La cosa viene lasciata cadere così. Anche Francesco ha altro in mente, cioè vuole che la sua alleanza con barbareschi e turchi sia di lunga durata e non si guasti per un rifiuto.

Un momento di vera tensione arriva quando Francesco si arrabbia. Ma non con Hassan, si arrabbia con il Consiglio di un paese che gli fa un'accoglienza sbagliata, impiantando in suo onore e per suo divertimento un enorme falò di gatti vivi. Avendo saputo che a Parigi si fa, o si faceva una volta, non è parso vero a costoro di poter imitare quella grande città, visto che di gatti ne hanno in abbondanza. Il re non gradisce quello spettacolo orrendo di animali che si contorcono, urlano e puzzano da far venire il raccapriccio, se non la pietà. A lui non piace la violenza esibita, sicché si mette ad urlare a sua volta, cosa che non fa quasi mai, annulla la cena promessa ai maggiorenti del luogo e non concede le grazie ai condannati.

«Bell'affare» protesta con impeto la rossa signora giovane che si era tanto goduta a veder sfilare i barbareschi con i doni, «così oltre ai gatti morirà qualcuno che per stavolta sperava di non morire. Vi prego, monsignore, fatemi grazia di queste vite per la creatura che porto in seno».

La signora dai capelli rossi e dal collo sottile ha un pancione che sembra una botte, ridicolo e insieme penoso su una persona delicata, minuta e infantile.

«Bene. Solo per voi» concede il re quando è lontano dal famigerato rogo, nel castello della giovanissima dama, «ma pagheranno doppio tributo, oltre l'ammenda, dal primo all'ultimo dei paesani».

Comunque, anche il re aveva capito che il falò dei gatti era stato, a suo modo, un'espressione di plauso e di evviva, di allegrezza per il corteo dei signori.

Certo il consenso non è totale. Qualcuno, con molta prudenza, comunica ad amici fidati le proprie riserve. Il re Francesco dovrebbe andar cauto a trattare con turchi infedeli africani. Né vale il ragionamento che tra i marinai di quel sultano predone ci sono uomini biondi, e parecchi.

«Cosa cambia se nelle sue file c'è gente venuta dai nostri paesi o da altri ancora più su?»

Quelli tra i barbareschi che non hanno sangue arabo né turcomanno sono più pericolosi e infedeli degli altri, perché sono dei rinnegati peggio dei principi protestanti, dei monaci riformisti e di tutti i cristiani scontenti di madre Chiesa.

«Saranno cristiani passati al demonio, ad Allah, a Maometto».

«Dovrebbe andare proprio più cauto il nostro re, perché le frequentazioni del diavolo possono far sprofondare nella Gehenna».

«Basterebbe che non lo portasse in giro nel nostro paese e non lo facesse sedere a mensa con noi, il suo demonio!»

Non sono molti a rimuginare preoccupazioni del genere,

i più vivono con divertimento la piccola favola che è loro concessa. Qualche mercante sogna mute di mercantili che solcano i mari tranquille, ora che si è fatta amicizia con un grande pirata. Sogna convogli di muli che menano a città sconosciute, a fascinosi ricchi bazar. Vede fortune che si accumulano dentro i forzieri.

Le ragazze, e anche le donne mature e le vecchie, si raccontano sedute intorno ai fuochi o dentro le stalle, la sera, mille storie vere o inventate del principe forestiero che porta i capelli lunghi come Gesù. Se ne parla perfino in convento.

«Proprio come Gesù, reverendissima madre. E viene d'Oriente come i re magi»

«Non viene affatto d'Oriente e, adesso che abbiamo finito e consegnato i dolci per le regine, guai a chi parla di questi barbari e di questi conviti. Preghiamo, sorelle, stasera preghiamo anche per loro».

Nei conventi si parla con un vago terrore di Hassan, anzi dell'«infedele», perché il suo nome non lo conosce nessuno.

La conversa che ha consegnato le ceste dei dolci ai famigli portavivande dell'apparato di corte riferisce che l'Infedele è tal quale un angelo: così giura chi l'ha veduto. E il fatto aumenta il terrore. Non era Lucifero stesso un esempio di perfezione, il più splendente tra gli angeli, il più vicino al Santissimo Iddio?

«Questo principe turco africano è figlio del diavolo. Dio ce ne liberi» prega la madre guardiana facendo il segno di croce e ordinando di sprangare porte e finestre e di raddoppiare le penitenze, «mettete ovunque reliquie sante. Molte e potenti sono le armate di Satana».

La conversa delle consegne sta zitta, si fa la croce sul petto, raddoppia la sua penitenza, appende reliquie sui chiavistelli e negli angoli bui, ma a tutti questi demoni, che zampillerebbero come l'acqua esce dai boschi di primavera in fondo al pendìo, più di tanto non crede.

Con l'ordine scritto di un tribunale hanno da poco bruciato al villaggio una sua zia e un povero frate, dicendo che erano diavoli e male piante: lei diavolo strega e lui diavolo eretico, o forse scismatico, o mestatore di torbidi come altri due, garzoni fornai, morti squartati la vigilia di Pentecoste dell'anno passato, che Dio conceda loro la pace e il perdono. La conversa per non sbagliare prega per tutti, per quelli che sono morti e non erano diavoli affatto, per coloro che hanno pronunciato le accuse e le condanne, per il vescovo che era d'accordo di far morire degli innocenti e per il re che non ha dato, quella volta, la grazia, né ha fatto giustizia delle calunnie.

5.

«Si può?» chiede bussando e aprendo la porta della stanza di Hassan, una sera, al castello della dama rossa, Carlotta Bartolomea. «Guardate un po'» e gli mostra due piccole piastre del braccio d'argento di Baba Arouj, «ne ho altre quattro. Ho gettato gli ami e comincio a pescare, benché queste piastre siano sparse per il mondo, benché Comares ne abbia adocchiato una anche lui e la insegua. Ma per adesso l'hanno chiuso in convento a purgarsi l'anima. Pezzo a pezzo rimetterò insieme il nostro bel braccio e verrò io stessa a portarlo ad Algeri».

Nascoste in seno le piastre, Carlotta va a sedersi sulla scrannetta nello sguincio del finestrone.

«Vorrei restare a fare due chiacchiere. Di giorno il tempo non basta mai. Volete?» domanda togliendo dalla tasca segreta che ha in uno sbuffo dell'abito un torrone avvolto in un cartoccio di foglie di vite essiccate. «C'era tropp'aglio nel brodetto di pesce di fiume servito per cena. Dunque, vi siete accorto quanto si odiano i figli di primo letto del re? Avete visto che ciascuno di loro ha già il suo partito di fedeli e intriganti? Sono gli stessi bambini per cui Francesco ha sborsato tutto quell'oro. Che ne dite dei versi di Margherita? E di quelli del re? Vi sembra bella madama D'Etampes? E le armi? Sono davvero così ben fatti i cannoni di Francia come diceva il comandante Jean Pierre? Oh, mio Dio!»

La valanga delle domande della marchesa è interrotta da un urlo di donna che proviene da qualche stanza più in là.

La corte, accampata dentro o intorno al castello, sospende conversari e giochi notturni, sferzata dal grido come da una campana d'allarme.

«Scusate» fa Carlotta Bartolomea mettendo in mano ad Hassan il suo torroncino ancora chiuso nelle foglie di vite, «è venuto il momento. Non posso restare».

Il suo volto nell'ansia assume un'inattesa dolcezza. La marchesa scivola via sul pavimento di pietra, quasi avesse d'improvviso perduto il peso del suo corpo possente.

«Quella ragazza mi piace» spiega ad Hassan voltandosi per far passare senza danno l'abito rigido dalla porta antica, tagliata stretta nel muro da fortilizio, «vorrei starle vicino».

Dopo il turbamento iniziale, provocato da quel grido fortissimo, il castello torna ad animarsi, ben più di prima, appena si è sparsa la buona notizia che la dama rossa è prossima al parto. Corrono i servi con le torce accese per preparare la veglia e la luminaria del lieto evento, corrono le donne esperte per portare aiuto, corrono gli uomini per andare a far bisboccia col futuro padre, corrono i ragazzini svegliati da tutto il trambusto e saltati fuori dai letti per gustarsi la festa.

Ad intervalli si sente qualche grido, tremendo, ma nessuno più se ne cruccia. È cosa normale, la sposa è giovane. Qualcuno critica, dice che è troppo smorfiosa.

«Portate altro vino e ritirate fuori gli scacchi».

Richiamano anche il suonatore di liuto. Sarebbe stata un'uggiosa notte d'inverno, con una fitta pioggia battente che avrebbe dato a parecchi solo un sonno agitato e cattivo, invece con la faccenda del parto della padrona di casa diventa una notte speciale.

«Certe volte l'erede è un problema» confessa la zia dello sposo, ultimo e solo rampollo di una gloriosa casata. «Ma Henriette è giovane. Avremo molte di queste nottate, con la grazia d'Iddio».

Monsignore il re è uscito dalla sua stanza, non è uscita Anna d'Etampes.

Il re Francesco si diverte a osservare Margherita ed Eleonora che giocano a scacchi. È di buon umore, ma non in buona salute, un piccolo ascesso gli dà la febbre.

«Posso farvi una nuova proposta?» dice con aria sorniona il re al suo ospite Hassan e se lo porta via prendendolo sottobraccio con libertà e amicizia, verso la quadreria del torrione. «Potremmo fare uno scherzo a mio cognato l'imperatore. Vi piacerebbe andare a trovarlo in incognito?»

In quel momento due ragazzine che giocano a moscacieca nel corridoio piombano addosso ai due sovrani e li mandano a urtare contro gli arazzi della parete.

«È quasi peggio imbattersi in voi bambini che in una squadra di lanzichenecchi».

«È nato?» anche Anna d'Etampes, facendosi lunga l'attesa, si affaccia al salone di rappresentanza.

«No, non è nato ancora».

Il parto è inaspettatamente difficile. Dopo che si è improvvisato un festino, seguito da un ballo, da una gara poetica, da una colossale mangiata di castagne cotte, annaffiate di acquavite e di vino caldo speziato, molti di coloro che hanno un posto dentro le stanze si sono ritirati per passare in pace almeno l'ultima parte della nottata e quelli che comunque si sarebbero dovuti arrangiare sopra le panche o con delle coperte buttate per terra, secondo il grado, cominciano a rannicchiarsi e ad avvolgersi nei panni di lana per acconciarsi a dormire, con un certo imbarazzo per la presenza del re, che tuttavia ha dato licenza a ciascuno di fare il suo comodo. Lui, ora gioca a carte con il principe Hassan e pensa al suo scherzo.

«Siamo solo voi ed io, badate, a saperlo. C'è da fare attenzione. Carlo ha naturalmente anche qui i suoi partigiani. No» fa il re sorridendo, «non pensate a mia moglie».

Hassan ormai sa benissimo che la corte insinua che sia proprio madama D'Etampes a mostrare troppa amicizia per l'imperatore Carlo d'Asburgo.

«Non è nato?» chiede la favorita del re, di nuovo affacciata.

«Non ancora».

Un gruppetto di gente è rimasto in attesa e con la scusa del parto un po' travagliato continua lunghissimi giochi di dadi, indovinelli, giri di frase, anagrammi, tra il fiorire di molte scommesse e di chiacchiere. E tanto per dire, si passaveno pure in rassegna i nomi delle ragazze e delle giovani vedove che potrebbero degnamente e magari con più vantaggio sostituire la dama rossa nel letto nuziale del padrone di casa, se disgrazia imponesse una sostituzione.

Ma finalmente suona la campana, quando l'alba non è ancora spuntata e la pioggia continua a cadere. Il cappellano in primis intona una giaculatoria di ringraziamento e annuncia per l'indomani il Te Deum.

«L'erede è nato».

Si spalanca la stanza della partoriente, che si riempie dell'odore stantìo dei cibi, del vino e dei pesanti respiri di tutti.

«Che brutto parto, povera cara» confida Carlotta Bartolomea uscendo da quella stanza con qualche schizzo di sangue sull'abito, «meno male che è fatta. Vado a dormire. Lasciate che dorma anche lei».

Le signore e i signori di corte si alzano, ridono, scherzano, si accalcano per andare a vedere. Arriva anche il re trascinando seco il suo ospite.

«Quale onore!» dice il novello padre con un inchino. «Fate passare».

Francesco e Hassan sono i primi a vedere il bambino, urlante e violaceo, con la testa buffa, gonfia e deforme per il prolungato travaglio.

«È vivo» assicura il medico della famiglia, quasi non bastasse il pianto a testimoniarlo.

La stanza è in penombra. Solo la culla è illuminata da due candelieri.

Più in là, ricoperta fino alla cintola da una pelliccia di volpe dello stesso colore della sua chioma, seduta in un specie di trono, la dama rossa, immobile e silenziosa, sembra rassegnata a subire una lunga catena di rallegramenti.

Hassan è colpito della bellezza delle sue piccole mani, abbandonate sopra i ginocchi, stanche e ieratiche, come in certe statue di antiche divinità; anche il sorriso è fisso e lontano.

Hassan fa due passi verso la dama per farle omaggio e vede il suo sguardo vuoto. La dama è morta.

Nella notte, per concessione speciale, spara a salve un cannone per festeggiare il neonato e la continuità della casata.

6.

L'indomani poco si parla della gentile dama che è morta: sipario. C'è altro da fare. L'ascesso del re è scoppiato, la febbre è cessata, la corte leva le tende, la prossima tappa sarà in un castello più a sud.

Sono arrivate casse di abiti nuovi, per tutti. Durante il trasferimento ci sarà la gran caccia en robes déguisées di cui si parla da mesi. Ora che l'acqua ha spazzato via i residui di neve, sarà bello vedere la corte dispiegarsi su colli e piani come una nevicata speciale e tardiva: ognuno sarà vestito di bianco con libertà di fogge, anche antiche ed esotiche. Era un'usanza di Filippo il Buono, principe borgognone, questa parata di bianchi; Francesco ha deciso di rinnovarla in onore della regina Eleonora, che di Filippo il Buono è pronipote. La Borgogna è un'altra spina tra Francesco e Carlo. È un altro pomo della discordia. È mia, è tua, entra in ogni patto e in ogni litigio. Benvenuta qualsiasi cosa che leghi Francia e Borgogna. E anche la dama rossa era nata in Borgogna, e alla dama rossa si deve un ricordo. Dunque, la caccia in costume avrà per insegna un cielo in cui campeggiano tre grandi stelle a significare la Borgogna, la regina Eleonora e la giovane dama defunta or ora.

Sarà una caccia che resterà negli annali, peccato che il principe Hassan non la possa godere. Hassan, appena avviata la caccia, andrà con scorta reale a Marsiglia, dove l'attendono i suoi. Ma a Roma, dice re Francesco accomiatandosi dal suo nuovo amico, potrà divertirsi anche di più, en robes déguisées egli pure. Il principe di Barberia non potrà andare in giro con le sue splendide vesti orientali, ma si è pensato al travestimento: il cassone di abiti alla francese che il re dona al suo ospite è pronto, issato su un carro, legato, bollato con i sigilli per salvacondotto.

7.

«Non potrei vivere qui, con queste calze, calzette e calzoni che stringono cosce e polpacci» dice Alì Ben Gade, guardandosi con aria patetica le gambe storte rivestite di calze agucchiate nell'ultima foggia di moda, «non vedo l'ora di tornare a casa».

Invece Hassan è venuto con la notizia che a casa per adesso non si torna affatto.

«Non ci sei stato male, però, da queste parti: sei grasso come un maiale».

La missione algerina alloggia in un bel palazzo sul porto. I barbareschi devono essere agli occhi di tutti dei ricchi mercanti orientali con adeguato seguito di famigli e scherani.

«Francesco è un sovrano prudente» aveva spiegato Jean Pierre de la Plume nel suo messaggio. «Quando firmò patti molto pesanti con Carlo d'Asburgo per liberarsi della prigionia in terra di Spagna, fece arrivare in archivio a Parigi accurate testimonianze comprovanti come e perché quei patti fossero nulli, in quanto strappati in stato di necessità».

Naturalmente Carlo lo venne a sapere e disse che il suo rivale era infido e spergiuro; questo non era scritto nel messaggio, ma Kair ad din conosceva benissimo l'intera vicenda.

«Perciò non vi stupite» continuava il messaggio, «se il mio re prenderà mille precauzioni per poter dimostrare all'occorrenza che siete mercanti, o altra gente su cui nessuno abbia a ridire».

«Tutti sapranno chi siete» aveva aggiunto Kair ad din, certo di non sbagliare, «e al re stesso piacerà che si sappia, perché si ammiri la vastità delle sue vedute e delle sue amicizie: voi state al suo gioco».

Le cose sono andate esattamente come De la Plume e Kair ad din avevano previsto che andassero e, poiché dovevano sembrare mercanti, i barbareschi di Hassan hanno trafficato davvero nei fondaci e nelle botteghe, con ampie soste nelle taverne e nei lupanari, come l'uso consente ed impone. A qualcuno il gioco è talmente piaciuto che ha deciso di farsi per sempre mercante tra Oriente e Occidente. La maggioranza di loro ha voglia ormai di tornare.

«Io qui non potrei vivere perché fa troppo freddo» dice Omar Sade, marinaio e cuoco di bordo sull'ammiraglia e ora venditore di datteri e spezie, «guardate, hanno freddo persino le nostre navi, stanno tremando».

«È l'acqua che trema vicino a loro! Anche truccati da carrettoni i nostri legni da guerra fanno paura» corregge ridendo Alì Ben Gade col suo vocione. «Ma la vogliamo smettere di dire scempiaggini? Vuoi o non vuoi raccontarci dove puntiamo?»

Punteranno verso la costa italiana dove si cercheranno un buon nascondiglio e aspetteranno Hassan che, da solo, farà un salto a vedere cosa combina l'imperatore.

XXIV.

1.

Le tenebre sono scese precoci tra i tuoni, i lampi e gli scrosci di un temporale di primavera. Nella casa romana dell'ambasciatore di Francia Jean Pierre de la Plume i valletti servono in guantiere d'argento le ultime portate della cena; ogni volta che escono dal buio e si affacciano al cerchio di luce disegnato dai candelieri del tavolo da pranzo, sono presi d'assalto dai sette minuscoli cani di madame Geneviève e faticano a districarsi da quel groviglio di zampe, di peli e di bave.

«Attenti ai piatti, ragazzi, che non cada la roba in testa ai piccoli, poveri cari. Sono eccitati e fanno festa anche loro. Noi conduciamo vita assai ritirata, sapete» dice madame Geneviève al suo ospite Noël Leroy, mercante e banchiere, che altri non è che il principe Hassan, «quando mio marito ha invitati, i piccoli e io restiamo all'ultimo piano. È un'eccezione, stasera. Bisogna dare il benvenuto con garbo ad un amico del nostro re, vero piccini? È un dovere». Madame scherza, è stato un enorme piacere per lei conversare con l'ospite venuto dal suo paese. «Mi siete simpatico». Geneviève lo rimprovera solo dei troppi doni, anche se sono stati molto graditi. «Il tappeto lo metterò ai piedi del letto per svegliarmi ogni giorno tra i fiori. E adesso forza, ragazzi. Saliamo. È tardi per me». E mentre i servi la alzano, tende l'orecchio. «Non so che diavolo sia questa campana. La sentite anche voi? Da che c'è l'imperatore le campane suonano senza più regola, ogni momento. A me già disturbano gli scampanìi normali che a De la Plume invece piacciono tanto!» Si ode da fuori una campana bizzarra. «Va e viene. Strano sembra che la portino a spesso per la città. Sarà per mandare a dormire le persone piene di acciacchi».

«È per mandare tutti a casa presto, mia cara, e garantire a Carlo d'Asburgo e al suo seguito una nottata serena».

I cani latrano in maniera spropositata per le dimensioni che hanno. Si chetano quando arriva la portantina che la signora usa per evitare le scale.

«Questo è un palazzetto bellissimo, ma non si fa che andare su e giù. Ve l'ha detto Jean Pierre che l'abbiamo avuto da un cardinale? E pensate che non c'è una cappella. Oh, Jean Pierre! Non si chiamava anche quello Leroy? È vostro parente, signore?»

«Non ho cardinali in famiglia, madame».

«Molto meglio, potrò trattarvi con semplicità. Ragazzi, alzate la portantina».

Madame si rannicchia sul suo seggiolotto. Bastano due servi a sollevare il trabiccolo, la signora è appena un mucchietto d'ossa avvolte nel gran volume degli abiti.

«E voi qui in braccio, piccini».

I cani si tuffano sopra di lei e Jean Pierre, per deporle sulla guancia il bacio della buonanotte, attende pazientemente che le bestie si sistemino a grappolo intorno al collo della padrona.

«A domani, signori» dice soddisfatta madame, ricevuto il bacio dello sposo tanto più giovane e arzillo di lei; ma, quando la portantina è inghiottita dal buio, ordina un alt. «Non vi ho chiesto di che città siete. Il vostro francese è curioso. Non è affatto sgradevole, badate bene: la Francia è grande e vi si parla in cento maniere. Però qui potreste parlare latino. Jean Pierre dice che siete maestro. Piacerà a tutti. Lo riterranno un omaggio, o una sfida. Buonanotte, carissimi. Allora, a domani».

«Giuro che non ha il minimo dubbio che non siate francese, benché critichi la vostra parlata. Povera donna, quei cani la soffocano ogni giorno di più e non c'è verso di tenerli lontani. Dunque avete veduto mia moglie. Poverina, è un miracolo. Sembra più morta che viva, invece è lei che fa tutto.

Guida la casa, amministra il patrimonio e lo fa prosperare. Io non tocco denaro se non per le spese minute. Era nei patti e preferisco così. Viviamo benissimo insieme. Mi sono dato alla diplomazia, alle letture piacevoli, all'ozio. Mi sono abituato ai suoi cani. Credo che potrei sopportare persino una scimmia, la desidera tanto che un giorno o l'altro dovrò procurargliela».

Jean Pierre de la Plume è leggermente ingrassato, ma è tuttora un uomo prestante, i capelli grigi sono ordinati e lucenti, il portamento elegante, le mani in continuo moto, espressivo e gaio.

«Cambiato il Papa è stato facile tornare in questa città. Ci sto bene. Mi piace il colore dell'aria, in particolare al tramonto, quando i muri, le piante, i camini, le chiese si stagliano netti nel cielo. Il tempo scandito da tante belle campane scorre con una regolarità che mi riposa; a parte questo momento, con l'imperatore tra i piedi a sconvolgere tutto. Venite, sediamoci nel mio studiolo accanto al camino. È primavera, ma di notte è ancora piacevole una bella fiammata. Berremo un bicchiere di passito aromatico invecchiato al punto giusto».

2.

Licenziati i servi una volta che hanno rincalzato bene il fuoco e posto sul tavolo botticella e boccali, De la Plume cambia subito tono.

«E adesso parliamo davvero. Cos'è questa storia? Francesco è impazzito? Che voi siate matto lo so da un pezzo! Che bisogno c'era di venirvi a ficcare in questa trappola proprio quando ci sta l'imperatore? Mi meraviglio che siate passato alle porte senza incidenti. Le guardie non sanno fare il loro mestiere. Che scherzo sarebbe? Se Carlo ignora chi siete è come se non foste venuto e se, Dio ci scampi, lo venisse a sapere, ve lo fa lui un bello scherzo! Lo farà a tutti quanti».

Hassan sorride e allungandosi appoggia la punta delle scarpe di cuoio fin contro gli alari del fuoco.

«Sono più comode le babbucce orientali» gli confida con aria complice il signor De la Plume, «vi dà noia vestire alla francese? Le vostre fogge sono più sciolte».

Nessun fastidio, Hassan si trova perfettamente a suo agio nel giuppone e nelle brache a intagli e sbuffi. Si sente un po' nudo senza i capelli. Le lunghe ciocche inanellate sono scomparse, il taglio è cortissimo, alla moda. Qualche sacrificio bisognava farlo per essere ammessi alla presenza dell'imperatore.

«Non capisco perché re Francesco abbia voluto mandarvi qui. Che ne ricava? Voi ci siete venuto per curiosità e per divertimento. Mi illudo che vi importi anche rivedere gli amici e mi metto con gioia nel numero. Però state attento. Ci sono spie dappertutto. Qui sotto casa ne troviamo sempre qualcuna, con ingenui camuffamenti. Sono le orecchie del Papa, come dice mia moglie. E ora ci saranno anche le orecchie dell'imperatore. Guardate sotto nel vicolo. Anzi, no. Non è proprio il caso».

Jean Pierre sembra un po' più disteso. Si versa un altro bicchiere e porta la sua sedia accanto a quella di Hassan.

«Voi non bevete? Non vi sarete messo a osservare i dettami della religione! Io faccio qualche digiuno per salvarmi dalla mania dei salassi. Qui tutti si bucano che è una bellezza e i cavasangue si fanno ricchi. C'è un flebotomo che ha messo insieme una gran fortuna confezionando dei sanguinacci col sangue che cava ai pazienti. La gente dice che sono squisiti e corre a comprare. A proposito di compre e vendite, dovete aggiornarmi. Che affari trattate? Cosa c'è scritto sui vostri lasciapassare? Non voglio sbagliarmi nelle presentazioni. È stata vostra l'idea di chiamarvi Leroy?»

«È tutto quanto omaggio del re di Francia: l'idea, i vestiti, i documenti ed il nome. Ho solo studiato le referenze e i pro memoria che mi ha fornito».

«Geneviève ha ragione, dateci dentro con le lingue antiche e farete una gran bella figura. Tra i curiali c'è pieno di dotti veri e di finti eruditi. Farete colpo sugli uni e sugli altri. Con la nobiltà la cosa migliore sarà non parlare o parlare il meno possibile. Sono ignoranti e contano poco. Si contendono il potere nei villaggi d'origine e nei quartieri della città dove hanno palazzi e rocche, ma è un potere ristretto; potrebbero nuocervi, però non vedo come potrebbero esservi utili, tranne chi di loro ha mire lunghe e per quelli ho pronto un piano di eventuali alleanze. Comunque, in genere, i nobili di qui lasciamoli perdere. Puntiamo sulle due curie, del Papa e dell'imperatore, se volete allacciare conoscenze, sentire pareri, fiutare insomma l'aria che tira. Perché di questo si tratta, mi pare. Allora, la chiave per aprire le porte giuste e magari le confidenze è il denaro. Non dico che dobbiate corrompere consiglieri ed amici dei due sovrani, basta far circolare la voce che siete banchiere, che disponete di molto denaro e che all'occorrenza ne potete prestare. L'imperatore ha troppi eserciti cui deve corrispondere il soldo, ha troppe corti da mantenere nel lusso, troppa gente che ingrassa rappresentandolo a vario titolo nelle contrade del mondo: appena sente che c'è denaro liquido da poter raccattare, drizza le orecchie e diventa, pare, disposto al colloquio».

«Sarebbe un bello scherzo davvero patteggiare un prestito con l'imperatore!»

«Non ci montiamo la testa, mi raccomando. Il vero problema è di riuscire a tenerla attaccata al collo, la testa, credete! Io non ho vita facile in questi giorni. Sapete che il mio re è entrato in Torino, da dove ha cacciato un alleato dell'imperatore, proprio mentre l'imperatore arrivava a Roma dandosi il titolo di alfiere di pace e difensore del mondo cristiano?»

«Quando potrò incontrare l'imperatore?»

«Piano, piano! Siete appena arrivato. È meglio che pensiate a fare un buon sonno. Sarà stato duro cavalcare per ore con il maltempo. Almeno stavolta nella bufera avevate sotto i piedi la terra, invece di quelle barche leggere che chiamate navi!»

Hassan non ha affatto bisogno di sonno, vuole sapere quando e come De la Plume ha programmato l'incontro.

«È inutile che vi mettiate la maschera, so benissimo che vi divertite ancor più di me».

«Non parliamo di maschera» ribatte Jean Pierre balzando in piedi e mettendosi a camminare per lo studiolo da una parete all'altra con ritmo di marcia, «se qui c'è uno che non vuole scoprirsi siete voi».

Jean Pierre indica ad Hassan una piccola testa intagliata nel legno.

«L'ha fatta Pinar. Lo ricordate? Sembra che abbiate dimenticato quei due ragazzi. Avrei giurato che venivate a Roma per loro».

«Potrebbe anche essere vero».

Jean Pierre si ferma, guarda sornione il suo ospite che ha preso in mano la testina di rovere.

«Pinar l'ha intagliata durante il viaggio sulla mia nave ammiraglia. È il ritratto di Anna. Erano molto legati quei due. Anna ha sofferto per la separazione. Ah, non sapete nulla di nulla! Sono mesi che Pinar è in viaggio per le Nuove Indie. Forse è arrivato. È una storia lunga e ve la racconto domani. Fatto sta che Anna ha perduto un valido appoggio».

«Come sta Anna di Braes?»

«Finalmente vi siete deciso. Di salute sta bene. Domani potrete vederla. Ecco, questo è l'invito per la gran festa che si darà in casa sua domani sera in onore di Carlo d'Asburgo, dopo il canto del vespro».

Il principe Hassan fissa in silenzio il foglio che Jean Pierre gli ha srotolato davanti.

«Non vi vorrei così attento a mostrarvi impassibile. Io ho grande rispetto dei sentimenti, dei miei e di quelli degli altri. Anch'io ne ho paura. Ho temuto i dolori del cuore più delle ferite in battaglia. Ma voi volete addirittura negarli, i sentimenti, e questo è puerile! Scusatemi. Avete avuto anche troppi padri senza che mi ci aggiunga io pure. Meritavate che vi portassi là domani senza avvisarvi, ma sarebbe stato troppo rischioso. Sarà meglio che vi prepariate con calma, per restare davvero impassibile. Potremo vederla solo in presenza dell'imperatore».

De la Plume riprende la testina dalle mani di Hassan e la rimette a posto tra i libri.

«Naturalmente Anna è molto cambiata. Quando l'ho conosciuta mi era sembrata una bimba debole e malinconica. Invece ha carattere. Su di lei si può senz'altro contare. La festa di domani non è solo in onore di Carlo. Si inaugura il palazzo nuovo della famiglia, quello antico era stato distrutto qualche anno fa, durante il sacco dei lanzi. E si festeggia la padrona di casa».

«Compie diciotto anni, domani»

«Grazie a Dio non l'avete scordata. Bene. Sapevo che non era possibile. A dire il vero so che l'amate. Zitto, zitto: non sono cose che mi riguardano e non ne parleremo mai più, ma per stavolta lasciatemi dire. Tenete» fa Jean Pierre consegnando un libro ad Hassan, «leggete Petrarca stasera, è adatto alle vostre emozioni e spero vi insegni a non vergognarvi della tenerezza né dell'amore. Perdonatemi, vi sono amico. In ogni caso, se invece di leggere vi venisse voglia di guardare le stelle, vi ho fatto dare la stanza più alta».

3.

«Era ora che qualcuno te la dicesse, la verità» avrebbe concluso Osman Yaqub se fosse stato presente al colloquio nello studiolo, e gli avrebbe subito fatto un infuso o un decotto perché la cura fosse completa.

Ma Hassan è solo, senza Osman e senza tisane, e comunque gli viene proprio da ridere.

«Eccomi qua messo a nudo» dice a se stesso, perché è vero che in questa storia è sempre stato un vigliacco.

Ma che senso avrebbe ingaggiare battaglia quando può essere soltanto una battaglia perduta? Fosse poi una battaglia: è semplicemente una sofferenza che invade dentro. L'unica cosa da fare è ricacciarla lontano. Anzi, giù nel fondo, più in fondo possibile perché ci impieghi di più a rispuntare. È la solita tattica, però non funziona, stanotte è inutile. Meglio scivolare nel mare interiore e cullarsi su sentimenti inespressi, informi pensieri, fantasie appena abbozzate e di colpo prepotenti, ossessive, strazianti e poi di nuovo sfilacciate e impalpabili. Frammenti della vita passata che affiorano, altri di una vita che non potrà diventare la vita futura.

E soprattutto, rinascente da tutto e in tutto riplasmata e dissolta, è l'immagine di lei, chissà come sopravvissuta nel profondo dove è sempre cacciata, con espressione felice o disperata, la bocca ridente o imbronciata, gli occhi pieni di divertimento e subito dopo di lacrime desolanti e fastidiose, con la voce infantile dispettosissima che insiste a dire: «Hai veduto, hai veduto che è finita malissimo?»

È tristemente piacevole sentire il corpo pesante di stanchezza e di sonno, percorso da turbamenti, emozioni, rabbie e insieme sentirsi quasi librare al di fuori di esso, assistere da spettatore imparziale per vedere che cosa succede; e abbandonarsi alla nascente sensazione dolcissima che domani lei sarà vera.

Di qui la speranza bizzarra di trovare Anna di Braes così cambiata che la sua precedente immagine, nascosta nel fondo dell'anima, risulti troppo dissimile e vana, e sia distrutta senza che la nuova, e diversa, possa accamparsi mai più dove i sentimenti germogliano. O al contrario, l'immagine per tanto tempo relegata negli angoli della coscienza al confronto con la persona vera potrebbe trovare la sua definitiva e totale liberazione e vantare i diritti di una creatura irreale perciò infinitamente amabile, senza ritegno.

Sarebbe questa un speranza bellissima, tale da favorire adesso in piena pace l'arrivo del sonno, se non che la voce di Anna misteriosamente prorompe, orgogliosa, ironica, insinuante, da un temporale di impercettibili, caleidoscopici frantumi di parole e di suoni, zampillanti nel ricordo.

«Quando mai» chiede la voce, «quando mai ti ho dato il permesso di amarmi?»

Come sarà adesso la voce vera di Anna? È tutta la notte che la sua voce sognata gioca nella mente di Hassan, distesa nelle chiacchierate di un tempo, rotta nel pianto, aspra nelle ripicche caparbie, dolce nelle risate argentine, sempre più invadente nella risonanza interiore, sempre più lacerante, sempre più amata. Ma quando si forma per incantamento e si diverte a dire parole mai dette, a dare ordini, a fare domande insensate non resta ad Hassan che cercare di spegnere la fantasia o metterle solide briglie, che non diventi troppo crudele.

E quando il pericolo di quelle voci fittizie si attenua, non basta stringere gli occhi fino allo spasimo per riuscire a liberarsi da onde di sguardi altrettanto fittizi, freddi, sfottenti, che vorrebbero sostituirsi agli sguardi di lei accumulati nella memoria, custoditi gelosamente nei recessi più chiusi.

Ma sono gli sguardi più pieni di affetto, le voci più care che si riversano infine senza pudore dagli argini sbriciolati della coscienza. Il sentimento innominato e negato, temuto e ritenuto impossibile, quando la mente è assopita e l'anima invasa di sogno trova coraggio, chiede e s'illude di avere una risposta felice, che squarci la solitudine.

4.

La mattina i rumori salgono violentemente dalla sottostante piazzetta, da vicoli e strade. Sono passati prima dell'alba gli animali diretti ai macelli e poi carri, carretti, zoccoli di cavalcature diverse; risuonano colpi d'ascia e martello, abbai, ragli, nitriti, campane e voci. Urlano i commercianti del vicino mercato, ma anche i compratori di piscio e letame passando di strada in strada e i venditori ambulanti, i cavadenti, i follatori, pignattari e acquaioli, uomini, donne, bambini che si salutano in allegria o litigano, di primo mattino.

«Fate largo, via dalla strada!»

Sopraggiunge un folto drappello e si odono insieme un catafascio di cose che cascano, di usci e di imposte sbattute, un araldo che squilla e altra gente a cavallo che passa rapida.

Quando lo scompiglio è finito, la porta di Hassan si scosta e vi si affaccia festoso l'ambasciatore Jean Pierre.

«Viene qua sotto l'imperatore e non vi mettete nemmeno in finestra? È passato col figlio del Papa, che gli sta sempre appresso perché vuole un ducato. Vanno alla messa da qualche parte. Ogni mattina cambiano chiesa per mettersi in mostra, l'imperatore però è veramente devoto. Alzatevi, su. La mia Geneviève deve uscire per compere e vorrebbe invitarvi ad accompagnarla. Non le dite, vi prego, che siete già stato in questa città. Le togliereste il piacere di condurvi a scoprirla e la mettereste in sospetto».

Jean Pierre spalanca la finestra. È un giorno tiepido.

«Guardate le mie belle api. Ogni anno si rintanano in questo buco e nella cornice della finestra accanto. Vengo spesso a osservarle, mi piace».

Bene o male la notte è passata e il giorno riporta al principe Hassan la sua solita fredda lucidità.

Madame Geneviève parla di Roma, ma vuole sapere delle cose di Francia, domanda di questo, di quello, accenna a mercanti di fama, che lei conosce e che certamente il suo ospite vede sovente; chiede se è vero che tanti armano navi per il Nuovo Mondo e se è un investimento sicuro, con tutti i rischi che ci sono sul mare. Mai Geneviève metterà piede su un bastimento, dopo quello che è successo al suo caro marito.

«Ma non parliamo di brutte cose passate. Me lo fareste un favore? Voi avete tanto buon gusto e siete un grande mercante. In quella porta ci sta il mio gioielliere, vorreste aiutarmi a scegliere pietre e disegno per il mio nuovo manile d'argento? Contrattate sul prezzo con energia».

Jean Pierre de la Plume si diverte; per tutta la mattinata la sua consorte non interrompe l'assalto. Se Hassan supera la prova con Geneviève la serata con Carlo d'Asburgo, il suo seguito e l'intera Curia romana sarà uno scherzetto da nulla. Chi oserà sottoporlo ad un simile fuoco di fila di domande incalzanti? Chi potrà inventare trabocchetti peggiori?

«Scusate se mi permetto» fa Geneviève con tono esitante, «in questa città che è pettegola, si usa portare omaggi alla padrona di casa. Saranno tutti con gli occhi puntati vedendovi nuovo e straniero. I banchieri di qui sono piuttosto taccagni, ma pretendono che la gente di fuori sia generosa e magnifica. Lo dico perché, non sapendolo, non voglio che abbiate a fare, proprio voi, una meschina figura. Portate un regalo».

«Mia cara!»

Il marito la rimprovera con finto imbarazzo, perché in verità gli viene da ridere, ma Hassan ringrazia del buon consiglio e la signora, incoraggiata, riprende.

«Può bastare, sapete, un'anforina con pasta odorosa, d'ambra o zibetto».

«Mia cara, il nostro amico commercia in navi, cannoni, grosse partite di merci preziose provenienti dai mari lontani, saprà trovare quel che conviene. Volete invece portarci, carissima, a vedere le belle chiese che frequentate?» suggerisce Jean Pierre che continua a godersela un mondo, abbassando la voce con delicato pudore. «Forse l'amico nostro ha piacere di recitare le sue devozioni».

«Ah, senza dubbio! Voi del resto, monsieur, saprete meglio di me quel che vuole la moda. Andiamo a pregare».

Così la mattinata trascorre e finalmente madame l'ambasciatrice, dopo il pranzo, si accinge a concedersi un po' di riposo.

«Non posso dire, purtroppo, di avere stanche le gambe...» sospira lasciando la tavola: la signora in effetti durante la passeggiata è sempre stata in una sorta di elegante carriola spinta da un robusto garzone, che l'ha altresì presa in braccio ogni volta che c'era qualche scaletta da fare, per entrare nei negozi o per salire alle chiese con un sagrato rialzato. «Sarà bene che facciate anche voi un sonnellino. Stanotte la festa si prolungherà fino all'alba. Avremo molti divertimenti, ma anche molta fatica».

Geneviève non va alle feste da anni, però al ritorno il marito le narra ogni cosa con pazienza e vivacità. Le racconta chi c'era e chi non c'era, perché le assenze possono essere molto importanti, di che si è parlato e in che tono, se i cibi erano buoni, originali, scarsi o abbondanti e com'era la servitù, quali erano stati i vestiti più ammirati e quali i più belli, quali i versi più celebrati, le notizie più fresche, le malignità più velenose, le dame più licenziose, quali le trattative, gli affari andati in porto e in caso di rissa o duelli quanti e quali erano stati i feriti o i morti ammazzati.

«I resoconti per la mia Geneviève sono più minuziosi e difficili di quelli per il re di Francia».

«Sicché, riposatevi entrambi» li prega madame, «fate conto che dovrete calarvi in una bolgia perfetta, monsieur Leroy. De la Plume sarà il vostro Virgilio. Ma anch'io voglio mettervi in guardia: qualsiasi cosa vediate, accettatela con disinvoltura. Qui nessuno si scandalizza. Si vedono grandi puttane mescolate con i preti e le dame, ragazzini che sfacciatamente fanno fortuna con svariati commerci carnali, dame che approfittano della propria scarsità di virtù come altri approfittano di parentele o di segreti che gettano in pasto a tutti al momento opportuno. Ci sono anche persone per bene o magari sante, c'è chi vive di onesti lavori, chi pensa al prossimo e tira avanti come comanda Iddio. Insomma più o meno sarà come nel resto del mondo, ma qui c'è un gran gusto di esibire ogni cosa proprio mentre si finge di volerla tenere celata».

5.

Più tardi Geneviève, accompagnata dai suoi cagnetti uggiolanti, ma senza servi, reggendosi su due bastoni entra nella libreria dove Jean Pierre dorme sopra un tronetto imbottito e Hassan sfoglia un messale miniato.

«Monsieur Noël» bisbiglia madame, facendo un cenno col dito, «vi aspetto nel mio salottino, qui a fianco».

La stanza accanto è zeppa di odore di cani. I piccoli si infilano rapidi nei loro cesti, tranne uno che preferisce issarsi a dormire in grembo ad Hassan.

«Una finestra sul vicolo, l'altra sulla piazza con uno scorcio sulla strada papale: questa stanza è il miglior posto per stare in vedetta. In fondo alla strada papale, verso la torre argentina, alloggia l'imperatore. Il principe Ermenegildo e sua moglie Anna di Braes abitano nel palazzo sull'angolo di fronte a noi. Jean Pierre non vi ha ancora mostrato la loro dimora? La facciata sul retro ha degli affreschi bellissimi. Quello che spunta è il loro torrione, l'unico resto delle case antiche. Dicono che la famiglia abiti lì da duemila anni: chissà. Della facciata nuova che dà sulla strada papale si vede una sola finestra da qui. Eccola. È sempre chiusa, strano che oggi sia spalancata. Sarà per preparare il banchetto. Monsieur Noël, di quella casa volevo parlarvi. Della sua padrona, che io stimo moltissimo. Ha molto sofferto. Suo marito è senza pietà. Pare che un tempo sia stato un grand'uomo, può darsi, non sta a me fare il bilancio della sua vita. Alla moglie tiene moltissimo, nel senso che vuole un erede da lei. Ma è troppo vecchio e malato. Basta guardarlo per vedere che è marcio. Perciò si è scelto dei sostituti, li ha imposti e ogni volta li ha eliminati, non ha mai avuto successo perché la prole non è arrivata. Adesso si è stancato di pagare sicari, che non sono poi molto costosi perché è merce che abbonda, ha deciso che la moglie debba avere amanti ufficiali da portare a spasso con sfarzo. Si dice che stia preparando speciali contratti perché non abbiano ad accampare pretese più del previsto. Non è affatto geloso. Di uno solo, che era semplicemente un amico, ha giurato di vendicarsi. Ma la signora l'ha fatto fuggire. È partito per il Nuovo Mondo. Per il resto la signora è trattata benissimo. Durante le feste si chiacchiera, queste cose le avreste sentite. Ho preferito dirvele io. Vi ho già spiegato che qui succede di tutto e che la gente lascia tranquillamente che tutto succeda, il che non vuol dire che non sia divertimento comune parlare male del prossimo e metterlo sempre in luce cattiva. Scusate, ho parlato tutto d'un fiato perché è un mio difetto andar per le spicce. Immaginavo che Jean Pierre non vi avesse descritto la situazione: comunque, a dire il vero, io l'ho dovuto fare perché ne ho avuto incarico. Voi permettete che porti i piccoli fuori a passeggio? Restate, restate, qui non viene nessuno. È affacciatevi alla finestra. Ho promesso».

Geneviève, battendo i bastoni per terra per chiamare i cani fa un enorme fracasso che serve a coprire i suoi improvvisi singhiozzi.

6.

Cortili, androni e loggiati sono traboccanti quando arrivano De la Plume e Hassan. L'ambasciatore spiega all'amico che quasi ogni sera a Roma una marea di gente si sposta da un palazzo all'altro per onorare l'imperatore e il suo seguito e per godere quel carnevale fuori stagione.

Carlo ha deciso di mostrarsi alla mano ed è andato in visita dalla marchesa Del Vasto e da altre nobilissime dame. Poiché non può andare ovunque, in genere risponde agli innumerevoli inviti mandando rappresentanti, però le padrone di casa di un certo tono, nonostante gli avvisi contrari, sperano che arrivi l'imperatore in persona e, spendendo somme favolose, allestiscono balli, canti e ogni sorta di festeggiamenti secondo i gusti e le possibilità, imbandiscono cene raffinatissime, dove la novità di un piatto, la grazia di un servizio di arrosti o di un'alzata di frutta sono importanti come affari di stato.

«Non viene proprio?» chiedono allibite le dame private dell'augusta presenza ai rappresentanti imperiali, quando alla fine vedono che non c'è più da farsi illusioni, e dalle scuse che costoro sbandierano esce l'immagine di un sovrano in preda ad accessi di zelo ascetico, eroicamente dedito a novene e digiuni, affaticato dal peso del suo sterminato impero.

Questa sera l'imperatore è arrivato addirittura in anticipo, senza squilli di araldi e senza cortei, per trascorrere qualche tempo in colloquio con la cugina ed il suo consorte.

È al piano di sopra, nel gabinetto d'udienza, dove avrà inizio tra breve la cerimonia delle presentazioni, dei saluti, degli incontri speciali concessi ad ospiti accuratamente prescelti secondo le gerarchie di nascita e censo e secondo le curiosità e gli interessi di sua maestà.

È previsto, naturalmente, un colloquio particolare, privato, tra Carlo d'Asburgo e l'ambasciatore di Francia, accompagnato dal suo amico banchiere, perché quanto più Carlo infierisce contro il cognato Francesco che a sua volta infierisce contro di lui, tanto più per le ipocrisie e le necessità delle relazioni ufficiali nelle due corti si scambiano profferte di pace e si abbonda in cortesie e riverenze ai rispettivi messi, consiglieri ed amici.

Jean Pierre riesce con abilità, senza farsi notare, a dire al suo compagno nomi e notizie dei convitati, lo presenta ad alcuni che vuole conosca, chiacchiera con laici e chierici, propina qualche bugia sul conto di Hassan mischiata a qualcosa di vero, mentre la folla dei convenuti, gaia ed eccitata, sosta nei cortili e nelle sale del piano terra, tra musiche e piccoli numeri di giocolieri, in attesa che si aprano le porte del gabinetto d'udienza e i portavoce chiamino al piano nobile, gruppo a gruppo, i prescelti.

«Abbiate pazienza, non state sempre col naso in aria» dice Jean Pierre al suo amico banchiere, venuto di Francia «verrà il momento che ci faranno salire. Guardatevi intorno e avrete di che distrarvi».

Il lusso non manca. Hassan non s'intende di camore né di soprane né d'altre vesti in voga in Italia, ma nota la finezza degli ornamenti e il luccichìo delle gemme.

«Nessuno ha avuto il tempo di chiedervi prestiti, ma aspettate e vedrete» dice Jean Pierre trascinando Hassan verso la parete di fondo del secondo cortile, «con tutta questa roba che brilla c'è fame di monete, qua. Per queste feste di Pasqua la maggioranza degli invitati ha speso più delle rendite che riceve in contanti in due anni, con l'arrivo dell'imperatore! Guardate ad esempio i puntali delle cordelle delle maniche delle signore: è in corso una gara rovinosissima per chi li ha con la perla o la pietra migliore. E altrettanto fanno i signori per le tele d'argento e d'oro del casacchino o i bottoni preziosi dei loro coietti. Ma non mi ascoltate? Non vi interessa che io debba mandare ogni particolare a memoria per riferire alla mia Geneviève? Visto che non vi distraggono gli abiti e nemmeno gli ori, guardate da quell'inferriata. Che ve ne pare? È la più bella e antica stamperia di testi latini di questa città, l'hanno impiantata due allievi di Faust. Oh, sbrighiamoci, ci stanno chiamando! Anche se avremo altre soste, ai piedi dello scalone, in cima, poi nella sala grande».

Hassan segue docile l'ambasciatore con aria perfettamente serena, eppure nel desiderio ha già percorso più volte il cammino opposto, i cinquanta passi che portano alla strada papale e ad un'impossibile fuga per evitare l'incontro sognato e temuto. Dalla finestra di Geneviève si era veduta una figura lontana che per un attimo gli era sembrato agitasse la mano in un saluto; forse era stato un gesto qualsiasi, a riparo dal sole, o per mandare a posto il velo dell'acconciatura smosso dal vento, o per scacciare una mosca.

Sullo scalone tiene banco di chiacchiere Pier Luigi Farnese, il figlio del Papa. È il suo momento. È stato lui a portare a Napoli l'invito del padre all'imperatore per un soggiorno a Roma, e attende per questo ricompense speciali da entrambi. Secondo Jean Pierre qualcosa rimedierà, perché non demorde e sa giocare assai bene le proprie carte.

«È impegnatissimo a dimostrare, a me soprattutto, che è dalla parte dell'imperatore dalla testa ai piedi. E poiché l'imperatore vuole mostrarsi un agnello e chi sta per lui deve adeguarsi e fare il suo gioco, vale a dire deve incassare in silenzio, potrei divertirmi a stuzzicarlo, stasera, se viene a tiro».

E subito Pier Luigi, chiamato dal desiderio di gioco di Jean Pierre de la Plume, gli viene incontro con un inchino e gli comunica commentandola con molti elogi l'iniziativa che l'imperatore gli ha testé confidato: Carlo d'Asburgo destinerà varie navi a compiti di guardia permanente delle coste italiane.

«Si sapeva da giorni» gli fa De la Plume, «non l'avevate udito?»

Pier Luigi para subito il colpo: si sapeva, ma non era ufficiale, adesso lo è. Le navi saranno di stanza a Palermo, a Trapani e a Gaeta. È una cosa molto importante.

L'ambasciatore presenta Noël Leroy al figlio del Papa che, scambiate le frasi d'uso, riprende il discorso sulla necessità di una difesa efficace delle coste italiane.

«Sono prese d'assalto da pirati e banditi. Negli ultimi tempi è stata una maledizione: Reggio, Fondi. Ma è inutile fare i nomi delle città depredate. Ahimè, sono note le ruberie dei barbareschi e dei loro accoliti».

E qui Pier Luigi inizia, con le labbra sapientemente atteggiate al disprezzo e all'orrore, una filippica contro le stragi, gli assalti e gli assedi perpetrati da quei miscredenti infami e omicidi.

«Eh» sospira Jean Pierre, prendendolo sottobraccio, mentre con l'altro braccio continua a tenere Hassan, «bisognerebbe bandire dall'universo tutte queste follie. Avete ragione. Voi sapete che io da tempo mi sono completamente votato alla pace. Avete sentito quel che è successo a Tunisi?» Jean Pierre assume un tono di fraterna intimità. «L'esercito imperiale ne ha fatte di tutti i colori. Quale può essere la punizione del cielo se gli stessi eletti cadono in tentazione e le loro azioni diventano malvage e perverse? Questa casa, del resto, dimostra che sono recidivi nelle loro colpe peccaminose. Non era stata distrutta qualche anno fa senza misericordia da questi stessi imperiali durante il sacco che misero a Roma?»

«Ne recriminaris, Domine, delicta nostra vel parentum nostrorum, neque vindictam sumas de peccatis nostris».

A Pier Luigi, sorpreso dalla citazione latina del banchiere francese, viene spontaneo concludere con un rapido amen e con l'accenno di un segno di croce tracciato col pollice all'altezza del cuore.

«Nel sacco di Tunisi» insiste Jean Pierre, «non si contano le persone ammazzate dopo la resa della città, gli stupri, le mutilazioni, eccetera, eccetera. Non entro nei particolari che voi conoscete senz'altro, soprattutto per non turbare la festa».

Da una tribunetta della sala grande del primo piano giunge il delicato sottofondo dei musici, che prelude alle più corpose suonate che ci saranno durante la cena. E Pier Luigi, seguendo il ritmo, batte, tenendolo tra l'indice e il pollice della mano destra, nuda, un guanto bianco ricamato di nero sulla mano sinistra che calza un guanto uguale, ma nero ricamato di bianco.

«Ecco, lasciamo perdere, come dice in sostanza il vostro amico Leroy».

«Con questa musica, con questo profumo d'acqua nanfata non si può raccontare di sventramenti di donne, di bambini accecati e poi fatti a pezzi pian piano. Lasciamo stare» conclude il signor De la Plume, «tanto più che gli imperiali hanno ammesso i fatti e hanno detto che il sacco è purtroppo una tradizione. Parliamo allora dei patrimoni distrutti, mentre secondo la tradizione dovrebbero passare di mano in mano e basta, dal vinto al vincitore senza stupidi sprechi».

I tre, conversando, sono arrivati alla sala grande del primo piano, nell'onda lenta di quella specie di processione. Tra gli invitati, su nella sala, c'è un gran fervore di conversari e reciproci inchini. I gruppi si incrociano, si sciolgono, si ricompongono, si scambiano. I musici continuano infaticabili a rallegrare l'attesa.

Jean Pierre de la Plume prosegue l'arringa contro le follie della guerra e il figlio del Papa è molto teso e perplesso, non capisce dove il francese voglia approdare con il suo discorrere.

«È stata data alle fiamme una biblioteca antichissima, e non mi dite che erano scritti infedeli poiché era un tesoro inestimabile, prodotto per dono di Dio dalla mente dell'uomo. Ed è stata ridotta in fanghiglia una famosa bottega di profumi e lacche orientali».

Il Farnese si rilassa e sorride.

«Adesso capisco, voi amate sempre celiare. Volevate farmi piangere sulle frivolezze andate perdute».

«No, no, monsignore, non frivolezze: è sapere, parte di ciò che l'uomo è stato capace d'inventare. Si trattava di droghe e farmaci delle Indie, di colori preziosissimi e lacche che tutto il mondo usa e richiede, tra l'altro per conservare palazzi e navi, se il valore di ciò vi par più tangibile».

«Scusate, forse il signore amico vostro commercia in profumi e colori ed era in rapporto d'affari con la città di Tunisi? Ha avuto perdite ingenti?»

Hassan è distratto, l'uscio del gabinetto d'udienza si è aperto e richiuso. Jean Pierre risponde pronto per lui.

«Qui non importa, signore, sapere se e quanto il mio amico ha perduto nella città di Tunisi».

«Monsieur Leroy commercia in cannoni?» Pier Luigi Farnese si piazza con evidente arroganza davanti all'ambasciatore benché si riferisca al suo amico. «Perché di cannoni francesi se n'è trovati parecchi a Tunisi. Qualcuno deve averceli pure portati».

«I commerci non sono vietati».

«Giusto. Anzi sono cosa legittima ed encomiabile, ma può darsi che re Francesco non sappia e, perdonate, non gradisca che i suoi cattolici sudditi diano armi agli infedeli e che sotto le bandiere dell'Islam tuonino cannoni che portano impressi belli e chiari i gigli di Francia. Molte cose sfuggono ai re».

«Re Francesco conosce i commerci di Francia» interviene Noël Leroy, «ma con tutto il rispetto, non dobbiamo risponderne a voi. In ogni caso siamo felici di aver avuto da voi la notizia che le navi contro i pirati veglieranno su questa terra bellissima dai porti di Palermo, Trapani e Gaeta».

Così dicendo il banchiere accenna un inchino in segno di pace, per cui la conversazione potrebbe ormai proseguire tranquilla, se non fosse comparso sulla soglia del gabinetto d'udienza un valletto a chiamare Jean Pierre de la Plume e Noël Leroy per introdurli al colloquio con l'imperatore e con i padroni di casa.

7.

«Buoni, piccoli miei, non vi agitate, prendete sonno. Io devo trovarmi qualcosa da fare se non voglio ammattire per l'ansia».

Madame Geneviève chiama i servi. Ha deciso di ispezionare le pulizie della casa.

«A quest'ora?» domandano i poveretti che erano già a bere un goccio nei loro alloggi o in strada a guardare da lontano quel che è visibile della gran festa.

«A quest'ora» conferma Deodato, l'uomo che li comanda, «a madame è venuta l'idea di farci pulire tutte le imposte, i davanzali e gli stucchi delle finestre, che ha visto, dice, pieni di ragni, formiche e ogni specie di insetti inutili».

«Ho capito» mormora un servo cui piace tradurre i concetti in termini espliciti, «con la scusa di sorvegliare il nostro lavoro starà in finestra anche lei a sbirciare dall'altra parte della strada papale senza parere curiosa».

Ma poiché sono bravi garzoni, ben pagati e ben nutriti, salgono senza fare altre storie armati di scope, striglie e liscive e snidare dai contorni delle finestre la polvere e gli insetti che a Geneviève non sono graditi.

8.

Benché sia cosa che si direbbe impossibile, Hassan è diviso in due persone distinte. Una risponde brillante e puntuale all'imperatore, parla di spedizioni di merci mediante mute marine o carovane per via di terra, della comodità delle lettere di cambio che sempre più si diffondono, dei vari conii, dei pesi e dei valori delle monete. L'altra cerca di decifrare il mistero di Anna.

«Che penserà? Che proverà? Perché mi avrà mandato un tale messaggio?»

«Il tormento eterno degli innamorati è di non poter leggere dentro l'animo dell'essere amato risposte a caratteri chiari come le lettere d'abbecedario. E se leggessero tutto non sarebbero ancora contenti perché vorrebbero leggere parole, frasi, pensieri e moti identici ai proprî sogni» si dice con emozione Jean Pierre de la Plume che, oltre a badare ai compiti del suo importantissimo ufficio, bada a quel che succede tra i due giovani, anch'essi parte importante della sua vita. «Anna è un'ascoltatrice attenta e gentile, incarnazione perfetta di una padrona di casa di rango, con maniere regali» pensa Jean Pierre osservando ammirato la bella donna seduta alla destra dell'imperatore fissare con naturale interesse lo straniero che dovrebbe vedere per la prima volta, «quella ragazza è un portento».

«Costui ha competenza ed ingegno» ammette l'imperatore, squadrando il giovane e incasellandolo tra coloro che vorrebbe strappare al cognato come ha fatto più volte con altri, prima e dopo il colpo grosso con Andrea Doria, visto che non sono soltanto la vastità delle terre e la potenza delle armate e delle flotte a tenere in piedi un gran regno, ma servono uomini molto capaci.

«Se fosse dipinto o scolpito starebbe d'incanto nella mia sala degli antichi eroi» fantastica il principe Ermenegildo, cullato dalla musica che viene dalla sala grande e ormai profondamente annoiato.

E mentre Anna è seduta immobile con un vago sorriso senza importanza e significato, Hassan la vede alzarsi e corrergli incontro e si sente afferrare da lei che lo trascina alla porta per fuggire insieme e per sempre. Ma sono vani fantasmi d'amore.

«Perché non parla? Perché non fa il minimo cenno?» si chiede senza speranza Hassan, continuando a guardare Anna, quella reale, benché apparentemente egli fissi negli occhi l'imperatore. E trovandola ancora più cara ed amabile e irraggiungibile di quella irreale che lo tormenta dentro, quasi s'illude di odiarle entrambe.

«Amore mio, finalmente ti vedo. Sei così vicino. Non sento quello che dici, perdonami, ascolto la voce. Ti amo tanto» pensa Anna, «sono felice» e quando teme di non poter più resistere alla gioia e alla voglia di gettargli al collo le braccia, di ridere e piangere, non sapendo più a che santo votarsi chiama in soccorso quel matto di Baba Arouj, che essendo morto sicuramente la può sentire. «Tienimi stretta, che non combini un guaio terribile, mettiti qui e fammi la guardia, aiutaci, Baba!»

9.

«Vi ho forse detto di togliere via anche le api? Sarebbero insetti inutili, quelli? Il signor De la Plume era così soddisfatto che ne fossero arrivate tante quest'anno! Bisogna rimetterle a posto. Saranno cadute giù in strada con tutto il favo. Correte a riprenderle» dice con voce fioca, ma molto decisa, madame Geneviève.

E i servi imbracciano di nuovo le scope e gli stracci con i quali improvvisano guanti e cappucci, si armano anche di cesti, sacchi, pignatte, cucchiai e scendono in strada alla riconquista degli sciami perduti.

10.

Intanto, nel gabinetto d'udienza De la Plume e Leroy presentano i doni.

De la Plume offre a Carlo d'Asburgo un'antica moneta e alla signora una reticella da testa. Il signor principe Ermenegildo non è festeggiato e non c'è motivo di fargli omaggio di nessun regalo.

Il banchiere straniero offre all'imperatore una preziosa copia del *Roman de Troie* di Benoît de Sainte-More, più piccola del dito pollice e perfettamente miniata. Per la padrona di casa estrae dalla saccoccia del mantelletto uno zibellino da cintola con gancio e catena di agemine d'oro, due rubini al posto degli occhi e un orologio incastonato sul naso, il tutto così grazioso che il vecchio principe Ermenegildo si scuote dal suo torpore e si sporge per vederlo bene.

Allora l'imperatore pensa sia giunto il momento di rivelare il dono che egli stesso ha destinato alla cugina per la festa di compleanno, davanti al signor De la Plume che potrà godere lui pure della bella sorpresa: Comares è guarito e l'imperatore ha ordinato che sia dimesso dal convento dov'era rinchiuso. Non solo, l'ha mandato a prendere e tra poco di sicuro qualcuno verrà ad annunciarlo.

«Oh, maestà!» gli risponde Anna con gli occhi pieni di lacrime, poiché tra la voglia di ridere e quella di piangere ora è il pianto, ovviamente, ad avere la meglio. E l'imperatore non dubita che sia un pianto di gioia, mentre Hassan è disperato a vederla soffrire e vorrebbe prenderla tra le sue braccia e portarla via, invece è De la Plume che prende lui per un braccio ricordandogli che la calma è indispensabile, poi si vedrà com'è possibile agire. Il principe Ermenegildo è seccato che stia arrivando Comares, che non gli è simpatico, ma l'evento non ha per lui grande importanza, poiché ha deciso comunque di svignarsela appena possibile, stanco dell'imperatore e della sua banda noiosa; ha già pronto nella piazzetta sul retro il carrozzone con cui va in giro per le sue terre in compagnia di ragazzotti e baldracche, che sono la sua riserva di svago.

11.

Sotto la casa di De la Plume i garzoni non danno tregua alle api che, svegliate nel pieno del sonno e del loro meritato riposo, sono uscite dai favi, hanno sciolto i grappoli cui stavano appese, hanno raggiunto la via papale e vanno ondeggiando in nugoli sibilanti e minacciosi tra la gente presa dal panico, mentre era venuta desiderosa di godersi le briciole della gran festa e di divertirsi a curiosare nei quartieri eleganti. Ondeggiano le api in furibonde picchiate, ondeggia la folla che cerca di sfuggire ai pungiglioni agguerriti. Chi fa le spese è un cavaliere che avanza signorilmente eretto, alla testa di una piccola scorta. Il meschino, che sembra un palo, viene scambiato da tutte le api per l'albero su cui approdare o il vero nemico su cui accanirsi, fatto sta che lo ricoprono, gli danno addosso, e la gente incrudelita e salva è tutt'un ridere, un vociare, un pisciarsi sotto e sbraitare sconcezze, prendendo quella tortura per una goduria da carnevale.

«Ma, non sarà il marchese Comares?» dice De la Plume all'imperatore, che uscito per un attimo dalla sua flemma regale è balzato in piedi alle urla e si è affacciato a guardare.

«Principe Ermenegildo, ordinate che lo si salvi, se ancora è rimasto qualcosa di lui sotto quei mostri».

Nel parapiglia che segue, tra generali, ufficiali e famigli che accorrono, dame che svengono, scommesse e giaculatorie, Anna di Braes trova il modo di sfiorare la mano del suo innamorato dicendogli.

«Sparisci, se Comares la scampa, ti riconosce. Va'. Corri».

XXV.

1.

L'indomani, la colossale madama Lucrezia di marmo (la statua che per secoli è stata una dea o un'imperatrice e poi per consolarsi d'aver perduto la divinità oppure il trono si è data al pettegolezzo e alla satira e ama addobbarsi ogni tanto di scritte) fa sapere alla città di Roma che il grande di Spagna marchese Comares, girando attorno al palazzo della nipote ricoperto d'api e reso folle e cieco da tanti aculei, è andato a finire nel carrozzone che ospita il noto bordello privato del nobilissimo principe Ermenegildo, avendo trovato a tentoni la scaletta e la porta di quel rifugio, quando il cavallo d'un balzo l'ha disarcionato.

Le scritte comparse sopra madama Lucrezia dicono che il marchese Comares, appena salito nel carrozzone, inciampando in lenzuola e cuscini, è caduto per terra e con ciò si è salvato, poiché le api, spaventate dal botto, si sono levate da lui e sono volate su nuove vittime più simili ai fiori, provocando un rovinìo di volti, tette, culatte e altri amorosi richiami.

«Avete combinato più guai voi che non i ghepardi al palazzo di Algeri» dice con indulgenza Jean Pierre de la Plume sistemando alla meno peggio in soffitta, in un piccolo tino capovolto, le api tornate a casa, «comportatevi meglio per il futuro, mie dolci».

In ogni caso, nessuno ha accusato gli insetti. D'altronde Comares non si è fatto un bel nulla, essendo in perfetto equipaggiamento da grande giostra, con tanto di elmo, corazza e maglia di ferro, per far mostra di essere ancora atto alla guerra. E quanto ai glutei, alle braccia, ai polpacci, alle parti meno protette da metalli e cuoi, i pungiglioni non sono riusciti a far breccia nei tanti strati di ovatte, cenci e faldiglini che il gentiluomo si era fatto applicare all'interno degli abiti un po' per esigenze di moda, un po' per l'ansia di non apparire troppo emanciato, vecchio e malato, insomma incapace di reggere il posto che per il suo rango gli spetta a corte e in battaglia.

Anche sopra il gigante di pietra Marfoglio, altra statua parlante romana, compare una scritta che dice:

«Mentre Comares è entrato al bordello/che fine ha fatto il suo bel morello?/Qualcuno l'ha preso! E se il marchese/vuol proprio sapere chi l'ha rubato/deve sentire chi prima era al ballo/e dopo non più perché era scappato».

La scritta potrebbe indurre le guardie papali a cercare il ladro tra gli invitati ufficiali che stavano dentro il palazzo, o tra i tanti rubacavalli che si nascondono sempre in mezzo alla calca, ma poiché nessuno si presenta ad offrire una ricompensa, non val la pena di perdere il tempo per ritrovare il destriero scomparso.

«Lasciamo perdere: se lo cerchi il marchese spagnolo!» dicono un po' deluse le guardie.

Così, per fortuna, cade nel nulla un'operazione che poteva essere pericolosa: a scappare su quel cavallo è stato il principe Hassan, che gli è saltato in groppa di slancio, fuori da sguardi indiscreti, nell'angolo dove il vicolo curva ed è sempre buio pesto, perché nessuno sente il dovere di spenderci per un torcione, sicché vi avvengono sbudellamenti, adulteri, furti e scherzacci senza mai testimoni.

2.

«Dov'è?» chiede Geneviève, senza più fingere di non sapere chi è in realtà Noël Leroy.

«È al sicuro, mia cara, a molte miglia da qui» la rasserena Jean Pierre che l'ha ormai perdonata per quella finzione, serbando però il segreto sul luogo, per evitare complicazioni con Anna.

Hassan è in una rocca guarnita e fidata, di cui è signore e padrone il gentiluomo che fu capo dei musici sulla nave ammiraglia di Kair ad din, al tempo della cattura delle due galere papali.

«La vita è come una danza» pensa Jean Pierre disceso nello studiolo a ristorarsi con un boccaletto del suo passito, «tutti giriamo, intorno a un tavolo o intorno al mondo intero non fa differenza, e ogni tanto capita che si ritrovi chi si è lasciato. Forse anch'io la potrò rivedere».

Cullando un suo sogno, Jean Pierre si augura di poter riabbracciare, prima che morte arrivi, la sua giunonica e affettuosa padrona di casa, Koira Taxenia, che gli è rimasta devota.

«Dov'è?» chiede Anna di Braes a madame Geneviève, inginocchiata vicino a lei gomito a gomito nel banco di chiesa.

«Non lo vuol dire, per ora. Speriamo in Dio e abbiamo pazienza. Quel che conta è che Hassan non ritorni in città finché vostro zio trufola attorno come un cane, con uno sguardo da arpia».

Comares gira per Roma con gli occhi sbarrati, intenti a scrutare tracce di quella piastra del braccio d'argento di Baba Arouj, benché il primo scopo del marchese sia in questi giorni stare addosso all'imperatore, per indurlo ad annunciare al Papa la santa crociata di Barberia.

«Dov'è?» chiede a Jean Pierre un mattino un giovanotto completamente bardato all'alemanna, con la faccia buffa e una parlata simile al franco che si usa sopra le navi. Ma poi il giovane, entrando in casa, va avanti in lingua corretta. «Sono un amico del principe Hassan, il mio nome è Rum Zade. Ho notizie da inviargli» e mostra garanzie tanto evidenti, che l'ambasciatore, secondo le istruzioni avute, lo conduce all'abbaino in soffitta da dove insieme fanno partire un piccione con un messaggio per il figlio dei Barbarossa, nel suo rifugio sulle montagne di Tolfa.

«Dov'è?»

«Eh, no, questo è troppo!» pensa spaventato e divertito Jean Pierre, perché stavolta a domandare di Noël Leroy, durante un banchetto, è l'imperatore medesimo, che desidera riprendere il dialogo in fatto di cambi e prestiti e di come e quando poter contare su viaggi tranquilli nel mare

Mediterraneo così piccolo, rispetto agli oceani, e così poco sicuro; Leroy gli è sembrato un viaggiatore esperto di venti e di correnti marine e quasi quasi, confessa, gli piacerebbe ingaggiarlo.

3.

Hassan freme a restare nascosto tra boschi e montagne, proprio mentre sarebbe il momento di raccogliere notizie preziose sulle concrete intenzioni di Carlo d'Asburgo riguardo ad Algeri e su quelle di Paolo III. E lo tormenta il pensiero di Anna.

Una volta sfrenato, il cuore di Hassan batte nel petto come un martello. A sentirlo sarebbe contento Osman Yaqub perché avrebbe una prova che non è un cuore morto, ma vulnerabile, capace di amare. Sarebbe invece deluso Amed Fuzuli, sempre più asceta, dedito solo allo studio e all'insegnamento nella sua medrese, dove dorme sulla nuda terra, fedele a un voto che ha fatto in pieno deserto, durante la sciagurata spedizione di Baba. Ma Hassan non ha fatto alcun voto di non pensare ad Anna. Quindi non c'è nulla di male se ora a lei pensa moltissimo.

Il discorso di Geneviève non poteva che significare, da parte di Anna, una disperata richiesta di aiuto. Perciò Hassan passa i giorni apparentemente cacciando al falcone con il suo ospite tra querceti e faggete, in realtà facendo piani di rapimenti e fughe per portare Anna di Braes in salvo nel palazzo di Algeri. Bisogna solo aspettare che parta l'imperatore per non farle correre rischi eccessivi. Certo, Hassan non può toglierla da una sofferenza e piombarla in un'altra. Veglierà su di lei senza imporle legami, senza spingerla sulla via di un amore impossibile.

4.

A Roma intanto gli avvenimenti prendono pieghe impreviste. Il Papa, volendo offrire all'imperatore un'immagine del proprio fulgore, ha invitato Carlo d'Asburgo a sentir messa in Vaticano nel secondo giorno delle feste pasquali, per sbandierargli davanti tutta la curia schierata: gli ha radunato i maggiorenti della città, i nobili, i rappresentanti dei paesi cattolici e l'intero collegio dei cardinali.

L'imperatore, accettato l'invito del Vicario di Cristo, ha a sua volta chiesto a Jean Pierre de la Plume di passarlo a prendere per andare insieme alla cerimonia, in segno di stima e amicizia. Jean Pierre si è sentito gratificato da tanto onore.

«Sarà per chiedere scusa di tutto il lavoro che mi ha fatto fare nelle trattative per la successione a Milano, da che è morto lo Sforza» ha pensato il marchese, «con quel continuo mercanteggiare che non è ancora concluso».

Ma in Vaticano, nella sala in cui era previsto che i fedeli porgessero omaggio e saluti al Sommo Pontefice, l'ambasciatore ha compreso che tanto onore aveva lo scopo di assicurare l'imperatore che il re di Francia venisse informato dei fatti.

Prima della messa solenne, con la sala stracolma, Carlo ha preso a parlare, senza chiederne permesso al suo ospite, facendo tardare l'inizio della funzione di più di un'ora e improvvisando un discorso talmente abile da trasformare quella che doveva essere la parata del potere del Papa nel trionfo del potere imperiale.

Rum Zade, presente all'avvenimento in qualità di cerimoniere del comandante dei lanzi, è corso al più presto possibile al rifugio di Hassan, per riferire a viva voce tutti i particolari, anche a nome di Jean Pierre de la Plume che è dovuto restare in città per domandare all'imperatore garanzie, chiarimenti e scuse da inviare al suo re: l'imperatore è andato pesante e Jean Pierre de la Plume è infuriato.

Riferisce Rum Zade che Carlo d'Asburgo si è presentato come paladino del Papa e protettore dell'intera cristianità; lo fa sempre, ma in quella sede la cosa aveva un'importanza speciale. Era stato per il legame che questo suo ruolo gli impone, ha detto, che, vinto il Kair ad din Barbarossa a Tunisi, egli si era precipitato in Italia a rendere omaggio al soglio di Pietro invece di correre ad Algeri a sradicare il demonio dalla sua tana. Essendo egli il difensore del Papa, prima voleva l'aiuto della sua benedizione. Ma il re di Francia aveva guastato il bel piano di quell'impresa santa e trionfale, ha aggiunto Carlo accorato, si è messo di mezzo, perché si diverte a seminare zizzania nel mondo cristiano e perché nutre malanimo per lui, Carlo, che gli è cognato e cugino e l'ama fin dalla nascita e gli ha mille volte giurato pace sul crocifisso.

Gli astanti avevano facce allibite, sapendo che il Papa, tra i due sovrani rivali propendeva per il re di Francia.

Il Papa non aveva senz'altro piacere che l'imperatore continuasse a professarsi suo paladino perché questo significava che Sua Santità era debole, se aveva bisogno di un difensore. Egli aveva capito benissimo che Carlo d'Asburgo voleva imporgli la sua volontà e anche questo non gli garbava, né poteva permettere che ciò accadesse nel suo palazzo, alla presenza della sua curia e dei suoi invitati. Inoltre, non voleva promuovere lì sui due piedi una crociata ad Algeri, nel momento in cui il maggior pericolo per la sua Chiesa era uno scisma del Nord.

Per uscire vincitore Carlo ha scelto di passare per vittima. Poiché Cristo ha insegnato che a chi ci percuote una guancia dobbiamo offrire quell'altra, Carlo, al cognato Francesco che strepita e cerca il litigio, ha offerto addirittura la gola: tra lo stupore di tutti Carlo d'Asburgo ha proposto un duello tra i due sovrani, come nei tempi antichi, per risolvere l'incomprensione, per salvare tante altre vite, per la pace della cristianità.

«Ah, ridi pure» dice Rum Zade ad Hassan, che sentendo questa sortita di Carlo d'Asburgo è scoppiato a ridere, benché sia triste per le sue pene private, «ho riso anch'io, ma per quanto ridicola quest'idea del duello è servita allo scopo».

Che poteva rispondere il Papa? Che non vuole duelli e invita il re di Francia e l'imperatore a volersi bene, perché sono entrambi figli diletti di madre Chiesa. Si è insomma dichiarato imparziale. E questa per l'imperatore è già una vittoria.

«Comunque, non ti porto cattive notizie: per ora non ci sarà una crociata contro Algeri e non ci sarà investitura di Carlo d'Asburgo come signore e duce indiscusso di tutta la cristianità. E adesso senti il finale».

Rum Zade racconta che a conclusione del suo discorso l'imperatore ha puntato a strappare ai presenti la commozione. Ha detto di essere conscio di offrire la vita, proponendo un duello col re di Francia, perché suo cognato Francesco duella per mille motivi, anche futili, e questo allenamento costante fa la sua spada infallibile. Vale a dire, in un sol colpo ha presentato se stesso come un eroe e il rivale come uno spadaccino vanesio, perennemente con le armi in mano.

«Ma questo è stato un po' troppo» dice Rum Zade, «invece che mettersi a piangere, il Papa e i suoi si sono alquanto irritati, e non ti dico come era offeso Jean Pierre de la Plume!»

Hassan è contento di riabbracciare l'amico, il quale ha deciso di non restare al seguito dell'imperatore, che si precipita a fare la guerra in Savoia o in Provenza anziché battersi a singolar tenzone. Rum Zade potrebbe tornare ad Algeri a correre sopra i cammelli, a giocare con i ghepardi, a ritrovare il conforto degli ampi caftani.

5.

In città, questa volta è Pasquino a parlare, la più chiacchierona, maledica e senza paura delle statue parlanti romane. In un supposto dialogo assai mordace tra Pasquino e un cardinale, si sospetta che nel discorso di Carlo d'Asburgo al Papa più che l'annuncio di un imperiale duello vi sia la minaccia di un nuovo sacco di Roma: stiano in guardia il Papa e i romani!

E da mordace, Pasquino si fa irriverente quando parla di un altro duello, meno fantastico di quello imperiale, tanto che è già avvenuto e tragicamente concluso, anche se la statua ci ride sopra, come fa la gente in piazza, nelle osterie e nei saloni da ricevimento.

Per una frase sconsiderata del marchese Comares, forse deliberata, comunque molto offensiva, a proposito del contratto nuziale di Anna di Braes e del riscatto pagato oltremare, il principe Ermenegildo, che in fatto di onore ha concetti molto particolari se proprio si vuole, ma ben precisi, si è sentito obbligato a ricacciare in gola al marchese gli insulti a colpi di spada. E Comares, pur consapevole della sua debolezza attuale, è stato lieto di porsi con giovanile baldanza nel solco tracciato dal recente discorso dell'imperatore e ha accettato la sfida. Scegliesse l'avversario il luogo e l'ora, purché la faccenda si regolasse al più presto, dovendo il marchese Comares lasciare imprescindibilmente la città di Roma al sèguito del suo sovrano.

«Ma facciamolo subito» ha detto il principe. «Perché non domani? Troviamoci all'alba».

Quanto al teatro del duello, Ermenegildo ha pensato che non c'era posto migliore di quello in cui un tempo sorgeva la curia Pompeia, dove fu pugnalato Cesare nelle lontane idi di marzo, a due passi dal suo palazzo e dall'alloggio dell'imperatore.

La sera prima del gran cimento, Ermenegildo aveva confessato nel carrozzone ai suoi prezzolati ma fedeli amatori, uomini e donne, che lo rimiravano increduli con occhi tutti un gonfiore per via delle api, che come fine non sarebbe poi stata male, anzi gli sarebbe piaciuta assai più di una morte comune. Un luogo tanto ricco di storia poteva dargli il riverbero di un'antica grandezza e avrebbe lasciato a Comares una meschina vittoria, nel ludibrio di una profanazione.

Così è successo e le statue parlanti mettono in burla Comares. Dicono unanimi che il principe Ermenegildo non è morto di spada, ma è caduto stecchito senza spargimento di sangue né fuoruscita di visceri o di cervello, fulminato dal primo sguardo che gli ha lanciato il marchese spagnolo, iettatore dotato d'eccezionali poteri. Tanto che Pasquino, preoccupandosi del bene comune, l'implora: deh, chiudi gli occhi, Comares, risparmia Roma.

Il principe Ermenegildo ha funerali di tanto decoro che i suoi avi dentro le tombe devono esserne fieri. Vi partecipano, sia pure in forma privata, l'imperatore ed il papa Paolo III. A parte le chiacchiere delle statue parlanti, si dice che causa della sua morte sia stato un repentino travaso interno di sangue e umori, tutt'altro che strano, data l'età; si tace dell'appuntamento con il marchese Comares e del duello.

Comares, benché a quella morte ufficialmente non sia collegato, è rispedito nella sua cella tra sacre mura a purgarsi dallo spavento per lo sciame d'api piovutogli addosso dal cielo, che l'ha reso troppo impulsivo.

6.

Per la vedova, commentano tutti, è una fortuna che Carlo d'Asburgo non sia ancora partito da Roma. Poiché egli è il più grande stratega vivente in fatto di matrimoni, provvederà senza dubbio alla cugina, in maniera degna.

Un mondo pacifico per lui vuol dire un mondo tranquillo e buono sotto la protezione del suo mantello. In altri termini, perché il mondo abbia pace dev'essere tutto intero raccolto, o meglio rinchiuso, nelle grandi e solide mani della sua famiglia, che Dio ha voluto provvidenzialmente enorme e ramificata. Se quel pazzo di suo cognato Francesco riuscisse a comprendere che anche i Valois sono parte della stessa famiglia invincibile, potrebbe lui pure starsene quieto, sufficientemente potente, felice.

Dunque, quale mezzo più naturale, per creare un mondo perfetto, della cura paziente dei matrimoni di casa? Ogni sponsale oculato e ben pattuito può essere una maglia importante della rete asburgica stesa a protezione del mondo.

La cugina Anna di Braes, giovane, bella ed ora anche facoltosissima in quanto vedova di Ermenegildo che non ha eredi, avrà un secondo sposo più importante del primo, e questa volta dovrà essere uno sposo giovane. Altrimenti come potrebbe avverarsi il sogno di tanti piccoli Asburgo, discendenti diretti o indiretti, collaterali o perfino bastardi, che facciano forte e pacifico il Sacro Romano Impero? Anna di Braes stia pronta e allegra, Carlo corre a rimettere a posto il suo alleato in Savoia, se serve fa un salto in Francia ad impartire una buona lezione al cognato riottoso, e subito dopo potrà pensare alla diletta cugina, le troverà lo sposo nuovo che le si confà.

«Questo non deve succedere» dice tra i singhiozzi al suo sposo Geneviève de la Plume, «la ragazza non ha voglia di matrimoni, vuole andare ad Algeri con il suo principe di Barberia».

«Mia cara, mia cara, coraggio» le sussurra Jean Pierre che cerca di consolarla. E vorrebbe aggiungere che la piccola non potrebbe mai, comunque, diventare la sposa di Hassan. «Ci sono degli impedimenti...»

«Jean Pierre» implora Geneviève tutta tremante, «facciamo qualcosa per questo amore!»

«Coraggio, carissima, l'amore è un conto, si può amare, sognare e scrivere versi» conclude Jean Pierre, «ma la vita ha le sue esigenze concrete. L'imperatore è un parente troppo ingombrante e non ci è amico, non possiamo influire sulle sue decisioni».

7.

Dopo ore d'inferno, Hassan comprende che il rapimento, giusto e sacrosanto quando Anna era alla mercé del vecchio Ermenegildo, oggi sarebbe un sopruso.

Chiunque abbia buon senso prevede per Anna di Braes un avvenire invidiabile. Persino il musico gentiluomo, che in genere è riservato e prudente, non sapendo dell'amore segreto di Hassan, si vanta con lui di conoscere parecchi nomi di pretendenti che intendono presentarsi a Carlo d'Asburgo per averla in sposa: il secondo matrimonio potrebbe portare la ragazzetta scontrosa che essi conobbero tanti anni fa su qualche trono.

«Avrà uno stuolo di figli e finalmente sarà felice» dice il nobile musico, contento, poiché prova per lei un certo affetto e anche lui, come tutti, è convinto che le donne siano fatte per essere madri e che in questo trovino la loro unica felicità.

8.

L'imperatore si mette in cammino e il figlio del Papa ha l'incarico di tenere d'occhio il mare e la costa, perché non capitino brutte sorprese mentre il corteo imperiale percorre l'antica via Aurelia, dirigendosi a nord.

Alle navi di Hassan, ancorate in un nascondiglio, sono giunti messaggi urgenti da Kair ad din e dalle navi sono rimbalzati alla rocca: il Barbarossa vuole l'erede a palazzo per comunicargli importantissimi affari.

Le navi si sono accostate il più possibile, ma l'operazione è molto rischiosa, a causa della vigilanza del figlio del Papa. Meglio sbrigarsi. La sera stessa una scialuppa verrà a prendere il principe di Barberia sul litorale di fronte alla rocca.

Abbracci e saluti al padrone di casa e poi via in un'ultima cavalcata per le foreste e la macchia, fino alla terra sassosa sul bordo del mare.

Rum Zade, che parte anche lui per Algeri, non fa che guardare l'amico, teso e tristissimo.

«Che avrà?» si domanda. «Ah» dice alla fine Rum Zade per rompere il silenzio, «l'ambasciatore De la Plume m'ha pregato di raccontarti che quel mozzo, Pinar, è fuggito nelle Nuove Indie perché il principe Ermenegildo aveva giurato vendetta quando il ragazzo gli aveva sbarrato la stanza della signora, brandendo un pugnale per proteggere la giovane dama dai soprusi di quel vecchio porco. Ma adesso è morto e Anna di Braes finalmente farà ciò che vuole. Ne parlano tutti in città».

Hassan ha gli occhi fissi lontano.

«Purché non progetti di prender d'assalto da solo il corteo dell'imperatore!» pensa con timore Rum Zade, guardando il suo amico.

La barca è pronta, si parte. I cavallari e i cavalli del nobile musico si dirigono in fretta verso la rocca. Il litorale resta deserto.

Prima che la barca sia del tutto scomparsa all'orizzonte, sopraggiunge un altro cavallo, stremato, con un cavaliere che si sbraccia e si sgola, perché qualcuno dalla barca lo noti.

Nessuno si accorge di lui che drizza il corpo sottile, tendendo disperato le braccia verso il mare. La sua figura si staglia contro il sole che scende, rigida come una picca su cui sta appesa la virgola del suo gran berretto, con la piuma nera piegata in giù.

Anna di Braes abbassa le braccia, si toglie il berretto, si stende sopra il cavallo, abbraccia il collo sudato e pulsante dell'animale e i suoi capelli si fanno tutt'uno con la criniera. Dalla cintura pendono la pelliccetta con l'orologio e delle vecchie launeddas che tante volte Hassan aveva sonato per lei e che Osman Yaqub le aveva dato come dono nuziale. La barca sta scomparendo. Il vento è forte. Chissà che nome ha e da dove spira. Anna ha sempre fatto una gran confusione con i venti marini.

XXVI.

1.

«Osman carissimo» scrive la marchesa Comares, «la nostra piccola continua a dire di no».

Fra poco Hassan uscirà dal Consiglio e Osman Yaqub non ha ancora deciso se dargli o meno la notizia che la marchesa invia. È sempre tanto chiuso, il suo ragazzo, che non sa mai se fa bene o male a parlargli.

Lo sposo rifiutato di turno è un principe di Sassonia. Sono due anni che continua questo ballo tra Anna e l'imperatore, tanto che ormai per entrambi dev'essere un gioco. Carlo propone, lei a volte dice subito che non accetta, altre volte prende tempo, discute, si fa spiegare i pro e i contro. L'imperatore non si è ancora arrabbiato, forse perché Anna sa addurre buoni motivi, e lui è serio e pieno di scrupoli in fatto di politiche dubbie o non convenienti del tutto, forse perché quando gli comunica i suoi rifiuti li accompagna con frasi gentili e bei regali, quali forti somme di monete di pregio, date come per caso, con familiarità e riserbo. O forse perché l'imperatore non si scompone se le sue strategie si snodano in tempi lenti, come lento è il battito del suo cuore, che continua a stupire i medici e a dare maestà ai suoi gesti, alle sue parole, al suo respiro.

Due anni sono trascorsi da quando Hassan è tornato da Roma senza Anna di Braes, e invece Osman ci aveva sciocamente sperato.

«Anna ritorna» andava dicendo alle sue rose che in quel

periodo curava con assiduità perché erano prossime alla fioritura, «Hassan la riporta da noi, me lo dice il cuore».

Tante cose nella sua vita erano successe conformi alle intuizioni del cuore, ma quella no, non era accaduta.

Non ci aveva pensato poi con troppa angoscia, perché l'avvenimento più grande era in quei giorni la partenza di Kair ad din, che non era come tutte le altre, era per sempre: il Barbarossa aveva accettato di diventare stabilmente navarca del Gransultano.

Com'era bello il vecchio, l'ultimo giorno, con il chelk e la piuma con i brillanti sul capo. Ma più bello che mai era Hassan, seduto al centro, alla destra del padre, con l'intero Consiglio che lo chiamava aga, signore, re, nostro sovrano.

«Mio Dio, ti ringrazio» aveva detto Osman al Padreterno e da allora aveva continuato ogni giorno la sua preghiera di ringraziamento, perché il suo Hassan era diventato il padrone assoluto del regno ed il sogno di Osman Yaqub Salvatore Rotunno si era avverato.

Prima che si riunisse quel famoso Consiglio per la cessione del regno c'erano stati giorni difficili. Il ragazzo aveva detto che non voleva più fare il re. Era arrivato il benestare da Istanbul, la flotta di Kair ad din era pronta a partire con a bordo quattrocento mattoni d'oro per il Gransultano, era pronta la carovana dei donativi che comprendeva millecinquecento fanciulli e mille donne per il serraglio, mille rotoli di sete e broccati caricati su venti cammelli, tre canestri di pietre preziose affidati ad una squadra scelta di cavalieri ed il ragazzo, cocciuto, non si decideva a pronunciare il suo sì. Era insensato.

«È mai possibile?» diceva Osman. «I Barbarossa ti hanno preso pastore e creato sovrano giorno per giorno e tu così li rimeriti? Ma perché mai, cos'hai in quella testa bislacca?»

Kair ad din invece di infuriarsi e cacciarlo in un bagno penale o nella pancia di un monte in miniera, com'era giusto anche se Osman ne sarebbe di certo morto per il dolore, invece di strozzarlo con le sue mani o di scaraventarlo giù dal torrione, stava a parlargli con calma e ascoltava le ragioni sragionatissime di quel figlio adottivo, cui non piaceva che il padre andasse a fare la guerra per il Gransultano. Ma Kair ad din quello aveva sempre sognato di fare! Nonostante amasse le chiacchiere sul giusto e l'ingiusto, sulla differenza tra sovrani e pirati, sulla difesa e l'offesa, a lui piaceva stare sul mare e fare la guerra. Il Barbarossa rassicurava pazientemente il ragazzo che vedeva deluso, perché troppo sensibile e votato a sognare utopie: doveva stare tranquillo, suo padre Kair ad din avrebbe continuato ad agire seguendo quei principî che gli aveva sempre insegnato. Già aveva ottenuto di cambiare in parte il regime delle navi del Gransultano, che gli aveva permesso di distribuire buon cibo e verdura fresca e di fissare per tutti dei turni d'aria, e in seguito sarebbero giunti mutamenti ancor più sostanziosi. Del resto era ormai quasi deciso che solo metà dell'equipaggio remiero restasse costituito di galeotti e che per l'altra metà si assumessero uomini con dignità e paga di marinai, perché non fosse lasciata in mano ai prigionieri la mobilità della flotta. Certo, non era possibile che il Gransultano si limitasse ad avere una flotta di piccole navi, Kair ad din doveva dare l'addio alle sue agili galeotte e alle sue ciurme composte totalmente di uomini liberi, padroni in comune dei legni. Il Gransultano non poteva adottare il sistema delle carature e suddividere tra tutti la proprietà delle navi. Algeri può permettersi che le navi siano dei marinai e dell'intera città, ma in un regno enorme ciò creerebbe un perpetuo pasticcio, e nella confusione dire che le navi sono di tutti è come dire che non appartengono proprio a nessuno e che nessuno le cura né le governa.

«Tu, qui, sei libero. Potrai continuare con le carature sulle tue galeotte. Governerai la città e la flotta come ti pare. E se vorrai dare al Consiglio funzioni importanti come ho sempre fatto anch'io, ti sarà meno gravoso reggere il regno e potrai muoverti per le vie del mondo».

Queste cose che il padre gli aveva detto durante il giorno, Osman gliele ripeteva la sera, perché gli entrassero bene da tutti i pori.

«Potrai costruire bastioni, bastimenti, giardini, medresi, bazar» diceva Osman Yaqub suadente come una sirena ad Hassan perché gli pigliasse la voglia di diventare il lievito della sua terra, «e poi, non essere tanto vigliacco!» Osman perdeva la calma e per convincerlo sarebbe arrivato alle botte, non solo agli insulti; sapeva che se si fosse stancato il

Barbarossa, o il Gransultano, se ne sarebbero viste di belle.
«Allah ci protegga! Perché non rifletti? Kair ad din andrà comunque a fare il navarca ad Istanbul e qui non verrà più. Cosa sarà di noi? Di tutti noi che viviamo ad Algeri? Tu vorresti andare a studiare le tue scienze e filosofie tra le montagne del tuo amico Cai Tien. Io ho capito benissimo che vuoi scappare via da noi e dal mondo. Vai, se non conta niente per te la città, che si è fatta in quattro per obbedirti quando temevamo l'attacco. Che vuoi che succeda? Se la spartiranno i pascià più furbi, questa nostra città, mangeranno fin le radici, come capre fameliche, e tu sarai tra le nuvole, beato, a cercare la tua verità».

La gente veniva sotto il palazzo e gridava.

«Viva Hassan aga, il nostro sovrano!»

E quando il rais giovane era comparso al terrazzo del primo livello, sopra il protocancello delle parate, vestito d'azzurro con il gran turbante, pronto per il giuramento, Osman e la gente avevano urlato di gioia. Così Aultinu, che una notte era cascato dalla montagna con la sua pecora zoppa in mezzo agli ammazzamenti e alla guerra, era re.

«È re» dice Osman ad alta voce per assaporare meglio la certezza di questo evento miracoloso, «e lo sa fare benissimo».

Algeri è tranquilla, con bastioni nuovi, bastimenti, giardini, medresi, bazar e una mescola di cittadini altrettanto nuovi che arrivano dai paesi vicini.

Non tutto scorre piano e felice nemmeno ad Algeri, perché al mondo non esiste il bengodi, ma ci si vive meglio che altrove, tanto che altrove nessuno vuol crederlo.

Si dicono bugie terribili sulla città e sul suo re, oppure si dicono cose vere talmente inconsuete che sembrano ai più traviamenti orribili dall'uso comune e si citano a bassa voce per la vergogna, o si urlano perché tutti sentano che su tali pericolose follie chi ha saldi principî invoca la vendetta del cielo.

«Sapeste» si dice, «non c'è legge né religione».

Invece la legge c'è, diversa da quelle solite; e quanto alle religioni vi convivono tutte e c'è chi non ne segue nessuna.

«Il re è un mago, nella reggia tiene un tale che gli prepara filtri in complicati alambicchi e lui stesso è un adoratore di stelle e passa le notti a parlare con gli astri, certamente in combutta con Belzebù, e bisognerebbe bruciarlo sul rogo».

Di queste ultime cose si è molto vociferato a Toledo negli ambienti della corte imperiale, ma si è cominciato a smorzare le critiche per questa passione celeste dell'aga di Algeri, quando è trapelata la sensazionale notizia che anche Carlo d'Asburgo mostra attenzione alle stelle e agli strumenti per indagare nel firmamento i misteri del tempo e del calendario e ha assunto un maestro che lo renda esperto di tali cose, e tra i tanti orologi di cui si riempie le stanze ne ha di arabi, moderni ed antichi, sicché per il momento non è bene puntare lo strale contro questi peccati del re d'Algeri.

Col tempo, si è quasi cessato di parlare e sparlare di Algeri che è fuori del mondo, un piccolo Stato come tanti, con qualche inusitata maniera di vivere e di condurre i pubblici affari.

L'imperatore non ha più detto di voler andare laggiù a fare la guerra, pensa se mai di battere il Barbarossa sul mare perché Andrea Doria gli tiene in caldo questa ambizione, ma ora se la piglia direttamente con Istanbul, che lui continua a chiamare Costantinopoli, e desidera scendere di persona in campo contro il Gransultano, che accanto al suo nome scrive l'appellativo «il magnifico» ed è l'unico degno avversario per lui, visto che nel frattempo è allo studio un armistizio con suo cognato e si parla di matrimonio tra i loro figlioli. Sono due regine a far di tutto perché cessino guerre e rivalità, Eleonora e Maria, sorelle di Carlo, la prima moglie di re Francesco, la seconda vedova del re d'Ungheria, da tempo governatrice dei Paesi Bassi. Tra di loro fa la spola l'anziana cugina Carlotta Bartolomea di Comares, il cui marito è tuttora in convento, non più chiuso in cella, si dice anzi che abbia ripreso salute facendo con molta perizia da primo aiutante al padre ortolano.

Jean Pierre de la Plume ha perduto sua moglie, morta di raffreddore l'inverno passato, nella Francia del sud, dov'era andata a cercare di rimettere in piedi i vigneti e il castello, distrutti quando i territori erano stati dati alle fiamme per fermare l'invasione delle truppe imperiali. I suoi sette cagnetti ancora vivi, sono rimasti sul collo a Jean Pierre, nel senso preciso del termine, poiché tutte le sere gli si attorcigliano intorno come un unico boa, tal quale facevano con la defunta signora. Però, se Jean Pierre si ribella, essi corrono dentro i cestini e fino al mattino restano a cuccia.

A parte le lettere della marchesa Carlotta, Osman sa tutto questo perché continua ad occuparsi dei piccioni e delle copie di tutti i messaggi, mansioni che gli sono molto gradite perché così sta al corrente delle cose del mondo e gli pare di vivere in posti diversi, diverse vite.

«Hassan» dice Osman al suo pupillo e sovrano dopo averlo informato, alla fine, del rifiuto di Anna di Braes al matrimonio con il principe della Sassonia, «ho paura che adesso torni alla carica quel Pier Luigi Farnese figlio del Papa con qualche altro parente».

Quando era morto il vecchio Ermenegildo, Pier Luigi si era fatto avanti per primo, in nome del figlio, per il quale aveva però trovato di meglio perché era riuscito ad accasarlo niente di meno che con una figlia naturale dell'imperatore, provvidenzialmente restata vedova di un Medici, morto ammazzato, figlio a sua volta di un precedente Papa, che era stato nemico dell'imperatore.

Sembra che ad Hassan poco importi di queste storie matrimoniali, invece ascolta con interesse i messaggi che arrivano sugli incontri tra il re di Francia e l'imperatore. Le trattative proseguono, pur essendo iniziate in un luogo che parrebbe poco propizio, perché si chiama Aigues-Mortes.

Osman comprende come sia difficile che quei due sovrani possano vivere in pace tra loro, perché per entrambi pace vuol dire non perdere nulla, anzi acquistare tutto quel che si può, senza mettere in comune né terre, né beni, né facoltà di decidere sui destini del mondo. In comune i due hanno, secondo Osman, diverse manìe, compresa quella di combinar matrimoni, tanto che sembra vadano a caccia di ragazzine o vedove da collocare per accaparrarsi pezzi di mondo su cui comandare senza spendere troppo in denaro o in uomini per conquistarli.

«Ma perché perdo tempo a pensare alle cose degli altri» chiede a se stesso Osman Yaqub, mentre esegue una specie di ballo sulla sua altana per tenere in esercizio le vecchie giunture, sbracciandosi come per afferrare l'aria del primo mattino, «che me ne deve importare del re di Francia e dell'imperatore, visto che per ora ci lasciano in pace?»

Già, ma Kair ad din, al quale Osman si sente legato anche se ad Algeri non s'è davvero più fatto vedere, sta sempre in guerra con l'uno e in trattative con l'altro, di cui tuttavia poco si fida.

Contro gli amici dell'imperatore, Kair ad din combatte a Prevesa e vince, ma solo perché gli avversari hanno navi troppo diverse e una flottiglia non può reggere in battaglia se una nave ha bisogno di sparare e scappare via veloce e l'altra, come il galeone gigante dei veneziani, spiega tutta la sua potenza proprio piazzandosi ferma a parare i colpi con la sua gran mole finché il nemico resta senz'armi.

Oltre alle navi diverse, gli imperiali hanno poi il problema di andare d'accordo tra loro. Anche il Gransultano ha problemi simili. Osman sa bene che ci sono tensioni tra i sultani di regioni o città dipendenti o alleate, tra i visir, i pascià, i differenti corpi dell'esercito sempre irrequieti e violenti, tra i funzionari preposti alle riscossioni, ai processi, agli approvvigionamenti, alle fortificazioni, agli affari di culto. Ci sono beghe nel gran serraglio, odî, litigi tra gli eunuchi, i ragazzetti d'alcova, le concubine, le mogli, i parenti, gli aspiranti alla successione dei quali sovente bisogna far piazza pulita quando non basta tenerli rinchiusi. Vivere in quel serraglio dev'essere come correre sopra cocci appuntiti con il rischio d'azzopparsi ogni volta che si posa il piede.

«Perché mai Kair ad din, il mio vecchio signore così intelligente, si è andato a cacciare in quel pantano?»

Questa domanda senza rispetto si affaccia continuamente dentro la testa di Osman: mentre sbriciola le foglie essiccate per le pozioni, mentre va a controllare che strade e vicoli siano tenuti in ordine e ben spazzati, mentre ricopre di cannucce i germogli più teneri perché non secchino al troppo vento o al troppo sole. E la risposta che viene a galla è ancora più irrispettosa della domanda, ma bisogna lasciarla affiorare perché contiene qualcosa di vero. Con gli anni, dev'essersi affievolita la propensione di Kair ad din alla logica e alla semplicità. Gli piacerà ricevere omaggi ed encomi, che a corte abbondano. Vorrà acquistare una fama che duri nei secoli, tuffandosi in grandi imprese che solo uno stato potente gli può consentire.

Già ora, però, Kair ad din è famoso. I marinai di tutte le

razze, amici e nemici, lo riconoscono come il migliore tra quanti comandano flotte. Dunque, che va cercando?

Quel che gli piace dev'essere appunto, secondo Osman, questo andare cercando, perché le cose si prova gusto a volerle e cercarle più che ad averle, ed è questa agitazione perpetua, di cui non importa magari il motivo, che fa spesso da molla alla vita. Anche se, allora, la vita è ridotta alla stregua di una pozione buttata in pentola alla rinfusa: al bollore si getta dentro qualcosa, si gira, si riporta a bollore, poi, senza lasciare che il liquido posi e si faccia chiaro, si aggiunge di bollore in bollore pizzichi dell'una e dell'altra polvere, foglie di chissà che, si rigira, si bolle e ribolle, e la pozione non è mai limpida e pronta da bere sinché all'improvviso si fa poltiglia e va a finire sul letamaio. Ci sono molti che si affannano a vivere in questo modo agitato e così non vivono mai, pensa Osman che nella sua testa alberga solo idee molto comuni, adeguate al taglio modesto della sua quotidiana esperienza di servo eunuco. Molti, pensa, non hanno il piacere di fermarsi un attimo, guardare con calma e dire: «Questa è la mia esistenza, da qui a lì. Sarà un tratto piccolo, ma tra quei due punti faccio parte dell'essere». Quel che succede domani è un mistero, ma per il momento uno potrebbe stare tranquillo, appagato di esistere. Invece tutti si corre fino a che gli animi scoppiano come vesciche gonfiate.

Osman, tuttavia, non si reputa più saggio degli altri, corre anche lui come una trottola. Ha mille incombenze da quando Amin l'ha lasciato per far lo studente presso i migliori maestri della città. Sarà speziale e medico, se questo è il volere di Allah.

«Prenditi qualcun altro» gli ha raccomandato Hassan, «non ti stancare».

Tutti a palazzo hanno insistito per dargli uno o più servi, ma Osman non li vuole per non sentirsi più vecchio di quello che è.

2.

Intanto che Osman corre sempre, come del resto pare che corrano sempre anche il sole e le stelle, corrono gli anni. Dal tempo di quella lettera che raccontava del matrimonio mancato di Anna con il principe di Sassonia, ne sono passati altri due. Sono arrivate altre lettere della marchesa Comares, di Jean Pierre che gira il mondo con le sue ambascerie e i suoi sette cani, di Kair ad din che lo gira con le sue navi e i suoi cannoni puntati. Sono andati in fumo altri matrimoni per Anna di Braes e l'imperatore invece di perdere la pazienza con lei l'ha persa più volte con la sua povera figlia testarda che non vuole consumare le nozze col nipote del Papa, con grande gioia di Osman cui non par vero che i potenti del mondo abbiano essi pure le loro contrarietà.

Se non fosse per Kair ad din, che invecchiando diventa simile ad un giovanotto balzano, sempre preso da guerre e da mogli nuove e le une gli sfornano figli che lui non ama e le altre gli inghiottono navi che lui adora, se non fosse per questo vecchio dall'aspetto magnifico e l'energia di uno scalpitante stallone, basterebbe ad Osman osservare i suoi coetanei, quei pochi che sono sopravvissuti, per meditare giorno e notte sul disfacimento del corpo e la rovina dell'intelletto. Qualche volta, per sfizio, nei giorni di eccessiva calura, quando le mosche ronzano senza pace a disturbare la siesta, Osman si mette disteso ai piedi delle erbe angeliche e delle artemisie, con le mani conserte sul seno e si prepara alla morte. Si immagina pieno di vermi che gli entrano ed escono dagli occhi e dal naso e gli divorano tutta la carne.

Ma quale carne? Osman se la cerca addosso, palpandosi, e non ne trova, è così magro e deliziosamente leggero che si sente vicino al momento in cui potrà librarsi nel volo. Anche perché non ha gravi pesi sull'animo. Il suo Hassan, che è rimasto il suo solo padrone, governa benissimo, benché certi dicano che governa in modo bizzarro.

«Lasciamolo fare» pensa Osman Yaqub quando, liberatosi dai vermi della sua morte inventata, ritorna alla vita, «perché tutti i regni dovrebbero essere simili?»

Hassan ha chiamato in Consiglio con funzioni importanti Amed Fuzuli e Rum Zade e ad Osman fa piacere che i ragazzi siano tornati a lavorare insieme. In un certo senso anche Cai Tien è con loro, perché si scambiano lunghe missive. Missive che non si sa come arrivino, perché Cai Tien è sempre avvolto nei suoi misteri. Saranno le aquile a portarle su e giù da quelle montagne sperdute in mezzo ai ghiacci e alle nevi; di certo non sono i piccioni, Osman non ha mai visto arrivare un messaggio con il sigillo dell'eremita Cai Tien, eppure conserva il suo ruolo nel servizio piccioni: a richiesta delle bestiole, dice Amin quando vuol prenderlo in giro, poiché in sua presenza i colombi tubano come non mai.

I ragazzi, che sono uomini fatti, ma che Osman continua a chiamare così, sono ora alle prese con un rompicapo ben più complesso del braccio d'argento di Baba Arouj. Vogliono un mondo così diverso da quello che c'è che Osman prova terrore se pensa com'è probabile che finisca quel pazzo sogno. Intanto è felice di illudersi insieme con loro e lavora, nei limiti delle sue forze, del suo cervello e del suo scarso sapere.

Anzitutto non è ben certo di avere compreso a che cosa punti il suo Hassan. Gli sembra di intendere che tutti coloro che vivono intorno a questo nostro mare bellissimo dovrebbero starci in pace fra loro: e questo sarebbe il primo traguardo. Ma come fare, visto che gli uomini hanno sempre creduto giusto farsi la guerra?

Amed Fuzuli, Rum Zade e soprattutto il suo Hassan vanno spessissimo in missione nelle tribù dell'interno, nei villaggi sul litorale e nelle oasi del deserto a proporre patti di mutua alleanza per mettere insieme un primo gruppo di federati sulla sponda africana. Ed è un'impresa difficile. Figurarsi quando dovranno passare sull'altra sponda! In Consiglio, dove Hassan aga è molto amato, quando accenna allo scopo finale a dire il vero lo prendono un poco per matto, ma stanno zitti confidando in Allah e non lo contraddicono, sperando che il tempo gli faccia da medico e da medicamento e disperda le sue chimere.

Siccome però la follia può essere a volte piena di fascino come le antiche sirene, capita che giunga gente dall'altra parte del mare, dove si è diffusa la vaga notizia che nella città di Algeri si può vivere in pace. E arriva gente anche dai territori che più strettamente dipendono dal Gransultano, il quale non si ingelosisce solo perché ha tante cose cui deve badare che quando la sera sprofonda stanco nei suoi cuscini non ha più voglia di stare a sentire le malelingue che tra una preghiera, una danza e un gioco d'amore vorrebbero gettargli addosso caterve di sciocchi sospetti, basati su ubbìe.

Arrivano uomini da molto lontano, ribelli o sfortunati che pur di scampare a una corda al collo, alla mannaia, allo squartamento per scimitarra o alla frequente condanna al supplizio del palo, preferiscono il rischio dell'avventura e al momento opportuno scelgono il mare e cercano di farsi issare su qualche nave di Barberia. Ma nella maggioranza gli stranieri, avendo sentore che Algeri è una città fuori norma, presi dalla paura o dal rispetto si tengono lontani. Persino la peste da qualche anno non mette piede ad Algeri. Ci sono purtroppo, però, altri mali che passano e mietono morte. Ad esempio giunge più volte il colera e in una di queste sue scorribande si porta via la bella Koira Taxenia che chiude gli occhi senza il conforto di aver potuto riabbracciare il suo Jean Pierre.

Osman ha da fare per giorni e giorni a causa di questo decesso, perché la signora ha voluto per testamento che fosse lui a curare la vendita all'asta di tutti i suoi beni e spedisse il ricavato all'ambasciatore.

Per mala sorte Jean Pierre de la Plume non ha saputo di quel pensiero gentile, benché la marchesa Comares, cui Osman Yaqub ha chiesto aiuto e collaborazione, abbia fatto di tutto per rintracciarlo e poi si sia affrettata ad andargli incontro in Italia con un forzieretto da viaggio pieno di monete d'oro.

Nella richiesta d'incontro Carlotta Bartolomea non ha specificato i motivi, per non dare freddamente per lettera l'annuncio della morte di Koira e per non far sapere nemmeno all'aria di viaggiare con un tesoro che va conservato gelosamente intatto, essendo ben più prezioso del suo materiale valore poiché rappresenta un sacro pegno d'affetto.

Jean Pierre, di ritorno da un'ambasceria molto importante alla corte del Gransultano dove ha firmato alcuni punti d'intesa per conto del re di Francia con la mediazione del navarca supremo Kair ad din Barbarossa, risale il fiume Po a piccole tappe, per gustarsi la valle nel pieno del suo rigoglio. Talvolta dorme sopra il battello, talvolta scende, stanco di essere cullato dall'acqua, e prende alloggio in qualcheduna delle locande sugli argini o nelle golene, che godono ottima fama di pulizia e di cucina eccellente. Ma ad una tappa, l'ultima rispetto all'appuntamento con la marchesa, in una di queste locande, al mattino, nel sonno, disgraziatamente ha fine l'esistenza terrena dell'ambasciatore Jean Pierre de la Plume e prende invece l'avvio una nuova pericolosa rottura tra i due cognati rivali, Carlo e Francesco.

«Mio caro amico» scrive affranta la marchesa Comares, giunta subito dopo sul luogo, appena ha saputo, «era uno strazio. Tutto quel sangue, quella carne discerta, tra stoffe a brandelli e pellicce squartate».

Osman leggendo prega e rabbrividisce, perché la sua troppo fervida immaginazione lo costringe a vedere l'orribile quadro del caro Jean Pierre, sempre compìto, elegante, gioioso, ridotto a pezzi, mischiati con i pezzi dei sette cani della sua Geneviève rimasti fedeli al suo fianco a condividere l'iniquo destino.

Tutta Europa si chiede chi sarà stato a perpetrare questo odioso assassinio e il turbinìo delle supposizioni porta con sé il timore di una nuova guerra; tanto che le due regine pacifiche, Eleonora e Maria, faticano assai a tenere tranquilli gli animi da una parte e dall'altra, a mettere freno ai commenti, a tentare di spegnere la miccia accesa.

«Chi è stato?» chiede in una lettera inviata stavolta direttamente ad Hassan aga la marchesa Carlotta Bartolomea, e poche righe più sotto si risponde da sé passando in rassegna un ventaglio di possibilità o meglio di voci raccolte in giro.

Secondo alcuni sono stati dei sicari assoldati dalla corte imperiale, secondo altri sono stati dei francesi che non approvano i contatti del loro re con Istanbul e gli infedeli. C'è chi pensa al Papa come mandante, o a gente della sua curia, per distogliere il re di Francia da certe amicizie, ma è un'idea peregrina perché il Papa non crede o non vuol credere o non gli interessa che il re di Francia abbia rapporti con il Gransultano e la Sublime Porta. Ancor più da scartare, per la marchesa, è l'idea che siano stati predoni di strada, perché Jean Pierre era senza quattrini e senza preziosi. No, secondo Carlotta la trappola è stata tesa dal marchese Comares, uscito dal suo convento e, guarda caso, negli stessi giorni in viaggio nel territorio lombardo, per andare a raggiungere a Ratisbona l'imperatore impegolato nelle trattative di una Dieta che non riesce a concludere.

«Signore Iddio, perdonatelo» commenta Osman, «dev'essere fuori di senno del tutto, se no perché avrebbe ordinato una strage tanto efferata?»

«Perché è un uomo crudele e fanatico» continua la lettera della marchesa, «che il cielo mi ha dato per sposo in punizione dei miei peccati passati, presenti, e futuri. Comares vuole raggiungere il suo vecchio scopo, avendo scambiato nel suo cuore indurito e triste l'idea di giustizia con la vendetta più ottusa».

La spiegazione della marchesa è corredata da notizie importanti che rendono plausibile la sua ipotesi che Comares abbia voluto intorbidare le acque al fine di indurre l'imperatore all'assalto di Algeri.

Carlo d'Asburgo stava ammassando uomini e mezzi per la sua crociata contro Costantinopoli, che doveva essere irresistibile, ma si è accorto alla fine che i suoi amici, alleati e parenti non ne hanno voglia per nulla, compresa sua sorella Maria, che anzi la teme e continua a tuonare che non s'ha da fare. I principi tedeschi sono in subbuglio ed egli sa che più di tanto non li può forzare. Suo cognato Francesco, che un anno fa, dopo la morte dell'imperatrice, aveva fatto avances per averlo addirittura per genero, invece di dargli appoggio quale re cristianissimo, manda a siglare patti con l'avversario infedele. Il re d'Inghilterra è scismatico e deve stare per conto proprio. Il Papa tentenna, perché il problema scottante per lui è ora la disubbidienza delle genti del Nord, cui si aggiunge la necessità improrogabile di riformare la Chiesa e l'impegno di mandare uomini a fare proseliti nelle Terre Nuove oltre l'oceano, con gli indigeni da convertire e i conquistatori da conservare fedeli. Carlo comprende insomma che sarebbero pochi, oltre a lui, disposti a partire contro Costantinopoli. In tanta generale freddezza, niente crociata, niente battaglia contro il magnifico Gransultano: a Carlo d'Asburgo non resterebbe che umiliare la sua ardente fede e mandare in fumo le spese già fatte se non fosse per il marchese Comares che, gettando sul palcoscenico quel morto speciale, riscalda gli animi e con un colpo di scena muta la china che la storia stava per imboccare.

«Ah» dirà adesso Comares al suo imperatore secondo Carlotta Bartolomea, «vi accusano dell'assassinio di De la Plume? Suppongono che l'abbiate fatto ammazzare per interrompere l'amicizia del re di Francia con il Barbarossa, per paura di quello che insieme potrebbero ordire contro di voi? Fate vedere, dunque, che non temete né l'uno né l'altro e dato che avete pronte navi costate fior di quattrini, se non è giunta l'ora di andare a Costantinopoli, fate un salto ad Algeri, che dei Barbarossa è pur sempre il nido, e per quest'impresa troverete alleati perché a tutti piace cogliere un bel trionfo senza fatica: chi non lo sa che quel castrato, figlio o compare che sia del Kair ad din Barbarossa, non potrà essere un osso duro?»

3.

Fuori delle ipotesi o delle intuizioni della marchesa Carlotta, all'indomani della tragica fine di Jean Pierre de la Plume, i fatti si complicano quantunque siano stati presi provvedimenti rapidi per mettere tutto a tacere da parte degli spagnoli di stanza a Milano, città da poco assegnata dall'imperatore al suo primogenito senza che il re di Francia abbia per questo deposto le proprie mire.

Appena avuta la notizia dell'uccisione di De la Plume, gli spagnoli danno corda alle voci secondo le quali il delitto è opera di volgari ladroni e mandano un portaordini perché nella maniera più tacita si dia sepoltura ai miseri resti dell'ambasciatore e si avvisi con tatto il suo re, onde evitare che il fatto malamente risuoni e produca conseguenze abnormi e sgradite.

Ma la marchesa Carlotta li brucia sul tempo, perché è sul posto e ha urgenza e pio desiderio di adempiere gli amorosi voti testamentari della defunta Koira Taxenia nell'unico modo ancora possibile: spendere tutto quell'oro in un funerale che lasci memoria perenne del signor De la Plume.

Carlotta fa comporre enormi serti di alloro, fa incetta di quei candelieri e torcioni che nella settimana di Pasqua si espongono nelle cattedrali, li fa disporre sopra carriole, carretti, carriacci da guerra rimessi in sesto e trainati da tre dozzine di muli, fa legare otto altri muli a doppio tiro ad un affusto dotato di rinforzi speciali, sul quale solennemente, quando il corteo è pronto, viene issato un sarcofago gigantesco e istoriato, di marmo fine. Dentro il sarcofago c'è un cassone di quercia, col fondo ricoperto di petali e muschio e sopra il muschio e i petali riposa Jean Pierre. Carlotta ne ha fatto raccogliere con molta cura tutti i brandelli, persino quelli che la furia omicida ha scaraventato giù nel cortile, e non le importa se nel riposo eterno i brandelli del fu ambasciatore saranno confusi e uniti per sempre a brandelli di cani, di stoffe, alle briciole dell'impiantito, ai sassolini e al terriccio di un paesotto lombardo. Importa invece a Carlotta che per giorni e giorni tutti si inginocchino lungo le strade chinando il capo e preghino per la salvezza eterna di quel misterioso signore per il quale sfila un corteo funebre interminabile, perché oltre all'armamentario di carri ci sono le prefiche, i cori di quattro conventi, sette sacerdoti officianti, decine di diaconi e chierici, due compagnie di musici e di virtuosi, e il popolo che in lunghe file ovunque segue spontaneamente piangendo o pregando o confessando i proprî peccati in una profusione di drappi a lutto, di fiamme, fiammelle e campane impiantate sopra torrette, di campanelle legate ai finimenti, alle ruote, agli stinchi degli animali o appese alle mani di giovani campanari che si agitano come baccanti per farle suonare, poiché, si dice, al defunto piaceva tanto lo scampanìo.

Quando la processione finisce e il morto è giunto nel suo paese natale per riposare nella cappella dell'avito castello, i servi e i contadini della famiglia, estinta e sepolta con l'ultimo dei De la Plume, concludono con orgoglio:

«Il nostro signore ha avuto un trasporto da far invidia a un sovrano».

Quel trasporto fa ingelosire più d'uno e in particolare il marchese Comares.

«Bene, benissimo» dice la marchesa sua moglie quando lo viene a sapere, «se proprio ci tiene ad avere anche lui un buon trattamento, incominci col farsi ammazzare».

Da parte sua, per punire il malvagio marito, Carlotta ha pensato a soffiargli quella piastra del braccio d'argento di Baba che Comares aveva intravisto sul cinturone dell'ufficiale al tempo del sacco di Tunisi, sulle cui tracce s'era accanito per anni.

4.

Rannicchiata nella stamperia dei testi latini, al piano terra del suo palazzo romano, Anna di Braes piange senza consolazione. Ha voluto bene a Jean Pierre come a uno zio affettuoso e fedele. E il dolore per la sua morte scava tanto profondo che fa rispuntare il dolore per la morte di quella vecchietta carissima che fu Geneviève, come una tenera nonna per lei, e il dolore per la morte di Baba Arouj, l'altro vecchio signore che Anna ha amato come un parente.

Anna di Braes non ha avuto parenti veri da amare, o non ha saputo amare quelli che ha avuto. Anche la zia Comares, che pure sembra essere tanto cambiata, che cosa è stata se non il suo cerbero di quand'era bambina? Zia Carlotta Bartolomea deve sentire imbarazzo di quel suo ruolo passato, tanto che nei suoi continui viaggi, per un motivo o per l'altro, non è mai venuta da lei, le scrive lettere interminabili che iniziano con «mia adorata nipote vorrei abbracciarti» e terminano con le congratulazioni vivissime per come la nipote si oppone all'imperatore.

Senza Geneviève e Jean Pierre, Anna è del tutto sola a Roma, benché abbia rapporti con molti perché la vita lo impone, se non vuole lasciarsi morire. Sta poco in città e quando ci sta si rintana per ore nella sua stamperia a comporre copie di testi latini. Più che altro vive nei castelli sparsi nell'Agro Romano o sulle montagne d'Abruzzo. Sta qualche mese in un feudo per la raccolta del grano, per la fienagione o per la tosatura del gregge, poi passa in un altro per la pigiatura dell'uva, per la salatura delle carni del bestiame macellato, per curare i disegni delle tessiture, i lavori di manutenzione e i rifacimenti di torri, cappelle, case coloniche, fossati, villaggi; e appena finito l'impegno in uno dei possedimenti si sposta in altri, con lunghe cavalcate sfibranti e meravigliose. Una volta è risalita fin su nelle sue terre dei Paesi Bassi, in visita alla governatrice Maria, l'unica parente per cui forse prova affetto o piuttosto una sincera stima, visto che si sono incontrate così raramente e l'affetto ha bisogno di conoscenza e frequentazione per nascere e svilupparsi. Altra cosa è per l'amore.

Piangendo la morte del signor De la Plume e ricordando

la sua immagine, il suo modo di fare, i momenti trascorsi con lui, ogni tanto le viene un sorriso, perché Jean Pierre sapeva girare e rigirare le situazioni finché ne usciva un po' di allegria.

«Coraggio! Smetti di piangere» sembra dirle quando Anna l'osserva in un medaglione dipinto dov'è ritratto col gomito appoggiato al ginocchio, la mano aperta quasi a chiedere scusa per la defezione, gli occhi furbi e ridenti, il busto stretto in un fastoso pourpoint e in testa un cappello piumato su cui splende in gran luce lo zaffiro dono di Baba Arouj, «coraggio» le torna a dire, «in un modo o nell'altro bisogna andarsene, ma finché si sta al mondo guai a marcire in pianti e lamenti».

Se le avessero detto, quand'era bambina, che da adulta avrebbe conversato con i morti, si sarebbe messa paura, invece adesso le parole del defunto Jean Pierre le riportano la serenità.

È vero che se da piccola le avessero detto che avrebbe passato anni della sua vita a parlare senza risposte con una persona lontana, anche di quello si sarebbe spaventata e stupita.

«Per carità» avrebbe detto, «meglio morta che pazza!»

Eppure queste conversazioni interiori sono per lei i momenti preziosi dell'esistenza. Cosa c'è di più bello che potersi sentire un amico vicino? Consigliarsi con lui, parlare di tutto, giocare, cercarne il sorriso, o i rimproveri quando serve riceverli, e provare la gioia di carezze, baci, abbandoni.

«Anche tu sarai triste, amor mio» dice Anna pensando ad Hassan, «abbiamo perso un compagno».

Asciugando le lacrime si rimette al lavoro. Controlla la rilegatura di un libro che deve spedire ad Algeri: perché a parte gli innumerevoli colloqui fantastici, nella vita concreta, tra lei e Hassan intercorre soltanto un regolare scambio di libri e di doni, Anna continua a ricamargli cappelli, Hassan le invia piccole cose preziose scelte con cura. Mai una lettera. I biglietti che accompagnano i doni da ambe le parti, dicono solo «per Anna», «per Hassan», senza nemmeno la firma, tanto, sia l'una che l'altro sanno benissimo chi è che spedisce. Anna del resto non ha dubbi che qualcosa arrivi dei discorsi che lei gli fa nel pensiero.

«Devo essere matta un bel po'» si dice ogni tanto, ma continua così, perché in fondo anche i cosiddetti amori infelici hanno le loro ebbrezze e i loro momenti di gioia.

Però Jean Pierre, dal medaglione dipinto, la guarda con insistenza come a dirle che dovrebbe invece fare qualcosa per uscire da quel mondo infantile dove si è chiusa.

Anna sale nel suo studiolo per rispondere alla governatrice Maria che le chiede di rappresentarla in Sardegna, ad Alghero, dove dovrebbe far da madrina di battesimo alla figlia del governatore, suo lontano parente.

«Non ho voglia di andare, ma come faccio, Jean Pierre, a dire di no a mia cugina Maria?»

Jean Pierre, quando Anna solleva il medaglione che ha al collo e lo fissa per avere lumi da un maestro della diplomazia, ricambiando lo sguardo con malizia le suggerisce:

«Che aspetti? Pensi che capiti un'occasione migliore?»

Così Anna decide. Andrà a quel battesimo nella città di Alghero, nella speranza che possa avvenire un incontro.

Hassan le aveva raccontato più volte di un rifugio dei Barbarossa da quelle parti, le aveva detto di un'isola con un castello abbandonato, di barche tirate in secco e nascoste, di un villaggio amico e dei segnali che si facevano quando qualcuno di loro era sulla costa di fronte e voleva rientrare.

Per la prima volta Anna di Braes scrive dunque ad Hassan e la sua lettera pare un messaggio cifrato.

«Non voglio costringerlo» si dice per porre un freno alle parole d'amore che di furia s'infilerebbero dentro il messaggio, «se pensa a me come io penso a lui, è certo che viene».

La lettera dice in sostanza ad Hassan che in quell'isola del castello abbandonato qualcosa potrebbe succedere alla prossima luna calante.

Non dev'essere vero, purtroppo, che i pensieri di Anna arrivano fino ad Hassan, perché quando egli riceve il messaggio non lo interpreta affatto come un messaggio d'amore: vi legge un avvertimento di fatti politici o militari di straordinaria importanza che vanno tenuti d'occhio. Perciò, date tutte le disposizioni possibili perché Algeri resti all'erta e ben difesa, parte in esplorazione con la più piccola e più veloce delle sue galeotte in compagnia di Rum Zade, che non resiste mai alla passione dell'avventura, e di Osman Yaqub, che si è celato in un gavone di poppa avendo fiutato nell'aria odore di novità.

XXVII.

1.

La madre del governatore di Alghero siede eretta sul panchettone nello sguincio della finestra e la sua veste di bigello la fa simile a un'ombra e l'impasta agli arazzi rustici della parete, sui quali il biancore della lana grezza disegna fantasmi.

«Sudo» si lamenta, «e siamo ad ottobre!»

La vecchia signora per muovere l'aria agita una pezzuola chiara che sembra assorbire la scarsa luce che penetra dentro l'imbotte, lasciando smunta ed opaca la figura della giovanissima nuora, abbandonata su uno sgabello, più all'interno nel disadorno e cupo stanzone.

Anna di Braes dalla panca di fronte continua a guardare quella ragazzetta avvolta nell'abito nero alla spagnola come in un paramento funebre e prostrata in un dormiveglia dolente, e non le par vero che sia la madre della bimbetta che tra qualche giorno dovrà tenere a battesimo.

«Dimostra meno dei quattordici anni che ha» pensa Anna, osservando il suo profilo infantile sormontato da un assurdo trofeo di trecce e treccine rialzate e tenute ferme da punteruoli d'argento e corallo rosso che paiono gocce di sangue, «non ha interesse per niente e nessuno e non ha occhi, poverina» perché gli occhi, se ci sono davvero, servono a guardare il mondo, ma anche a lasciare che il prossimo intraveda qualche spiraglio del nostro mondo interiore, «il suo sguardo è solo una porta sbarrata».

La piccola moglie del governatore non fa che accarezzarsi le mani deformate alle nocche da mostruose enfiagioni che la tormentano, e tiene la bocca socchiusa quasi fosse troppa fatica serrarla.

«Il peggio è stato sul finire dell'invernata, madama di Braes» dice la madre del governatore, riprendendo il desolato racconto della carestia, che ancora non è terminata, «seppellivamo i morti quand'era possibile, senza contarli più. Quest'anno un po' di grano l'abbiamo raccolto e un po' d'erba è spuntata, speriamo sia sufficiente perché il bestiame rimasto possa campare e prolificare».

La signora racconta che in città era andata un po' meno peggio che nel contado e sui monti. Il grano dell'annona era finito, eppure anche i cittadini più poveri riuscivano ogni tanto a mettere sotto i denti qualcosa con gli avanzi dei ricchi, che s'erano fatti venire barconi carichi di provviste da fuori, o con quei pochi pesci che si tiravano su dal mare, pochi perché anche dei pesci c'era stata morìa e sembravano quasi spariti. Cani e gatti erano stati le prime vittime, sicché alla fine tanta gente s'è arrangiata a sostentarsi di topi, come sempre nei tempi duri.

«I morti erano tanti anche dentro le mura, ma nelle campagne si cancellavano famiglie intere e le terre restavano incolte» spiega la vecchia signora disgustata da quel disordine disseminato dalla carestia e dalla morte per fame, «finite le scorte, i contadini erano così deboli da non farcela più nemmeno a dissotterrare radici». La dama cessa di dondolare la sua pezzuola e si sporge in avanti per riferire una cosa riservatissima e grave. «L'avete saputo? Una madre di cinque creature ha sacrificato la più piccina per sfamare gli altri figli e se stessa. Il governatore non vuole che se ne parli, ma il suo non è stato peccato, dice il mio confessore, è stata follia».

La vecchia parla con voce lenta, con rabbia più che con pena e il suo volto è duro. Persino le borse sotto gli occhi acquosi sono due pieghe rigide, come di cera essiccata.

«Perché non tornano?» domanda con ansia. «Nessuno viene a darci notizie. Sarà qualche altra sciagura. Voi cosa fate lì in piedi a reggere quei quattro fichi? Posate il cesto sul tavolo e andate a chiedere cosa succede».

La donna spaurita cui la signora dà l'ordine è la moglie del torrigiano, che era rimasta in disparte, con la bruttissima faccia impietosamente messa in risalto dal telo bianco posto sul capo e stretto sotto il mento a mo' di soggolo. Sferzata dal rimprovero inaspettato s'incurva ed arretra per correre ad eseguire l'incarico, come se fosse in presenza di una regina e non soltanto della burbera madre del governatore di Alghero.

Era stata dell'anziana signora l'idea di condurre l'illustre ospite Anna di Braes su quel golfo simile a un lago per assistere alla partita di pesca indetta per festeggiare il battesimo, con tanto di premi, canti e balli finali. Purtroppo, appena il gruppo delle autorità era giunto alla torre sulla collina, dove le signore avrebbero potuto godere di un bel panorama e del conforto di una casa predisposta a riceverle, si erano viste segnalazioni allarmanti per la loro stranezza lungo tutta la linea dei fuochi delle altre torri di guardia.

Anna, che non lo faceva vedere, era più degli altri piombata in un'agitazione tremenda.

«Avrà ricevuto la lettera? Sarà arrivato? L'avranno scoperto?»

Era terrorizzata dal sospetto che Hassan per sua colpa si fosse messo in pericolo. Un momento dopo passava dalla paura alla speranza e si chiedeva dove e come Hassan avrebbe sferrato l'attacco per venirla a prendere.

«Che imbecille sono» concludeva furente, quando relizzava che Hassan non poteva venire a prenderla, perché lei non gli aveva detto che sarebbe stata ad Alghero né che voleva fuggire con lui, «gli ho mandato un biglietto inutile e idiota. Però» rimuginava, «potrebbe aver letto i miei pensieri a distanza».

Ascoltando la vecchia si era distratta, adesso le ritorna quel pensiero ossessivo: verrà, non verrà, sarà almeno giunto sull'isola?

«Eccellenza» mormora la moglie del torrigiano, rientrando affannata e rossa nello stanzone del secondo piano, «arriva l'imperatore».

Incredibile, ma è proprio così. La notizia è talmente sbalorditiva che la moglie del governatore trova la forza di chiudere la bocca e addirittura di alzarsi in piedi.

Un attimo e la sala a semicerchio è strapiena: il governatore, i maggiorenti, i capiposto, i rappresentanti delle categorie, che erano stati tutti invitati alla pesca battesimale, non sanno se sentirsi giulivi o atterriti: da queste parti non s'è mai visto l'imperatore né s'è mai supposto che ci potesse venire.

È un sovrapporsi disordinato di ipotesi, una ricerca affannosa di direttive.

Arrivano i primi messi a cavallo dalla città del Capo di Sopra e dalle vedette più a nord.

L'imperatore con una parte della sua flotta è stato colto da una levantata alle bocche di Bonifacio, mentre si dirigeva verso la Spagna, anzi a Maiorca, ad un raduno delle forze di terra e di mare, reduce da uno sfortunato colloquio avuto a Lucca col Papa, da cui aveva sperato invano appoggio contro i pirati di Algeri.

Le navi imperiali sono state così bistrattate dalla buriana che è necessario rimetterle in sesto prima di gettarle di nuovo in mare aperto per la traversata.

«Vuoi vedere che è stato Andrea Doria a convincere il suo padrone a riparare ad Alghero?» insinua un nobile che ce l'ha con il Doria, perché quando stava con i francesi gli ha messo a fuoco delle terre su nella Nurra. «E vorrà farci pagare le spese di tutti i rattoppi alle sue galere!»

«Sarà magari stato Andrea Doria» si affretta a ribattere il governatore, «perché sa che qui c'è il riparo migliore e per l'orgoglio di mostrare questa città, fondata più o meno dai suoi antenati».

Il governatore si preoccupa di sgombrare il campo da antichi risentimenti che potrebbero rendere ancor più difficile l'arduo compito dell'accoglienza.

«Cosa? Anche Andrea Doria accampa pretese sulle nostre contrade? Poveri noi» protesta la madre del governatore che ha frainteso le parole del figlio, al quale sta accanto cercando di fargli sentire le proprie ragioni, «però qualsiasi cosa succeda, noi lo dobbiamo fare, questo battesimo! La piccina ha quattro mesi e se dovesse morire non ha nemmeno il suo posto nel cielo».

Per i prossimi giorni, comunque, ci sono cose più urgenti da fare che garantire posti nel cielo. Ognuno pensa al suo posto in terra. Il transito dell'imperatore può cambiare il destino di molte vite.

2.

Abbandonata la pesca, il governatore si è precipitato ad Alghero, dove si attende che arrivi dalla città del Capo di Sotto il luogotenente generale, ossia il viceré, per assumersi la responsabilità di ogni cosa. Ma non lo si vede. Lusingato e sbigottito anche lui per la sosta di Carlo d'Asburgo in Sardegna, sarà scombinato a tal punto da perdere tempo per via. Intanto il peso di tutto resta sul collo del povero governatore di qui.

In città la gente sotterra i modesti averi, scende per strada, si fa domande e non sa se temere il peggio o sperare qualche minimo bene, né più né meno dei maggiorenti e dei capi.

«Ci lustreremo gli occhi e vedremo l'imperatore» esclama un mercante chiudendo bottega, «ma ci sarà l'obbligo di donativi!» e pensa anche alle sovvenzioni in contanti che vorranno fargli sborsare e a come sfuggirvi.

Al palazzo del governatore si susseguono le riunioni ufficiali e i colloqui privati, le richieste di esenzioni e di beneficî e le proteste per riscossioni eccessive. Più di tutti protesta il clero perché, dice, la nobiltà di spada e di toga scaricherà il peso della sua tassa di vassallo in vassallo fin giù agli infimi strati che pagheranno, come sempre, senza sapere a chi né perché, ma i capitoli, i prevosti e le cure non hanno su chi scaricare e devono togliere dal proprio cespite, già esausto per la carestia, somme che nemmeno sarebbero tenuti a versare, essendo la Chiesa sovrana e indipendente dall'Impero, dall'imperatore e dai suoi grandi e piccoli rappresentanti.

La domanda che maggiormente ricorre e preoccupa è quella riguardo a chi e quanti verranno a terra insieme all'imperatore.

È arrivata fin qui la storia di quanto è accaduto in Austria e Ungheria quando l'imperatore è andato con le sue truppe in soccorso del fratello Ferdinando, assediato dai turchi: i lanzichenecchi soccorritori hanno combinato un inferno tale che Ferdinando ha dovuto affrettarsi a stringere accordi con i turchi infedeli, che gli combinavano danni minori.

«L'avessimo saputo per tempo» dice ad Anna la madre del governatore che ha motivo per nuovi lamenti, «con voi qui avremmo organizzato un'accoglienza come si deve, ci potevate dare consigli. Voi siete pratica, vivete in una grande città e siete cugina dell'imperatore».

Anna, ringraziando il cielo di non dover svolgere mansioni del genere, rassicura la sua ospite; l'imperatore gradirà le cose più semplici, che saranno nuove per lui e quindi preziose.

«Ah, questa è risolta! La flotta imperiale non può entrare nel porto che non è grande né fondo abbastanza, per nostra fortuna» confida ai suoi la sera, rientrando all'ora di cena, il governatore che si fa scrupolo di non parlare in famiglia degli affari del suo autorevole ufficio, ma stavolta l'eccezionalità della situazione permette di non rispettare la regola, «è deciso che getterà l'àncora dove avremmo dovuto avere la nostra partita di pesca»

E, sedutosi a tavola, mangia con buon appetito perché anche un secondo problema importante sembra risolto: le navi sono approvvigionate di tutto punto, sicché risanati i guasti del temporale, non verranno richiesti ad Alghero rifornimenti troppo onerosi.

«Donativi! Certo, daremo donativi con cuore festante» afferma il governatore, di colpo smarrito, temendo di aver fatto una meschina e pericolosa figura con l'ospite Anna di Braes e puntandole in volto due occhi imploranti, perché sia comprensiva, «non sono per noi tempi eccellenti, ma faremo del nostro meglio per essere degni di una tal visita».

3.

«Questo era l'avvenimento» dice Osman Yaqub arrancando da un merlo all'altro del castellaccio semidistrutto che fa loro da rifugio sull'isola dell'Asinara, «era il passaggio della flotta imperiale!»

Osman vuole trovare la vista migliore per gustarsi il passaggio della flotta di Carlo, evidentemente provata dalla tempesta. Molte vele sono strappate e alcuni legni reggono il mare con difficoltà.

«Sarà un destino, mi succede di vederle sempre un po' scalcinate queste navi che spadroneggiano su tutti i mari. Non le trovi anche tu malandate?» domanda Osman Yaqub ad Hassan quando l'incontra sul terrazzo più alto, quello concavo dov'è l'impluvio per la raccolta dell'acqua, intento a guardare quella processione di navi. «Chissà da quanto sei qui e non mi avevi avvisato che c'era questo spettacolo. Tu mi porti rancore perché mi sono nascosto nel gavone di poppa per venire con voi».

«Non ti porto affatto rancore, ma potevi lasciarci la pelle, là dentro».

«Beh, ce l'ho addosso, la pelle, dunque facciamo la pace. Ci ha fatto venire per queste navi, la piccola?»

«No, non può essere, non poteva sapere che la flotta sarebbe passata di qui. L'imperatore non aveva deciso in anticipo di buscarsi la levantata né di farsi curare le ferite ad Alghero. Dev'esserci altro. Ma cosa?»

Sono arrivati all'isola da parecchie ore e non hanno compreso a che potesse mai riferirsi l'avviso di Anna di Braes.

Hassan ha la sensazione vaga che Anna si trovi lì intorno e corra pericolo, ma non sa di che, né ha la più pallida idea di come portarle aiuto, se di aiuto ha bisogno.

Per ingannare quest'ansia, Hassan sarebbe andato di là dallo stretto sul monte dove pascolava le pecore quand'era bambino, se non fosse comparso l'imperatore. Non aveva voluto mai rimetterci piede eppure era capitato più volte da queste parti. Baba Arouj e Kair ad din hanno sempre prediletto questo rifugio, tra i tanti, probabilmente perché non è un'isola disabitata o senza padroni, e ciò rende la sosta più divertente ed avventurosa. È un'isola dove vivono pochi pescatori che hanno avuto solo soprusi da quelli che dominano sull'altra sponda. Certe famiglie discendono dai saraceni che un tempo sono stati quassù, altre sono grate ai barbareschi dei buoni affari che con loro hanno concluso, insomma, per amicizia o per i vantaggi che ne cavano fuori, gli isolani vanno d'accordo con quelli di Barberia e quando c'è aria di guai sono i primi a correre per aiutare a nascondere le galeotte o a salpare in fretta.

«Un salto lo potrei anche fare, al mio vecchio ovile».

«Guarda che gusto! Non lo vedi quel serpentone che sta passando» strilla Osman Yaqub con gli occhi di fuori, «di là dallo stretto non deve andarci nessuno».

«Io ci vado, carissimo Osman» dice tutto compunto e deciso Rum Zade. «Gli isolani hanno saputo che si prepara ad Alghero la cerimonia dell'offerta dei donativi al sovrano, e io non voglio mancare. Sua maestà alloggerà nel palazzo del governatore e la parata avverrà nella piazza medesima dove s'affaccia il palazzo, la più graziosa della città».

Anche gli abitanti dell'Asinara sono stati invitati a mandare il loro presente, che sarà un asinello candido con tre barilotti di malvasia sopra il basto.

Rum Zade, partito ormai lancia in resta, vuol porre in opera una delle sue matterie. Farà omaggio all'imperatore di un animale speciale, un prodigio.

«Non mettere in mezzo gli abitanti dell'isola» si affanna a raccomandargli Osman Yaqub, contrario all'impresa. «Se la cosa non va, potrebbero avere dei grossi guai».

Rum Zade non ha mai pensato di immischiare nessuno, farà egli stesso la parte di una pastora che vive sulle montagne. Intanto potrà dare uno sguardo più da vicino alla flotta e alla faccia dell'imperatore, per vedere se ha la grinta dura, cioè se vuole attaccare davvero Algeri contro il parere dei suoi. E siccome Rum Zade è un pagliaccio, inventa subito una tiritera che tra lazzi e buffonerie in sintesi dice: Carlo, da buon rapace, cercava tra queste rocce un posto per impennarsi e spiccare il balzo sino ad Algeri, ma sbattuto dai venti e ingannato dalla somiglianza dei nomi delle due città, ha ripiegato le ali ed è sceso ad Alghero, che in lacrime gli apre le porte e i cordoni dei borsellini.

4.

«Scende a terra?» domanda la piccola moglie del governatore che sperava di non doversi trovare ad un cimento del genere.

«Meglio che scenda, visto che ci costa oro e fatiche. Una volta qui dovrà pur concedere qualche titolo o beneficio in ringraziamento!» le dice la suocera, per confortarla e per confortare se stessa, poiché le piange il cuore a vedere già belle schierate nella piazza quelle giovenche, quelle stie di polli, quei cesti di uova e ricotte, e i maialetti, gli agnelli, gli asini con i basti pieni.

«Meno male» continua fra sé, «che non scende a terra la sua masnada, altrimenti le ragazzette venute a porgere doni, ripulite ed infiocchettate, farebbero una fine ben poco allegra, e anche le altre a casa, e le loro madri e magari le nonne, perché la truppa digiuna quel che trova si piglia». Ha sentito che per fortuna l'imperatore si porta appresso solo un'esigua scorta di guardie scelte. «Scelte o non scelte sempre di lanzi si tratta, ma speriamo che le guardie imperiali in arrivo siano poche davvero!» pensa la vecchia spagnola, che non vede di buon occhio degli stranieri come sono per lei quei lanzichenecchi boemi, tedeschi, croati, così importanti nell'esercito del suo re e imperatore, però si è proposta di godere le buone opportunità che l'occasione le offre senza dar peso ai particolari.

«Sapete» dice ad Anna di Braes, che è in piedi alla finestra tra lei e la nuora, in attesa di ricevere l'imperatore, «le grandi famiglie di questa terra non vivono qui e nemmeno nella città del Capo di Sopra né in quella del Capo di Sotto. Sono da tempo passate nel continente, a Napoli o in Spagna. E quando udranno del transito dell'imperatore saranno furibonde per non averlo saputo. Avranno paura di processi e di punizioni, perché hanno venduto sottobanco diritti feudali, obblighi di uffici e di scrivanie. Ma l'imperatore non avrà tempo di controllare il loro operato, starà qui così poco! Purché non se la prenda con noi, se qualcosa non va» e guarda Anna come per dirle che in lei molto confida. «Prenderete parte alla caccia al cinghiale, domani? So che cavalcate meglio di un uomo. Mio figlio vi ha destinato un cavallo speciale, magro e leggero. Dice che è il più veloce».

5.

Sul molo è attraccata la barca che porta a terra l'imperatore con il genero nipote del Papa e con Andrea Doria, che parla e spiega e a vederlo da terra ha l'aria di fare da anfitrione, mentre il governatore e i quattro o cinque che la città ha delegato a formare il primo manipolo per gli onori dell'accoglienza non sanno che dire, spiazzati dai fatti, che si susseguono tutti diversi da quanto era stato immaginato e previsto.

Sulla passerella d'attracco e sul molo erano stati distesi i più bei drappi di seta trovati in città, perché l'imperatore al suo arrivo posasse i piedi sul meglio, e il piano prevedeva che, appena lui fosse passato, due famigli, uno per lato, togliessero i drappi che i proprietari, mercanti, nobili e chiese, volevano di ritorno, naturalmente, avendoli solo prestati. Invece, subito dietro l'imperatore viene come una malaugurata risacca l'onda della sua scorta scelta lanzichenecca che, sguaiata e fulminea, a furia di strappi e colpi di spada trancia damaschi, broccati e velluti, che divide facendone nastri, fusciacche, stendardi per burla, code di fruste, strascichi, braghette rigonfie ed oscene.

L'imperatore si diverte e sorride e, siccome è gentile, lungo la strada verso il palazzo non fa che dire che tutto è bello e carino, ben congegnato per il divagamento e il riposo, finché il sorriso che gli tiene il gran mento distorto sfocia in aperta risata quando, giunto al palazzo e salito al piano nobile, gode dalla finestra la vista esilarante del carosello fuori programma, che si svolge nella piazza parata a festa.

I suoi soldati burloni infilzano giovenche e maiali, si lanciano da un capo all'altro pollastri, cacetti e uova, spillano botticelle di vino e acquavite e si ribaltano in testa vasi di miele giocando ad acchiapparella nel parapiglia e agguantando fanciulle e fanciulli che non sono stati abbastanza svelti a scappare.

«Maestà, non piangete stavolta come avete fatto in casa di Ferdinando?» chiede Anna di Braes con espressione scherzosa, inchinandosi davanti al cugino sovrano, mentre vorrebbe prenderlo a schiaffi.

«Questa è una festa allegra davvero» risponde Carlo, «e trovare voi è stata la più bella sorpresa».

Quando la truppa scelta è dispersa o chetata, il governatore, andando a tentoni nel prosieguo dei festeggiamenti a tal punto degenerati, dà ordine che si facciano entrare nella piazza i donativi speciali che erano stati provvidenzialmente serrati in una rimessa dei carri, dovendo essere offerti in coda alla parata come le chicche ad un pranzo.

«Avanti i dolci ed i trofei di pane» strilla dalla finestra, dopo aver invitato l'illustre ospite a riaffacciarsi a guardare, «avanti i serti di fiori, le scritte, il prodigio».

Carlo si sporge dalla finestra centrale con Anna di Braes al fianco, saluta, ammira i fantasiosi intrecci di fiori, dolciumi, pani scolpiti e le scritte inneggianti che culminano in un gigantesco «dall'alba al tramonto», simbolo dell'enormità del suo impero, ma di fronte al prodigioso vitello a due teste ha un sussulto.

«Cacciatelo via, i mostri portano maledizione» ordina offeso, «via!» E si rigira adirato.

Rum Zade, ossia la pastora che trascina il vitello infernale con una testa vera e un'altra fittizia, prima di darsela a gambe ha riconosciuto Anna di Braes e andando a indossare altri panni, per potersi recare ad ispezionare flotta e armamenti, invia un messaggio a chi di dovere.

Sul far della notte, non si sa come, chi dice per un equivoco, chi per concessione speciale, chi per la necessità di mettere fine al mal di mare che travaglia l'esercito o per quella di controllare il fasciame dei legni senza quel fitto di gente a bordo, si leva una voce stentorea dal ponte della galera imperiale.

«A terra!»

Dopo poco l'insenatura brulica di soldataglia, tanto che il mare sembra si sia prosciugato, pieno com'è di barche, zattere, botti vuote e legni divelti. Ovunque vi sono grappoli umani che annaspano, poiché il mare non si è prosciugato, l'acqua c'è ed è alta. Nell'entusiasmo di scendere, nello stordimento della paura improvvisa, nella confusione della gran folla, diversi cappellacci galleggiano senza più sotto i padroni, che colano a picco; ma sui grandi numeri qualche individuo che manca non si nota nemmeno.

Quando l'esercito guadagna le rive, sembra che spiagge e campi siano divorati da un fungo scuro che li ricopre espandendosi come un respiro malefico.

La notte diventa tragedia per molti nei casolari d'intorno e nei villaggi isolati del più vicino entroterra.

Qualche curato ha il coraggio di attaccarsi alle corde delle campane e suona a martello, perché gli abitanti dei villaggi più interni salvino almeno la pelle con la fuga sulle montagne.

Quando in città giungono le prime avvisaglie dell'accaduto, il governatore disperatissimo non sa se sia meglio cercare di porre un freno o lasciare che si esaurisca l'ondata di piena.

Ma sarebbe possibile porre un qualsiasi freno? Con l'aiuto di chi? Il viceré non c'è ancora, l'imperatore si è già ritirato e nessuno lo vuol disturbare. Andre Doria, che è in piedi e gioca a tarocchi con la madre del governatore, non può intromettersi a dare ordini sulla terraferma, poiché è sì comandante di tutte le navi, ma quelle truppe sulle sue navi ci stanno solo come merce da trasportare e la loro condotta a terra non gli compete. I capitani sono sparsi nelle varie dimore che li hanno accolti: chi li rintraccia? Anch'essi del resto hanno diritto a un po' di svago e riposo. In ogni caso, al di là di competenze e diritti, è forse pensabile che in piena notte qualche ufficiale a cavallo riporti nei ranghi delle masnade bollenti e scatenate?

«Domattina ogni comandante rintraccerà i proprî uomini e li metterà in riga. Abbiate pazienza e pensate a tutto quello che questi ragazzi hanno patito per tante ore sul mare» consiglia un giovane e intraprendente aiutante di campo, delegato dall'ammiraglio Doria a tener calmo il governatore mentre egli stesso tiene calma la vecchia madre, facendole vincere qualche mano a tarocchi, «dite piuttosto ai popolani, con tutti i mezzi che riuscite a inventare, che non gli venga in mente di far resistenza, e raccogliete denaro in contanti. Con la promessa che i primi a salire a bordo avranno la paga del soldo arretrato vedrete che si sbrigheranno a rientrare».

Come se questa fosse una medicina possibile! Il povero governatore, davvero povero in canna con le casse vuote da mesi, non può certo bussare a far nuove questue dai cittadini abbienti, ammesso che ne siano restati. Dopo averli spremuti per la carestia, gli ha dato il colpo di grazia per le spese straordinarie del transito, offrendogli in cambio la bella soddisfazione di veder tutto ridotto in un guazzabuglio prima della cerimonia.

6.

L'indomani, l'imperatore al mattino presto è già col piede sopra la staffa, allegro e impaziente. Gli è stata promessa una battuta al cinghiale, che in quella terra rustica ed aspra gli sembra il massimo dell'avventura.

La zona prevista è tuttavia stata anzitempo battuta dalla caccia libera delle truppe sbarcate ed ora gli uomini giacciono, sazi di stravizi e baldorie, ammucchiati nei campi o intorno alle case, scomposti e laceri come le povere masserizie che essi hanno gettate di fuori, fatte a pezzi, incendiate per divertimento. Il governatore, di minuto in minuto più stralunato, propone di aggirare da dietro campagne e foreste infestate di soldataglia e di condurre i signori ospiti a cacciare il cinghiale sulle montagne più a nord.

«Giungesse almeno il viceré» confida il governatore all'avvocato regio che è il suo braccio destro e con ciò s'è arricchito, «sarebbe lui a prendere le redini in mano e a rispondere di quel che accade. Stanotte è successo di tutto» dice col tono inequivocabile di chi s'aspetta una punizione vedendo intorno la desolazione e lo sfascio, mentre cavalca con i battistrada per scegliere il posto adatto alla caccia imperiale. «È la fine, è la nostra fine!»

«Eccellentissimo governatore» gli fa l'avvocato regio, suadente e paterno, «da chi mai potrebbe venirvi un rimprovero? Dal viceré che non è stato abbastanza veloce a correre a porgere ossequio al suo re e imperatore? Dai comandanti d'armata che sono rimasti a fare baldoria o a dormire? O dall'imperatore medesimo che è causa indiretta del putiferio e sembra non farci caso? Non guastiamoci il sangue, un male può porre rimedio e fine al male che l'ha preceduto. Con tutti i decessi che la carestia ci ha portato, qualche nascita in più verrà a colmare dei vuoti. E quanto alle distruzioni, lo sapete benissimo che da queste parti non c'era nessun tesoro che meritasse d'esser salvato».

Il subbuglio e il chiasso della nottata sembrano aver spopolato i campi e la macchia di selvaggina. Il capocaccia consiglia di spingersi ancora più a nord e l'imperatore è felice. Nessuno l'ha visto da tempo di umore tanto festoso.

«Grazie a Dio, ha scordato l'incidente del mostro a due

teste» nota con sollievo l'avvocato regio che è sempre a lato del governatore. «Vedete signore» gli dice, «le cose si mettono al meglio, anzi, se permettete, mi pare che l'imperatore abbia voglia di fare il galante».

Carlo d'Asburgo cavalca a fianco della cugina e ha per lei mille attenzioni mentre le parla della loro comune patria, quelle terre basse del nord a lui tanto care che sembrano sempre sul punto di sparire, inghiottite dalle nebbie o dal mare, e sono lì forti, laboriosissime e tutto sommato fedeli.

I maligni del seguito sarebbero pronti a fiutare aria di matrimonio.

«Sta' a vedere» azzarda qualcuno, «che questa volta propone se stesso alla cugina vedova che non vuole accettare nessun partito!»

Ma è un'ipotesi assolutamente infondata perché, quando è morta la sua imperatrice, l'imperatore ha detto chiaro alla famiglia, alla corte, agli amici e ai nemici, che non si sarebbe ammogliato mai più.

Nell'incertezza che sua maestà cambi idea o abbia comunque del tenero per la cugina, intorno ai due viene lasciato uno spazio libero; il gruppo caracolla a rispettosa distanza, con un po' di noia, tra le mosche ed il caldo.

«C'è troppa afa» dice una parte di coloro che hanno dimestichezza con le faccende del clima, «potrebbe tornare il maltempo».

7.

Hassan è sicuro che la bonaccia stia per finire. La sua galeotta è in un'insenatura nascosta, pronta a salpare per precedere la flotta imperiale ad Algeri nell'eventualità che Carlo d'Asburgo veramente decida d'impiantare un assedio d'autunno, quando i suoi generali e alleati continuano a spiegargli che non è il caso.

Se questa è l'ora, se anche per lei la bonaccia fosse alla fine, la città di Algeri è ben fornita di munizioni e di vettovaglie, con il suo Consiglio che vigila e la popolazione che, pur attendendo notizie, sa quello che deve fare.

«Forza» dice Hassan a Rum Zade, quando rientra da Alghero con gli isolani che hanno portato i loro tributi al sovrano, «mi spiegherai in viaggio come sono armate le navi. Scappiamo prima della bufera».

Osman è a bordo, col cuore gonfio, perché attendeva qualcosa di indefinito ma dolce e nulla c'è stato, se non l'eterna previsione di guerre e tempeste, se non l'eco di soperchierie.

«E il mio messaggio?»

Chissà perché il messaggio di Rum Zade non è arrivato, ma appena Hassan sente la notizia che da giorni aveva intuito e sperato fa rimettere in acqua la barca or ora tirata in secco.

«Dove vai? Come vuoi fare a trovarla?» gli dice Osman Yaqub, scendendo tremante dalla galeotta, ma glielo dice a voce bassissima, perché se ha paura di quel che potrebbe succedergli tra le mani degli imperiali è anche vero che ha sempre creduto ai miracoli e non aspetta altro che vederne uno avverato.

Così gli strilla soltanto che si levi almeno il caftano, indumento a dir poco sospetto, su quelle rive.

Hassan l'ha già fatto da solo, è sull'acqua che voga tra i pescatori con indosso gli stracci d'uno di loro. Rum Zade è al suo fianco.

8.

«Uscisse qualche bestia dal folto» pensa Anna di Braes, «la gente sarebbe distratta».

Le ore sono passate. C'è stata la sosta al meriggio. L'imperatore ha dato udienza ai maggiorenti nativi e a quelli spagnoli, ha promesso un paio di cavalierati e altre piccole cose, si è mostrato insolitamente alla mano. Ha insistito perché Anna si prendesse un adeguato riposo. Le ha fatto omaggio di un bel cordone d'oro con appesa una sardonica che egli stesso indossava.

Anna intanto ha continuato a chiedere, senza parere, notizie sul posto come aveva fatto nei giorni passati, tanto che ha in testa una mappa ormai ben precisa e quando le viene da domandarsi: «Beh, una volta di faccia all'isola che potrò fare?» per non doversi rispondere continua a conversare con gli uomini, che la osservano come un fenomeno, di cose da uomini come cavalli, finimenti, foraggi e biade.

Finalmente, quando il giorno volge alla fine e la noia sta per prendere tutti, cani e battitori snidano prede belle e abbondanti. I cacciatori si lanciano.

«Voi state indietro» ordina l'imperatore alla cugina, «i cinghiali impauriti sono tremendi, state lontana, vi prego».

E salutandola con un cenno gentile parte al galoppo. Anna si allontana adagio, come fosse ubbidiente e desiderosa di raggiungere un posto sicuro. Non appena tra lei e la caccia c'è un piccolo tratto di macchia spessa, orientandosi con le vette delle colline e col sole, parte in una corsa sfrenata. Il suo cavallo magro è davvero veloce e quando guadagna un sentiero la bestia non ha bisogno di incitamenti e fila sicura.

Allora Anna decide che non tornerà indietro, qualunque cosa succeda. Arrivata sul litorale che è ormai l'imbrunire, guarda l'isola tanto sognata davanti a sé, ma non vi scorge nessun castello e nessun segnale; l'unica cosa che vede con certezza assoluta è che l'isola è molto lontana. E paurosamente lontano è anche uno scoglio che affiora tra l'isola e la terraferma.

Anna scende dal suo bravo cavallo e gli dice:

«Vai, vai! Io non torno indietro. Va' dove ti pare».

Il cavallo, sfinito e pacifico, non se ne va via correndo, si mette calmo a pascolare lì accanto. Tanto, per Anna è come se fosse scappato o fosse diventato invisibile, perché ha deciso di non servirsene più. Non è una brezza quella che spira, è un vento rigido, eppure Anna non l'avverte nemmeno, quando senza criterio sfila l'abito, entra in acqua e si mette a nuotare.

«Nuoto benissimo» pensa, e ricorda, come da tempo non le era successo, quando suo padre la portava con sé a guazzare dentro i canali, «se da piccola stavo a galla nei fiumi, qui, adesso, è molto più semplice» si conforta sentendo che l'acqua del mare l'aiuta, «arriverò a quello scoglio».

Fissa lo scoglio lontano, oltre l'immensa distesa d'acqua che conterrà migliaia e migliaia di pesci, e dei pesci lei ha sempre avuto paura.

«Quello che proprio non devo pensare è cosa farò una volta arrivata allo scoglio. Possibile» si domanda quando incomincia a sentirsi stanca, «possibile che non sia riuscita a trovare un modo più facile per tornare ad Algeri che buttarmi in mare quando arriva la notte?»

9.

Rum Zade, durante tutto il tragitto e poi, una volta sbarcati, mentre perlustrano il litorale vagando da anime in pena, si convince che è una pazzia illudersi di trovare Anna di Braes tra quelle macchie e quelle montagne.

«È una cosa insensata» dice ad Hassan, «i cacciatori a quest'ora saranno tutti rientrati in città, ammesso che Anna di Braes fosse con loro. E per inseguirli non abbiamo cavalli, né tempo».

È probabile che l'indomani Carlo d'Asburgo riprenda il mare, e Rum Zade non ha più dubbi che dopo il raduno di tutte le flotte e le armate, previsto a Maiorca, l'imperatore ponga sul serio l'assedio ad Algeri. Ha speso troppo oro e troppi discorsi per tirarsi indietro, e gli piace troppo l'idea.

Quando Rum Zade crede d'aver convinto l'amico, che non ha mai pronunciato parola, un cavallo bardato con eleganza drizza la testa da dietro un cespuglio.

«Ahimè è fatta» borbotta Rum Zade, «adesso gli si getta in groppa e corre da solo in città».

Invece Hassan torna alla barca, la fa ripartire e continua a scrutare le acque, sempre più scure.

Vanno avanti e indietro a remare mentre la barca disegna serpenti con la sua scia finché resta un filo di luce, finché i rematori esausti si fermano per tirare fiato vicino allo scoglio a dorso di tartaruga.

È vietato restare in mare oltre il calare del sole e fra poco le tenebre saranno fitte, tuttavia i pescatori non manifestano alcun timore. Le vedette eccitate dal transito e dalla caccia non staranno a bucare la notte con gli occhi in quel piccolo stretto, non vedranno la barca che è senza lumi.

«Come faremo nel buio a rientrare» pensa Rum Zade che non è marinaio, «dove andremo a incagliarci?»

Ma i pescatori lo rassicurano che quando qualcuno rimane

in mare la notte gli amici accendono sulla loro isola piccoli fuochi per dare riferimenti.

In verità ci sono luci per ora solo sulla sponda sarda. Quei punti vivi mezzo miglio più in là sulla costa sono i torcioni della torre di guardia, e già basterebbero a indicare la direzione da prendere o almeno quella che si deve evitare, e fra poco daranno aiuto le stelle nella mappa del cielo.

«Torna indietro! Che fai?»

Rum Zade non riesce a fermare Hassan che si è all'improvviso tuffato in mare, e allora gli prende una grande disperazione, perché l'acqua per lui è un elemento nemico che lo rende impotente a qualsiasi azione; se ne sta zitto e immobile tenendo il fiato, ad ascoltare le bracciate del compagno che si allontana.

Nel terrore, la mente di Rum Zade galoppa e gli dice:

«È impossibile. È impossibile, non può accadere. La notte e il mare sono un infinito con infiniti e misteriosi percorsi».

Ma poi gli dice il contrario, gli dice che deve sperare. Tutti i percorsi nella nostra vita e tutti gli accadimenti sono bizzarri, nel bene, nel male, o semplicemente nel divenire. Nel caos, che a volte ci illudiamo sia un ordine da noi voluto, le cose succedono, si incastrano una con l'altra in maniera fortuita. Certo che conta quel che facciamo, ma in parte. Non capita che uno passi sotto una roccia mentre si stacca un sasso a punta che scende a fracassargli il cervello? Non capita che un fulmine su una montagna deserta colpisca proprio il solitario pastore, che un'onda anomala si abbatta sulla più bella nave, che un atleta inciampi su un ciottolo? Non è forse successo anche qui che la flotta imperiale ha mutato rotta e sta ferma in una rada dove mai avrebbe dovuto sostare? E se avvengono tanti fatti che sembrano assurdi, imprevisti e che sarebbe logico supporre impossibili, pur ammettendo che in genere quando miriadi di coincidenze improbabili vanno a convergere danno luogo ad eventi altrimenti chiamati disgrazie, succede pure, ogni tanto, che la ruota del caso giri in modo benevolo, se no come sarebbe saltato in testa agli uomini di fare della fortuna una dea? Ne avrebbero fatto soltanto un mostro maligno.

Ma se la mente di Rum Zade per darsi coraggio si sbriglia in un labirinto, le sue mani restano aggrappate al remo come due uncini.

Quando l'angoscia nel petto di Rum Zade è così intensa da farlo scoppiare, è invece la voce che gli scoppia in un grido.

«Dove siete?»

Perché Rum Zade dal suono e dal ritmo dei colpi che sente sull'acqua comprende che l'amico ritorna e che ha ritrovato Anna di Braes.

«La barca è qui, forza!»

I pescatori gli impongono di non urlare, di notte le voci vanno lontano.

Dall'isola viene finalmente il brillìo di un segnale, ma sulla terraferma c'è come una pioggia di lucciole, dilaganti dalla collina giù nella piana fin contro la linea del mare. Perciò, appena issato a bordo Hassan con il suo fardello, Rum Zade e gli altri si gettano sopra i remi con tutto il vigore, rinato d'incanto.

Devono essersi accorti, alla caccia, che è scomparsa la cugina dell'imperatore; la staranno cercando tra forre e macchioni. Lungo l'arco delle segnalazioni, dalla torre a mare a quelle sopra il crinale dei monti, la costa di terraferma è tutta un rimpallarsi di fuochi e di colpi. Sembra iniziata una caccia nuova.

Sulla barca sanno che il buio è la loro salvezza, unito al vento che piglia a soffiare e via via si tende ed esclude le ricerche sull'acqua.

Hassan non si accorge dei lumi, né dei colpi, né del vento che si è levato, né dello sfinimento delle proprie membra; steso accanto ad Anna, tenendola stretta, le bacia il volto e sente che sotto la pelle gelata c'è vita.

10.

Sul filo del vento che spira complice, prima che il mare si arricci oltre misura, la galeotta punta su Algeri, scavalcando al largo la flotta imperiale che dorme in rada sempre in attesa che la truppa risalga a bordo.

L'imperatore si è ritirato sulla sua galera ammiraglia e non riesce a dormire. Che fine avrà fatto la diletta cugina? E come potrà egli spiegare la sparizione di Anna di Braes al marchese Comares quando lo ritroverà a Maiorca, dove l'ha preceduto per stringere i tempi e curare il raduno di tutte le forze di mare e di terra da riversare su Algeri?

Nemmeno Osman Yaqub può dormire, per la felicità che scorre dentro di lui e gli dà il solletico dalla testa ai piedi. A bordo c'è un silenzio bellissimo. Tutti tacciono per la gioia e il rispetto. Si sente solo il gorgoglìo dell'acqua contro il fasciame.

Anna e Hassan hanno dormito allacciati e al risveglio la coscienza di essere uniti ha rinnovato la dolcezza e l'abbraccio.

«Sono sempre bagnata fradicia quando mi vieni a salvare» mormora lei, ricordando il salvataggio sotto il diluvio, sul rampicante, quando i ghepardi in fuga avevano fatto tanto sconquasso e il colpevole doveva essere esemplarmente punito, «merito anche stavolta la punizione del signore di Algeri?»

L'aga di Algeri non pronuncia condanna, le chiude le labbra con altri baci.

«Sarà un assedio terribile» dice Rum Zade ad Osman mentre inzuppano qualche galletta dentro una broda per fermare lo stomaco invaso dal mal di mare, «verranno contro di noi da Maiorca millecinquanta navi e trentamila soldati».

E Osman Yaqub con voce pacata risponde:

«Zitto. Facciamo finta di non sapere di flotte, di armate, di morte in arrivo, per ora, ti prego. Vorrei godermi la pianticella che è tanto rara della perfetta felicità».

XXVIII.

1.

«Non sono millecinquanta, sono molte di meno» dice Osman Yaqub a Rum Zade guardando la baia di Algeri dalla torretta d'osservazione in cima al palazzo, «non sapevi mai fare i conti nemmeno a scuola, ti sei sbagliato».

«Non saranno millecinquanta, ma riempiono il mare».

Eppure, dalla casbah la gente osserva senza terrore quella distesa di castelli di legno che si fa sempre più sotto ai bastioni a mare.

Sono stati giorni di lavoro incessante. La città è pronta, chiusa come un immenso guscio di noce, zeppa di scorte per ogni evenienza.

Per aumentare al massimo le riserve di legna si sono tagliati gli alberi di tutti i giardini che erano il vanto degli abitanti di Algeri da quando Hassan li aveva fatti sistemare con arte.

«L'anno prossimo i ceppi rigetteranno» aveva detto l'aga alla sua gente. «Se gli imperiali dovessero penetrare dentro le mura sarebbe la fine di tutto, non solo degli alberi dei nostri giardini».

Nessuna delle famiglie o dei gruppi ha tentato di andarsene quando si sono profilate all'orizzonte le prime navi. Ciascuno vuole salvare se stesso ma anche la propria città.

«È strano» riferisce commosso in Consiglio Amed Fuzuli, «in questi giorni il pericolo attira, sono accorsi per portare aiuto berberi, arabi nomadi, mori delle nuove terre vicino al deserto».

Sembra che si ripeta quello che si è vissuto anni addietro, quando ci si aspettava che gli imperiali, presa Tunisi, si buttassero a distruggere Algeri. Ogni normale incombenza è sospesa, prepararsi a resistere è il comune impegno.

Dovrebbe esserci una paura più grande stavolta, perché l'invasore è tanto vicino che si possono vedere le fogge degli abiti, lo splendore dei legni istoriati, le facce truci o eteree delle polene sopra le prue, si sentono i botti che fanno le àncore quando scendono su un fondo roccioso. Invece più forte della paura è la curiosità.

Così bene si sentono i botti e si seguono nei particolari gli avvenimenti giù in rada, che quando getta l'àncora la galera imperiale, con una manovra malaccorta al punto che tutta la nave ha uno scossone e la bella polena casca nell'acqua, dalla casbah e da sopra i bastioni, dalle torri, dalle case più alte, dai minareti, persino dai campanili delle cappelle cristiane, sale una risata all'unisono che sembra lo scoppio di un'arma nuova.

E quando l'onda del riso si placa si drizzano ovunque stendardi come se fosse una festa, come se sulla città bianca si fosse posata una nuvola di fiamme ardenti con molte lune.

Lo spettacolo è tanto imponente che gli imperiali cessano le manovre e guardano ammaliati e impauriti la città che li attende con buon umore, una città che misteriosamente ora si va allargando sulle colline in un muro bianco che spunta, scompare e ricompare, vibrando come un serpente minaccioso, smisurato e sfuggente.

«Hassan! Sono giunti gli arabi delle valli!» Osman Yaqub corre ad avvertire il suo signore. «Guarda! Con i loro mantelli di lana candida fanno un baluardo bellissimo che sembra una visione miracolosa».

Naturalmente Hassan aga era d'accordo con loro e puntava su quell'effetto per sbalordire.

2.

I capitani imperiali hanno il loro da fare a tirar su lo spirito dei combattenti, già basso per i disagi della traversata. Ma l'argomento che portano è inoppugnabile, destinato al successo e a ridare fiducia.

«La gente di Algeri ha inscenato una bella parata» dicono, «ma la forza dei numeri ha già deciso il crollo di questa città. Non c'è proporzione. Gli assedianti sono una marea incontenibile, gli assediati non sono che un pugno di uomini e donne, senza nessuna speranza di aiuti».

Kair ad din Barbarossa quand'anche avesse notizia di quel che succede alla sua Algeri non farebbe in tempo a giungere con una flotta e un'armata da contrapporre alle forze imperiali e sapendo questo non tenterà neppure.

Del resto, il porto trovato deserto, tranne una decina di vecchissimi legni, dimostra che c'è aria di resa.

«Anziché armarsi hanno imbiancato le mura e cucito bandiere!» dicono gli imperiali con scherno.

Il vecchio Comares, fiero di sentirsi senza emozioni nonostante sia prossimo l'avverarsi del suo sogno, fa notare che uno stupido orgoglio potrebbe aver spinto gli algerini a distruggere intenzionalmente le loro piccole navi per non lasciarle cadere in mano nemica, come aveva fatto il Barbarossa a Tunisi.

«Cosa cambia?» gli chiedono i suoi compagni. «Non hanno flotta, è questo che conta».

In realtà gli algerini non hanno distrutto le galeotte, le hanno solo nascoste perché, dato il numero e l'armamento degli attaccanti, sarebbe stato impossibile resistere dentro la rada e sarebbe stato sciocco farsi colare a picco una bella flotta senza provare a salvarla. Ma gli imperiali, non vedendo segni di resistenza sul mare, tirano ampi respiri.

«E da terra» dicono, «qualcuno ha udito sparare i cannoni da quel fortilizio? Qualcuno ha incontrato intoppi per l'entrata in rada? Vedete» spiegano gli ufficiali con aria sicura alla truppa che nutre sospetti, «sarà un assedio di nessuna fatica. Sono in pochi, non hanno navi, non hanno armi o se le hanno non le vogliono usare».

I comandanti, però, hanno compreso che la mancanza dei tiri verso le navi è la dimostrazione di un'accorta tattica da parte degli algerini: sparare per primi sarebbe stato un suicidio e nient'altro.

«Com'è piccola» pensano alcuni guardando da sopra le tolde delle loro immense navi la città rannicchiata dentro il suo porto e si domandano se valeva la pena di arrivare in tanti fin lì, paragonandola con l'arco della flotta in agguato che sembra la bocca dentata di un pescecane enorme sul punto di mordere, «a Istanbul ci sarebbe stato bottino per tutti» si dicono preoccupati, «ma qui dovremo accontentarci di poco e stare attenti a non litigare tra noi».

Prevale tuttavia l'opinione che questa campagna di Algeri sarà almeno un'operazione breve.

«Sarà un nuovo modo dell'imperatore di fare la guerra: tutti presenti, poi tutti a casa».

In tal senso si interpretano ora le appassionate parole pronunciate dall'imperatore alla partenza, quando ha promesso una bella e semplice passeggiata trionfale.

E poi, qualche ulteriore vantaggio salterà fuori dalla vittoria. Può succedere che tolta Algeri di mezzo si possano prendere altre città della costa, che non sono briciole da disprezzare.

A furia di spiegazioni e di chiacchiere, di promesse di soprassoldo e di minacce di punizioni, i comandanti imperiali sono riusciti a far quasi scordare alle truppe lo sconcerto per le risate che le hanno accolte al posto dei tiri di cannone quando, verso il tramonto, si ha l'impressione nettissima che sulle mura di Algeri ci siano torme di ragazzini a giocare, come se fosse una qualsiasi tranquilla giornata senza pericoli in vista e senza problemi di guerra: fischiano agli orecchi degli attaccanti, fastidiose come saette, le loro grida di divertimento, mischiate ai richiami, alle voci rissose e agli insulti che sempre accompagnano il gioco.

Questo comportamento, bizzarro per una città presa d'assedio, turba assai soldati e ufficiali.

Alla riunione dei comandanti di navi e dei capi dei dipartimenti d'armata tutti mormorano che un vero e proprio assedio non ci sarà.

«La calma è troppa. C'è sotto qualche mistero. Forse hanno fatto un patto segreto con l'imperatore».

E quando, a tramonto avvenuto, dalla città di Algeri provengono squilli di tromba che suonano da tutte le parti, sopra le navi nessuno dubita che si stia giocando una farsa; presto verranno aperte le porte o consegnate le chiavi.

In altri termini, si dice che Algeri stia cambiando bandiera e passi senza colpo ferire dalla parte imperiale.

«Ma allora è un imbroglio!» dicono i più sanguinari e facinorosi che si sentono defraudati del guadagno del sacco. «Se entrano nella nuova alleanza, dovranno pagare».

Immediatamente si formano nelle file degli imperiali due partiti e i sussulti della discussione gareggiano con quelli del mare.

Ci sono coloro che vogliono in ogni caso l'assedio e il sacco e coloro che sono contenti di non rischiare purché riscuotano il soldo e magari qualcosa di più, visto che l'imperatore, se così va la faccenda, risparmia sulle spese di guerra.

La convinzione che sarà un assedio da burla nell'insieme risulta vincente e fa sopportare un po' meglio la scarsezza della razione di cibo, poiché ufficialmente l'assedio è iniziato e bisogna moderare i consumi come la regola esige.

«Oggi ci tocca penare un po'» dicono, «ma domani è fatta».

Al buio, però, entrano in gioco le donne di Algeri e tutta la notte non fanno che urlare con voci acute, dalle mura, dalle terrazze e dai tetti. E dopo le urla attaccano con nenie e canzoni. Un breve silenzio e via di nuovo: lamenti, preghiere, cori. Quando torna il silenzio, le truppe e le ciurme malamente stipate sui legni cercano di prendere sonno, nonostante il caldo rabbioso, ma appena qualcuno c'è riuscito le donne ripigliano, finché viene l'alba e gli imperiali si alzano furibondi e stanchissimi.

3.

L'alba ritrova Anna e Hassan allacciati nel sonno. Anna è la prima a svegliarsi e sta immobile, felice che la memoria, dopo il breve riposo, le riporti la gioia dei gesti d'amore.

Le voci delle donne che impedivano il sonno agli assalitori giungevano dentro la stanza attutite dalle molte pareti e cortine e sembravano l'eco di una festa sacra.

La notte è trascorsa dolcissima, benché sul volto di Hassan lei potesse leggere la preoccupazione per la città.

Nei pochi giorni della nuova vita in comune Anna non ha imparato a leggere tutto in quel volto e non crede le sarà mai possibile indovinare ogni moto né lo vorrebbe, perché si ha diritto al proprio mistero, ma ha imparato a leggervi senza incertezze che Hassan l'ama.

Se fosse stata altrettanto sicura del suo amore quando il banchiere aveva portato il riscatto, anni prima, si sarebbe nascosta in un qualsiasi buco per non partire da Algeri, e se l'avessero presa a forza e trascinata via come un sacco, avrebbe trovato in seguito, a Roma, infinite occasioni per tornare indietro. Ma non era sicura e si era chiesta ogni volta che mai avrebbe fatto quando avesse scoperto di dargli proprio fastidio, di essere un peso o peggio, di farlo soffrire.

Adesso tra loro non ci sono più dubbi, paure di sentimenti non detti, pudori o fantasmi di cose vietate.

Che sarebbe stato un amore diverso Anna l'aveva sempre saputo. Ma quella diversità che era imposta non le aveva mai fatto da remora. E poi, ogni amore è diverso. E ogni appartenenza non è più completa se segue itinerari previsti e usuali. Anna ricorda con commozione la scoperta di entrambi che i loro corpi avevano modi infiniti di donarsi amore.

Non c'è imbarazzo tra loro né alcun rimpianto, ma il piacere di darsi reciprocamente gioia in un continuo tenero gioco, mai sazio e mai angoscioso, perennemente inventato.

La loro profonda felicità è quasi un rimorso perché nei loro cuori convive l'ansia per quest'assedio, che sembra senza speranza.

Quando Hassan apre gli occhi, l'abbraccia e corre in Consiglio, sugli spalti, in giro per la città e di nuovo a palazzo sulla torretta dell'osservatorio dove i compagni si sono alternati per tener d'occhio i venti ed il cielo.

«Il caldo aumenta» dice Amed Fuzuli.

«Bene, speriamo che l'afa sia sempre peggio».

«Osman, sei allegro?» chiede Anna al suo vecchio amico che canticchia mentre taglia a pezzetti un mandorlato di fichi nella stanzetta delle misture.

«I miei ragazzi tornano tutti a casa, si capisce che sono allegro. Guarda un po' questo legno scolpito che è piombato durante la notte sopra le mura...»

«Sono le facce buffe che intaglia Pinar! Dov'è?»

«Sarà a bordo di qualche nave. Gli sto preparando un dolcetto. Abbi pazienza e verrà».

4.

Chi viene intanto, dopo uno scambio di complicati messaggi, è un inviato imperiale, camuffato da turco.

L'udienza è stata richiesta in forma strettamente segreta e privata e in questi termini è stata accordata da Hassan, il che non toglie che sia presente, per le esigenze di un'accoglienza decente che prevede bevande, pezzette umide e almeno un flabello con il gran calore che infuria, un vecchio servo con gli occhi socchiusi.

Il dormiveglia di Osman Yaqub cessa di colpo appena intende su quali temi verte il discorso e che tono arrogante e insieme mellifluo ha l'inviato.

«Brutto insolente d'un turco finto» pensa Osman mentre di malavoglia agita il suo flabello ufficiale, «come ti viene in testa di proporre indegnità simili al mio figlio e signore?»

Ma quando ha finito la sua interiore sfuriata, Osman sente con raccapriccio che Hassan dà corda all'inviato segreto dell'imperatore, lo lascia parlare di aumento della contropartita, di salvacondotti, di titoli e incarichi in seno all'impero: peggio, gli fa sperare nella consegna delle chiavi della città, perché alla proposta esplicita che quello gli fa per conto dell'imperatore invece di cacciarlo a calci risponde che una resa fulminea non sarebbe opportuna.

Osman sbarra gli occhi per fissare meglio il suo aga, l'ascolta esterrefatto, gli si strozza il respiro e gli si blocca la mano che dovrebbe dondolare il flabello.

«Vuoi vedere che me l'hanno drogato? Gli avranno fatto inghiottire filtri proprio sotto il mio naso e io non conosco l'antidoto dei veleni che spingono al tradimento».

Hassan aga con voce ferma, autorevole, precisa che sarebbe un rischio aprire le porte con tanta fretta. Carlo d'Asburgo desidera quella perla che è Algeri e non un cumulo di rovine inservibili.

«I comandanti imperiali promettono di mantenerla indenne da saccheggi e da distruzioni».

«Forse non conoscete lo spirito di vendetta di Kair ad din, né la potenza militare del Gransultano. Di fronte a una resa sospetta, vi sarebbero ritorsioni immediate degli ottomani».

No, niente fretta. È interesse anche degli imperiali che il cedimento di Algeri abbia una parvenza di necessità.

«Spiegate tutte le vostre forze. Sbarcate».

In ossequio a patti di stretta alleanza ci sono ottocento giannizzeri turchi di stanza ad Algeri. Pochi per aiutare a difenderla, tantissimi perché qualcuno di loro corra a Istanbul a riferire. Guai se raccontassero che la città si è venduta al primo invito, ma se dicessero al magnifico Gransultano che qui hanno veduto un piazzamento d'assedio come mai ce n'è stati nel mondo, scoraggerebbero future campagne dirette a riportare Algeri nell'orbita degli ottomani.

E poi c'è l'altro rischio, del mare. Il mare di fuori è infido e le sue onde autunnali daranno disturbo all'armata. Sarebbe meglio far entrare tutta la flotta, stipandola in file serrate dentro la rada. Il che faciliterebbe lo sbarco.

«Entrate in porto compatti e scendete a sgranchirvi le gambe sul litorale».

«Cosa mi tocca sentire» pensa Osman, «parla già da loro alleato». E vorrebbe che nelle orecchie gli spuntassero cespi di ortiche per non udire quelle parole che gli fanno male.

«Dunque» chiede l'inviato dell'imperatore, «lo sbarco sarebbe per voi condizione alla resa?»

Hassan sottolinea che la sua prudenza farà piacere a Carlo d'Asburgo, perché dimostra che fa sul serio.

«Sbarcate tutto, con calma».

«Anche i mezzi da guerra?»

«Tutto. Soldati, cavalli, cannoni, polveri».

«Ma, perché tanta fatica se non ci dev'essere assedio?»

Hassan, sempre con un distaccato sorriso, spiega che sarà più facile indurre alla resa i cittadini, anche quelli esigenti o riottosi, con un armamentario sott'occhi che metta paura. E d'altra parte, avvenuto lo scambio delle credenziali e siglati i patti della nuova alleanza, egli potrà più celermente mandare viveri e acqua fresca alle truppe imperiali divenute amiche se avrà il consenso degli abitanti.

«Nella nostra città, che è pacifica e pensa alla vita e non alla guerra, non abbiamo tanti soldati da competere con il vostro esercito, ma abbiamo cibo in abbondanza. Non vi terremo sulla spiaggia a morire di fame se diverrete dei nostri, ditelo a tutti. Per me, potreste lasciare le vettovaglie sopra le navi. Lasciate a bordo anche le tende, non c'è bisogno che mettiate il campo. Peccato, sarebbe stato bello a vedersi da qua. Mi contenterò d'ammirare la vostra forza, l'esercito con tutti i cannoni e la cavalleria in assetto di guerra, che fa un bel colpo d'occhio. Le corazze manderanno bagliori con questo sole. Voi le avete bellissime».

L'inviato imperiale è tentato di credere che questo sovrano che parla come un istrione vanesio non abbia cervello; si diverte a vedersi sfilare davanti uomini armati e cavalli bardati da guerra, senza pensare per nulla alle sorti della sua città.

«Piazzatemi polveri e munizioni in bella vista, mi raccomando».

«Ponete la condizione che sbarchiamo anche le polveri?»

«E allora? Potreste farci qualcosa con le armi da sparo senza le polveri? Volete che ci mettiamo paura di roba che non funziona, di armi che non sparerebbero un colpo?»

«È pazzo» conclude tra sé l'inviato imperiale, «l'unico salvacondotto che dovremmo dargli è quello per farlo rinchiudere come matto pericoloso».

Tuttavia, la figura è imponente, con quegli abiti di estrema eleganza e tutti quegli ori e gioielli cuciti sopra la stoffa, appesi al collo, ai polsi, tenuti in mano come balocchi, e quello zaffiro incredibile sopra il turbante.

«Ha voluto stupirmi» pensa l'inviato spagnolo, «si atteggia come se fosse un idolo in un santuario, ma serve altro che un'apparenza regale per difendere il proprio paese».

Chissà perché, mentre vorrebbe provare solo disprezzo, l'inviato sente che gli sta crescendo la rabbia, perché non sa capire se dietro quella bellezza superba, in fondo a quegli occhi ci sia pura vanità idiota o si celi un trucco.

Ma che trucco può esserci? È escluso che Hassan aga possa aspettarsi un aiuto qualsiasi. Suo padre Kair ad din è troppo lontano. Il suo amico re di Francia è lontano anche lui e mai sarebbe disposto a sacrificare eserciti o navi per mandarli quaggiù. E gli amici che può avere intorno sono tribù senz'armi e senza nessuna capacità di dar battaglia a un esercito vero. I pirati che dominano le altre città costiere non l'hanno per nulla in simpatia, a quel che si dice; temono le stranezze che va seminando negli animi dei cittadini e l'assurda maniera di governare. No. Se vuole aiuto, gli resta solo da chiederlo al cielo.

Questo, in effetti, è quanto l'aga di Algeri annuncia di voler fare.

«Riferite all'imperatore che se non fosse d'accordo su quanto richiedo, io confido comunque nei cittadini di Algeri e nel cielo».

L'udienza è finita, Hassan aga deve tornare in terrazza poiché guardare il cielo è ben più importante che badare agli imperiali sul mare.

L'inviato spagnolo è sempre più sconcertato, ma si accorge che anche quel vecchio servo, esile come uno stelo di girasole, guarda smarrito il suo re.

Hassan aga si dice lieto del colloquio, spera che lui e l'inviato imperiale non siano costretti a sbudellarsi reciprocamente sul campo e che in futuro possano essere amici. Per dare prova sin d'ora del suo sentimento d'amicizia e lealtà si permette di fargli un appunto: se intendeva passare in incognito per le strade d'Algeri senza dare nell'occhio, ha sbagliato a travestirsi da turco. I turchi non sono algerini, a meno che scelgano individualmente di diventarlo. Questo è possibile anche per l'inviato dell'imperatore. Algeri è sempre disposta ad accogliere cittadini nuovi.

«Pensateci».

Così dicendo l'aga di Algeri si alza ed esce dalla porta che è dietro di lui, lasciando l'inviato straniero e il vecchio servo a fissarsi negli occhi, senza espressione, come statue di sale.

5.

Tornato al campo, l'inviato riferisce con pignoleria punto per punto l'incontro, e aggiunge un'osservazione che lascia di stucco l'imperatore.

L'inviato sostiene di ricordare una faccia per anni e, comunque, uno non può sbagliare quando si tratta di un volto insolito, con due occhi di ghiaccio, che ogni tanto, però, sembra ridano dentro, e vien da pensare che ti prendano in giro.

«Venite al sodo».

«Quell'uomo io l'avevo già visto, maestà. Era il mercante che a Roma vi ha presentato l'ambasciatore francese Jean Pierre de la Plume. E questa è una prova che il re di Francia tresca con gli infedeli, se cerca di metterli come trabocchetti sul nostro cammino persino in casa del Papa!»

Smaltita la sorpresa, l'imperatore, che è un grande monarca e come tale non si comporta come la gente comune, non ha scatti d'ira, anzi sorride.

Dunque non si era sbagliato, quel giovane non era uno qualunque. Lo ricorda benissimo. Aveva stoffa, valeva la pena d'indurlo a passare dalla parte degli imperiali. Quello che allora non c'era stato il tempo di fare, perché la confusione seguita all'incidente del marchese Comares trasformato in favo aveva bruscamente interrotto il colloquio con il mercante banchiere, si farà ora con maggior profitto, visto che nel frattempo costui è diventato padrone di una città bella e importante, che è sempre stata una preda ambìta. Inoltre, è ragionevole ciò che manda a dire questo Hassan aga. I comandanti delle navi all'esterno chiedono con impazienza di essere tolti da quella sosta senza riparo, col vento che nonostante il caldo da estate comincia a spirare con autunnale minaccia, polveroso e soffocante come se portasse il deserto con sé.

Quanto allo sbarco, non sarà inutile. Darà soddisfazione agli alleati, che potranno mettersi in mostra, e sollievo alle ciurme impacciate dalla calca che c'è sulle navi; toglierà i soldati dalle insidie del mal di mare e dell'ozio; persino i cavalli ne avranno vantaggio, scioglieranno le zampe e torneranno tranquilli, con la terra sotto gli zoccoli anziché gli assiti dei legni ed il mare.

Prima che scenda la notte almeno metà dell'armata dev'essere sul litorale. Ogni contingente segua la stessa trafila, avanti gli uomini con le armi leggere, poi i cavalli, ultimi i cannoni, le polveri e l'armamentario completo. Si sbarchi in fretta. Ma non ci si fidi alla cieca d'un pirata, rais o comandante che sia: le navi tengano i cannoni puntati. Se anche tutto va liscio a sera spareranno qualche buon colpo: che quelli sappiano che si sta all'erta. E all'alba spareranno più duro e si farà da terra un attacco pilota, alle porte, per saggiare le vere intenzioni di questo Hassan aga. Se la sua risposta sarà una semplice scaramuccia per dar fumo negli occhi, si andrà a fondo con la trattativa, altrimenti, se si vedrà che è un buffone o non ha voce sui sudditi o, peggio, che ha teso una trappola, l'assedio procederà com'è normale che vada.

Per tutto il tempo che si dovrà attendere l'evolversi degli avvenimenti, a scanso di brutte sorprese, gli uomini resteranno in assetto di guerra, durante la veglia e durante il sonno.

Di quest'ultima decisione è particolarmente lieto Comares che cerca di stare sempre al fianco dell'imperatore, pronto a dargli, se occorre, quel tanto di carica perché l'impresa vada a buon fine.

Sovente le intemperanze del suo intestino costringono purtroppo il marchese a tenersi lontano, sicché stavolta, ad esempio, è giunto in ritardo e non sa nulla della scoperta dell'inviato speciale, relativa al mercante amico del fu ambasciatore francese Jean Pierre de la Plume. Del resto egli a Roma non l'aveva veduto e nemmeno aveva sentito parlare di lui. E ora nessuno si prende la briga di raccontargli la storia, come nessuno gli ha mai raccontato della scomparsa di sua nipote. Nell'armata le sue esplosioni di umore, che all'inizio hanno portato qualche po' d'allegria, in genere danno disagio; si sopportano, nel dubbio che l'ira dei folli sia un piccolo anticipo dell'ira divina cui nessuno potrà sfuggire, tuttavia non si provocano, come nessuno vorrebbe mai provocare l'ira di Dio.

Comares quindi, ignaro di tali irritanti particolari, correrebbe a cantare il Te Deum quando misura con gli occhi l'enorme tenaglia che le navi formano intorno al grumo biancastro della città, quando vede sbarcare la metà dell'armata, quando ha le orecchie che scoppiano per il rombo delle voci degli assedianti e i nitriti dei loro cavalli, per i laceranti rumori dell'accatastamento di legni e ferraglie dell'apparato di guerra: la stanchezza continua che lo devasta da anni gli si scioglie in brividi di soddisfazione, lasciandolo saldo sui piedi come non era da tempo immemorabile, tanto che si fa calare sul mezzo da sbarco senza l'aiuto del cesto e giunto a terra si getta nel fitto del polverone con bramosia, e ogni armato che si stagli appena al di sopra della marmaglia gli ricorda gli angeli vendicatori e gli riconferma il favore del cielo.

6.

Invece ad Osman Yaqub ogni armato che mette piede sul litorale dà il senso dell'impotenza della propria vecchiaia e la tentazione di non fidarsi della provvidenza divina. Perché non ha urlato quando, finito il colloquio con l'inviato imperiale, Hassan gli ha rivolto un cenno di complice intesa? Perché non è andato di corsa in giro per la città ad avvisare del tradimento? Perché, almeno, non si è buttato di sotto, davanti al protocancello dove la gente va per sapere cosa succede, in modo che tutti vedessero che Osman Yaqub si puniva per aver allevato un sovrano disposto a gettarli nella rovina?

Rintanato sotto le spine di un azzeruolo, Osman vorrebbe morire per la vergogna e il dolore, ma la morte non viene.

Dio gli è testimone che non ha mai amato la guerra, anzi l'ha sempre odiata e temuta, ma un re non deve e non può lasciare al nemico la propria gente e la propria città: una città che era diventata una scommessa e uno scandalo tanto era nuova ed ardita. Non si era mai visto un miscuglio altrettanto armonioso di genti, di lingue, di usanze, di fedi, fresco come un germoglio, frizzante come un rosolio in attesa di stagionatura, ma anche debole come ogni creatura sul nascere. Ad Osman Yaqub, camminando per via e vedendola crescere, impudentemente veniva da paragonarla ai suoi pasticci d'erbe, petali e radici raschiate, così paragonava il lavoro, le fatiche di Hassan al suo fare, disfare e riprovare da capo nell'officina aromatica dove di intruglio in intruglio, da anni, va alla ricerca dell'essenza perfetta.

«Forse anche il mio Hassan» pensava, «cerca cosa di cui non c'è esperienza, che sembra impossibile perché tende alla perfezione, al miracolo, al sogno».

«Oh, mio Dio» pensa ora e si sente dentro un gran fuoco, «e se anche adesso volesse ottenere un miracolo?»

Altro che onori di poco conto, ricchezze, titoli e salvacondotti imperiali, nella mente il suo Hassan deve avere un progetto che Osman con la sua mente torpida e vecchia non ha indovinato.

Pian piano, pungendosi le spalle e la schiena e sentendosi sciocco senza rimedio, Osman esce fuori carponi dal suo nascondiglio, per correre a confessare ad Hassan la sua mancanza di fede.

Tuona il cannone. Che avrà in mente di fare il suo Hassan? Che potrà fare con quella bolgia scatenata di sotto, pronta a riversarsi in città?

Il cannone tuona di nuovo. Tutti stanno in silenzio ai proprî posti di guardia o difesa.

Le cannonate non hanno fatto gran danno, ma la paura è entrata in città insieme alle ombre dell'imbrunire. Osman, come sempre, la paura l'annusa nell'aria.

C'è un tale, mezzo accattone e mezzo indovino, che trova uno stratagemma per far tornare tutti tranquilli, o almeno così sembra ad Osman.

«Di che temete» va dicendo costui, «non ricordate la profezia di Melem, che è sicura com'è sicuro che noi siamo qui? Nulla potrà succedere fino a quando non si vedrà un esercito color di fiamma sotto le mura di Algeri. Andate! Rammentate a tutti la profezia di Melem» e chi sia questo Melem non lo sa nessuno, «portate la calma nei cuori. Solo un esercito vestito di rosso riuscirà a impadronirsi di questa città. Allora sarà la fine decisa dal cielo: ma chissà quando. Stiamo sereni, finché non arriva questa sciagura».

L'indovino accattone non tarda a trovare torme di messaggeri per diffondere la sua profezia, poiché la gente, che titubante s'affaccia, vede indosso agli imperiali vesti di tutti i colori, con prevalenza di toni bigi e terrosi, e si ritrae rinfrancata dai parapetti e dalle feritoie per dare agli altri la buona notizia che gli attaccanti non hanno l'abito dei vincitori.

L'aria piena di polvere pare più tollerabile ora che porta con sé una nuova speranza, o meglio una certezza, perché nella paura ogni cosa che dia conforto sembra una roccia e ci si appiglia in fretta prima che abbia a crollare.

Ma come passa di casa in casa ed entra negli animi insieme al respiro, così, questa profezia che tutti giurano antica e infallibile vola su, di livello in livello, a palazzo, e arriva all'osservatorio di Hassan, che s'infuria e dà un ordine secco: si uccida senza pietà chi è colto a diffondere una simile superstizione nefasta.

Osman, pur avendo appena giurato a se stesso di prestar fede in tutto e per tutto al suo signore e pupillo, sarebbe tentato di disapprovarlo di nuovo, perché non capisce che male faccia un po' di speranza ai paurosi, ma sente Rum Zade spiegare agli uomini incaricati del compito che domani all'alba saranno i cavalieri di Malta a sferrare l'assalto alle porte, e i cavalieri di Malta indossano casacche color del fuoco, con sopra una croce bianca che dall'alto non si vedrà: sarà il rosso a colpire gli occhi. Sarebbe la fine se non si bloccasse in tempo la fede superstiziosa nella profezia.

7.

Le navi sono tutte pigiate dentro la rada. Lo sbarco riprenderà domattina, ma come dimostrazione di forza già così potrebbe bastare. L'arenile è diventato una macchia scura. La città sembra scalzata dalle fondamenta da quella lebbra che divora la terra all'intorno. Dalle mura e dai tetti il litorale e il primo entroterra paiono un verminaio in fermento, tanto brulicano di soldati e cavalli. Le prime fiaccole accese sono come bubboni che scoppiano.

L'aria calda è già fetida. All'orizzonte c'è qualche nuvola nera, confusa nel nero della notte che avanza. Il chiasso dell'armata che ha preso posto sulla terraferma e di quella ancor più irrequieta che è rimasta sopra le navi copre il brontolìo di tuoni molto lontani.

Ma i cavalieri arabi del secondo arco di colline a ponente quei tuoni li hanno uditi con molta chiarezza e ne danno segnalazione com'è convenuto.

«Bene, bene» commenta Hassan nel suo osservatorio, tornato al semplice abbigliamento usuale, libero da rasi, ori, turbanti, «bene».

«Gli imperiali stanno sbarcando tutto, escluse le tende e i ripari notturni per gli animali».

«Non si sono fidati della promessa di vettovaglie e ne hanno ammassato grosse riserve nelle retrovie».

«Le munizioni sono sparse in modesti cumuli, perché ogni gruppo di armati possa accedervi con comodità. Finora non le hanno coperte».

«Bene».
«L'ordine è che tutti restino all'erta, armi alla mano».
«I loro cavalli sono irritati, hanno sofferto nel viaggio e non sopportano l'afa».
«Le nostre donne sono pronte ad uscire».
«Le frecce dei mauri e cabili sono state intinte nelle miscele preparate da Amin».
«Sono pronti i sacchetti di semi e palline di stagno».
«Bene».
«I colpi delle navi non hanno fatto brecce né danni seri. Adesso i tiri sono cessati e finché resta il buio stiamo tranquilli».
«I cannoni sbarcati sono ben più potenti. Non sono montati ma anche i singoli pezzi peseranno come montagne».
«Bene».
«Anche i cavalli sono pesanti, con certi quarti da mostrare alla fiera delle meraviglie, grevi di ossa e di polpe».
«Bene. Al lavoro».
Hassan riceve altri luogotenenti, ascolta nuovi messaggi, dà ordini, rivede i dettagli dei piani, poi cede ad Amed Fuzuli l'osservatorio e va in città a rincuorare la gente, a ripetere quel che si deve fare e perché.
Nessun paese si è mai difeso così. Ci vuole uno sforzo grande per avere fiducia.

8.

«Si fa cattiva guardia in questa città» sente dire Osman Yaqub nel dormiveglia da una voce giovane mentre una piuma gli vellica il naso, «vedi un po' dov'è riuscito a salire uno che stava sopra la nave più ricca di tutta l'armata imperiale!»
Quando apre gli occhi, Osman si trova davanti una gran barba che dondola, lussureggiante come una selva, ed egli alla scarsa luce del torcetto del sottoscala non potrebbe mai riconoscere la faccia che spunta da quella barba, se la voce canzonatoria di prima non gli avesse rivelato ancora nel sonno che questi è Pinar, partito fanciullo per Roma e ormai fatto uomo. Anche la voce non è quella di allora, ma Osman è sicuro di non sbagliare.

«Fatti vedere, Pinar» dice Osman girandogli il volto alla luce, «ti ho aspettato per tanti anni e adesso che sei venuto non ti riconosco. Avevo preparato una corda forte e sottile per farti salire da sotto le mura, guarda, la tengo in saccoccia. Ah, no, questo è il dolce che ho fatto per te. Aspetta, prima fatti abbracciare!» e appena se l'è abbracciato ben stretto, se lo riguarda di nuovo. «Ma che bel giovane è saltato fuori da quello sgorbio che eri» gli dice con molto affetto, «che ne hai fatto del mento storto che avevi?»

«L'ho nascosto sotto la barba, e le ragazze di mezzo mondo hanno perso la testa per me».

«Da dove vieni?»

«Sono stato dall'altra parte del mare oceano, che sembra infinito e invece molto lontano è chiuso da altre sponde. Ti ho portato in regalo queste piume bellissime per farti vento e quest'altra cosa che ti piacerà. Attento, non farla cadere!»

Mentre Pinar mette nelle mani del vecchio piume, pietruzze sfavillanti e scaglie d'oro, lui si schermisce.

«Delle pietre buone e dell'oro per me?»

«Sì, voglio farti un collare. Adesso non posso, domani. E tu perché non vai nel tuo letto? Che ci fai nel sottoscala dell'osservatorio?»

«Eh, figlio mio, questa è una notte speciale! Ma Osman Yaqub non è più utile a nulla. Io provo a correre di qua e di là: le gambe scricchiolano e le mani combinano poco di buono. Sto qui vicino al mio Hassan che è su a guardare il cielo».

«Hassan è alle mura».

«Quando è sceso dalla torretta, il mio signore? Gli devo parlare».

«Gli parli domani. Adesso va nel tuo letto».

«Prenditi il mandorlato di fichi!» strilla Osman a Pinar, andandogli appresso.

«Ah, sì. Me lo porto in battaglia».

«Oh, mio Signore» dice Osman rivolgendosi al Signore Iddio che sta nei cieli, «finalmente ho capito quello che ha in mente il mio Hassan, ma se tu potessi dargli una mano, non ci sarebbe bisogno di nessuna battaglia. Non essere sordo e non restare sempre tanto lontano».

9.

La notte è scesa completamente, ma quella luna sottile, quando l'occhio s'abitua, riesce a far distinguere la ragnatela che le navi disegnano in cielo con i loro castelli e pinnacoli, gli alberi, i legni trasversi, le vele ammainate, gli stendardi issati.

«La nave di Cortez è là in mezzo» dice Pinar ad Anna che, felice di aver ritrovato il suo fraterno amico, lo tiene per mano, «vorrei che tu la vedessi, è piena d'oro e di meraviglie. Cortez tornava in Spagna, capisci? Ha incontrato quegli altri che venivano qui, ha virato di bordo e m'ha riportato a casa. Ne ho veduti di mondi strani! Ti parlerò di quelle terre nuove per cento giorni interi!»

«Intanto dovrai parlare con me» dice Hassan, uscendo dal posto di guardia dove i capiposto gli hanno fatto rapporto. «Spero che tu abbia notizie dell'armata imperiale».

«Io so tutto quello che sa il comandante in capo Ferrante Gonzaga e forse molto di più».

Sei rimasto lo stesso bugiardo» dice Hassan portandolo via sottobraccio, «sai almeno dove attaccheranno i cavalieri di Malta?»

Anna li guarda sparire nel buio, poi li rincorre, chiamando Hassan.

«Che succede, amor mio?»

«Niente. Ho paura. Vorrei restare con te».

«Non è possibile» le dice Hassan con voce serena abbracciandola.

«Lo so» risponde Anna e gli bacia gli occhi, le labbra, le mani, «ho anch'io tante cose da fare. A domani. Saremo vivi?»

«Sapevo che ci sarebbero stati momenti duri, e ti ho condotto qui. Mi perdoni?»

«Che sfacciato» gli risponde Anna già rinfrancata, «come se fossi stato tu a portarmi via dalla caccia al cinghiale! Passavi le ore tranquillo a pescare patelle. Pinar» dice all'amico, «ho anch'io un'avventura da raccontarti, prima che te la raccontino in modo sbagliato».

«Rum Zade mi ha detto che devi imparare a nuotare. Nient'altro. Lascia che ripuliamo il mare qua sotto e ci penso io. Non c'è nessuno che nuoti meglio di me».

«A domani».

Passando attraverso una delle torri di guardia Anna raggiunge sul terrapieno un gruppo di donne che ammucchiano palle di stracci da tuffare dentro la pece e buttare di sotto infuocate quando il momento verrà.

Altre donne sbucano fuori della città da un passaggio a monte, ricoperte di abiti scuri per confondersi con le tenebre e, sfilando da dietro, dove ancora non sono arrivati i nemici, vanno sulle collinette dalla parte dov'è l'armata. Compiranno la loro missione d'intesa con le donne rimaste in città.

Iniziano quelle sopra le mura, con gli stessi lai acutissimi della notte passata, che destano gran parte degli attaccanti di prima fila lasciandoli frastornati e rabbiosi, strappati dal primo sonno.

E appena tacciono le donne sopra le mura ci pensano quelle sulle colline a svegliare anche i contingenti lontani, con urla che non hanno nulla di umano. Sono versi di animali, reali o fantastici, sibili di venti in burrasca, cascate d'acqua, tuoni, torrenti in piena, che provengono da un punto e un attimo dopo dall'altro. Perché le donne uscite dalla città sono state scelte tra le più agili e sveglie e si spostano in fretta dall'una all'altra collina, si ammassano poi si dividono in gruppi, tornano a unirsi, si acquattano in mezzo ai cespugli, si stendono a terra, strisciano per il pendìo fin quasi addosso ai soldati e riscappano. È ben difficile che qualcuno degli imperiali salga su per snidarle, ma se lo facesse le troverebbe pronte a difendersi, con micidiali coltelli.

L'insolito responsorio tra le donne in città e le colline parlanti, con i loro rumori infernali che sembrano salire da misteriosi recessi o piovere giù dall'aria notturna, va avanti un bel pezzo, rendendo impossibile un sonno vero all'armata e facendo più conturbante la notte già opprimente per la calura, per la mancanza di alloggiamenti e le stranezze di quell'assedio che non si capisce se sia un gioco o un tranello.

Quando le donne rientrano in città, dopo un breve intervallo vengono alla ribalta attori nuovi, come succede in ogni rappresentazione che si rispetti.

Piccole squadre di cavalieri arabi entrano di corsa nel bel mezzo delle formazioni nemiche e passano sopra i soldati dormienti, allineati con ordine, come se gareggiassero sullo scivolo di un'impalcatura da sagra paesana. Tagliano qualche braccio che si vedono spuntare davanti, spiccano teste troppo sporgenti dalla marea di uomini semisdraiati per il riposo notturno, ammaccano ossa, strippano ventri. Con cerbottane giganti gettano semi e sassetti, che vanno a percuotere occhi, orecchie, narici, bocche aperte nello stupore di quel risveglio. Lanciano a mazzi interi freccette intinte in sostanze irritanti e colpiscono una gran quantità di uomini che domani faranno fatica a combattere e a reggersi in piedi per via dei veleni, pur trovandosi senza ferite visibili. Buttano all'aria barili di polveri e cumuli di vettovaglie e vanno a scomparire nel buio come dal buio prima erano magicamente sortiti.

Quando i soldati imperiali si rialzano, quelli che possono ancora rialzarsi, pesti, feriti o semplicemente terrorizzati, si chiedono l'un l'altro chi sia passato.

«Erano dieci».

«Erano molti».

«Era uno squadrone completo».

«Erano selvaggi nudi sopra cavalli stregati».

Fandonie nate dall'incubo o dal desiderio di scusare lo smacco subìto, però che quei cavalieri fossero molto veloci è verità sacrosanta. Com'è vero che cavalcavano nudi, e molti di loro senz'armi.

«Erano spettri».

«Non sono usciti dalla città, venivano dalla parte opposta. Però erano uomini veri, e cavalieri eccellenti!»

«Saranno le prime pattuglie di qualche esercito alleato degli algerini che sta arrivando».

«Non c'è nessun esercito in arrivo. Sono gli stessi abitanti d'Algeri che fanno uscite da disperati per ritardare la loro fine».

«Quelli erano proprio demoni, mandati da Belzebù ad aiutare gli infedeli suoi compari».

Il diavolo fa sempre comodo a spiegare cose inspiegabili e a incatenare il nemico dalla parte del torto con la benedizione di Dio.

Dopo le donne urlanti e i cavalieri fantasma, i muezzin intonano a gran voce le loro preghiere, molto più lunghe di quelle usuali, perché tra un verso e l'altro Amed Fuzuli ha fatto inserire qualche velato messaggio a quanti sono confinati nelle sale remiere delle navi imperiali, per far giungere loro conforto e istruzioni al fine di salvare la vita e riconquistare la libertà.

10.

Da una parte e dall'altra quasi nessuno ha dormito, ma quando l'alba sta per spuntare sono gli attaccanti ad essere i più stremati, perché durante la notte sono stati loro a subire il gioco e gli algerini assediati a guidarlo.

Pinar ha spiegato su che cosa sono puntati i cannoni delle prime navi da guerra, che hanno l'incarico di aprire il fuoco, e si è cercato di prevenire i danni per quanto possibile.

È stata una notte febbrile anche all'interno della città, tuttavia gli uomini destinati a rispondere all'assalto dei cavalieri di Malta hanno potuto godere di un discreto turno di sonno. Difficile è stato convincere il popolo a non temere il rosso degli abiti dei cavalieri di Malta, che non significa nulla: l'importante è solo combattere strenuamente e resistere, perché i maltesi sono straordinari e tenaci guerrieri.

Quando le tenebre stanno per sciogliersi in un lattiginoso mattino, ciascuno, assolto il compito della nottata, si prepara per il compito del giorno, in silenzio.

Tranne il canto precoce di tre o quattro galli, si può dire che le prime voci ad Algeri sono quelle attese, ma sempre terribili, dei cannoni imperiali.

Nella foschia del mattino alle vedette pare che lo sbarco sia ripreso dalla parte della baia più lontana dalla città, all'estremità dello schieramento di navi, con molta lentezza, però con regolare cadenza e con le stesse modalità di quello di ieri; da ogni nave escono prima gli uomini, poi cavalli e armamenti, niente tende e ripari.

Alì Ben Gade ha radunato dietro le porte a mare il gruppo che uscirà con lui se l'assalto sarà prolungato e andrà contrastato con una sortita. Occorre rispondere con energia, ma con mezzi poveri, se si vuol prendere tempo e indurre alla richiesta di trattativa piuttosto che ad uno schiacciante attacco frontale dell'intera armata. Bisogna comunque ricacciarli indietro.

I cavalieri di Malta arrivano in una valanga di zoccoli in corsa. Subito dopo i cavalli, avanzano le scale e gli altri apparati d'attacco.

«Alì Ben Gade, fammi uscire con te».

Ma Alì Ben Gade guarda perplesso Pinar, Hassan non gli ha detto nulla di lui, forse ha qualcosa da chiedergli ancora, ha bisogno di averlo al fianco.

«Non mi far fare il vigliacco, Alì. Stamattina i miei compagni di viaggio sono ancora sopra la nave. Domani no. Se me li trovassi davanti non potrei vederli morire. Fammi venire adesso con te».

11.

«Chi mi ha azzoppato il cavallo?» urla Comares quantunque non gli dia retta nessuno. «Ne voglio subito un altro. Non posso mancare all'appello del primo assalto. Voglio un cavallo che non abbia paura del fuoco. A me!»

Da lontano, dall'estremo limite dell'accampamento dove Comares vaga infuriato cercando un destriero, si vedono scendere dalle mura di Algeri ondate di enormi globi di fuoco.

XXIX.

1.

«Dov'è?» chiede Osman Yaqub con gli occhi pieni di lacrime. «Fammi vedere dov'è Pinar».

Dalle fortificazioni sopra la porta assaltata, Amin gli mostra il cumulo di cadaveri dell'una e dell'altra parte, che forma una macchia scura dove lo scontro è stato più duro.

«Non ha fatto in tempo a vedere la sua città alla luce del giorno. Amin, tu hai capito perché si muore?»

Amin sostiene il vecchio con premura e dolcezza.

«Andranno a dargli sepoltura appena possibile».

«Oh, non importa. Che cosa importa dove il suo corpo avrà fine? Se Dio esiste e ha pietà, gli darà un'altra vita lo stesso, visto che questa gliel'ha rubata. Non mi ascoltare, Amin! Corri al lavoro. Oggi saranno in molti ad avere bisogno di te».

Le trombe suonano. Entra in città l'ambasceria solenne dell'imperatore.

«Basta» ha esclamato Carlo d'Asburgo, irritato, vedendo che dopo l'assalto pilota alle porte a mare, nessuno è uscito a domandare la resa, «chi si crede di essere? Portategli un ultimatum: adesso o niente. Se non apre le porte vuol dire che sceglie la distruzione di Algeri».

L'ambasciatore è stavolta un idalgo di prima grandezza, affiancato da tre consiglieri, e la missione è ufficiale.

Il manipolo di inviati e militari di scorta avanza tra bianchi stendardi e clangore di tube, ma tanta imponenza non suscita per le strade di Algeri la minima curiosità.

La città è operosa come in un giorno comune. Le donne lavano le pignatte, mettono i fichi a essiccare, tessono e cuciono teli. I forni odorano di pane fresco, i beccai squartano i loro montoni come se fosse tempo di grassa e non d'assedio e di morte.

Nemmeno i ragazzi voltano il capo verso il corteo: esiste forse una foggia d'abiti che non sia mai stata veduta ad Algeri e riesca a stupire? Eppure gli inviati hanno fatto attenzione a venire con fasto e splendore, istruiti in proposito dal primo inviato, che aveva raccontato della ricchezza ostentata nelle vesti e negli ornamenti dall'aga di Algeri.

Il giro che fa la missione imperiale per arrivare a palazzo è lungo e tortuoso, predisposto ad arte per mostrare il meglio, i fondaci colmi di mercanzie, le case più belle, le terme, le biblioteche, la nuova moschea, la calma, l'ordine e ovunque il segno di una difesa accurata e possente, ossessiva. Ogni cantone è pieno di armati, le munizioni straripano dai loro depositi. I cavalli scalpitano lungo le strade, legati agli anelli, oppure occhieggiano da dietro le porte, più numerosi degli esseri umani; hanno manti lucidi e asciutti, sono snelli e vivaci.

La scorta armata deve aspettare davanti al protocancello. Gli inviati imperiali possono entrare. Anzi, se vogliono conferire con Hassan aga in persona devono salire al giardino pensile che sta in cima a tutto, dove il signore di Algeri è in meditazione e colloquio col cielo.

L'idalgo rifiuta la portantina che gli viene offerta e mentre sale le interminabili scale e sputa l'anima dalla fatica, ritiene il comportamento dell'aga e dei suoi un'umiliazione alla sua dignità. E quest'offesa esplicita lo maldispone, gli toglie la serenità che vorrebbe avere per affrontare la trattativa, che è difficile. Bisogna gestire l'affare con tatto ed acume, senza scontentare l'imperatore, ma senza rischiare una sortita massiccia degli algerini, quasi di certo non indolore per l'armata imperiale, sfilacciata e fiacca. Se un vero attacco ad Algeri sarà necessario, dovrà essere ben mirato. La città è bella, sarebbe un peccato non coglierla così com'è e doverla mandare in frantumi. Ma, purtroppo, è più agguerrita di quel che si pensava.

«Che volete?» dice Hassan aga vestito di una semplice tunica che pare un saio per le preghiere di penitenza, e anche quest'abito troppo da poco risulta uno sgarbo agli occhi dell'ambasciatore.

L'indalgo, con atteggiamento di sfida, proclama che sua maestà non ha tempo da perdere con chi fa capricci e nutre velleità. Stavolta le condizioni sono diverse dalla prima offerta. Non basta più la consegna della città. Poiché tutti sanno che il capopopolo Hassan è un rinnegato, nato cristiano, per prima cosa faccia pubblica ammenda e abiuri la falsa fede. Ritorni in grembo alla Chiesa e l'imperatore vedrà in seguito se sia il caso di accettare i suoi servigi e di patteggiare una resa senza saccheggio della città, previo pagamento di un congruo tesoro. Ma intanto Hassan stia attento ad aprire in fretta le porte, e questo è un consiglio personale dell'ambasciatore, dettato dalla carità cui la sua fede lo invita: l'aga di Algeri veda di non stancare la clemenza imperiale, se non vuole incorrere nell'ira di sua maestà.

«Tappate quest'otre rigonfio» dice Hassan aga ai consiglieri che stanno dietro l'ambasciatore, fissi come tre statue, «fate tacere questo stordito che si permette di dare consigli all'aga di Algeri! E tu, ambasciatore, se davvero sei tale di' al tuo sovrano che mi meraviglia e mi delude. Manda messaggi insolenti prima del tempo pattuito. Non ha alcun senso per lui la sua parola di re? La resa era fissata a sbarco avvenuto, lo sbarco è in corso. Tanto peggio per lui, quel patto è nullo. Ora non speri nessun trattamento da amico. Io non mi fido di lui. Del resto, ripetigli che ho sempre avuto fiducia soltanto nel cielo e nei cittadini della mia Algeri. Avanzi, se vuole. Venga fin sotto le mura. Noi sappiamo combattere. E adesso via. Fuori da questo palazzo e da questa città.

È mezzogiorno quando l'ambasceria riprende il cammino per tornare al campo imperiale. Il caldo brucia, disubbidiente alle regole del calendario, ma il cielo è coronato di nuvole grigie.

«Avanti, avanti» dice loro Rum Zade, «venite, belle, coraggio!»

«Al tempo opportuno verranno» risponde per loro Hassan aga che secondo la sua gente avverte da molto lontano il respiro del cielo, «verranno. Ma fino ad allora dobbiamo resistere».

2.

«Se quelle nubi si spostassero, sarebbe già un refrigerio» si augurano gli imperiali bagnati di sudore e arsi in gola di polvere, con le corazze addosso da un paio di giorni, con due notti bianche sopra il groppone e l'incertezza su tutto che li colma di ansia e di affanno.

«Forza con questo sbarco!» insiste il comandante in capo Ferrante Gonzaga, che ha l'ordine dell'imperatore di attaccare al più presto e farla finita con quella città pazza e superba e con quel fanatico che la tiene in mano.

«Circondiamoli completamente. Diamo loro ciò che si meritano» ha detto Carlo d'Asburgo, furente, quando l'ambasciatore gli ha riferito l'incontro. «Resti a guardare il cielo, quel rinnegato cappone. Noi gli caveremo la terra di sotto».

L'armata consuma un rancio frugale, poi serra le file e si dispone ad accerchiare le mura per stringere l'assedio.

Ai lati vengono a curiosare, visibilmente senz'armi, nugoli di nomadi vestiti di stracci, sopra cavalli magri e minuti, dai passi lenti. Ma all'improvviso, simili a sciami di moscerini che si levino in volo d'un turbine e assaltino mandrie e greggi, i nomadi prendono a correre lungo i fianchi dell'armata soffiando palline di stagno, proprio quando la truppa per avanzare con più speditezza si è tolta pettorali, casacche, cosciali, berretti, celate. E quei proiettili invisibili e quasi incruenti penetrano sotto la pelle come se fossero aghi e danno tanto fastidio che i comandanti fanno deviare le compagnie, infilandole nei valloni che menano alla città dalla parte del monte, abbandonando la piana che costeggia il mare. Non vale la pena di rompere le formazioni e ingaggiare battglia con questi branchi di straccioni suicidi, sprecando tempo, uomini e munizioni.

Raggiunte le posizioni nuove, poiché la scarsa parte di giorno rimasta non consente l'attacco, ma solo un piazzamento più vicino alle mura, gli imperiali confidano che la strettoia del fondo valle e i pendìi ripidi facciano da naturale barriera tra l'armata e il nemico. Le colline daranno riparo contro i tiri dei cannoni algerini che prima o poi si faranno sentire anche qui.

Quanto ai cannoni imperiali, Andrea Doria ha dato il via in pieno a quelli della sua flotta, senza rischio per le ultime operazioni di sbarco che si svolgono molto di lato.

3.

La prima fila di navi è tutta bocche fumanti che sputano palle e fanno tremare la terra e l'aria e trasformano il mare in un fontanile grandioso quando, per grazia del cielo, i colpi cadono in acqua e alzano getti e schiume.

Non è rimasto un uccello per miglia e miglia; ma gli uomini non possono prendere il volo e sulle mura di Algeri cadono fitti morti e feriti.

I piccoli così piccoli da non essere utili a nulla, i vecchi decrepiti e gli inabili sono stati nascosti nelle cantine più interne e nei buchi scavati dentro la pancia della collina. Tutti gli altri hanno qualcosa da fare. Tranne Osman Yaqub che vaga in cerca del suo padrone per confessargli le sue ripetute mancanze di fede e togliersi almeno questo peso dal cuore.

Finalmente lo trova su una delle piazzuole lungo le mura.

«Hassan» gli dice, «perdonami, ho avuto pensieri cattivi».

«Ti pare il momento di stare a giocare con i tuoi rimorsi? Lavora. Inventa qualcuna delle tue storie e corri nei sotterranei a tenere allegri i bambini. Guarda che siano belle perché sarà una notte dura».

E corre via a cavallo in una veste più azzurra del cielo, con una piuma rossa sopra il turbante così alta da sembrare un vessillo e chi la vede da lontano ne trae coraggio, come da un faro acceso.

«Venite, belle, venite, non vi perdete per strada» continua a implorare Rum Zade rimasto di turno all'osservatorio, «venite!»

Fin quando una cannonata, assestata in maniera mirabile, colpisce in pieno la sottile torretta, che crolla nel giardino pensile, tre altezze d'uomo più in basso, sgretolata.

Però Rum Zade si districa fuori da quei rottami, ammaccato e sbucciato da parecchie parti, ma con tanta energia da strillare alle nubi:

«Avanti, venite avanti, vigliacche! Se tardate ancora servirete solo a far nascere funghi in una città tramutata in un cimitero».

Consolando morenti, tamponando ferite, spostando sacchi di terra, gettando catini d'acqua sui fuochi, sentendosi senza stanchezza e miracolosamente senza paura, Anna si è imposta di non chiedersi mai dove possa essere Hassan, questa notte. Ha udito benissimo quando diceva ad Amed Fuzuli di tenersi in disparte, pronto a pigliare il comando se egli dovesse cadere. Starà correndo lungo le mura, presente di volta in volta nei punti peggiori. Ma questo è giusto. La città vuol vedere il suo aga.

Ad Anna, che ha gli occhi asciutti e una calma miracolosa, sembra di avere vicino Pinar, che invece è morto lì sotto, davanti alle mura, ancora insepolto. Le sembra che le dia coraggio, non sa come e non sa perché.

La sera arriva. I tiri rallentano. Tacciono.

4.

I cannoni imperiali sono messi a dormire. Comares protesta e non è il solo. Perché non si continua? Perché non si attacca invece anche da terra puntando proprio sulla sorpresa dell'ora?

Anzitutto i cannoni a terra non sono montati, e inoltre l'imperatore e la maggior parte dei comandanti ritengono che sarebbe un errore. Gli uomini hanno bisogno di sonno, i mezzi d'assalto non sono giunti sotto le mura, le trincee non sono compiute, le mine non sono piazzate, e gli algerini non sono fiaccati abbastanza: lo dicono i loro cannoni che hanno puntualmente risposto alle navi, mandando a fondo dei legni e rendendone altri inservibili, e ancora continuano a sparare nel mazzo, con tiri più lunghi e potenti di quanto si credeva potessero fare.

«Se Dio vuole si è levata la brezza e spazzerà via la calura» dice il sottufficiale addetto alla distribuzione del rancio nel contingente di prima linea. «Vedo che qua state da papi».

Questa prima linea gli sembra uno scherzo, protetta da un costone di monte che nessun tiro potrà sorpassare o bucare, con le pareti di terra nuda, che non permette imboscate.

Ma gli uomini non condividono il suo entusiasmo e borbottano come la pece a bollore. Il rancio in effetti non c'è. Consiste appena in qualche galletta che è un solletico per gli stomaci vuoti.

«Pazienza!» il sottufficiale spiega che non sarebbe stato prudente avventurarsi negli avamposti con tutti gli impicci delle scorte da campo. I carichi di vettovaglie verranno più tardi, insieme alle polveri. «Avrete il cibo e le munizioni. Fatevi intanto un sonno in santa pace».

Naturalmente la soldataglia non risponde amen e non chiude gli occhi tranquilla e buona. I masnadieri urlano insulti, bestemmiano, minacciano di squartare i cavalli degli ufficiali per farne bistecche, ma alla fine la stanchezza è tale che si buttano a terra, se non in pace per lo meno impotenti a ribellarsi di più.

L'intera armata è scesa sul litorale. Gli ultimi arrivi prendono posto in fondo alla piana, dove prima erano quelli ora spintisi vicino alle mura.

Altri pezzi di armi da fuoco sono sparsi intorno, altre polveri vengono accumulate; altri cavalli nitriscono e scalciano lieti di essere finalmente a terra, coprono il morso di bave vogliosi di moto più che di cibo, roteano gli occhi fiutando il caldo eccessivo ma più gradito del tanfo bollente delle sentine.

Anche i soldati sono contenti, negli ampi spazi della terraferma si sentono liberati dall'incubo di finire a brandelli sopra le tolde, inermi come a un macello, o di sprofondare nel mare divenuto tra un bastimento e l'altro una ributtante pappa di escrementi e rifiuti, di uomini morti o sguazzanti nell'agonia, di cavalli infuriati e annaspanti, di tizzoni che piovono dai legni colpiti o direttamente dal cielo.

Le ciurme rimaste a bordo hanno sollievo esse pure, riconquistando il loro normale spazio d'azione quando la truppa lascia vuote le stive e gli interstizi dov'era stata compressa. E quando arriva il cessate il fuoco, i marinai fanno la conta di quante navi galleggiano e quanti di loro sono sopravvissuti e, pur nel disagio e nella stanchezza, hanno il conforto di constatare che se molti sono stati i decessi e le mutilazioni, vari gli affondamenti, numerose le murate intaccate, i castelli incendiati, gli alberi caduti giù e le vele distrutte, la flotta imperiale nella luce che segue il tramonto appare compatta, pronta a riattaccare domani, sì e no scalfita nell'insieme della sua massa fastosamente bella e possente, adorna di qualche residuo di fiamma e di pennacchi di fumo che si ergono come trofei.

Le navi che hanno sparato, l'hanno fatto con tanta furia da esaurire nel primo giorno il potenziale di fuoco, benché l'attacco fosse iniziato ben oltre il meriggio. Niente paura. Ci sono le navi delle altre file, si troverà il modo di darsi il cambio, nonostante quel gran fittume; le àncore non sono bloccate sul fondo. Ci sono inoltre le navi da carico con ampie stive piene di polveri e palle e con scialuppe in grado di trasbordare nuovi armamenti e soldati sulle navi da combattimento.

5.

Ad Algeri i danni non sono irreparabili; sopra le mura, sul porto, sulle torri e sulle piazzole i cannoni sono roventi; ovunque silenziosi i pianti, di piombo le membra e gli animi. La gente è stanca, ma tiene duro.

Cerusici e apotecari vorrebbero fare miracoli per salvare i feriti o per non farli soffrire. Carpentieri, fabbri, cavallari, armigeri, trasportatori sono in febbrile attività. Ma tutti lo sono, perché si deve sgombrare strade e cortili, chiudere finestre e archi, tappare le falle che si fossero aperte sui tetti, ancorare balestre, strigliare i cavalli che non perdano slancio a restare al chiuso, preparare piccoli ponti, cucinare un buon pasto caldo, coordinare, spiegare, dare coraggio e persino, dove si può, allegria. Osman a questo è preposto e ci riesce; nei sotterranei ha ritrovato energia, con i suoi sfavillanti racconti, con le sue piroette maldestre da vecchio buffone intrattiene i piccoli che gli gridano:

«Ancora, ancora!»

Chi non può fare nient'altro, canta a suffragio dei morti, composti dentro la scuola e vegliati dalle ultime mogli rimaste dell'harem di Baba.

6.

Prima che il buio dilaghi il marchese Comares si fa mettere in sella e percorre la lunghezza del fronte davanti alla piana, poi si inerpica dentro i valloni per dare uno sguardo dall'alto e si sente felice o almeno cerca di credere che quel sentimento si chiami felicità.

Non è d'accordo che l'esercito passi la notte in disordine, per metà in armi e per metà strapanato e sfatto come una banda di malfattori. Ben altra impressione avrebbe prodotto sul nemico che sbircia dall'alto una distesa di coperture e di tende, che i pavioneri sfornano ormai sempre più sontuose. Quanto a lui, sa per esperienza che l'umido della nottata lo riempie di umori insani e dolori alle ossa, gli provoca flussioni dal ventre e dal naso, perciò si è premunito: si è fatto aprire e bloccare alla sella, dietro la schiena, il bel parasole dipinto che narra le sue epiche gesta africane, culminanti nella sconfitta e morte di Baba Arouj. In tal modo, data la dimensione del superbo aggeggio, potrà proteggere dai malefici effetti della rugiada le proprie spalle e l'intera groppa del destriero che finalmente ha ritrovato. In più, avrà il piacere di fare spicco su quell'anonima moltitudine sciatta.

Contornato da nobili e da lanzichenecchi, l'imperatore si appresta a riposare all'addiaccio, poiché ha rifiutato il privilegio di un padiglione, e si raccoglie in preghiera. È molto triste. La violenza e la guerra non fanno per lui. Solo la sua dedizione ai doveri del regno gli fa superare i disagi del campo, il disgusto del sangue, il rimorso per aver ceduto il dominio del mondo alla morte con una tolleranza che in questo momento d'intimo affanno gli pare eccessiva. Egli è teso fino allo spasimo allo scopo finale di redimere il mondo con l'aiuto di Cristo, di dargli la luce vera, dalle Nuove Indie ai confini d'Oriente, dai paesi delle lunghe notti di gelo a quest'Africa favolosa e riarsa. La vita di per sé non ha senso se non tende alla perfezione, se non aspira al divino. Nella sua mente l'idea della vita coincide con l'idea della fede, dell'eterno, del giusto, in una forma geometrica pura che tuttavia perennemente gli sfugge, nell'ordine supremo e fisso di cui forse la morte è l'unico indizio quaggiù in quanto termine del divenire inconsulto, approdo, soglia dell'infinito.

7.

«La vita è tenace» pensa Amin, eppure mai come oggi la vita gli è apparsa vulnerabile e tragica.

Davanti allo strazio dei ferimenti, agli insulti brutali alla carne e alla giovinezza, Amin si sente indissolubilmente legato al suo compito di aiutare la vita a resistere. Dopo, se la pace potrà tornare, cercherà di lasciare spazio anche a quell'altro compito che si è prescelto, dare alla vita profumo.

Instancabili le sue mani tagliano, bruciano, fasciano, spalmano unguenti, chiudono occhi per sempre ciechi, detergono piaghe, versano dentro bocche oscenamente aperte nell'agonia e nello sconforto gocce troppo spesso incapaci di dare lenimento e speranza.

La sua mente snoda uno dopo l'altro ragionamenti e pensieri ad un ritmo tanto veloce che gli sembra di vederli procedere su diversi piani, in direzioni diverse come dei raggi straordinariamente acuti che nascono contemporaneamente, avanzano baldanzosi e si disperdono, sicché l'ansia dell'intuizione non sfocia nella serenità della conoscenza.

È stato Hassan ad avviarlo per le vie del pensiero. Perciò ad Amin il suo principe sembra ora irreale nelle vesti di uomo di guerra, benché proprio durante una operazione di guerra abbia iniziato ad amarlo. Sa, che il pericolo non l'ha mai fermato, anzi gli fa da sfida. Sa che combatterà con tutta la forza e con tutto il coraggio. Ma sa che, se per molti dare la morte è un piacere o uno sfogo, o al massimo, quando è un dovere, è un nodo da sciogliere con un colpo secco e poi la pena della coscienza è finita, per Hassan significa la morte stessa assunta dentro di sé, in una contraddizione che lo divora vivendo.

«È un rischio vivere» si ripete Rum Zade lisciandosi le ammaccature e gli viene voglia di cantare forte per sentirsi in corsa tuttora e vivere il rischio della sua vita in allegria.

Amed Fuzuli non ne può più di sedere in Consiglio tra vecchi rais che mordono il freno della loro vecchiaia, suggeriscono assurdità e non hanno fede nelle promesse della natura come invece vorrebbe il loro rais; anch'essi indovinano spesso se deve piovere, ma la pioggia non è mai stata la strada per la vittoria.

8.

Anna è leggermente ferita a una gamba, ma nemmeno lo dice quando Hassan fa un salto a vederla e le serra il volto tra le sue mani. Il loro bacio è come se fosse l'inizio e insieme la fine del mondo, per la gioia e l'angoscia senza confini.

«Guarda il cielo» le dice Hassan carezzandole il volto, «quante ne vedi di stelle?»

«Poche, qui sopra, in un imbuto nero. Verrà?»

«Saremo pronti, quando verrà».

È risalito a cavallo e lei lo guarda e le sembra già paurosamente lontano, mentre vorrebbe tenerlo avvinto, farlo invisibile, sottrarlo al rischio di morte che aleggia intorno; allunga le mani verso di lui, che gliele stringe, e per un attimo le loro dita stanno intrecciate in uno scambio di forza e d'amore.

9.

Improvvisamente è il diluvio. La terra arida dei pendìi nudi cala come una veste disciolta a involgere nelle sue pieghe coloro che si erano fatti cuscino del piede del monte, nel momento in cui l'acqua battente li desta e subito li stordisce, riversandosi dalle profondità tenebrose del cielo con la forza di innumerevoli tini schiantati.

Le truppe sdraiate sul fondo valle diventato torrente si sentono addosso pezzi d'arma da fuoco, daghe, arpioni, scale, cavalli e vengono trascinati nel gorgo di melma.

Le polveri e le vettovaglie si mischiano nella poltiglia di acqua e terra a comporre uno sdrucciolevole letto mortale prima che altra terra, crollando dal monte, ricopra ogni cosa.

Più in là, dove la frana non è così rovinosa, gli ingombri di mezzi e di uomini creano cateratte che se all'inizio rallentano l'alluvione poi ne aumentano i vortici e la rabbiosa irruenza.

E dove, al centro dei valloni, si formano flussi d'acqua che scendono più regolari verso la piana, gli uomini si ammassano a tentoni ai lati per sfuggire all'impeto della corrente, costretti comunque a subire quell'altr'acqua che scende su di loro a scudisciate dal cielo e rassegnati a lasciare, almeno per ora, i cavalli alla loro sorte, nell'impossibilità di sciogliere le pastoie che erano state messe per la nottata.

Nella piana costiera oltre all'acqua piovana c'è quella del mare sconvolto; e il vento, non frenato dalle colline, devasta, riversandosi sul litorale in turbini e trombe d'aria che atterrano gli uomini, sfilano e innalzano gli stendardi abbattendoli poi su altri uomini come alabarde impazzite, involano frecce dai cumuli e le ripiombano giù micidiali.

E quello stesso tempestoso maestrale infilandosi nel labirinto della flotta ancorata, intona e danza una sarabanda tra sartie, alberi, vele. Le scialuppe cozzano sulle fiancate insieme a barili, botti, fusti e quant'altri attrezzi hanno stracciato i legami.

Il mare gonfio non vuole essere da meno del vento e gioca tremendamente pesante con le povere navi, sbatacchiandole una contro l'altra fino a sfasciarle, mentre le àncore arano il fondo o giacciono senza più presa, perché il mare ha spezzato gli ormeggi, quando non sono stati i galeotti a tagliare le cime, avendo fatto tesoro dei messaggi venuti la sera prima dai minareti.

In qualche nave i rematori sprofondano insieme con le loro prigioni, ancora legati ai ceppi, in altre approfittando del caos sopraffanno aguzzini e guardiani e, rischiando il tutto per tutto, remano fino a condurre il legno ad infrangersi a terra.

Ma se qualcuno sfugge alla morsa del mare, molti altri il mare agguanta, spazzando con onde abnormi la riva, spingendosi in mezzo alla piana con furiosi rigurgiti, che ramazzano via uomini, bestie, cataste di materiali.

L'acqua del cielo e del mare allaga le trincee non ancora ultimate, le prolunga solcando il terreno fino alla spiaggia e spinge i cadaveri degli scavatori tra i flutti.

Ai guastatori l'acqua s'infila nella bocca, nel naso, fa scoppiare gli orecchi, li affoga mentre s'insinua a riempire gli stretti budelli delle gallerie in fondo alle quali essi stanno ponendo le mine alle fondamenta della città.

Tutto questo nel buio, continuando per ore.

E chi trova qualche salvezza, sopra un cannone che regga

saldo o sopra un cocuzzolo, attaccandosi agli alberi o montando in groppa ai cavalli più forti sprofondati a mezza gamba nel fango e nell'acqua o, come fanno i più, accorpandosi in gruppo a centinaia, a migliaia allo stesso modo che un immenso gregge disperatissimo resiste con la forza del numero sacrificando le frange alla violenza dei lupi, in queste tenebre diventate gelide da roventi che erano e da troppo stagnanti fattesi turbinose, chi tira alla sopravvivenza con accanimento e terrore non comprende se sia il vento o il cielo il nemico peggiore, o soltanto il destino, che li ha scelti per vivere la fine dell'universo.

Dopo una breve tregua in cui la pioggia è diminuita, riscoppiano i lampi e i tuoni e al chiarore dei fulmini le colline che la notte prima erano divenute parlanti ora camminano e danzano, e le creste sono tutte un moto, finché alla luce di una folgore grande si vede che i crinali sono pieni di armati.

Sono tornati i demoni nudi sui loro cavalli leggeri e aspettano il giorno al varco per dare battaglia. Intanto rotolano dalle cime massi che erano stati appositamente preparati lassù, come sospetta il primo inviato imperiale, fortunosamente abbarbicato ad uno sperone di pietra, connettendo i fatti che stanno accadendo al suo colloquio con l'aga di Algeri. Adesso gli è chiaro il comportamento di Hassan. Quello stregone sapeva tutto da prima. Era sicuro che l'uragano sarebbe venuto. Per questo aveva voluto la flotta imprigionata dentro la rada, per questo aveva preteso lo sbarco e fatte svuotare le navi. Poi aveva costretto i soldati ad infilarsi in quegli stramaledetti valloni divenuti una tomba. Prevedendo il diluvio e le trombe d'aria aveva voluto le polveri sul litorale, ed ora si sono disperse. Ha chiesto man forte alla natura ed è riuscito a farsi il cielo alleato.

10.

«Conosce i segreti del cielo, il nostro aga!» dice a gran voce Osman Yaqub mentre sale a palazzo senza prendersi una goccia d'acqua, passando dentro il ventre della collina tutta cunicoli, tane, percorsi di sicurezza e di fuga scavati in vista di un lungo assedio che per fortuna sarà invece breve, se la guerra procede così. «Hassan, vieni che voglio abbracciarti! Dove sei, Hassan, figlio mio?» Ma Hassan non risponde. «Figurarsi se quello è rientrato, sarà tutto bagnato al centro della bufera».

In città dopo ore e ore di tensione estrema, il diluvio è una musica che finalmente isola Algeri dai suoi nemici, e gli algerini come gli eletti dell'arca attendono ben riparati di rivedere la luce, godendo gli affetti e le piccole gioie della vita in quella parentesi di tuoni, fulmini e grandi boati di navi che cozzano e schiattano.

Non tutti gli abitanti di Algeri sono al riparo, dalle porte che guardano tra mezzogiorno e levante sono usciti da tempo dei cavalieri nudi guidati da Amed Fuzuli. Questo è il suo turno. Sono stati gli uomini delle sue oasi ad aggirare gli imperiali da sopra i monti. E appena la luce riesce a filtrare tra i nembi, essi calano dalle colline. La pioggia scorre sui loro corpi unti e lucenti e sui manti oliati degli animali, mentre continua a inzuppare gli imperiali imbracati dal fango che ha appesantito gli abiti, riempite le maglie di ferro, le bozze e gli interstizi delle corazze, gli stivali, le bardature dei loro cavalli già grevi per stazza, impotenti a districarsi dalla morsa molliccia e tenace che li tiene bloccati.

Imperversando la pioggia, i barbareschi non usano polveri da sparo; lanciano frecce avvelenate o danno colpi di scimitarra e pugnale, e filano via quasi indenni poiché agli avversari riesce impossibile persino estrarre le daghe e le spade. I cavalieri nudi menando strage guadano il fiume, che ormai scorre quasi pacifico in mezzo ai valloni, risalgono un po' sul pendìo opposto per prendere abbrivio, ritirano frecce, ricalano, riguadano il fiume e sempre colpendo ritornano sopra le creste da dove sono venuti e scompaiono lasciando i nemici imbuiti e disfatti.

Sembra che il vento abbia girato, ma non si può esserne certi perché la rada è nel cuore di un vortice.

In ogni caso le navi verso l'esterno ricevono da Andrea Doria l'ordine di lasciare il porto divenuto il bersaglio dell'uragano e quante riescono ad attuarlo puntano al largo per cercare altrove rifugio.

Ma quando le truppe sparse lungo la piana vedono i bastimenti salpare, sentendosi abbandonate sono prese dal panico e si danno alla fuga senza cervello per ogni dove.

Solo i cavalieri di Malta si riuniscono in una massa compatta, inseguono e affrontano i fuggitivi, per riportarli al loro posto e restituire corpo all'armata.

«Tutti a ponente senza sbandare!» sbraitano i comandanti.

«Uccidete i cavalli!»

A pronunciare quest'ordine è stato l'imperatore, che per dare l'esempio uccide il suo cavallo per primo.

Perché le bestie, pesanti, più s'infuriano e s'agitano e tentano di tirarsi fuori, più affondano, e sono un intralcio alla fuga, non un aiuto; così come i cannoni, montati o in pezzi, tutti ugualmente interrati o insabbiati, fanno da ostacolo e da trabocchetto, spezzando garretti e gambe a chi ancora le ha sane.

Gli abiti zuppi gelano addosso, col vento che scende dal nord e porta in volo l'aria dei ghiacci. E oltre al panico e al freddo arriva la fame. Sono due giorni che non viene dato un nutrimento decente. Da molte ore il digiuno è totale, né si vede quando e come si potrà inghiottire qualcosa di diverso dall'acqua piovana. Le vettovaglie sono sprofondate dentro la terra o travolte dal mare.

Ci vorrà tempo prima che si riassetti una flotta capace di portar via chi sopravvive. E nell'attesa? Scappare a ponente forse vuol dire cercare di non morire. Ma dove si può andare? Da chi? A levante c'è la città, che si credeva facile preda ed è lì ritta e salda, chiusa in guardia. Molti, se proprio si deve sfidare la sorte, scelgono di sfidarla sul posto nella speranza di avere cibo e riparo al più presto, e volgendosi dalla parte di Algeri cambiano nome al Signore Iddio e urlano Allah! Allah!, alzando le mani.

11.

Hassan aga è deciso a mantenere la promessa che ha fatto al primo inviato imperiale. Non lascerà gli uomini a morire sul litorale se chiedono pace. Ma se il numero di quanti si arrendono crescesse troppo potrebbe portare a una carestia.

«Speriamo che i più se ne vadano».
L'avanguardia della ritirata è giunta a un fiume così ingrossato che è insuperabile a guado. L'imperatore ha chiamato a raccolta i genieri per fare un ponte che aiuti a passare.
«Diamogli tempo» dice Hassan aga, calmando coloro che vorrebbero svuotare la città e uscire a fare una strage, «sono stremati, dispersi, ma sempre troppi per noi».
Hassan sa bene che i generali dell'imperatore non sono sciocchi. Hanno lasciato nella retroguardia i corpi migliori, ancora affidabili. Si deve certo puntare a batterli, perché non tornino indietro mai più, però bisogna isolarli in singoli gruppi. Insieme fanno ancora muraglia.

12.

Lo stato maggiore imperiale, ormai fuori tiro per i cannoni algerini che hanno ripreso a sparare, accampato alla bell'e meglio sulla riva del grande torrente mentre i genieri fanno miracoli, decide di inviare messaggi ai rais e alle città più a ponente con offerte tali che garantiscano la loro amicizia o per lo meno la neutralità.
Altrettanto si intende fare con i predoni che sicuramente come sciacalli verranno su dal deserto.
«C'è poco da prendere adesso» si dirà loro, «ma se ci offrite aiuto e rifugio molto vi sarà dato, poiché l'impero è grande e ha ricchezze infinite, può ripagare con abbondanza i servigi che chiede».
Occorre fuggire in fretta, in cerca di un luogo dove ricucire l'esercito. L'imperatore da sopra un'altura guarda la sua grande armata che è un drago ferito, con le spire afflosciate: se solo volesse, potrebbe dare però tremendi colpi di coda.

13.

Lo stesso pensa Hassan aga dalla torre sopra le mura. I soldati imperiali superstiti sono migliaia e migliaia. Dio non voglia che s'accorgano in tempo di essere vivi e di essere tanti. Se le polveri sono andate disperse e le armi da fuoco sono inservibili, le spade, le aste e tutto il resto potrebbero ora esser tolti in gran parte dalla mota che li nasconde e sarebbero buoni da usare almeno come clave e mazzuoli.

«Usciamo subito» implora Alì Ben Gade, «non lasciamo che vadano via col pensiero che siamo morti dentro le mura».

«L'importante è che siamo vivi. Se usciamo adesso potremmo morire tutti davvero. Sono ancora troppi per noi. Se non saranno costretti a raccogliere le armi dal fango, il bottino ci ripagherà della pazienza di questa attesa».

14.

Il ponte sopra il torrente in piena procede ma non è pronto. Il temporale continua, uniforme. La pioggia sempre battente cade solenne come un dies irae.

Le navi salpate hanno vita grama. Qualcuna ogni tanto va a fondo. Qualche altra viene gettata contro la riva, squarciata o senza più gli uomini a bordo. Ma molte s'infilano verso ponente.

I comandanti sbarcati, se non vedono i loro navigli tra quelli in viaggio, li cercano con disperazione in mezzo alle onde e ai rottami, finché scorgono la cima dell'albero che emerge con l'insegna stracciata, o un castello di poppa che punta al cielo mentre il resto è già sotto, o una fiancata all'aria con gli uomini abbarbicati, o poppa e prua, due tronconi che si scornano prima di venire sommersi.

Tra coloro che sono intenti a fissare il mare allibiti, constatando i naufragi, c'è Cortez, che nella pancia della sua nave ha portato indenni i tesori del Mondo Nuovo attraverso i pericoli del grande oceano ed è venuto a seminarli in questa rada, famosa per la calma delle sue acque. Cortez prima è incredulo, poi sembra impazzito e grida a quelli dei suoi che ha fatto scendere a terra:

«Tiriamo fuori la nostra nave!»

«Via, via! A ponente!» sprona Ferrante Gonzaga appena è riuscito a riprendere una parte dei suoi italiani, molto incerti se tornare a servire nella disfatta il padrone spagnolo o sperare nella clemenza degli algerini.

L'armata, da prostrata che era, tenta di rialzarsi in piedi e di andare a ponente, senz'armi, dietro il suo imperatore sconfitto e i suoi comandanti appiedati, con immane fatica e terrore. Allora, perché gli imperiali non abbiano la possibilità di riprendersi tanto da poter porre di nuovo l'assedio, dalla città escono i primi squadroni, a dare al nemico un saluto che si ricordi. Molti imperiali fuggono, molti si arrendono. I cavalieri di Malta rispondono. Sostengono la battaglia da eroi, anche perché la loro isola è di fronte e tra tutti gli alleati essi avrebbero il maggior interesse a distruggere Algeri.

Staccandosi dal resto delle retrovie, i crociati di Malta spingono verso le mura gli algerini usciti, li costringono a rientrare e nella loro audacia sarebbero pronti a entrare con loro per continuare la battaglia, ma le porte sono a tempo richiuse.

«Adesso è il momento».

Mentre i maltesi spingono le ingenti ma sparse retrovie a ricomporre l'armata, le porte di Algeri riaprono ed esce Hassan aga nella sua splendida armatura leggera, alla testa dei cavalieri migliori in formazione compatta. Sono appena un migliaio, ma spiccano sul color piombo del fango e del cielo come una cometa argentata, che va a tuffarsi in mezzo alle fiamme rosse dei cavalieri di Malta spegnendole una ad una.

XXX.

1.

Cara amica e nobilissima dama,

tra le pieghe di un parasole gigante è stato trovato, ancor vivo, il vostro consorte e in virtù della speciale amicizia che a voi mi lega, il Consiglio ha deciso di affidarlo alle mie cure.

Perché tutto avvenisse secondo le regole e non nascessero invidie da parte di altre persone altolocate che stavolta tra i prigionieri abbondano, la vostra affezionata nipote ha offerto in pegno di futuro riscatto un prezioso monile donatole dall'imperatore in persona. Sì, perché, amica mia, dati gli eventi che precipitavano, non ho avuto ancora il piacere di comunicarvi che Anna di Braes è felicemente con noi.

Quanto alla salute del signor marchese, egli vegeta sprofondato nel sonno. Beve da una cannuccia e da un'altra, con rispetto parlando, fa la pipì. E questa è l'unica sua manifestazione di vita, a parte il respiro e qualche rarissimo fremito.

Che Dio vi protegga e vi dia salute.

Osman Yaqub Salvatore Rotunno
servo di Baba Arouj e di Kair ad din
amico e balia di Hassan aga
signore di Algeri
e
vincitore
di Carlo d'Asburgo e dei suoi alleati

Carissimo amico dell'Amico comune che fu, grazie.

Se il Padreterno ha voluto salvarlo, sia fatta la sua volontà.

Ho preparato un riscatto, proporzionato a quel poco cui è ridotto il mio sposo. Verrò a portarlo. So dai mercanti che in questo momento il mare è sgombro e sicuro. Le navi da guerra rimaste hanno bisogno di tregua. Sfrutterò quella goccia d'estate che tutti gli anni ritorna tra il finire d'autunno e l'inverno.

Vi sarò assai riconoscente per quel che fate, perché non è colpa vostra se Comares è quello che è.

Inoltre, porterò con me un dono, che avrei comunque portato, ricomposto con pazienza e devozione.

Saluti fraterni.

Baci ai miei nipoti Anna e Hassan.

Dite alla piccola che le perdono di avermi tenuto il segreto.

A presto.

Carlotta Bartolomea di Comares
nobildonna imperiale
fedele amica dei bey di Algeri

2.

Un pomeriggio di nevischio fine, alla corte di Francia arriva a cavallo, avvolta in un mantello da uomo, Margherita di Navarra.

È visibilmente adirata e la servitù si scosta per lasciarla passare, mentre si dirige alla stanza del re suo fratello, che giace infermo.

Francesco è sul letto, in preda alla febbre e al fastidio per uno dei suoi soliti ascessi che lo riempiono di malinconia, in un malessere che lo fiacca e l'avverte del tempo che passa e sempre più l'allontana dalla sua età beata.

«Monsignore!» gli dice con voce di ferro Margherita, piombandogli in camera senza nemmeno accorgersi che tre buffoni e due mimi stanno eseguendo un numero per il piacere del re.

«Un momento, vi prego, carissima. È un lavoro di grande interesse. Sedete qui».

Finito il numero e fatti uscire buffoni e mimi, re Francesco vuole sapere che sarà mai a mettere addosso quell'ansia all'amata sorella.

«Volete qualcosa, mia cara?»

«Voglio che non lo facciate. Ho saputo che avete pronto un messaggio di felicitazioni per quell'Hassan aga che ha distrutto la flotta imperiale. Non lo dovete mandare. Non vi bastano i guai che abbiamo con Carlo d'Asburgo? Volete tirarvi addosso anche le ire del Papa? Sono o non sono, i barbareschi, degli infedeli, come da sempre dicono molti e forse troppi dei consiglieri che abbiamo intorno? È o non è un rinnegato, questo Hassan caro al demonio? E come ha vinto la guerra, se non con la stregoneria, che è un peccato?»

«Mia cara, calmatevi».

Centellinando il suo boccale di vino caldo, re Francesco le spiega che non è stata stregoneria, ma studio accurato dei venti, delle nubi, dei mille segnali della natura; quel giovane aveva parlato anche con loro del suo grande interesse per i corpi e i moti del cielo.

«E voi la trovavate una passione assai degna».

Bene. Sarà. Quello che importa a Margherita non è il discorso sul cielo o su come quell'aga ha previsto un tale uragano, né di come abbia piegato la potenza del cielo a soddisfare i proprî bisogni. Il fatto essenziale è che occorre non dargli corda, per non doversi pentire in futuro di averlo aiutato a diventare il solo padrone di questo mare che tutti sognano di dominare.

«Mandategli un libro di pregio, se proprio volete. Gli piacciono. Ma non un messaggio ufficiale che lo riconosca sovrano alla pari di voi».

Chiarito questo basilare concetto con la sua autorità di sorella maggiore. Margherita, che è donna di spirito, si toglie i guanti, allenta la sopravveste trapunta d'oro troppo pesante per stare in casa, si versa del vino caldo, siede comoda su una sedia col poggiapiedi e con divertimento aggiorna il fratello ammalato riferendogli le notizie che sono giunte.

Ad Algeri uno spagnolo e un alemanno valgono meno di un porro o di una cipolla, perché sono tanti e poi tanti che i vincitori hanno dovuto tirare su in fretta dei padiglioni usando il legname preparato per la guerra, e ne è uscita una città di baracche più larga e lunga della città vera. Meno male che avevano quei legni già pronti, sarebbe stato uno spreco se si fosse dovuto lasciare all'addiaccio, a sciuparsi del tutto, quel bendidio.

Il prezzo è basso per via del numero dei prigionieri e per le botte che gli imperiali hanno preso, dagli avversari e dal clima. Gli stessi algerini, si dice, non puntano alto nelle richieste, sono disposti a concludere le trattative di riscatto a prezzi stracciati, entro certi limiti, pur di levarsi di torno quella massa di gente, tranne coloro che chiedono di farsi algerini, cioè barbareschi, turchi, pirati.

Non è cosa che dia piacere a sentirsi, ma sembra che a far questa scelta non siano pochi. Pazienza.

Tornando ai conti, con i riscatti di tutti quelli che preferiscono tornare a casa, pur cedendoli a prezzo esiguo gli algerini metteranno insieme un tesoro da far paura.

«E le armi? Pare che ogni giorno ne ripuliscano cumuli come montagne. Noi, invece, se ci serve metallo da fondere, non sappiamo dove trovarlo».

All'improvviso a Margherita brillano gli occhi. Ecco. Ha trovato. In virtù dell'antica amicizia si può chiedere all'aga di Algeri se manda in omaggio o a buon prezzo qualche carico di bella ferraglia.

Francesco la guarda con ironia, perché adesso è Margherita a scordare che non si possono avere rapporti troppo stretti e fraterni con gli infedeli. In ogni caso, sua sorella ha ragione su un punto: meglio che Hassan aga torni ai suoi studi e alle sue innocue meditazioni. Gli manderà un cassone intero di libri, degli strumenti da musica, dei campioni di nuovi falcetti, visto che aveva mostrato interesse per queste cose; e donerà un telaio a quella cugina di Carlo d'Asburgo che si è invaghita di lui e con lui vive.

A Francesco piacciono gli affari di cuore. Quella storia platonica lo intenerisce.

Meglio pensare a quella, del resto, e non al fatto che un arabo o quel che è, un africano, ha distrutto l'armata di un imperatore, che è sacro e romano, anche se sempre in discordia con la Francia e il suo re. Ognuno al suo posto.

3.

Nel gran serraglio a Istanbul è usuale che le donne, e con loro gli eunuchi, trovino argomenti di lite, e che litighino su questioni di stato è abbastanza frequente, ma questa volta è curioso perché lo Stato di cui si parla è un altro stato, lontano. Naturalmente si tratta di Algeri, che in questi giorni è sulle bocche di tutti, per quel che è successo all'armata spagnola, o meglio all'armata imperiale, che è dire di più. In particolare il gran serraglio è diviso su che giudizio dare del re d'Algeri; si discute se Hassan aga sia un grande sovrano o un gran disturbo per il Gransultano di Istanbul e per i federati tutti.

Che se ne fa l'impero ottomano di uno che agisce sempre di testa propria e governa in maniera insipiente, come dicono i messi e le spie?

«Insomma» insistono le donne offerte da Kair ad din, venute da Algeri, «secondo voi doveva aspettare a cacciare via da sotto casa spagnoli, tedeschi, italiani, maltesi, finché fosse arrivato qualcuno da Istanbul a dargli il permesso e a insegnarli che cosa fare?»

«Quante sciocchezze» ribattono le altre, invelenite. «Non avete sentito quel che combina con i prigionieri? Non richiedete l'abiura, non vuole mercanti di schiavi, tratta solo riscatti e a chi domanda di vivere nello stato di Algeri offre terre da dissodare, cede fondaci o ne lascia aprire di nuovi, li piazza a fare i maestri di scuola, i cantori, i musici, gli tira su botteghe artigiane, gli dà metalli da fondere, persino monete da battere e armi da rimettere in sesto. E non gli importa che siano infedeli.

E c'è dell'altro: c'è la storia che, prima ancora che sia stabilito un tributo per il Gransultano, il bottino è spartito tra i cittadini con il sistema con cui dividono la proprietà delle navi.

La discussione è troncata dall'arrivo del magnifico Gransultano che com'è noto vuol pace, la sera, quando si adagia tra i suoi cuscini e le sue dame.

Ma l'indomani, la favorita di turno rassicura le consorelle: sono in viaggio giannizzeri e corpi scelti per offrire, questo è il motivo ufficiale, un presidio valido onde evitare che gli imperiali tornino ad Algeri, visto che ancora si arrabattano lungo la costa senza riuscire a riprendere il mare; ma lo scopo effettivo è tenere un occhio aperto e un piede ben saldo in quella strana città.

E Kair ad din?

È sul mare, felice della vittoria del figlio ed erede. Potrebbe obiettare qualcosa, se il suo magnifico Gransultano e padrone manda un buon contingente, in amicizia, a sostegno della sua città prediletta?

4.

«La pace cos'è?» pensa Osman Yaqub che finalmente ha ripreso a rivoltare gli infusi, pur prestando continua attenzione alle cannucce e ai respiri del suo marchese. «Può essere solo l'angoscia di tutti i morti, di una parte e dell'altra, seppelliti in grandi fosse comuni o bruciati davanti al mare e in fondo ai valloni?»

Forse la pace è un'attesa continua di tempi migliori. È un affanno più lieve o con più sfumature. È comunque un'impresa anche la pace, difficile a viversi, piena di insidie, di malintesi, di equilibrî così delicati.

Il suo Hassan non ha tregua. Deve continuamente correre di qua e di là perché parecchi non vanno d'accordo e c'è sempre qualcuno a pensare al suo tornaconto soltanto, qualche altro appostato come un avvoltoio. La pace sognata è così diversa e lontana da quella che giorno per giorno si vive.

«Ma è pace» si sforza a dire a se stesso Osman Yaqub, «e se tutti lo vogliono può migliorare».

Il vecchio servo esce fuori sulla sua altana a picco sul mare e vede l'orizzonte pulito. Rimette sul davanzale le erbe aromatiche, anche se hanno bisogno di stracci a riparo dal freddo invernale. Trova un fiore tardivo di menta e uno precoce di elleboro. Tutto riprende, Dio sia lodato.

Mentre prepara con cura le pillole che da tempo ha inventato, quelle note col nome di pillole di Barbarossa, ora molto richieste dagli imperiali da quando si sono accorti che aiutano a sopportare, se non proprio a guarire, quel male brutto che quasi tutti si portano appresso e chiamano il mal francese o il male alemanno o il male spagnolo, a seconda del paese cui vogliono dare la colpa d'averlo diffuso, Osman Yaqub pensa che forse questi suoi tristi pensieri, questo sconforto, questa paura del peggio e del vuoto che non lo lascia mai, sono l'effetto dell'età che pesa, anche se non la mette mai in conto. È lei che spappola tutti i colori nel grigio, che annulla i contorni e fa sembrare le cose incompiute, storte, distanti, sospese. Per farle dispetto Osman si prepara un decotto di erbe rasserenanti e corroboranti, ci aggiunge un pizzico di essenze che spingono all'effervescenza e all'umore giulivo e se ne va a zonzo per la città.

E la vecchiaia gli fa la grazia straordinaria di scodellargli innanzi un mondo tutto di giovani.

«Guarda che strano» si dice contento Osman Yaqub, camminando, «sono quasi bambini».

Vede le facce smaglianti, i corpi dritti, i gesti sicuri, e non gli importa più di essere debole e vecchio se è giovane l'umanità. I morti rimangono morti e continuano a dargli dolore, ma non sono più i morti soltanto a popolare la terra. Ci sono i vivi e sono giovani, e sono contenti di vivere in pace.

E pur sembrandogli gli algerini tutti ragazzi, perché di colpo ha preso coscienza della propria vecchiezza, Osman è in grado di distinguere i bambini veri, e quando si gira ne vede una fila lunghissima che gli viene dietro. Poi lo circondano, gli vanno addosso, gli dicono:

«Racconta, racconta! Raccontaci tutte le favole».

«Vedi?» gli dice Pinar all'orecchio, chissà da dove, chissà in che cosa nascosto. «Racconta! I bambini credono alle favole belle e ci credo anch'io. La vita e la morte sono vere, ma sono anche favole. Racconta, Osman. Io nelle favole vivo ancora».

Osman racconta e si sente leggero. Certamente è sempre più prossimo al momento del volo.

5.

Dentro una favola si sente pure Anna di Braes, così felice che le sembra di vivere per la prima volta in armonia con il tempo, con l'aria, col mondo. Anche se vede che il mondo è ben lontano dall'essere tranquillo e in pace. Anche se l'aria è particolarmente tiranna e pungente durante quest'inverno rigido come da anni non si ricordava. Anche se il tempo non basta per tutto quello che ci sarebbe da fare e non bastando per le cose urgenti è difficile trovarne per lo svago e il riposo. Diverso è per l'amore; che è sempre lì a dare gioia e certezza, nel tempo a lui concesso e nel tempo negato.

Tuttavia l'amore reclamerebbe un tempo suo più generoso, per espandersi, e soffre se non l'ottiene; la sete di gioia ulteriore diventa ansia, più un senso di colpa, per un bene sciupato.

«Sai» dice Anna ad Hassan, «quando eravamo lontani io parlavo sempre con te, con quell'immagine tua che mi porto dentro, ma ora non mi basta, resta un'immagine e non risponde, sicché non le parlo nemmeno. Io voglio te, vero». E pensa: «Potremo mai più cavalcare di nuovo come due matti, quando ci pare, sederci sul greto a guardare il cielo, camminare senza una meta per le colline? È questo essere adulti? È non poter più distendere il tempo o intagliare nel tempo la nicchia della propria vita?»

6.

Carlotta Bartolomea, non essendoci stato nessun ritorno d'estate, è costretta ad attendere la primavera, per mettersi in mare.

Amed Fuzuli ha ripreso gli studi e gli eremitaggi. Rum Zade ha ripreso i commerci e invia con ubbidienza a sua madre i resoconti delle attività e dei guadagni. Tornano a giungere i doni e gli inviti di Cai Tien, re delle nevi.

La città pian piano, dopo i lutti, abbandona gli entusiasmi eccessivi, ritorna normale: più popolata, più ricca, più fervente di nuovi umori e, come dice Osman, forse più litigiosa e insaziabile.

Osman Yaqub ha ripigliato a sgridare suo figlio Hassan, principalmente perché non riposa, o perché è troppo pallido, perché sta troppo a lungo a dar retta alla gente che viene a lui in interminabili file come a un padre, mentre Hassan non è padre loro, dice Osman, e non ha l'obbligo di curare i suoi sudditi uno per uno, anzi siccome è giovane avrebbe diritto a poter anche curare la pianta della sua vita.

La città e il Consiglio, secondo Osman, pretendono che Hassan pensi a tutto, ma non è che poi si adeguino alle decisioni in santa pace. Tutt'altro. Per proseguire nella sua strada Hassan deve avere molta pazienza.

«Non vedi? Sono figli che non vogliono crescere» gli dice Osman.

«Cresceranno quando ne avranno bisogno».

«E non vedi nemmeno che quella ragazza ti sta sempre aspettando? L'hai portata per lasciarla con me?»

Hassan sorride. Lo prende in braccio, gli fa fare un giro nell'aria e corre per le colline e i deserti a rinsaldare patti di pace e alleanza. L'impero, per farsi amici nella sua fuga e poi per erodere il fronte dei federati di Algeri, profonde tesori per seminare zizzania. Senza parlare dell'altro impero, quello ottomano, che manda messi ad arruolare soldati per le sue guerre e ad alzare balzelli in cambio di beneficî soltanto promessi.

«Porta pazienza, piccola mia» dice Osman ad Anna quando la vede rientrare dalle mille incombenze che si è trovata.

«Pazienza perché?»

Anna si è accorta che in fondo non ha importanza come e quando lei e Hassan stanno insieme vicini, oppure ne ha, e moltissima, ma ritrovarsi è ogni volta come un miracolo. E tutto sembra possibile nella loro vita. Tutto ancora è da fare e da vivere.

«Osman Yaqub» dice Anna al suo amico, mentre l'aiuta a sollevare il marchese Comares e a rinnovare la polvere di riso e giaggiolo su cui sempre giace, «sono tanto felice che vorrei morire».

«Per carità» scoppia Osman facendo segni di croce e scongiuri, «perché dici queste sciocchezze?»

«No, sta' sereno, non lo chiedo nelle preghiere. So che è peccato. E non vorrei lasciarvi mai. Mai. Però è una grazia meravigliosa morire felici. Prima che la vita ci abbia stancato».

«Signore santo, vedi che succede quando non ti prendi le mie tisane mattina e sera! Mah, tu sei sempre stata un po' strana» le dice Osman tirandosela sulle ginocchia, «quand'eri bambina mi dicevi che eri felice piangendo come un torrente. Tieni, succhia questo confetto di timo serpillo, che ti tira su. Devi solo aspettare domani. Vedrai che domani sarà tornato».

7.

L'indomani non torna, Hassan aga.

È un giorno tiepido che fa sperare nella fine di quell'inverno gelato. I datteri che hanno sofferto cedono all'invito dell'aria e lasciano ciondolare le grandi ciglia del loro fogliame alle carezze dei primi tepori.

I piccioni planano con maestria prima di atterrare sulla loro torretta.

Di turno al servizio piccioni oggi c'è solo un ragazzo apprendista che come legge il messaggio diventa rosso, poi trema, poi guarda il cielo e gli pare impossibile che sia rimasto sereno.

Si fionda giù dalle scale, arriva in Consiglio, ma non trova riunito il Divano.

È tutto vuoto. Senza nessuno. Non sa che fare e quel messaggio in mano gli scotta come una brace. Si sente solo al mondo. Il palazzo sembra invaso da spiriti, nascosti dietro i tendaggi, dietro le panche, gli scudi appesi, le piastrelle fiorite delle pareti e i cieli azzurri e stellati dei grandi soffitti.

«Gente» si mette a strillare, «il re muore».

Nessuno sembra sentire, allora il ragazzo esce in giardino, piangendo, va verso il padiglione del corpo di guardia e strilla ancora.

«Venite, leggete. Hassan aga, il nostro signore, ha perso coscienza. È in preda a una febbre maligna, a molte miglia da qui».

8.

Più tardi giunge un altro messaggio che dice:

«Il braccio è in arrivo, preparate gran festa. Carlotta Bartolomea».

Ma a questa notizia non fa caso nessuno.

La gente apre gli usci, si affaccia, passa parola. È sgomenta. Le opere sono interrotte, le voci basse.

«L'aga nostro sta male, correte».

Ma dove correre, che Hassan aga è lontano e non si sa dove?

Anna ha sentito l'annuncio mentre stava davanti ai ghepardi, mostrando il serraglio ai bambini venuti a sentire le favole di Osman Yaqub.

«Signora, signora bella» le dice uno dei piccoli scuotendole la mano ed il braccio, «signora svegliati, così sembri morta».

Giungono nuovi messaggi e dicono che l'aga di Algeri ritorna. Ha ripreso coscienza, ma è molto grave. Brucia di febbre, il suo respiro è lieve.

I messaggi non dicono da che parte verrà, perché l'aga non vuole che gli vadano incontro. Vuole che la città continui la vita normale. Ma questo è impossibile.

Le moschee hanno aperto le porte, come le chiese cristiane e la sinagoga, perché tutti preghino per la salute di Hassan; però la gente preferisce pregare all'aperto. Nessuno può resistere tra quattro pareti.

La città si riversa lungo le strade. Si tirano fuori stendardi e insegne, si vanno a piazzare sopra le mura, perché Algeri sia bella e accolga degnamente il suo re.

Ciascuno reca i tappeti più preziosi che ha e cominciando dal protocancello, tappeto dopo tappeto, si fa una scia colorata che va oltre le porte e si snoda verso ponente, quando si sparge la voce che di là viene l'aga che muore.

Nessuno vuol credere che Hassan stia per morire.

Amin ha portato tutti i suoi farmaci e c'è con lui uno stuolo di medici che si prepara a dare aiuto, per quanto nell'aria si avverta il terrore che nessun rimedio possa servire.

La gente tace, attende. Qualche bambino domanda piano:

«Perché?»

Anna è da ore in piedi oltre le porte, con in mano l'ultimo copricapo che gli ha ricamato.

Adesso il fogliame dei datteri, agitandosi a un po' di brezza, fa ombre nere lunghissime che sopra la terra disegnano ali che sbattono.

Si avvicina il tramonto, ma il cielo è chiaro. Si oscura un attimo per un incredibile volo di uccelli di passo. Poi si fa rosa.

Il corteo non viene.

Una nave è attraccata nel porto. Il freddo scende. La gente indossa i manti bianchi di lana. E accende ovunque le fiaccole.

Debolmente, dirimpetto al chiarore della città, contro il bosco di cedri, si profila il bianco di altri mantelli, è finalmente il corteo dell'aga che arriva.

Anna gli corre incontro e dietro di lei vola Osman, senza più lacrime.

I cavalli si fermano. La barella viene adagiata dove finisce la scia dei tappeti.

«Fate passare, vi prego, fate passare».

È Carlotta Bartolomea che fende la calca col braccio d'argento in mano e ripete nel pianto:

«Non è possibile. Non può essere vero».

E subito tace, perché la sua era l'unica voce.

Avanza in punta di piedi. Mette il braccio d'argento nelle mani di Osman che lo adagia accanto al figlio sovrano.

Anna guarda fisso Hassan aga, che ha gli occhi lieti.

Finito di stampare nel mese di febbraio 1988
per conto della Camunia editrice srl
presso la Grafica-Pioltello srl - Limito (Milano)
Printed in Italy